#상위권_정복

#신유형_서술형_고난도

일등전략

Chunjae
Makes
Chunjae

▼

[일등전략] 중학 과학 3-1

개발총괄 김덕유
편집개발 김은숙, 김은송, 이강순, 김용하, 김선영, 박준우, 박유미, 김설희, 이영웅
디자인총괄 김희정
표지디자인 윤순미, 권오현
내지디자인 박희춘, 안정승
제작 황성진, 조규영
조판 동국문화

발행일 2022년 1월 1일 초판 2022년 1월 1일 1쇄
발행인 (주)천재교육
주소 서울시 금천구 가산로9길 54
신고번호 제2001-000018호
고객센터 1577-0902
교재 내용문의 02)3282-8718

※ 정답 분실 시에는 천재교육 교재 홈페이지에서 내려받으세요.

시험에 잘 나오는

대표 유형 ZIP

중학 과학 3-1

BOOK 1

중 간 고 사   대 비

이 책의 차례

BOOK 1

대표 유형 01 물리 변화와 화학 변화의 예

화학 변화에 해당하는 것을 | 보기 |에서 모두 고른 것은?

| 보기 |
ㄱ. 종이를 태우면 재가 남는다.
ㄴ. 설탕을 물에 넣으면 녹는다.
ㄷ. 가을이 되면 은행잎이 노랗게 변한다.
ㄹ. 드라이아이스의 크기가 점점 작아진다.
ㅁ. 석회수에 입김을 불어 넣으면 뿌옇게 흐려진다.

① ㄱ, ㄴ, ㄷ　② ㄱ, ㄴ, ㄹ　③ ㄱ, ㄷ, ㅁ　④ ㄴ, ㄷ, ㅁ　⑤ ㄷ, ㄹ, ㅁ

답 ③

1 읽기 전략 키워드 → 화학 변화, 태우면(연소), 노랗게 변한다(색깔 변화), 흐려진다(앙금 생성)

2 해결 전략 화학 변화의 특징을 이해하자.

① 화학 변화의 특징
- 어떤 물질이 전혀 ❶ [ ] 성질의 새로운 물질로 바뀌는 변화
- 색깔, 냄새, 맛의 변화
- 빛과 열, 기체 발생
- 앙금 생성

② 〈보기〉 분석
ㄴ. 설탕이 물에 녹는 것은 용해 현상으로 ❷ [ ] 변화이다.
ㄹ. 드라이아이스(이산화 탄소)가 고체에서 기체로 상태 변화하는 것은 물리 변화이다.

답 ❶ 다른 ❷ 물리

3 암기 전략
물리 변화와 화학 변화의 예

대표 유형 02 물리 변화와 화학 변화의 특징

다음은 일상생활에서 관찰할 수 있는 여러 가지 변화이다.

- 발포정을 물에 넣으면 기체가 발생한다.
- 도넛 반죽을 기름에 튀기면 갈색으로 변한다.

이들 변화의 공통점을 |보기|에서 모두 고른 것은?

보기

ㄱ. 물질의 고유한 성질이 변하지 않는다. ㄴ. 물질을 구성하는 분자의 종류가 변한다.
ㄷ. 물질을 구성하는 원자의 배열이 변한다. ㄹ. 물질을 구성하는 원자의 종류가 변한다.

① ㄱ, ㄴ ② ㄱ, ㄷ ③ ㄴ, ㄷ ④ ㄴ, ㄹ ⑤ ㄷ, ㄹ

답 ③

1 읽기 전략 키워드 → 변화의 공통점, 물질의 고유한 성질, 분자의 종류, 원자의 배열

2 해결 전략 화학 변화를 이해하고 그 특징을 알아 두자.

① 제시된 예가 화학 변화에 해당하는지 확인하기

- 기체 발생, 색깔 변화와 같은 특징은 새로운 물질이 생성되는 ❶ ______ 변화에서 나타난다.

② 화학 변화의 특징 알기

- 화학 변화에서 원자의 배열, 분자의 종류가 변하므로 물질의 ❷ ______ 이 변한다.
- 화학 변화에서 원자의 종류와 개수가 변하지 않으므로 물질의 총 질량이 ❸ ______.

답 ❶ 화학 ❷ 성질 ❸ 변하지 않는다

3 암기 전략

물리 변화와 화학 변화의 특징 비교

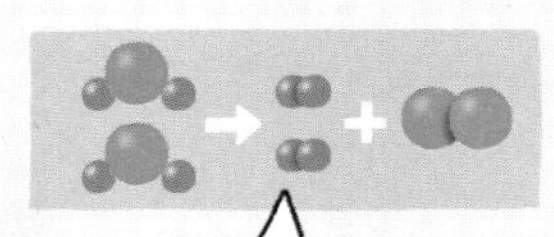

대표 유형 03 물리 변화의 특징

그림은 액체 상태인 물이 기화하여 기체 상태인 수증기가 되는 과정을 입자 모형으로 나타낸 것이다.

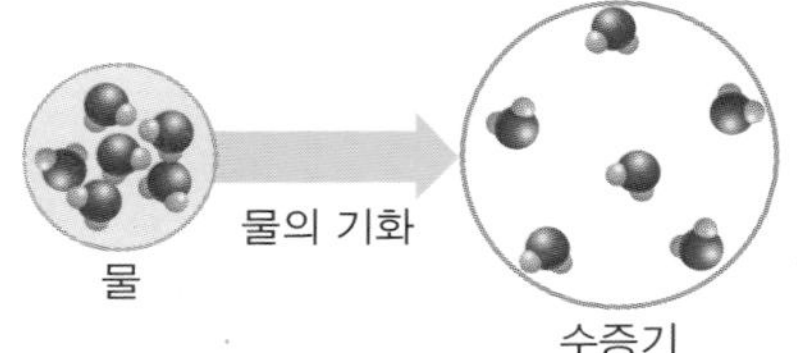

오른쪽 변화가 일어나기 전과 후에 변하는 것을 보기에서 모두 고른 것은?

보기

ㄱ. 분자의 종류　ㄴ. 원자의 배열　ㄷ. 물질의 부피　ㄹ. 물질의 상태

① ㄱ, ㄴ　② ㄱ, ㄷ　③ ㄴ, ㄷ　④ ㄴ, ㄹ　⑤ ㄷ, ㄹ

답 ⑤

1 읽기 전략 키워드 → 물의 기화, 분자의 종류, 원자의 배열

2 해결 전략 물리 변화를 나타내는 입자 모형의 특징을 살펴보자.

변하지 않는 것	변하는 것
• ❶ ☐ 의 종류: 산소 원자 1개와 수소 원자 2개로 구성된 물 분자의 종류가 변하지 않았다. • 원자의 배열: 반응 물질과 생성 물질이 모두 물이므로 분자를 이루는 산소 원자 1개와 수소 원자 2개의 배열이 변하지 않았다.	• 물질의 부피: 분자 사이의 ❷ ☐ 가 멀어지면서 물질의 부피가 증가했다. • 물질의 상태: 액체 상태의 물에서 기체 상태의 수증기로 ❸ ☐ 하였다.

답 ❶ 분자 ❷ 거리 ❸ 기화

3 암기 전략

물리 변화 전후에 변하지 않는 것

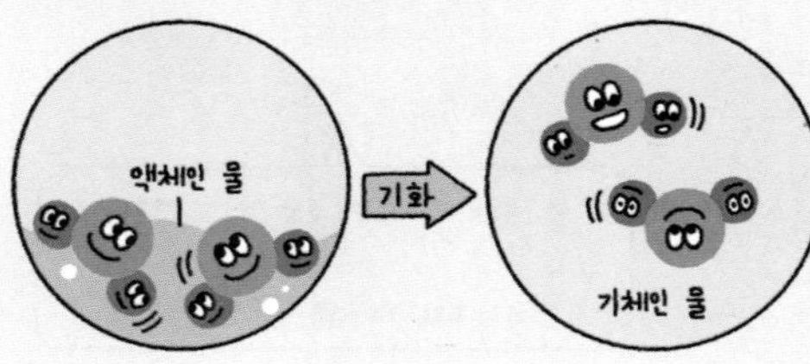

"물리 변화에서 분자는 불변!
그림에서 보듯이 원자도 불변!
원자 종류와 개수가 불변하니
질량도 불변!"

대표 유형 04 화학 변화의 특징

그림은 수소 기체와 질소 기체가 반응하여 암모니아 기체가 생성되는 화학 변화를 입자 모형으로 나타낸 것이다.

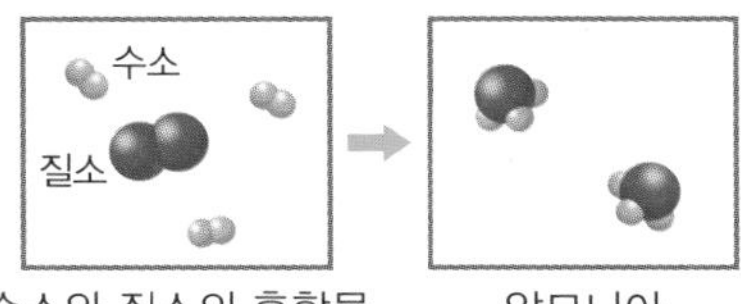

수소와 질소의 혼합물 암모니아

오른쪽 입자 모형에 대한 설명으로 옳지 않은 것은?

① 반응 전후에 분자의 개수가 같다.
② 반응 전후에 원자의 개수가 같다.
③ 반응 전후에 원자의 배열이 변한다.
④ 반응 전후에 물질의 성질이 변한다.
⑤ 반응하는 수소, 질소와 생성되는 암모니아의 분자 수비는 3 : 1 : 2이다.

답 ①

1 읽기 전략 키워드 → 화학 변화, 원자의 배열, 물질의 성질

2 해결 전략 화학 변화를 나타내는 입자 모형의 특징을 이해하자.

① 암모니아 생성 모형에서 반응 전후에 변하지 않는 것과 변하는 것

변하지 않는 것	변하는 것
• 원자의 개수: 반응 전후에 수소 원자가 6개, 질소 원자가 2개 있다. → 원자의 종류와 ❶ ( ) 는 변하지 않았다.	• 분자의 개수: 반응 전 4개, 반응 후 2개이다. → 분자의 개수가 달라졌다. • 분자를 이루는 원자의 ❷ ( ) 이 변하였다.

② 선택지 분석
- 분자의 개수는 반응 전 4개, 반응 후 2개이다.
- 화학 변화로 생성된 물질은 반응물과 다른 새로운 ❸ ( ) 을 가진 물질이다.

답 ❶ 개수 ❷ 배열 ❸ 성질

3 암기 전략

화학 변화 전후에 변하는 것

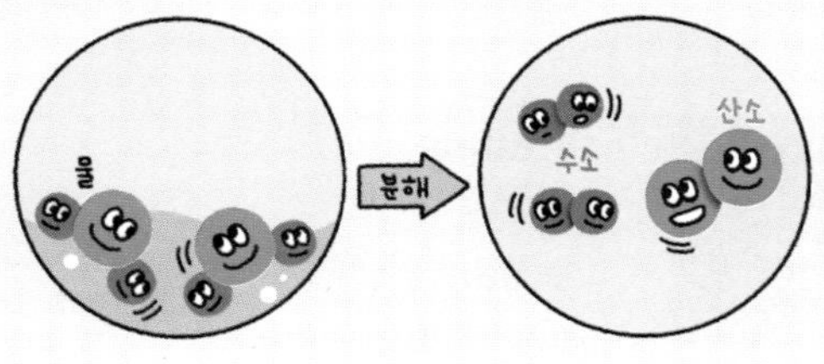

"물의 분해는 화학 변화!
화학 변화에서 분자는 변한다!
그림에서 보듯이 원자 배열도 변한다!
원자 종류와 개수는 불변,
질량도 불변!"

대표 유형 05 마그네슘의 변화 실험

그림과 같이 긴 마그네슘 리본(A), 작게 자른 마그네슘 리본(B), 마그네슘을 태운 재(C)의 전기 전도성을 측정하고 식초를 떨어뜨린 후 생기는 변화를 관찰하였다.

(A → Mg, B → Mg, C → MgO)

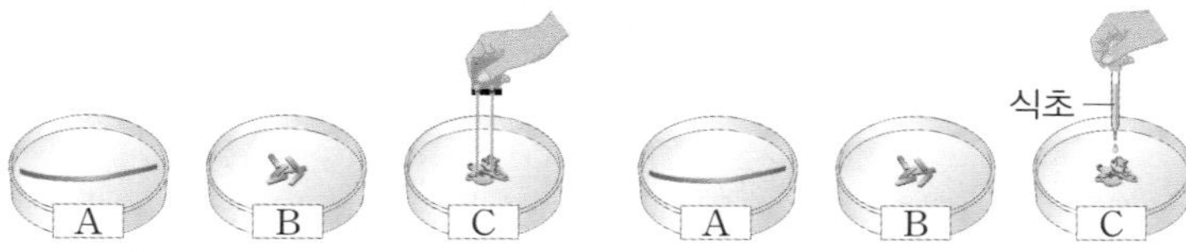

(가) 전기 전도성 측정 (나) 식초와의 반응

이 실험에 대한 설명으로 옳은 것을 | 보기 | 에서 모두 고른 것은?

> 보기
> ㄱ. A, B, C에서 모두 전류가 흐른다.
> ㄴ. C에 식초를 떨어뜨리면 기체가 발생한다.
> ㄷ. A → B는 물리 변화, A → C는 화학 변화에 해당한다.

① ㄱ ② ㄴ ③ ㄷ ④ ㄱ, ㄴ ⑤ ㄴ, ㄷ

답 ③

1 읽기 전략 키워드 → 자른 마그네슘, 마그네슘을 태움, 물리 변화, 화학 변화

2 해결 전략 물리 변화와 화학 변화가 일어난 후 물질의 성질을 비교해 보자.

① 자료 분석

긴 마그네슘 리본을 작게 자르면 모양만 변하므로 ❶ ____ 변화, 마그네슘을 태우는 것은 ❷ ____ 변화이다.

② 〈보기〉 분석

ㄱ. A와 B에서는 전류가 흐르지만, 산화 마그네슘인 C에서는 전류가 흐르지 않는다.

ㄴ. 식초를 떨어뜨리면 A와 B는 기체가 발생하지만, C는 기체가 발생하지 않는다.

답 ❶ 물리 ❷ 화학

3 암기 전략

물리 변화와 화학 변화에서 물질의 성질 변화

"물리 변화에서는 분자 종류 불변, 물질의 성질 불변! 화학 변화가 일어나면 분자 종류가 변하여 물질의 성질이 변해."

대표 유형 06 화학 반응식

다음은 여러 가지 물질의 화학 반응을 화학 반응식으로 나타낸 것이다.

(가) 마그네슘이 연소하면 산화 마그네슘이 생성된다.

$$\square Mg + O_2 \longrightarrow \square MgO$$

(나) 메테인이 연소하면 이산화 탄소와 물이 생성된다.

$$CH_4 + \square O_2 \longrightarrow CO_2 + \square H_2O$$

(다) 질소와 수소가 반응하면 암모니아가 생성된다.

$$N_2 + \square H_2 \longrightarrow \square NH_3$$

빈칸에 들어갈 알맞은 숫자를 순서대로 옳게 나열한 것은?

① 1, 1, 1, 2, 2, 2 ② 1, 1, 2, 2, 2, 2 ③ 2, 2, 2, 2, 2, 2
④ 2, 2, 2, 2, 3, 2 ⑤ 2, 2, 2, 2, 2, 3

답 ④

1 읽기 전략 키워드 → 화학 반응식

2 해결 전략 화학 반응식에서 핵심은 반응 전후에 원자의 종류와 개수가 같다는 것임을 꼭 기억하자.

(가)에서 산소 원자의 개수가 같도록 맞춘다.
→ 반응 전에 산소 원자가 ❶ ______ 개이므로 MgO 앞의 □는 2이다.
(나)에서 수소 원자의 개수를 먼저 맞춘 다음, 산소 원자의 개수를 맞춘다.
→ 반응 전에 수소 원자의 개수가 ❷ ______ 개이므로 H_2O 앞의 □는 2이다.
→ 반응 후에 산소 원자의 개수가 4개이므로 O_2 앞의 □는 2이다.
(다)에서 질소 원자의 개수가 같도록 맞춘 다음, 수소 원자의 개수를 맞춘다.
→ 반응 전에 질소 원자의 개수가 ❸ ______ 개이므로 NH_3 앞의 □는 2이다.
→ 반응 후에 수소 원자의 개수가 6개이므로 H_2 앞의 □는 3이다.

답 ❶ 2 ❷ 4 ❸ 2

3 암기 전략

화학 반응식 표현 방법

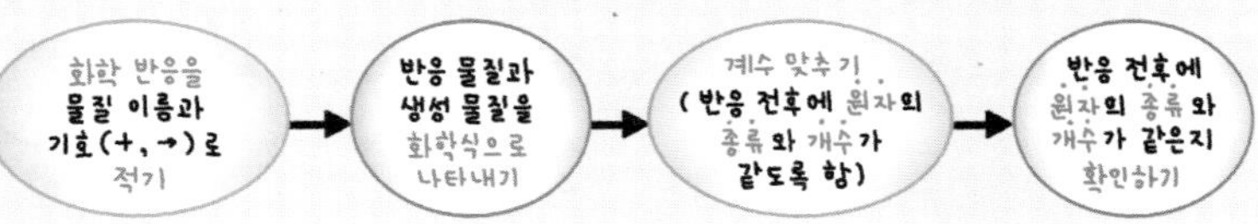

대표 유형 07 화학 반응에서 반응 물질과 생성 물질의 분자 수비

그림은 과산화 수소의 분해 반응을 모형으로 나타낸 것이다.

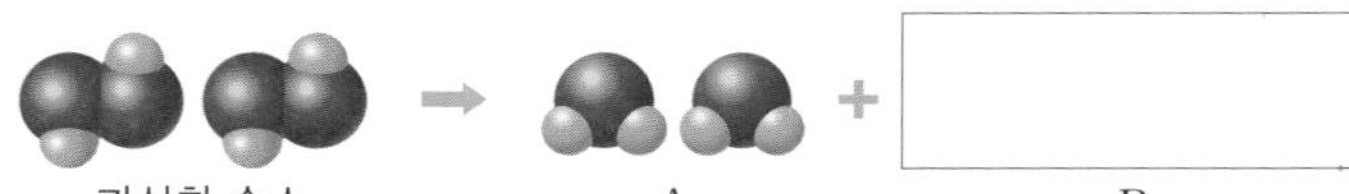

이에 대한 설명으로 옳은 것을 | 보기 | 에서 모두 고른 것은?

보기
ㄱ. 이 반응은 물리 변화이다.
ㄴ. 과산화 수소의 분해로 생성된 A는 물이다.
ㄷ. 과산화 수소 : A : B의 분자 수비는 2 : 2 : 3이다.
ㄹ. B에 들어갈 분자 모형은 (분자 모형)로 나타낼 수 있다.

① ㄱ, ㄴ　② ㄱ, ㄷ　③ ㄴ, ㄷ　④ ㄴ, ㄹ　⑤ ㄷ, ㄹ

답 ④

1 읽기 전략 키워드 → 반응 모형, 분자 수비

2 해결 전략 화학 반응을 화학 반응식으로 나타내면 분자 수비 문제가 쉽게 해결된다는 것을 잊지 말자.

① 과산화 수소의 분해 반응을 화학 반응식으로 표현하기

$$2H_2O_2 \longrightarrow 2H_2O + O_2$$

② 〈보기〉 분석

ㄱ. 이 반응은 새로운 물질이 생성되므로 ❶ ______ 변화이다.

ㄷ. 과산화 수소 : A : B의 분자 수비는 2 : 2 : ❷ ______ 이다.

답 ❶ 화학 ❷ 1

3 암기 전략

화학 반응식에서 반응 물질과 생성 물질의 분자 수비

화학 반응식	$2H_2O_2 \rightarrow 2H_2O + O_2$
분자 수비	2 : 2 : 1
계수비	2 : 2 : 1

분자 수비 = 계수비

대표 유형 08 입자 모형으로 나타낸 앙금 생성 반응

그림은 탄산 나트륨 수용액과 염화 칼슘 수용액을 혼합하였을 때 탄산 칼슘 앙금이 생성되는 반응을 모형으로 나타낸 것이다.

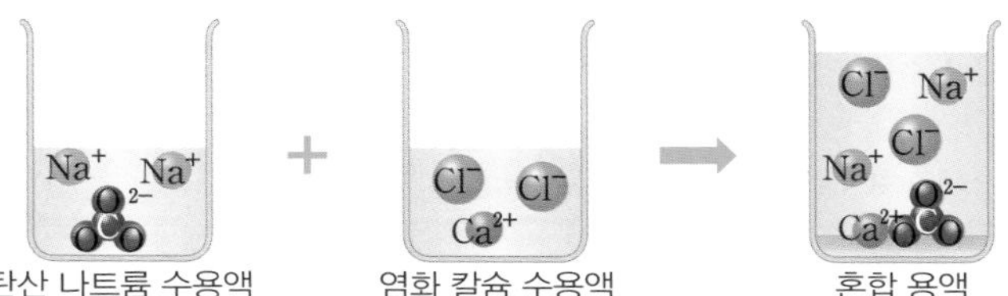

이에 대한 설명으로 옳은 것은? [정답 2개]

① 혼합 용액은 뿌옇게 흐려진다.
② 반응 전후에 원자의 개수는 변한다.
③ 반응 전후에 원자의 종류는 변하지 않는다.
④ 질량 보존 법칙이 성립하지 않는 반응이다.
⑤ 반응물의 총 질량보다 생성물의 총 질량이 더 크다.

답 ①, ③

1 읽기 전략 키워드 → 앙금 생성 반응, 질량 보존 법칙

2 해결 전략 앙금 생성 반응 전후에 원자의 종류와 개수는 변하지 않으므로 질량이 보존됨을 기억하자.

① 화학 반응식으로 표현하기 $Na_2CO_3 + CaCl_2 \longrightarrow CaCO_3 + 2NaCl$

② 선택지 분석

- 앙금이 생성될 때 반응 전후에 원자의 개수는 ❶ ________, 질량 보존 법칙이 성립한다.
- 반응 전후에 ❷ ________의 종류와 개수가 변하지 않으므로 질량이 보존된다.

답 ❶ 변하지 않고 ❷ 원자

3 암기 전략

입자 모형으로 나타낸 앙금 생성 반응

대표 유형 09 앙금 생성 반응에서 질량 보존 법칙

다음과 같은 방법으로 앙금 생성 반응에서 질량이 보존되는지를 알아보았다.

(가) 염화 나트륨 수용액과 질산 은 수용액의 총 질량을 측정한다.
(나) 두 용액을 섞어 반응시키고 총 질량을 측정한다.

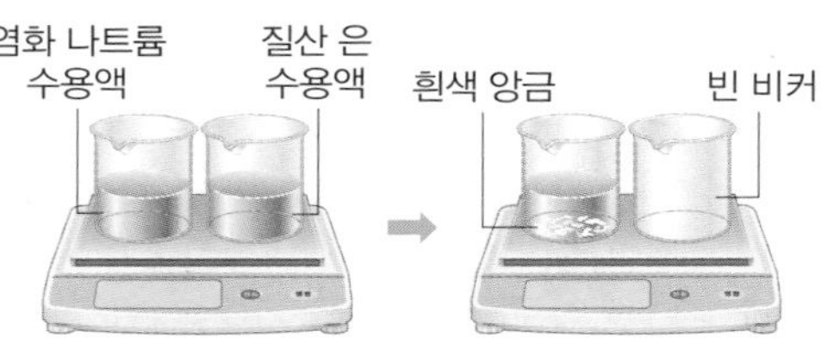

이에 대한 설명으로 옳은 것은?

① 반응 전후에 원자의 개수가 변한다.
② 반응 전후에 물질의 질량이 보존되지 않는다.
③ 물질을 구성하는 원자가 없어지고 새로 생성된다.
④ 닫힌 용기에서 실험하면 실험 결과가 다르게 나온다.
⑤ 반응 물질을 구성하는 원자의 배열이 달라져 새로운 물질인 염화 은이 생성된다.

답 ⑤

1 읽기 전략 키워드 → 앙금 생성 반응, 질량 보존, 닫힌 용기

2 해결 전략 앙금 생성 반응 전후에 원자의 종류와 개수는 변하지 않으므로 질량이 보존됨을 기억하자.

① 화학 반응식 세우기 $NaCl + AgNO_3 \longrightarrow AgCl + NaNO_3$

② 선택지 분석

- 앙금 생성 반응이 일어나도 원자가 없어지거나 새로 생성되지 않으므로 반응 전후에 원자의 개수가 ❶ ______, 물질의 질량이 ❷ ______.
- 앙금 생성 반응이므로 닫힌 용기에서 실험해도 실험 결과가 같게 나온다.

답 ❶ 변하지 않고 ❷ 보존된다

3 암기 전략

앙금 생성 반응에서 질량 보존 법칙의 성립

"원자 종류 개수 불변이므로 질량 보존"

대표 유형 10 연소 반응에서 질량 보존 법칙

그림은 닫힌 용기에서 일어나는 종이의 연소 반응을 연소 전과 후로 구분하여 입자 모형으로 나타낸 것이다.

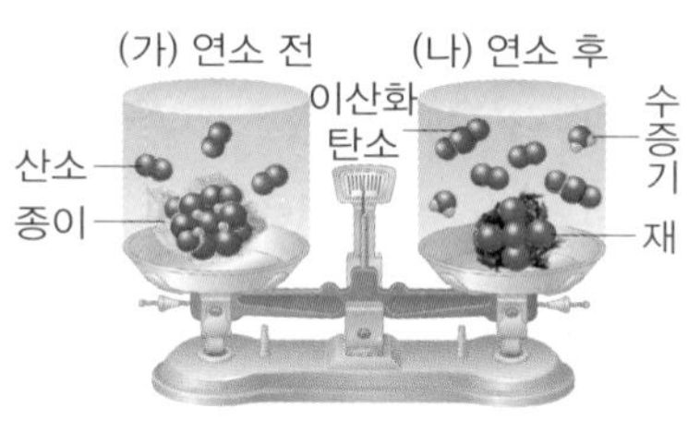

이에 대한 설명으로 옳은 것을 |보기| 에서 모두 고른 것은?

보기

ㄱ. 연소 전후에 원자의 종류와 개수가 변하지 않는다.
ㄴ. 연소 후 재의 질량은 연소 전 종이의 질량보다 작다.
ㄷ. 밀폐되지 않은 용기에서 실험해도 윗접시 저울의 수평이 유지된다.

① ㄱ ② ㄴ ③ ㄷ ④ ㄱ, ㄴ ⑤ ㄴ, ㄷ

답 ④

1 읽기 전략 키워드 → 닫힌 용기, 종이의 연소 반응, 원자의 종류와 개수, 연소 전후의 질량

2 해결 전략 연소 반응 전후에 원자의 종류와 개수는 변하지 않으므로 질량이 보존됨을 기억하자.

① 자료 분석

연소 반응이 닫힌 용기에서 일어나면 질량 보존을 쉽게 확인할 수 있다. 연소 반응이 일어나도 ❶ ______의 종류와 개수가 변하지 않으므로 질량이 보존된다.

② 〈보기〉 분석

ㄷ. 밀폐되지 않은 용기에서 실험하면 탄소는 재로 남지만 기체인 이산화 탄소와 ❷ ______는 공기 중으로 흩어지므로 연소 후의 질량이 작아진다.

답 ❶ 원자 ❷ 수증기

3 암기 전략

연소 반응에서 질량 보존 법칙의 성립

대표 유형 11 기체 발생 반응에서 질량 보존 법칙

그림과 같이 탄산 칼슘과 묽은 염산을 반응시켰더니 기체가 발생하였다. 단, 그림 (가)는 반응 전, 그림 (나)는 반응 후, 그림 (다)는 반응 후에 뚜껑을 연 모습을 나타낸 것이다.

이 실험에 대한 설명으로 옳은 것을 보기에서 모두 고른 것은?

보기

ㄱ. (가)와 (나)의 질량은 같다.

ㄴ. 질량 보존 법칙이 성립하지 않는 반응이다.

ㄷ. 반응 전후에 원자의 종류와 개수는 변하지 않는다.

① ㄱ ② ㄴ ③ ㄷ ④ ㄱ, ㄷ ⑤ ㄴ, ㄷ

답 ④

1 읽기 전략 키워드 → 기체 발생, 열린 용기, 질량 보존 법칙

2 해결 전략 기체 발생 반응 전후에 원자의 종류와 개수는 변하지 않으므로 질량이 보존됨을 기억하자.

① 화학 반응식 세우기

탄산 칼슘과 묽은 염산이 반응하면 ❶ (　　　) 가 발생한다.

$CaCO_3 + 2HCl \longrightarrow CaCl_2 + H_2O + CO_2$

② 〈보기〉 분석

ㄱ. (다)는 CO_2가 용기 밖으로 빠져나가므로 질량이 가장 ❷ (　　　). (가)=(나)>(다)

ㄴ. 질량 보존 법칙이 성립하는 반응이다.

답 ❶ 이산화 탄소 기체 ❷ 작다

3 암기 전략

기체 발생 반응에서 질량 보존 법칙의 성립

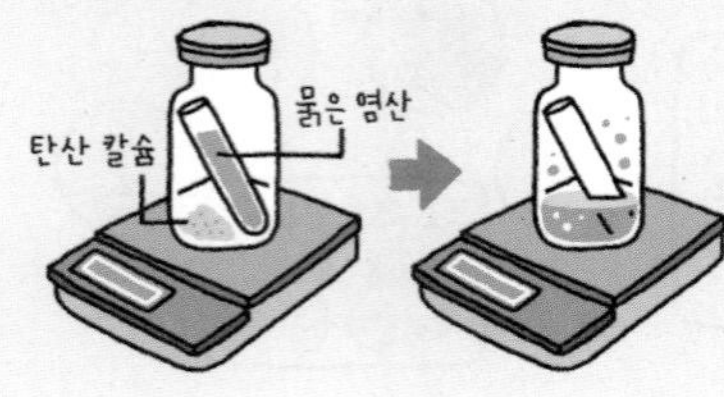

닫힌 용기에서 일어나는 기체 발생 반응

→ 원자의 종류와 개수가 일정하게 유지됨

"질량 보존"

대표 유형 12 산화 마그네슘 생성 반응에서 일정 성분비 법칙

그래프는 마그네슘을 가열하여 산화 마그네슘이 생성될 때 반응한 마그네슘과 산소의 질량을 나타낸 것이다.

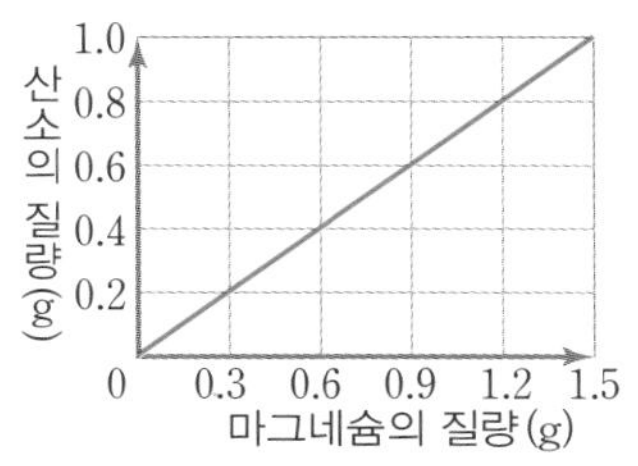

이에 대한 설명으로 옳지 않은 것은?

① 질량 보존 법칙이 성립한다.
② 산화 마그네슘을 구성하는 산소와 마그네슘의 질량비가 일정하다.
③ 산화 마그네슘을 구성하는 산소와 마그네슘의 원자 수비를 알 수 있다.
④ 산화 마그네슘을 형성하기 위해 산소 1.2 g과 반응하는 마그네슘의 질량은 1.8 g이다.
⑤ 반응한 마그네슘의 질량이 6 g일 때, 생성된 산화 마그네슘의 질량은 10 g이다.

답 ③

1 읽기 전략 키워드 → 반응한 마그네슘과 산소의 질량, 질량 보존 법칙, 질량비

2 해결 전략 먼저 반응한 마그네슘과 산소의 질량비를 알아내자.

① 화학 반응식 세우기 $2Mg + O_2 \longrightarrow 2MgO$

② 그래프 분석

마그네슘 0.3 g과 산소 0.2 g이 반응하므로 마그네슘과 산소의 질량비는 ❶ ( ) 이다.

③ 선택지 분석

- 산소와 마그네슘의 ❷ ( ) 의 질량을 알지 못하므로 산화 마그네슘을 구성하는 산소와 마그네슘의 원자 수비를 알 수 없다.
- 산소 1.2 g과 반응하는 마그네슘의 질량(x)은 마그네슘 : 산소 $= 3:2 = x:1.2$에서, $x = 1.8$ g이다.
- 질량비가 마그네슘 : 산소 : ❸ ( ) $= 3:2:5$이므로 $3:5 = 6:x$에서 $x = 10$(g)이다.

답 ❶ 3 : 2 ❷ 원자 ❸ 산화 마그네슘

3 암기 전략

산화 마그네슘 생성 반응에서 일정 성분비 법칙과 질량 보존 법칙의 성립

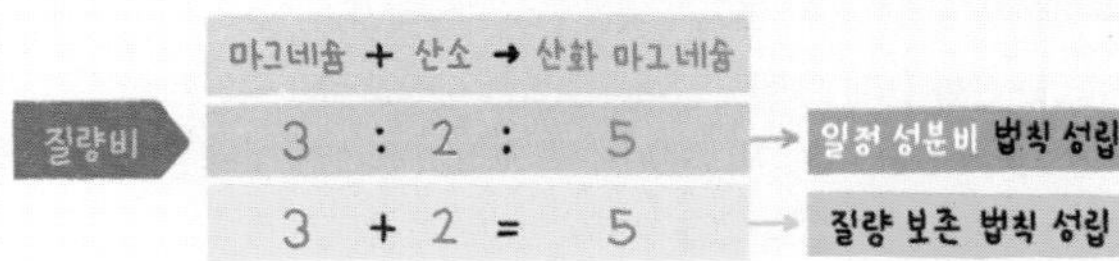

대표 유형 13 구리와 산소의 반응에서 질량 관계

다음은 구리와 산소가 반응하여 산화 구리(Ⅱ)를 형성할 때 구리와 산소의 질량 관계를 알아보기 위한 실험의 보고서이다.

실험 과정

(가) 도가니에 구리 가루를 각각 1 g, 2 g, 3 g, 4 g씩 넣고 검은색으로 변할 때까지 가열한다.

(나) 검은색 산화 구리(Ⅱ)의 질량을 측정한다.

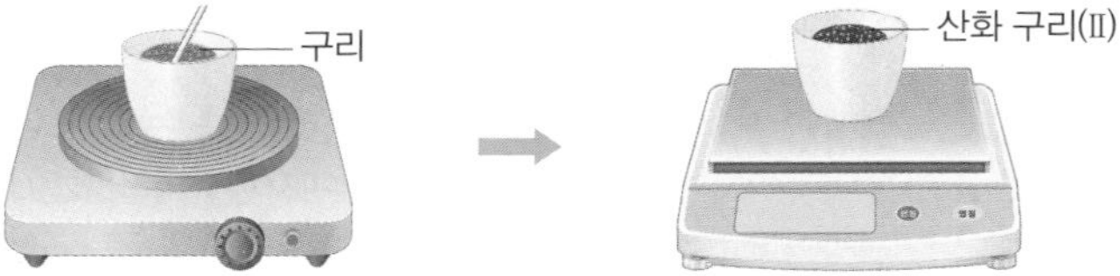

실험 결과

(가) 구리의 질량과 산화 구리(Ⅱ)의 질량을 기록한다.

구리의 질량(g)	1	2	3	4
산화 구리(Ⅱ)의 질량(g)	1.25	2.5	3.75	5
산소의 질량(g)	0.25	㉠	0.75	㉡

(나) 구리와 결합한 산소의 질량을 계산하여 (가)의 표에 기록한다.

(다) 구리와 산소의 질량비는 얼마인가? 구리 : 산소 = ㉢(   )

결론

산화 구리(Ⅱ)를 구성하는 구리와 산소의 질량비는 ㉣(   ).

㉠~㉣에 알맞은 내용을 쓰시오.

㉠: (   ), ㉡: (   ), ㉢: (   ), ㉣: (   )

답 ㉠ 0.5, ㉡ 1, ㉢ 4 : 1, ㉣ 일정하다

1 읽기 전략

① 문제에서 핵심 키워드 찾기
구리와 산소가 반응하여 산화 구리(Ⅱ)를 형성, 질량비

② 주어진 반응에서 반응 물질과 생성 물질 파악하기

③ 구리와 산화 구리(Ⅱ) 질량 값에서 결합한 산소의 질량 구하기
→ '구리의 질량 + 산소의 질량 = 산화 구리(Ⅱ)의 질량'에서 산소의 질량을 구할 수 있다.

④ '구리의 질량 : 산소의 질량'을 구하여 질량비의 규칙성 찾기

2 해결 전략 질량이 아니라 질량의 비를 비교하자.

① 반응 물질과 생성 물질 파악하기

구리(Cu)와 산소(O_2)가 결합하여 산화 구리(Ⅱ)(CuO)를 형성하므로 반응 물질은 구리와 산소이고 생성 물질은 산화 구리(Ⅱ)이다.

$$2Cu + O_2 \longrightarrow 2CuO$$

② 구리와 산화 구리(Ⅱ)의 질량 측정값에서 결합한 산소의 질량 구하기

반응 물질의 총 질량 = 생성 물질의 총 질량 .... ①

구리의 질량+ ❶ [ ] 의 질량 = 산화 구리(Ⅱ)의 질량 .... ②

①과 ②로부터

❷ [ ] 의 질량 = 산화 구리(Ⅱ)의 질량−구리의 질량

→ 2 g의 구리를 가열하면 산화 구리(Ⅱ) 2.5 g이 형성되므로 이때 구리와 결합한 산소의 질량은 2.5 g−2 g=0.5 g이다.

→ 4 g의 구리를 가열하면 산화 구리(Ⅱ) 5 g이 형성되므로 이때 구리와 결합한 산소의 질량은 5 g−4 g=1 g이다.

③ 구리와 산소의 질량비 계산하기

구리의 질량(g)	1	2	3	4
산화 구리(Ⅱ)의 질량(g)	1.25	2.5	3.75	5
산소의 질량(g)	0.25	0.5	0.75	1
구리 질량 : 산소 질량	4:1	4:1	4:1	4:1

→ 구리의 양에 관계없이 '구리의 질량:산소의 질량'은 모두 4:1이다.

④ 산화 구리(Ⅱ)를 구성하는 성분 원소 사이의 질량비의 규칙성 알기

구리와 산소가 반응하여 산화 구리(Ⅱ)를 형성할 때 구리, 산소, 산화 구리(Ⅱ)의 질량이 달라져도 반응에 참여하는 구리와 산소의 ❸ [ ] 는 4:1로 일정하다.

일정 성분비 법칙 → 화합물을 이루는 성분 원소 사이의 질량비는 일정하다.

답 ❶ 산소 ❷ 산소 ❸ 질량비

3 암기 전략

반응 물질의 질량은 달라져도 화합물을 이루는 성분 원소 사이의 질량비는 일정해!

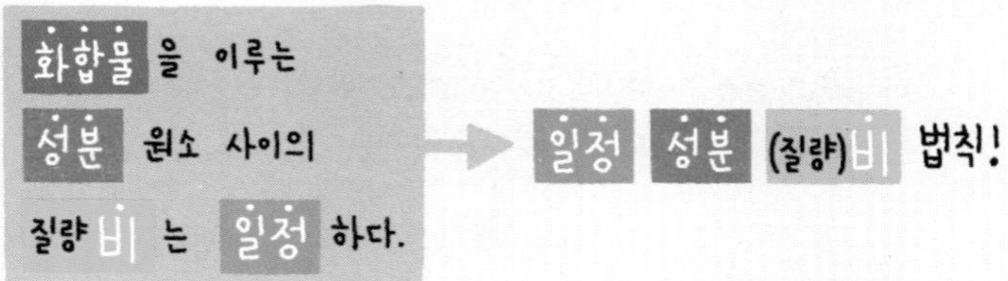

대표 유형 14 앙금 생성 반응에서 일정 성분비 법칙

그래프는 10 %의 아이오딘화 칼륨 수용액 6 mL를 각각 넣은 시험관 A~F에 10 %의 질산 납 수용액을 양을 달리하여 넣었을 때 생성된 앙금의 높이를 나타낸 것이다.

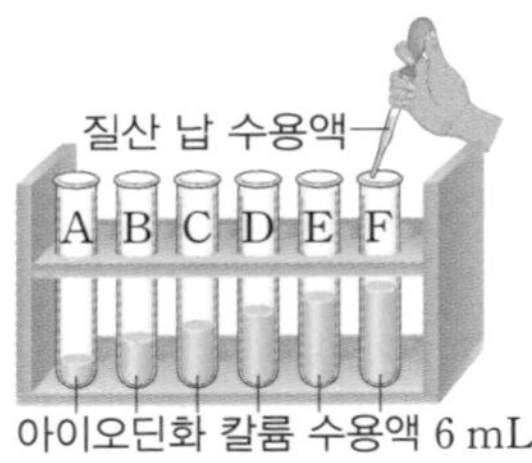

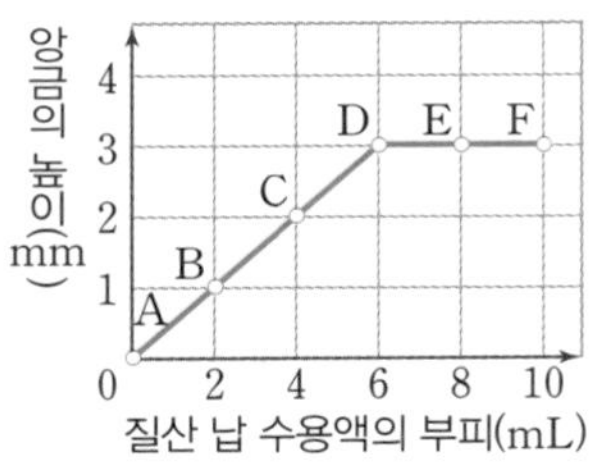

이에 대한 설명으로 옳은 것을 | 보기 | 에서 모두 고른 것은?

보기

ㄱ. 일정 성분비 법칙이 성립한다.

ㄴ. 시험관 B에는 반응하지 않은 납 이온(Pb^{2+})이 있다.

ㄷ. 시험관 D에서 아이오딘화 이온(I^-)과 납 이온은 완전히 반응한다.

ㄹ. 칼륨 이온(K^+)과 질산 이온(NO_3^-)이 반응하여 앙금을 생성한다.

① ㄱ ② ㄱ, ㄷ ③ ㄴ, ㄷ ④ ㄱ, ㄴ, ㄷ ⑤ ㄴ, ㄷ, ㄹ

답 ②

1 읽기 전략

① 문제에서 핵심 키워드 찾기

생성된 앙금의 높이, 일정 성분비 법칙

② 생성되는 앙금이 무엇인지 파악하기

③ 시험관 A~D에서 앙금의 높이가 증가하는 이유 설명하기

④ 시험관 D~F에서 앙금의 높이가 변하지 않는 이유 설명하기

2 해결 전략 생성된 앙금의 높이는 화합물이 생성된 정도를 나타낸다는 것을 기억하자.

① 생성되는 앙금의 종류

아이오딘화 칼륨	+ 질산 납	→	아이오딘화 납	+	질산 칼륨
KI	+ $Pb(NO_3)_2$	→	PbI_2	+	KNO_3
			→ 노란색 앙금		→ 이온 형태로 물에 녹아 있음.

납 이온(Pb^{2+})과 아이오딘화 이온(I^-)이 1:2의 개수비로 결합하여 노란색 앙금인 ❶ ______ (PbI_2)이 생성된다.

② 시험관 A~F에서 진행되는 앙금 생성 반응의 입자 모형

- 모든 시험관에 같은 양의 아이오딘화 칼륨 수용액이 담겨 있다.
  → 수용액에 들어 있는 아이오딘화 이온(I^-)의 양은 같다.
- 시험관 A에서 D로 갈수록 질산 납 수용액이 증가한다.
  → A에서 D로 갈수록 납 이온(Pb^{2+})의 개수는 늘어난다. 이때, 이온의 개수는 상대적인 개수비를 의미한다.

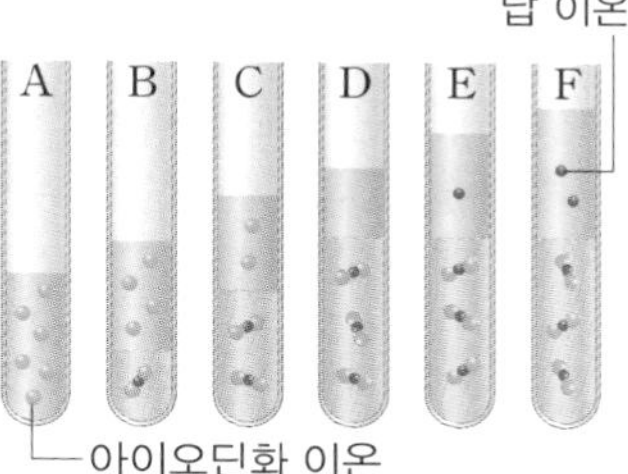

시험관	A	B	C	D	E	F
아이오딘화 이온(개)	6	6	6	6	6	6
납 이온(개)	0	1	2	3	4	5
생성되는 아이오딘화 납(개)	0	1	2	3	3	3
남는 이온	I^- 6개	I^- 4개	I^- 2개	없음	Pb^{2+} 1개	Pb^{2+} 2개

→ 칼륨 이온(K^+)과 질산 이온(NO_3^-)은 실질적으로 반응에 참여하지 않으므로 고려하지 않음.

③ 시험관 A~D에서 앙금의 높이가 증가하는 이유

납 이온(Pb^{2+})은 아이오딘화 이온(I^-)과 ❷ ______ 의 개수비로 결합하여 노란색 앙금인 아이오딘화 납(PbI_2)을 형성하므로 앙금의 높이가 증가한다. 시험관 D에서는 아이오딘화 이온(I^-)이 모두 납 이온(Pb^{2+})과 결합하여 완전히 반응한 상태이다.

④ 시험관 D~F에서 앙금의 높이가 변하지 않는 이유

시험관 E와 F에서는 질산 납 수용액이 시험관 D보다 많지만 아이오딘화 이온(I^-)의 양이 한정되어 있어 생성되는 앙금의 양은 시험관 D와 같다.

답 ❶ 아이오딘화 납 ❷ 1:2

3 암기 전략

아이오딘화 납(PbI_2) 앙금의 높이 변화

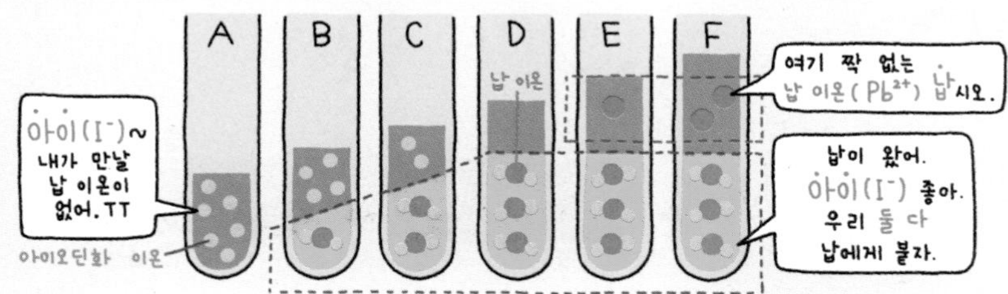

대표 유형 15 수증기 생성 반응에서 기체의 부피비

표는 일정한 온도, 압력에서 수소 기체와 산소 기체가 반응하여 수증기를 생성하는 반응의 부피 관계를 나타낸 것이다.

실험	반응 전 기체의 부피(mL)		남은 기체의 종류와 부피(mL)	생성된 수증기의 부피(mL)
	수소	산소		
(가)	10	5	0	10
(나)	10	10	산소, 5	?
(다)	20	10	?	?

이에 대한 설명으로 옳은 것은? [정답 2개]

① 수소와 산소는 1 : 1의 부피비로 반응한다.
② (나)에서 생성된 수증기는 15 mL이다.
③ (다)에서 남는 기체가 없다.
④ (다)에서 생성된 수증기는 20 mL이다.
⑤ 반응 전후에 반응에 참여한 물질과 생성된 물질의 총 부피는 같다.

답 ③, ④

1 읽기 전략 키워드 → 수증기를 생성하는 반응의 부피 관계, 부피비

2 해결 전략 반응에 참여한 기체와 생성된 기체의 부피를 정리하고 부피비의 규칙성을 찾자.

① 자료 분석
(가)에서 남은 기체가 없으므로 수소와 산소가 ❶ ____ 의 부피비로 반응하여 ❷ ____ 2부피를 생성한다는 것을 알 수 있다.

② 선택지 분석
• 수소와 산소는 2 : 1의 부피비로 반응한다.
• (나)에서 생성된 수증기는 10 mL이다.
• 부피비가 수소 : 산소 : 수증기 = 2 : 1 : 2이므로 반응 전후에 총 부피는 서로 다르다.

답 ❶ 2 : 1 ❷ 수증기

3 암기 전략

수증기 생성 반응에서 기체 반응 법칙의 성립

대표 유형 16 암모니아 생성 반응에서 기체의 부피비

그림은 질소 기체와 수소 기체가 반응하여 암모니아 기체를 생성할 때의 부피 관계를 나타낸 것이다.

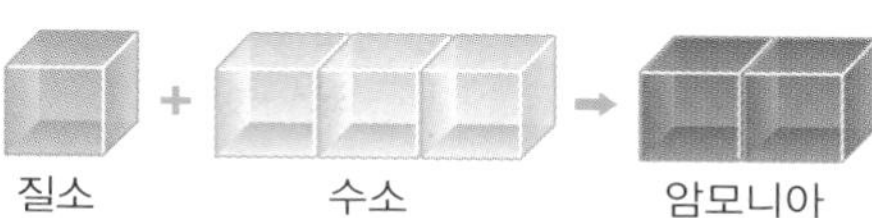

이에 대한 설명으로 옳은 것을 |보기| 에서 모두 고른 것은? (단, 온도와 압력은 일정하다.)

보기
ㄱ. 반응한 질소와 수소의 총 질량과 생성된 암모니아의 총 질량이 같다.
ㄴ. 암모니아 4 mL를 만들기 위해서 질소 2 mL와 수소 6 mL가 필요하다.
ㄷ. 질소 분자 1개와 수소 분자 3개가 반응하여 암모니아 분자 1개를 생성한다.

① ㄱ ② ㄱ, ㄴ ③ ㄱ, ㄷ ④ ㄴ, ㄷ ⑤ ㄱ, ㄴ, ㄷ

답 ②

1 읽기 전략 키워드 → 암모니아 기체를 생성할 때의 부피 관계

2 해결 전략 질소 : 수소 : 암모니아의 부피비를 먼저 확인하자.

① 질소, 수소, 암모니아의 부피비 확인하기
주어진 그림에서 질소, 수소, 암모니아의 부피비는 ❶ [ ] 임을 알 수 있다.
→ 반응하는 기체와 생성되는 기체 사이의 분자 수비는 질소 : 수소 : 암모니아 = 1 : 3 : 2이다.

② 〈보기〉 분석
ㄱ. 기체 사이의 반응에서 원자의 종류와 개수가 변하지 않으므로 ❷ [ ] 법칙은 성립한다.
ㄴ. 부피비가 질소 : 수소 : 암모니아 = 1 : 3 : 2이므로 암모니아 4 mL를 만드는 데 질소 2 mL, 수소 6 mL가 필요하다.
ㄷ. 질소 1분자와 수소 3분자가 반응하면 암모니아 2분자가 생성된다.

답 ❶ 1 : 3 : 2 ❷ 질량 보존

3 암기 전략
암모니아 생성 반응에서 기체 반응 법칙의 성립

대표 유형 17 부피 관계를 이용하여 화학 반응식 유추하기

그림은 어떤 화학 반응이 일어날 때의 반응 물질과 생성 물질 사이의 부피 관계를 나타낸 것이다.

위와 같은 부피 관계 모형으로 설명할 수 있는 화학 반응식은?

① $2Cu + O_2 \rightarrow 2CuO$
② $H_2 + Cl_2 \rightarrow 2HCl$
③ $2H_2 + O_2 \rightarrow 2H_2O$
④ $N_2 + 3H_2 \rightarrow 2NH_3$
⑤ $C + O_2 \rightarrow CO_2$

답 ③

1 읽기 전략 키워드 → 반응 물질과 생성 물질 사이의 부피 관계, 화학 반응식

2 해결 전략 기체 반응 법칙은 기체 물질 사이의 반응에서만 성립됨을 기억하자.

① 주어진 모형에서 물질의 부피 관계 확인하기

자료에서 반응 물질과 생성 물질의 ❶ ______ 비는 2:1:2이다.

② 화학 반응식에서 계수비가 부피비와 일치하는 반응식 찾기

$2Cu + O_2 \rightarrow 2CuO$ …… (가)
(고체) (기체) (고체)

$2H_2 + O_2 \rightarrow 2H_2O$ …… (나)
(기체) (기체) (기체)

'부피비 = 계수비'인 관계는 ❷ ______ 상태인 물질 사이의 반응에서만 성립하며, 이 경우에 해당하는 것은 (나)이다.

답 ❶ 부피 ❷ 기체

3 암기 전략

기체 반응 법칙이 성립하는 경우

기체는 물질 종류에 관계없이 계수비에 비례하는 부피를 가지기 때문이다.

대표 유형 18 발열 반응과 주위의 온도 변화

다음은 조리용 팩에서 일어나는 화학 반응을 설명한 것이다.

팩 안에 나트륨과 물이 들어 있어 끈을 잡아 당기면 (가)나트륨과 물이 반응하여 산화 나트륨과 수소가 생성된다. 이 반응이 진행될 때 일어나는 열에너지의 출입을 이용하여 음식을 익힐 수 있다.

물음에 답하시오.

(1) (가) 반응이 발열 반응인지 흡열 반응인지 쓰시오. (   )

(2) (가) 반응이 일어날 때 주위의 온도 변화를 쓰시오. (   )

답 (1) 발열 반응 (2) 예 온도가 올라간다.

1 읽기 전략 키워드 → 화학 반응, 열에너지의 출입, 주위의 온도 변화

2 해결 전략 음식을 익히기 위해서는 음식에 열이 공급되어야 함을 생각하자.

① 나트륨과 물의 반응에서 열의 출입 파악하기

나트륨과 물이 만나 반응하면서 ❶ [   ]를 방출하는 발열 반응이다. 반응에서 방출하는 열이 음식에 공급되므로 팩 안의 음식을 익힐 수 있다.

② 발열 반응이 일어날 때 주위 온도 변화 파악하기

화학 반응이 일어날 때 열을 방출하면 열을 공급받은 주위는 온도가 ❶ [   ].

답 ❶ 열에너지 ❷ 예 올라간다

3 암기 전략

발열 반응과 주위의 온도 변화

대표 유형 19 흡열 반응과 주위의 온도 변화

우리 주변의 여러 가지 물질의 변화를 나타낸 것이다.

> (가) 드라이아이스의 크기가 작아졌다.
> (나) 수산화 바륨과 염화 암모늄의 반응을 이용하여 손냉장고를 만들었다.

(가)와 (나) 변화의 공통점으로 옳은 것은?

① 분자의 종류가 변한다.
② 주위의 온도가 내려간다.
③ 주위에 열에너지를 방출한다.
④ 물리 변화가 일어난다.
⑤ 분자 사이의 거리가 가까워진다.

답 ②

1 읽기 전략 키워드 → 물질의 변화, 주위의 온도, 열에너지

2 해결 전략 열에너지를 흡수하는 변화 중에는 물리 변화도 있음을 알아 두자.

① 열에너지를 흡수하는 물리 변화
드라이아이스를 공기 중에 두면 기체로 승화하면서 크기가 작아진다. 승화(고체 → 기체)가 일어날 때에는 주위로부터 열에너지를 흡수하므로 주위의 온도는 ❶ ________.

② 열에너지를 흡수하는 화학 변화
(나)는 화학 변화로 열에너지를 흡수하는 ❷ ________ 반응이다.

③ 선택지 분석
- (가)는 상태 변화로 분자의 종류가 변하지 않는다.
- (가), (나)는 둘 다 열에너지를 흡수하는 변화이며, (가)에서만 물리 변화가 일어난다.
- (가)는 승화(고체 → 기체)로 분자 사이의 거리가 멀어지는 상태 변화이다.

답 ❶ 예 내려간다 ❷ 흡열

3 암기 전략

흡열 반응과 주위의 온도 변화

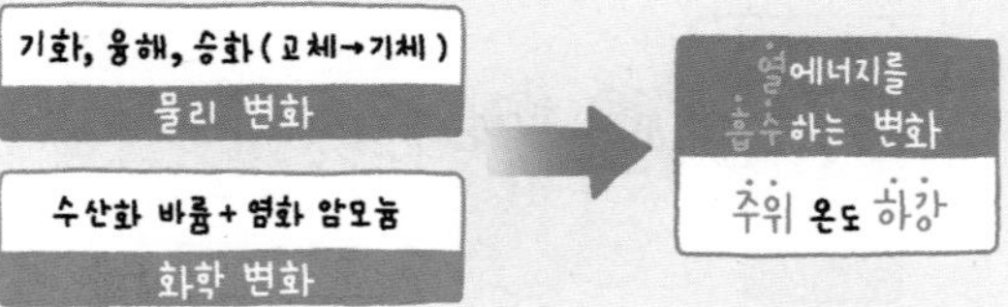

핵심 키워드 발열 반응과 흡열 반응의 예 구분하기

대표 유형 20 발열 반응과 흡열 반응의 예

(가)~(다)는 여러 가지 화학 반응을 설명한 것이다.

> (가) 알코올 램프의 에탄올이 연소하였다.
> (나) 마그네슘을 염산에 넣으면 수소 기체가 발생한다.
> (다) 탄산수소 나트륨을 가열하면 분해되어 이산화 탄소 기체가 발생한다.

(1) (가)~(다) 중 흡열 반응을 모두 골라 기호로 쓰시오. (　　　　　　)

(2) (가)~(다) 중 주위의 온도가 올라가는 반응을 모두 골라 기호로 쓰시오.
(　　　　　　)

답 (1) (다) (2) (가), (나)

1 읽기 전략 키워드 → 흡열 반응, 주위의 온도가 올라가는 반응

2 해결 전략 중요한 발열 반응과 흡열 반응을 알아 두자!

① 발열 반응(주위의 온도 ❶ 　　　　)
- 연소 반응: 나무의 연소, 에탄올의 연소, 마그네슘의 연소 등
- 금속과 산의 반응: 마그네슘, 아연, 철 등의 금속은 묽은 염산과 반응한다.
- 산과 염기의 반응

② 흡열 반응(주위의 온도 ❷ 　　　　)
- 수산화 바륨과 염화 암모늄의 반응
- 탄산수소 나트륨의 열분해 반응

답 ❶ 예 상승(올라감) ❷ 예 하강(내려감)

3 암기 전략

대표적인 발열 반응과 흡열 반응

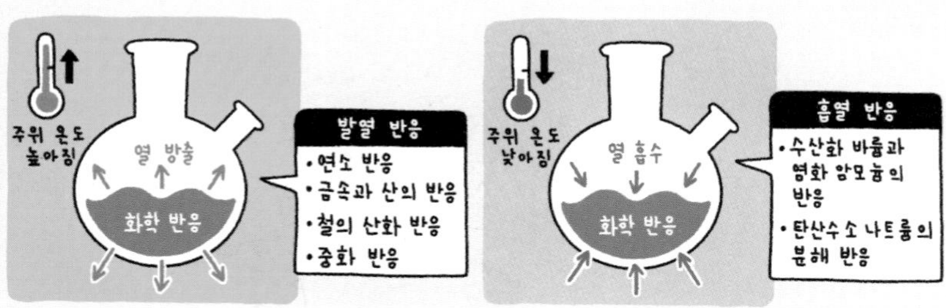

대표 유형 21 기권의 구조

그림은 높이에 따른 기온 분포를 나타낸 것이다.

이에 대한 설명으로 옳은 것을 | 보기 | 에서 모두 고른 것은?

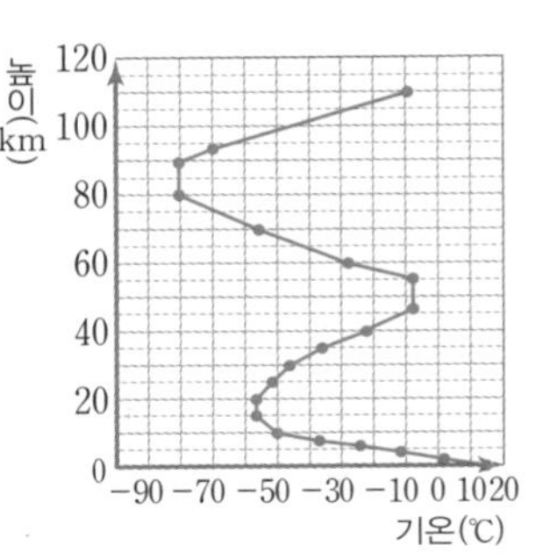

보기

ㄱ. 지표면으로부터 위로 올라갈수록 기온은 계속 내려간다.

ㄴ. 높이에 따른 기온 변화를 기준으로 기권은 4개의 층으로 나눌 수 있다.

ㄷ. 대기의 양은 약 100 km까지는 일정하다가 그 위부터 급격히 감소한다.

① ㄱ ② ㄴ ③ ㄱ, ㄴ ④ ㄴ, ㄷ ⑤ ㄱ, ㄴ, ㄷ

답 ②

1 읽기 전략 키워드 → 기온, 높이에 따른 기온 변화

2 해결 전략 기권을 4개의 층으로 나누는 기준을 정확히 알아 두자.

① 그림 분석

- 위로 올라가면서 기온이 급격히 변하는 곳이 ❶ ____ 개
- 높이에 따른 기온 변화(상승 또는 하강)를 기준으로 기권은 4개의 층(대류권, 성층권, 중간권, 열권)으로 구분

② 〈보기〉 분석

ㄱ. 위로 올라가면서 기온이 내려가는 층과 올라가는 층이 각각 2개씩 존재한다.

ㄷ. 대기의 양은 중력 때문에 높이 올라갈수록 점점 ❷ ____.

답 ❶ 3 ❷ 줄어든다

3 암기 전략

기권의 구조

대표 유형 22 기권의 특징

그림은 기권의 층상 구조를 나타낸 것이다. A~D 각 층에 대한 설명으로 옳은 것은?.

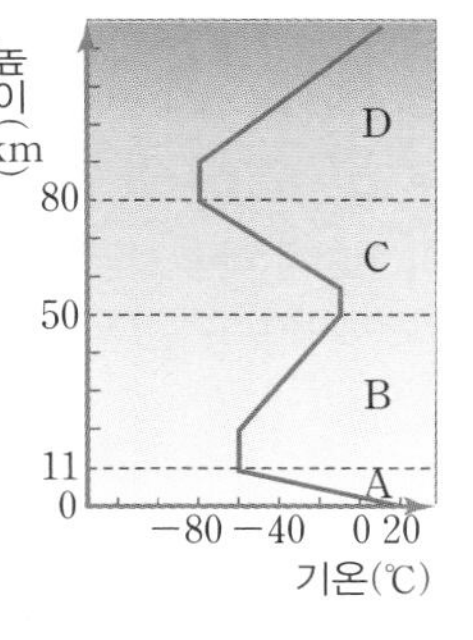

① A는 대류권, B는 성층권, C는 중간권, D는 열권이다.
② 낮과 밤의 기온 변화가 가장 심한 곳은 A이다.
③ 대류 현상은 A에서만 일어난다.
④ 기상 현상은 A와 C에서만 일어난다.
⑤ 생물에 해로운 자외선을 막아 주는 오존층은 B와 C에 걸쳐 분포하고 있다.

답 ①

1 읽기 전략 키워드 → 대류권, 성층권, 중간권, 열권

2 해결 전략 기권 각 층의 특징을 반드시 알아 두자.

선택지 분석

② 대기의 양이 가장 적고 햇빛에 직접 가열되는 열권(D)에서 낮과 밤의 기온 변화가 가장 심하다.

③ 위로 올라갈수록 기온이 내려가는 대류권(A), 중간권(C)은 무거운 ❶ ______ 공기가 위에 있어서 대류 현상이 일어난다.

④ 대류가 일어나야 기상 현상이 나타나지만, 중간권(C)은 ❷ ______가 없어서 기상 현상이 나타나지 않는다.

⑤ 오존층은 성층권(B)에 존재한다.

답 ❶ 찬 ❷ 수증기

3 암기 전략

기권의 층상 구조 특징

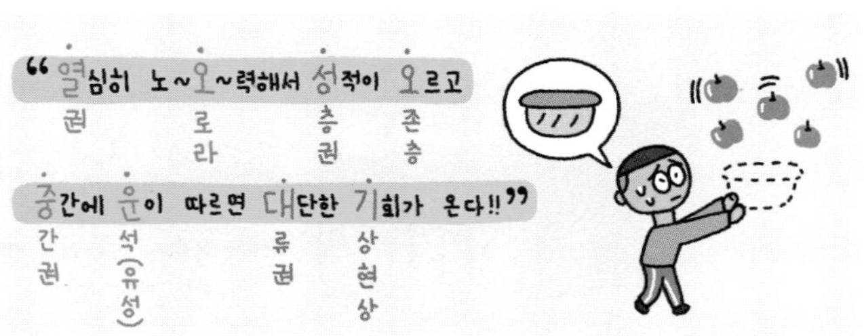

대표 유형 23 복사 평형 실험

그림은 검게 칠한 알루미늄 컵 4개에 온도계를 꽂고 각각 다른 거리에 놓은 후 전등을 켜고 온도 변화를 관찰하는 실험이다.

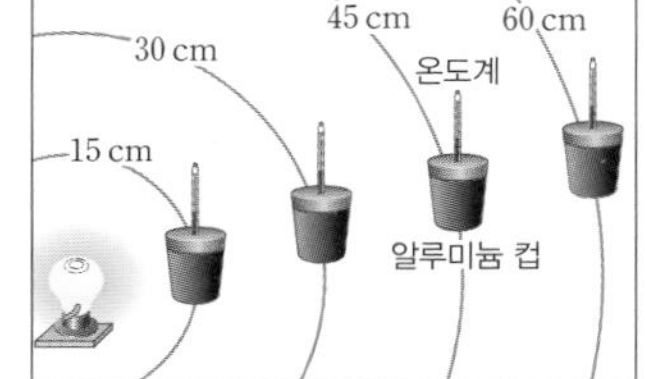

이 실험에 대한 설명으로 옳은 것을 |보기|에서 모두 고른 것은?

보기
ㄱ. 행성의 복사 평형을 확인하는 실험이다.
ㄴ. 전등은 태양, 알루미늄 컵은 행성에 해당한다.
ㄷ. 4개의 알루미늄 컵의 온도는 모두 상승하다가 각각 다른 온도에서 일정해진다.

① ㄱ ② ㄴ ③ ㄱ, ㄷ ④ ㄴ, ㄷ ⑤ ㄱ, ㄴ, ㄷ

답 ⑤

1 읽기 전략 키워드 → 복사 평형, 태양, 행성

2 해결 전략 태양과의 거리가 다른 행성들을 각각 다른 온도에서 복사 평형이 이루어짐을 이해하자.

① 복사 평형
- 물체가 흡수하는 에너지와 ❶ ______ 하는 에너지가 같은 상태 → 온도 일정
- 전등의 에너지를 흡수해서 알루미늄 컵의 온도가 올라가다가 복사 평형에 이르면 온도가 일정해짐

② 〈보기〉 분석
ㄱ. 알루미늄 컵이 전등의 에너지를 받아 복사 평형이 되는 과정을 확인
ㄴ. 에너지원인 태양이 전등, 에너지를 받는 알루미늄 컵이 행성에 해당
ㄷ. 전등에서 거리가 멀수록 흡수하는 에너지양이 적어지므로 더 ❷ ______ 온도에서 복사 평형을 이룸

답 ❶ 방출 ❷ 낮은

3 암기 전략

복사 평형

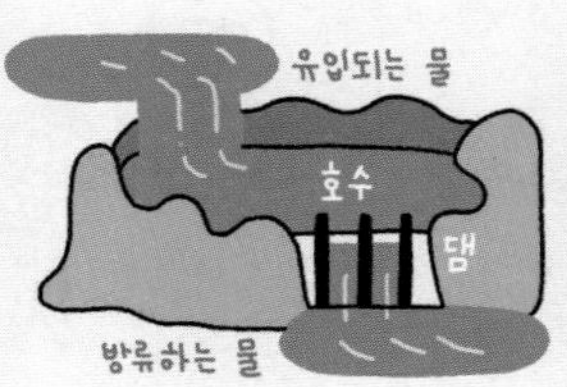

호수로 유입되는 물의 양과 댐에서 방류하는 물의 양이 같으면 호수의 수위는 일정

어떤 물체가 흡수하는 에너지량과 방출하는 에너지량이 같으면 온도는 일정

대표 유형 24 온실 효과

표는 태양으로부터 수성, 금성, 지구, 달까지의 거리 및 평균 온도를 나타낸 것이다.

천체	수성	금성	지구	달
태양으로부터의 거리(AU)	0.4	0.7	1	1
평균 온도(℃)	179	460	15	−23

표에서 수성은 금성보다 태양에 더 가깝지만 평균 온도는 금성이 더 높다. 그리고 비슷한 거리에 있는 지구와 달의 평균 온도 차이가 매우 심하다. 그 이유로 옳은 것은?

① 수성과 달은 금성이나 지구에 비해 크기가 매우 작다.
② 금성과 지구는 대기를 가지고 있지만, 수성과 달은 대기를 가지고 있지 않다.
③ 수성과 달은 자전 주기가 금성이나 지구에 비해 매우 느리다.
④ 수성, 금성, 지구는 행성이고, 달은 행성 주위를 도는 위성이다.
⑤ 수성의 공전 속도는 금성보다 빠르고, 달의 공전 속도는 지구보다 빠르다.

답 ②

1 읽기 전략 키워드 → 거리, 평균 온도, 대기에 의한 온실 효과

2 해결 전략 행성의 온도가 대기의 존재에 따라 달라짐을 온실 효과로 이해하자.

① 온실 효과
- 지표가 방출하는 에너지의 일부를 대기가 흡수하여 온도를 높이는 현상
- 지구의 온실 효과: 지구가 방출하는 ❶ (   ) 복사 에너지의 일부를 대기가 흡수하여 지구의 온도를 높인다.

② 행성의 평균 온도 비교
- 수성과 금성: 수성이 태양에 더 가깝지만 금성은 이산화 탄소가 주성분인 두꺼운 대기로 인한 온실 효과로 온도가 더 높다.
- 지구와 달: 달은 대기가 없어서 온실 효과가 없으므로 지구보다 온도가 매우 ❷ (   ).

답 ❶ 지구 ❷ 낮다

3 암기 전략

대기에 의한 온실 효과

대표 유형 25 지구 온난화

그림 (가)는 1900년대부터 2007년까지 지구의 평균 기온 변화를, (나)는 대기 중 온실 기체의 농도 변화를 나타낸 것이다.

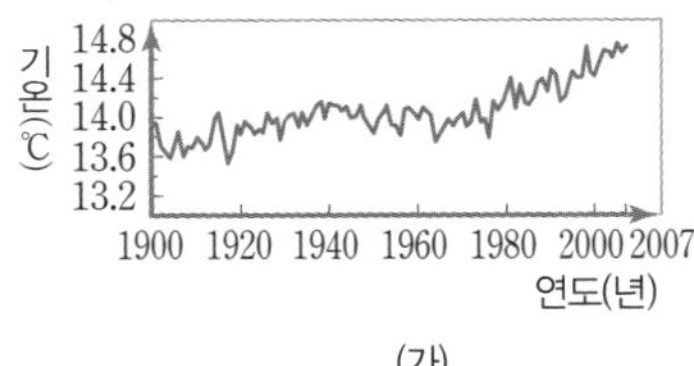

(가)

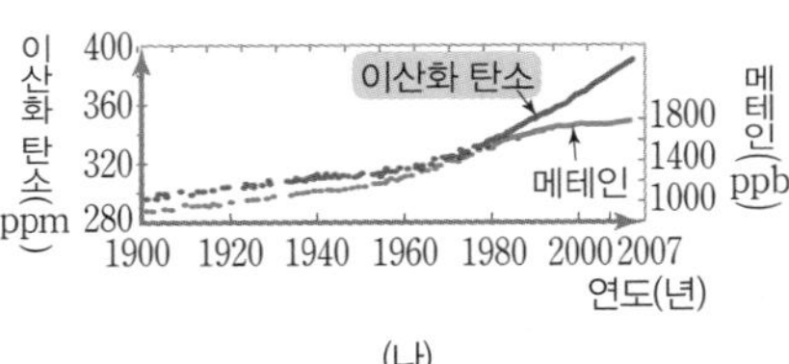

(나)

(1) 온실 기체 중 온도 변화에 가장 큰 영향을 주는 기체의 이름을 쓰시오.

(2) 과도한 온실 효과로 인해 지구의 평균 온도가 올라가는 현상을 무엇이라고 하는가?

답 (1) 이산화 탄소 (2) 지구 온난화

1 읽기 전략 키워드 → 지구의 평균 기온 변화, 온실 기체, 이산화 탄소

2 해결 전략 자료에서 온실 기체 중 이산화 탄소의 농도 증가가 지구 기온 상승의 주범임을 파악하자.

① 그림 분석

- 지구의 평균 기온은 상승, 하강을 반복하며 유지되다가 1980년대부터 서서히 상승
- 대기 중 ❶ [   ]의 농도가 증가하는 시기와 지구의 평균 기온이 상승하는 시기가 거의 비슷함 → 인간 활동에 의한 온실 기체 농도 증가
- 온실 기체: 이산화 탄소, ❷ [   ], 수증기 등

② 지구 온난화

온실 기체의 농도 증가 → 온실 효과 증가 → 지구 평균 기온 상승

답 ❶ 온실 기체 ❷ 메테인

3 암기 전략

온실 효과와 지구 온난화

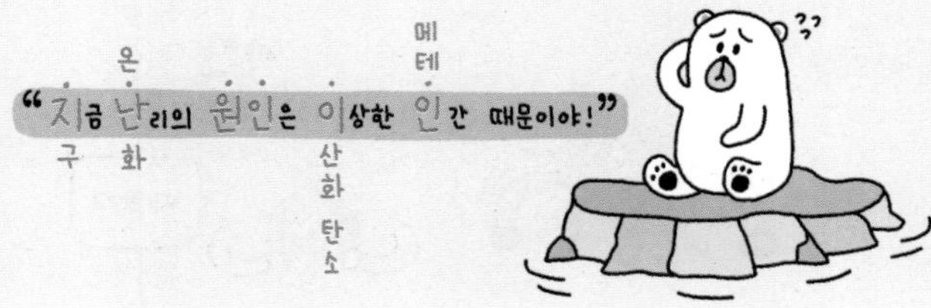

대표 유형 26 포화 수증기량

그래프는 온도에 따른 포화 수증기량을 나타낸 것이다.

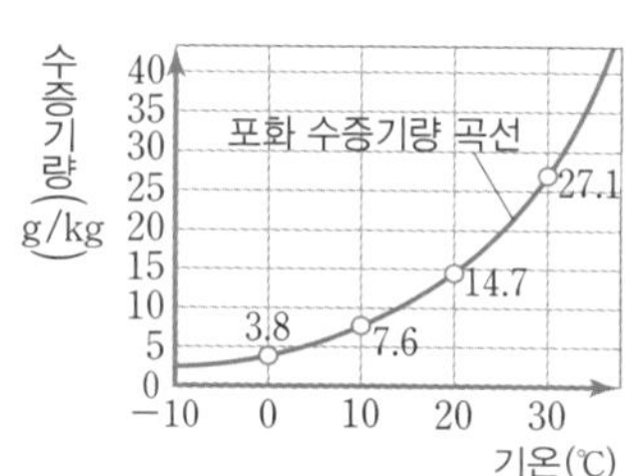

이에 대한 설명으로 옳은 것을 |보기|에서 모두 고른 것은?

보기
- ㄱ. 기온이 높아질수록 포화 수증기량은 증가한다.
- ㄴ. 현재 수증기량이 일정할 때 기온이 올라가면 모든 불포화 공기는 포화 상태가 된다.
- ㄷ. 기온이 일정할 때 수증기량이 증가하면 모든 불포화 공기는 포화 상태가 된다.

① ㄱ ② ㄴ ③ ㄱ, ㄷ ④ ㄴ, ㄷ ⑤ ㄱ, ㄴ, ㄷ

답 ③

1 읽기 전략 키워드 → 온도에 따른 포화 수증기량, 불포화 공기, 포화 상태

2 해결 전략 포화 수증기량의 개념을 알고 포화 수증기량 곡선을 이용하여 기온과의 관계를 파악하자.

① 포화 수증기량
- 포화 상태: 공기가 최대한 수증기를 포함한 상태
- 포화 수증기량: 공기 ❶ ______ 속에 최대한 포함할 수 있는 수증기량(g)
- 기온이 높을수록 포화 수증기량 증가

② 〈보기〉 분석
- ㄴ. 기온이 올라가면 포화 수증기량이 ❷ ______ → 불포화 상태가 된다.
- ㄷ. 수증기량이 증가 → 포화 상태가 된다.

답 ❶ 1 kg ❷ 증가

3 암기 전략

기온과 포화 수증기량

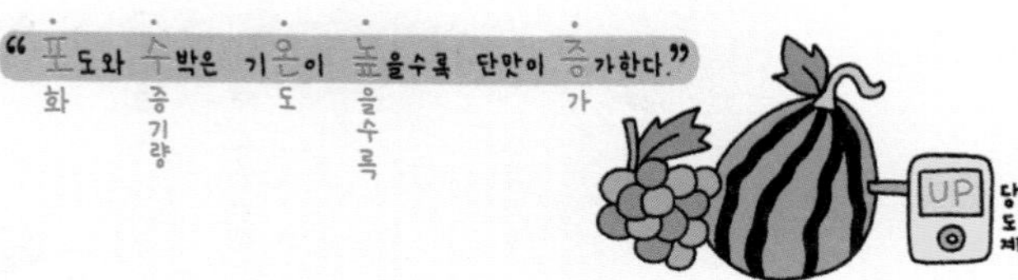

대표 유형 27 상대 습도

그래프와 표는 기온과 포화 수증기량의 관계를 나타낸 것이다.

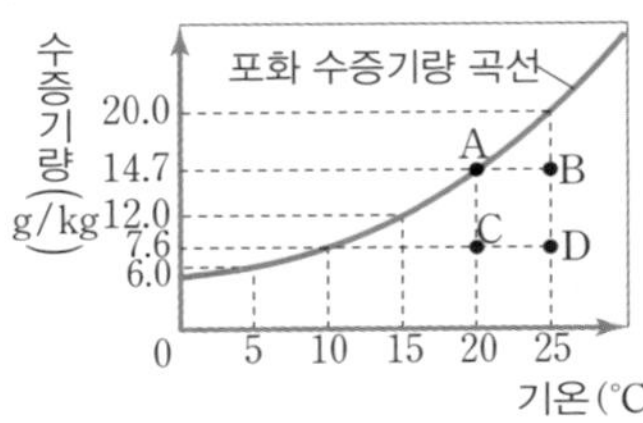

기온 (℃)	5	10	15	20	25	30
포화 수증기량 (g/kg)	6	7.6	12	14.7	20.0	27.1

(1) B 공기와 이슬점이 같은 공기의 기호를 쓰시오.

(2) D 공기의 상대 습도를 구하시오.

(3) C 공기 2 kg을 5 ℃까지 냉각시켰을 때 응결하는 물방울의 양을 구하시오.

답 (1) A (2) 38 % (3) 3.2 g

1 읽기 전략 키워드 → 이슬점, 상대 습도, 응결량

2 해결 전략 상대 습도를 구하는 방법을 알고, 포화 수증기량 곡선을 이용하여 응결량을 구해 보자.

① 이슬점: 공기 중의 수증기가 ❶ 　　　 하기 시작하는 온도로, 수증기량이 같으면(A 공기와 B공기) 이슬점도 같다.

② 상대 습도: ❷ 　　　 수증기량에 대한 실제 수증기량의 비율을 백분율로 나타낸 값

D 공기(기온 25 ℃)의 포화 수증기량은 20, 실제 수증기량은 7.6이므로

$$\frac{7.6}{20}\times 100=38\ \%$$

③ 응결량: C 공기의 이슬점은 10 ℃인데 5 ℃까지 냉각시키면 포화 수증기량의 차이가 1.6 g/kg이다. 그리고 공기의 양이 2 kg이므로 2배가 되어 3.2 g

답 ❶ 응결 ❷ 포화

3 암기 전략

상대 습도와 이슬점

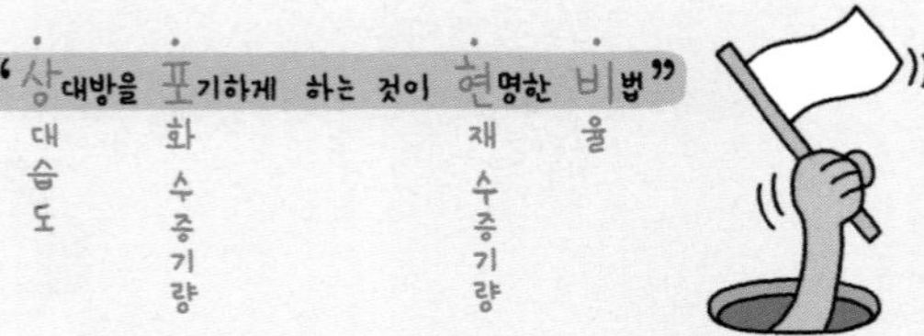

대표 유형 28 구름 발생 실험

그림은 구름이 생기는 원리를 알아보는 실험이다.

이 실험에 대한 설명으로 옳은 것을 |보기| 에서 모두 고른 것은?

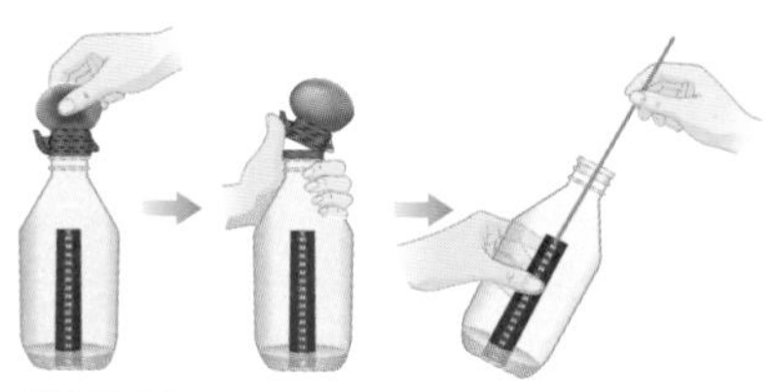

보기
ㄱ. 펌프를 눌러 페트병 안에 공기를 채워 넣으면 페트병 내부 온도가 내려간다.
ㄴ. 뚜껑을 열면 페트병 내부가 뿌옇게 흐려지며, 향 연기를 넣고 실험하면 더 많이 흐려진다.
ㄷ. 뚜껑을 열었을 때 생기는 현상은 자연에서 구름이 생기는 것과 같은 원리로 일어난다.

① ㄱ ② ㄴ ③ ㄱ, ㄷ ④ ㄴ, ㄷ ⑤ ㄱ, ㄴ, ㄷ

답 ④

1 읽기 전략 키워드 → 구름이 생기는 원리, 단열 팽창

2 해결 전략 단열 팽창에 의한 온도 하강으로 구름이 생기는 원리를 실험을 통해 이해하자.

① 구름 생성 실험
- 페트병 안에 공기를 채우면 단열 압축되어 온도 상승
- 뚜껑을 열면 단열 팽창하여 기온이 내려가서 수증기 응결 → 뿌옇게 흐려짐
- 향 연기는 수증기의 ❶ [ ] 을 도와주어 더 많이 흐려짐

② 〈보기〉 분석
ㄱ. 공기를 넣으면 단열 압축되어 온도가 올라간다.
ㄷ. 자연에서 공기가 ❷ [ ] 하면 부피가 증가하면서 단열 냉각으로 기온이 내려가서 수증기가 응결하여 구름이 생성

답 ❶ 응결 ❷ 상승

3 암기 전략
단열 팽창(냉각)

대표 유형 29 구름의 발생

다음은 구름이 생성되는 과정을 나타낸 것이다.

> 공기 상승 → 주변 기압 감소 → 부피 팽창 → 기온 하강 → 이슬점 도달 → 수증기 응결 → 구름 생성

다음 중 자연에서 구름이 생성되는 경우가 아닌 것은?

① 지표면이 불균등하게 가열될 때
② 공기가 산을 타고 올라갈 때
③ 기압이 주변보다 낮은 곳으로 공기가 모여들 때
④ 공기가 한 장소에 오래 머물러 있을 때
⑤ 찬 공기와 따뜻한 공기가 만났을 때

답 ④

1 읽기 전략 키워드 → 구름 생성, 수증기 응결

2 해결 전략 자연에서 공기가 상승하는 경우를 정리해 보자.

구름이 생기려면: 수증기가 응결해야 → 단열 ❶ ______ 으로 기온이 내려가야 → 공기가 상승해야 구름이 만들어진다.

선택지 분석

① 지표면이 불균등 가열되면 온도차가 생겨 가열된 곳의 공기가 상승
② 공기가 수평으로 이동하다가 산을 만나면 지형에 의해 강제 상승
③ 주변보다 기압이 ❷ ______ 공기가 모여들어 상승
④ 공기가 한 장소에 오래 머물면 기온과 습도가 일정한 기단 형성
⑤ 따뜻한 공기가 찬 공기보다 가벼워서 위로 상승

답 ❶ 팽창 ❷ 낮으면

3 암기 전략

구름이 생기는 경우

공기가 산을 타고 오를 때	지표면 불균등 가열	저기압 중심	찬 공기와 더운 공기가 만났을 때
"산에서	불피우면	저승사자	만난다 !!"

대표 유형 30 구름의 종류

그림은 한랭 전선과 온난 전선에서 각각 나타나는 구름의 모양을 나타낸 것이다.

이에 대한 설명으로 옳은 것을 |보기|에서 모두 고른 것은?

(가)

(나)

보기

ㄱ. (가)는 적운형 구름, (나)는 층운형 구름이다.

ㄴ. (가)는 공기가 빠르게 상승할 때 만들어지고, (나)는 공기가 느리게 하강할 때 만들어진다.

ㄷ. (가)와 같은 모양의 구름에서는 약한 비가 내리고, (나)와 같은 형태의 구름에서는 강한 비가 오래 내린다.

① ㄱ ② ㄴ ③ ㄱ, ㄷ ④ ㄴ, ㄷ ⑤ ㄱ, ㄴ, ㄷ

답 ①

1 읽기 전략 키워드 → 적운형, 층운형, 강한 비, 약한 비

2 해결 전략 공기의 상승이 강할 때 적운형, 약할 때 층운형 구름이 생성됨을 이해하자.

① 그림 분석

(가) 적운형 구름: 상승 기류가 강할 때, 강한 비

(나) ❶ ______ 구름: 상승 기류가 약할 때, 약한 비가 오래 내림

② 〈보기〉 분석

ㄴ. (나) 층운형 구름은 공기가 느리게 상승할 때 생성.

ㄷ. (가) 적운형 구름은 ❷ ______ 비, (나) 층운형 구름은 약한 비

답 ❶ 층운형 ❷ 강한

3 암기 전략

적운형과 층운형 구름

핵심 키워드 강수 과정 이해하기

대표 유형 31 강수 과정

그림은 강수 과정 중 한 가지를 나타낸 것이다. 이 강수 과정에 대한 설명으로 옳은 것은?

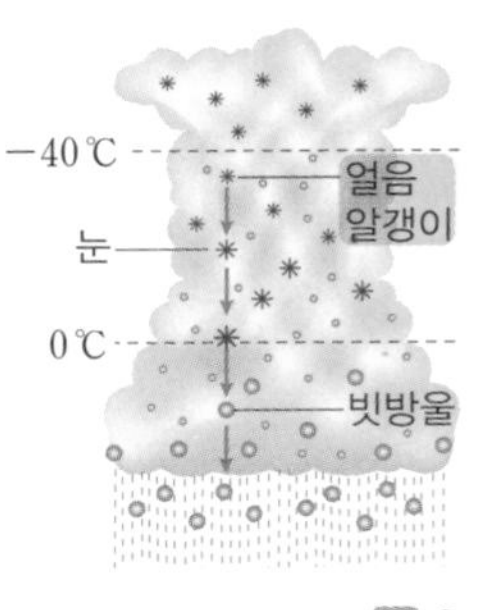

① 병합설을 설명하는 그림이다.
② 중위도나 고위도 지방에서 비가 내리는 원리이다.
③ 구름 속에 있는 작은 얼음 알갱이가 모여서 비를 만든다.
④ 비가 내리다가 지표 부근의 기온이 낮으면 눈으로 변하기도 한다.
⑤ 이 과정으로는 눈이 내릴 수 없다.

답 ②

1 읽기 전략 키워드 → 얼음 알갱이, 비, 눈

2 해결 전략 강수 과정 중 빙정설의 내용을 이해하고, 병합설과의 차이점을 알아 두자.

빙정설과 병합설
- 빙정설: 구름 속의 얼음 알갱이에 수증기가 붙어서 커져서 눈(녹으면 비)이 내림. 중위도나 고위도 지방
- 병합설: 구름 속의 ❶ ______ 이 합쳐져 커져서 비 생성. 열대 지방

선택지 분석
① 구름 속에 얼음 알갱이(빙정)가 있으므로 빙정설에 대한 그림이다.
③ 빙정에 수증기가 달라붙어 점점 커져서 눈이 만들어진다.
④ 눈이 무거워져 떨어지다가 따뜻한 공기층을 만나 녹으면 비가 된다.
⑤ 눈이 만들어지지 않는 강수 과정은 병합설이다. ❷ ______ 지방의 구름 속에는 빙정이 없으므로 눈이 만들어지지 않는다.

답 ❶ 물방울 ❷ 열대

3 암기 전략

빙정설과 병합설

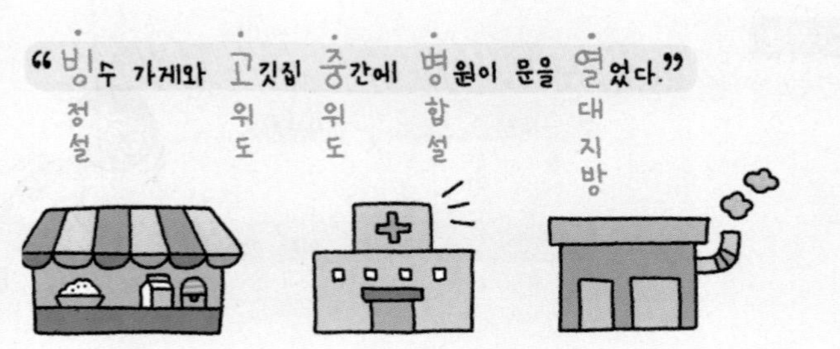

대표 유형 32 토리첼리의 실험

그림은 토리첼리가 수은을 이용하여 실험하는 모습을 나타낸 것이다.

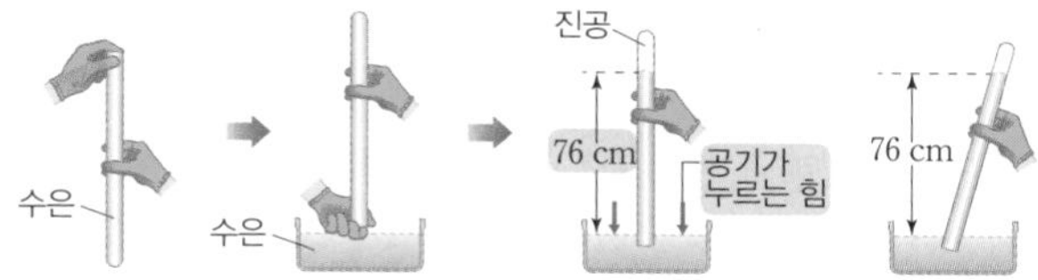

이 실험으로 토리첼리가 알아낸 사실은 무엇인가?

① 지표면으로부터 위로 올라갈수록 대기의 양이 줄어든다.
② 대기권은 높이에 따른 기온 변화를 기준으로 크게 4개의 층으로 나눌 수 있다.
③ 대기는 무게를 가지고 있어서 대기에 의한 압력, 즉 대기압이 작용한다.
④ 대기압은 수은 기둥 76 cm가 누르는 압력과 같다.
⑤ 대기에 가장 많은 양을 차지하는 것은 질소이고 두 번째로 많은 것은 산소이다.

답 ④

1 읽기 전략 키워드 → 토리첼리 실험, 공기가 누르는 힘, 76 cm

2 해결 전략 그림에서 공기가 누르는 힘(대기압)은 수은 기둥 76 cm가 누르는 압력과 같음을 이해하자.

토리첼리의 실험
- 수은 기둥 ❶ ____ cm가 누르는 압력과 대기압이 같다는 사실을 확인
- 기압이 같을 때에는 수은 기둥의 두께나 기울기와 상관 없이 수은 기둥의 높이는 76 cm
- 물을 이용하여 같은 실험을 하면 수은보다 물이 ❷ ____ 가 훨씬 작으므로 대기압은 약 10 m의 물기둥에 해당한다.
- 토리첼리는 수은 기둥의 높이를 이용하여 기압을 측정하였다. → 수은 기압계의 원리

답 ❶ 76 ❷ 밀도

3 암기 전략

1 기압

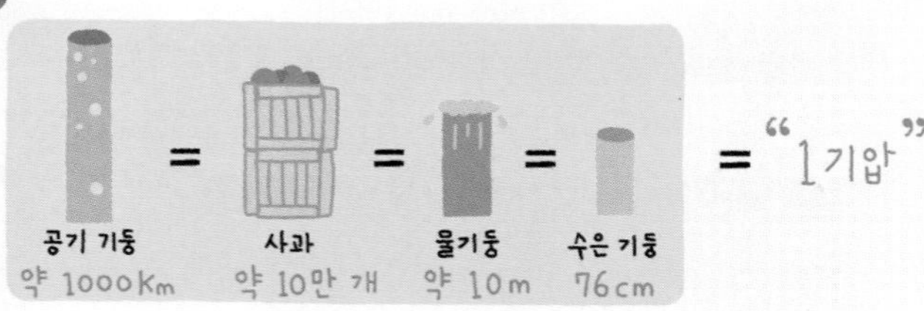

대표 유형 33 기압

그림과 같이 기압(대기압)은 공기 기둥의 무게에 의해 작용하는 압력이다. 기압에 대한 설명으로 옳은 것은?

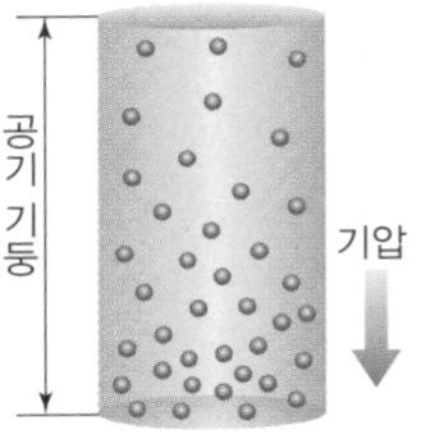

① 기압은 대기가 누르는 압력이므로 위에서 아래쪽으로 작용한다.

② 기압의 단위는 hPa(헥토파스칼)을 사용하며, 1 기압은 약 76 hPa이다.

③ 1 기압은 수은 기둥 76 cm, 물기둥 약 1 m가 누르는 압력과 같다.

④ 지표면에서 높이 올라갈수록 공기의 양이 줄어들어 기압이 낮아진다.

⑤ 높이 차이가 없는 같은 고도에서는 기압의 변화가 없다.

답 ④

1 읽기 전략 키워드 → 공기 기둥의 무게, 수은 기둥 76 cm, 물기둥 10 m

2 해결 전략 기압의 개념을 이해하고, 기압의 단위를 외워 두자.

선택지 분석

① 기압은 위에서 아래 뿐만 아니라 ❶ ______ 방향으로 작용한다.

② 기압의 단위는 hPa이며, 1 기압은 ❷ ______ hPa이다. 이는 수은 기둥 76 cm가 누르는 압력과 같다.

③ 수은보다 물이 밀도가 작으므로 1 기압에 해당하는 물기둥의 높이는 수은 기둥보다 훨씬 높은 약 10 m이다.

⑤ 같은 높이라 하더라도 공기가 끊임없이 움직이고 있기 때문에 시간과 장소에 따라 기압이 변할 수 있다.

기압의 단위

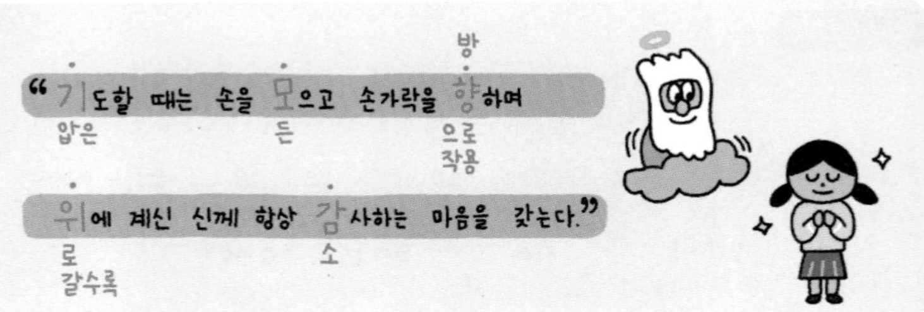

대표 유형 34 육지와 바다의 가열과 냉각

그림은 수조에 물과 모래를 담고 온도계를 설치한 후 전등을 비추면서 온도 변화를 관찰하는 실험이다.

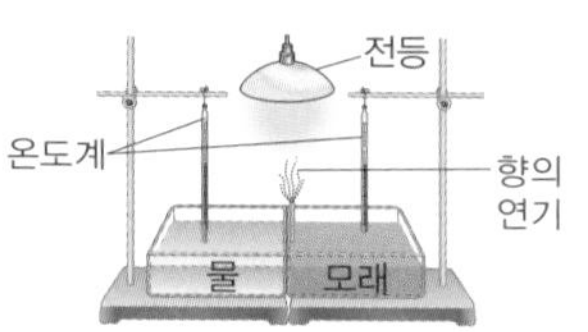

이에 대한 설명으로 옳은 것을 |보기| 에서 모두 고른 것은?

보기

ㄱ. 해륙풍이나 계절풍이 부는 원리를 확인하는 실험이다.
ㄴ. 시간이 지남에 따라 물 위쪽보다 모래 위쪽의 기압이 더 커진다.
ㄷ. 향 연기는 모래에서 물 쪽으로 이동한다.
저기압 고기압

① ㄱ ② ㄴ ③ ㄱ, ㄷ ④ ㄴ, ㄷ ⑤ ㄱ, ㄴ, ㄷ

답 ①

1 읽기 전략 키워드 → 물과 모래, 온도 변화, 해륙풍, 계절풍

2 해결 전략 지표면의 온도 차에 의한 바람의 발생을 실험 과정을 통해 이해하자.

① 실험 분석
- 전등을 켜고 시간이 지나면 모래가 물보다 빨리 데워진다.
- 모래 위의 공기가 뜨거워져 위로 상승하고, 물 위의 공기는 하강한다.
- 공기는 ❶ ______ 쪽으로 이동하므로, 향 연기도 같은 방향으로 움직인다.

② 〈보기〉 분석
ㄱ. 해륙풍이나 계절풍은 육지와 바다가 데워지는 데 걸리는 시간 차이(비열 차이)에 의해 발생한다.
ㄴ. 모래 위쪽의 공기가 ❷ ______ 하므로 기압이 낮아진다.
ㄷ. 향 연기는 물에서 모래 쪽으로 움직인다.

답 ❶ 물에서 모래 ❷ 상승

3 암기 전략

공기의 상승(저기압)과 하강(고기압)

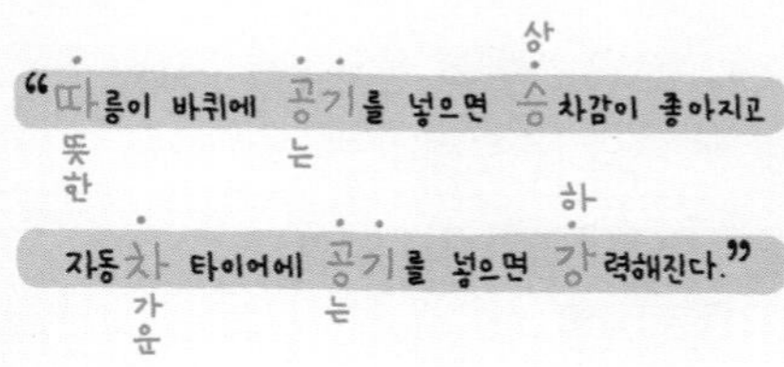

대표 유형 35 기단과 날씨

그림은 우리나라에 영향을 주는 기단을 나타낸 것이다. 이에 대한 설명으로 옳은 것을 모두 고르면? [정답 2개]

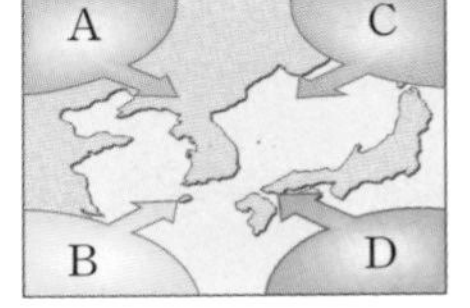

① 기단은 공기 덩어리가 한 장소에 오래 머물러 만들어진다.
② 기단이 만들어진 곳의 지표면의 성질에 따라 기단의 성질도 결정된다.
③ 네 개의 기단 중 건조한 성질을 가진 기단은 A와 C이다.
④ B 기단과 D 기단의 영향으로 여름철에 장마가 발생한다.
⑤ A 기단은 온도가 낮고 습도가 높은 기단으로 주로 봄가을에 영향을 준다.

답 ①, ②

1 읽기 전략 키워드 → 우리나라에 영향을 주는 기단

2 해결 전략 우리나라에 영향을 주는 기단의 성질을 기단이 생성된 지표면의 성질과 연관지어 이해하자.

기단	이름	성질	우리나라에 영향을 주는 계절
A	시베리아 기단	한랭 건조	겨울
B	양쯔강 기단	온난 건조	봄·가을
C	오호츠크해 기단	한랭 다습	초여름
D	북태평양 기단	고온 다습	여름

- 육지에서 생성 → ❶ ______ (A, B)
- 바다에서 생성 → 다습(C, D)
- 우리나라 북쪽에서 생성 → 한랭(A, C)
- 우리나라 남쪽에서 생성 → 고온(B, D)

선택지 분석

③ C(오호츠크해 기단)는 바다 위에서 만들어졌으므로 다습
④ 장마는 북쪽의 찬 기단과 남쪽의 따뜻한 기단이 만나서 형성
⑤ A(시베리아 기단)는 차고 건조하며 ❷ ______ 철에 영향을 준다.

답 ❶ 건조 ❷ 겨울

3 암기 전략

우리나라에 영향을 주는 기단

"손이 시린 겨울이 와서 여럿이 모여 북어국에 오징어 초무침을 같이 먹고, 날씨가 좋은 봄이나 가을에 양수리로 놀러 가기로 했다."

시베리아 기단 / 겨울철 / 여름철 / 북태평양 기단 / 오호츠크해 기단 / 초여름 / 봄가을 / 양쯔강 기단

대표 유형 36 전선의 형성

그림은 칸막이가 있는 수조 양쪽에 따뜻한 물과 찬물을 넣은 다음, 칸막이를 들어올려 물이 섞이는 모습을 관찰하는 실험이다.

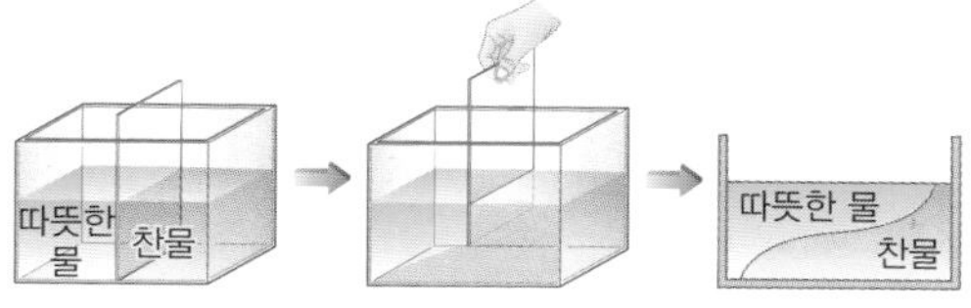

이에 대한 설명으로 옳은 것을 보기 에서 모두 고른 것은?

보기
ㄱ. 전선의 형성 과정을 알아보기 위한 실험이다.
ㄴ. 찬물은 따뜻한 물에 비해 밀도가 커서 아래쪽으로 이동한다.
ㄷ. 칸막이를 들어올렸을 때 따뜻한 물과 찬물의 경계면이 전선에 해당한다.

① ㄱ ② ㄴ ③ ㄱ, ㄴ ④ ㄴ, ㄷ ⑤ ㄱ, ㄴ, ㄷ

답 ③

1 읽기 전략 키워드 → 따뜻한 물, 찬물, 전선의 형성 과정, 밀도

2 해결 전략 온도가 다른 두 공기 덩어리가 전선을 만드는 과정을 물을 이용한 실험으로 통해 이해하자.

① 실험 분석
- 찬물은 찬 공기, 따뜻한 물은 따뜻한 공기에 해당한다.
- 칸막이를 서서히 들어 올리면 밀도가 ❶ [ ] 찬물이 밀도가 작은 따뜻한 물 아래로 이동한다.

② 〈보기〉 분석
ㄷ. 찬물과 따뜻한 물 사이의 경계면이 전선면, 경계면이 수조 바닥에 닿아 생긴 선이 ❷ [ ]이다.

답 ❶ 큰 ❷ 전선

3 암기 전략
전선과 전선면

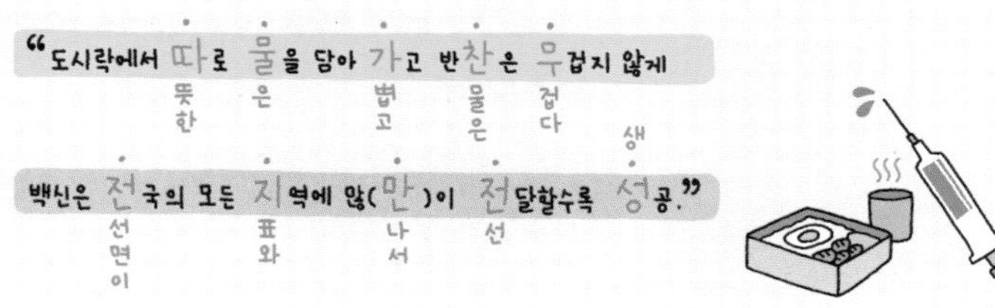

대표 유형 37 한랭 전선과 온난 전선

그림은 두 가지 전선의 단면을 나타낸 것이다.

두 전선의 특징을 정리한 표에서 빈칸에 들어갈 알맞은 말을 쓰시오.

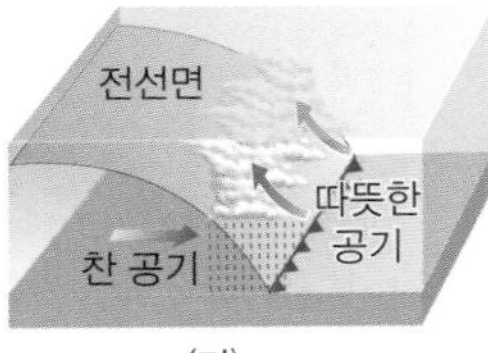

(가)

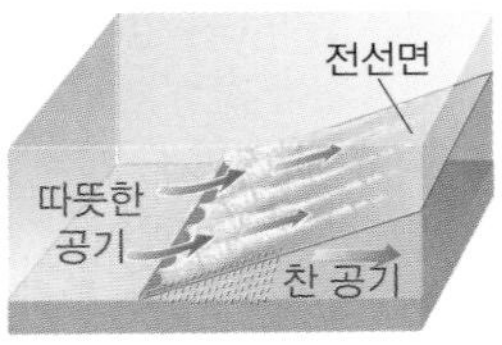

(나)

그림	전선	강수 구역	강수 형태	구름 형태	전선 통과 후 기온
(가)	한랭 전선	좁은 영역	강한 비	㉡(　　　)	하강
(나)	㉠(　　　) 전선	넓은 영역	약한 비	층운형	㉢(　　　)

답 ㉠ 온난 ㉡ 적운형 ㉢ 상승

1 읽기 전략 키워드 → 한랭 전선, 온난 전선

2 해결 전략 한랭 전선과 온난 전선의 특징(전선면의 기울기, 강수 구역과 형태, 구름, 기온 변화 등)을 비교해서 알아 두자.

- 한랭 전선(그림 (가))은 찬 공기가 따뜻한 공기 밑을 파고들어가서 생기므로 전선면의 기울기가 급하다.
- 온난 전선(그림 (나))은 따뜻한 공기가 찬 공기를 타고 올라가면서 생기므로 전선면의 기울기가 ❶　　　하다.
- 한랭 전선의 특징: 적운형 구름, 좁은 구역에 강한 비, 전선 통과 후 기온 ❷
- 온난 전선의 특징: 층운형 구름, 넓은 구역에 약한 비, 전선 통과 후 기온 상승

답 ❶ 완만 ❷ 하강

3 암기 전략

한랭 전선과 온난 전선

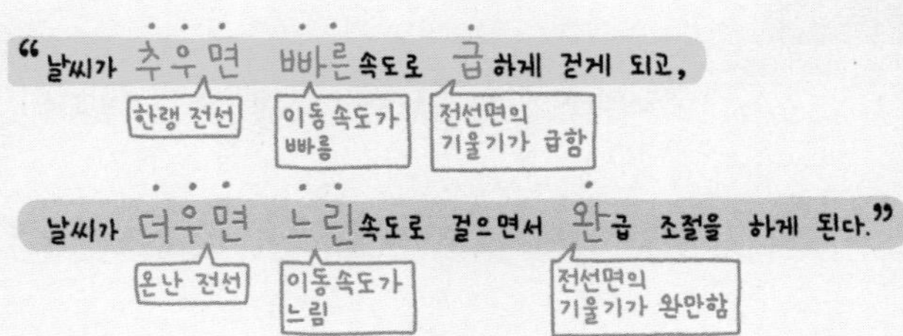

대표 유형 38 전선의 종류

그림은 네 가지 전선의 기호를 나타낸 것이다.

A. 한랭 전선 B. 온난 전선

C. 폐색 전선 D. 정체 전선

다음 설명에 해당하는 전선의 기호를 각각 쓰시오.

㉠ 한랭 전선이 온난 전선보다 이동 속력이 빠를 때 형성된다.
㉡ 찬 공기가 따뜻한 공기 쪽으로 이동하면 밀도 차이로 따뜻한 공기를 밀어 올린다.
㉢ 세력이 비슷한 두 기단이 만나면 한 곳에 오래 머물러 있는다.

답 ㉠ C, ㉡ A, ㉢ D

1 읽기 전략 키워드 → 한랭 전선, 폐색 전선, 정체 전선

2 해결 전략 폐색 전선과 정체 전선이 만들어지는 과정을 구분하여 알아 두자.

① 폐색 전선
- 한랭 전선과 온난 전선은 보통 함께 만들어져 움직이는데, 이동 속도가 빠른 한랭 전선이 온난 전선을 따라잡아 ❶ ______ 생성
- 약한 비가 내리다가 시간이 지나면서 폐색 전선은 사라짐

② 정체 전선
- 세력이 비슷한 두 기단이 만나 오랫동안 한 곳에 머물면서 생성
- 우리나라의 장마 전선: 북쪽의 찬 기단과 남쪽의 ❷ ______ 기단이 만나서 오랫동안 많은 비를 내리게 함

답 ❶ 겹쳐져서 ❷ 따뜻한

3 암기 전략

폐색 전선과 정체 전선

"이불을 여러 개 겹쳐서 덮으면 답답하고 폐쇄감이 든다."
- 겹쳐서: 한랭 전선과 온난 전선이 겹쳐져 생성
- 폐: 색 전 선

"도로가 정체되면 한 장소에 오래 머물러 있는다."
- 정체: 전선
- 한 장소에 오래 머물러 있는다: 한 곳에 오래 머물고 있음

대표 유형 39 고기압과 저기압

그림은 공기가 상하 방향으로 움직이는 모습을 나타낸 것이다.

이에 대한 설명으로 옳은 것을 보기에서 모두 고른 것은?

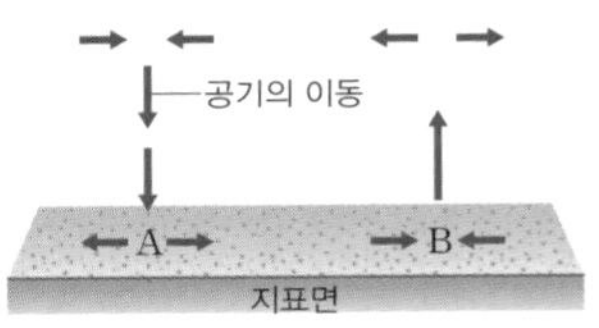

보기

ㄱ. A 지역에서는 저기압이, B 지역에서는 고기압이 만들어진다.
ㄴ. A 지역은 맑은 날씨이고, B 지역은 흐린 날씨에 비나 눈이 내릴 수도 있다.
ㄷ. 지표면에서 바람은 A에서 B 방향으로 불며, 두 지역의 기압차가 클수록 바람이 강하게 분다.

공기의 수평 방향 움직임. 반면에 상하 방향 움직임은 기류라고 한다.

① ㄱ ② ㄴ ③ ㄱ, ㄴ ④ ㄴ, ㄷ ⑤ ㄱ, ㄴ, ㄷ

답 ④

1 읽기 전략 키워드 → 저기압, 고기압, 바람, 기압차

2 해결 전략 고기압과 저기압에서 공기의 움직임과 날씨를 비교해서 알아 두자.

① 그림 분석

- A는 고기압으로 주변보다 기압이 높아서 공기가 불어나가고, 상공에서 아래로 내려오는 하강 기류 발생
- B는 저기압으로 주변보다 기압이 낮아 공기가 불어 들어오고, 위로 올라가는 ❶ ______ 기류 발생

② 〈보기〉 분석

ㄱ. A는 고기압, B는 저기압
ㄴ. 고기압은 하강 기류로 맑은 날씨. 저기압은 상승 기류로 구름이 생기고 흐린 날씨
ㄷ. 바람은 고기압에서 저기압으로 불며 ❷ ______ 가 클수록 강하다.

답 ❶ 상승 ❷ 기압차

3 암기 전략 고기압과 저기압

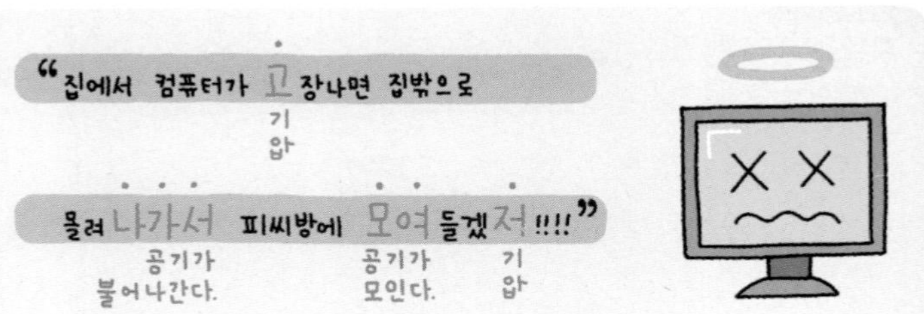

대표 유형 40 온대 저기압 주변의 날씨

그림은 어느 날 우리나라 주변을 지나는 온대 저기압의 모습이다.

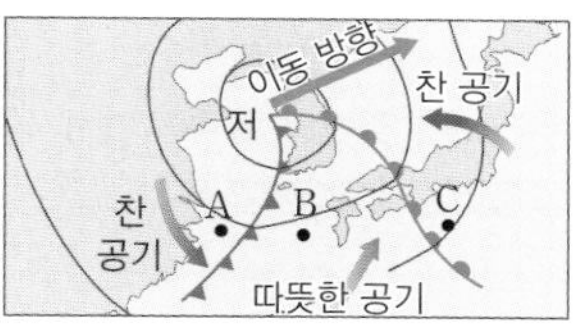

이에 대한 설명으로 옳은 것을 |보기|에서 모두 고른 것은?

보기

ㄱ. 저기압 중심에서 왼쪽 아래에는 한랭 전선, 오른쪽 아래에는 온난 전선이 발달해 있다.
ㄴ. A 지역은 약한 비가 내리고, B 지역은 맑고 따뜻하며, C 지역은 강한 비가 내릴 것이다.
ㄷ. 앞으로 기온이 올라갈 가능성이 있는 지역은 A와 B이다.

① ㄱ ② ㄴ ③ ㄱ, ㄷ ④ ㄴ, ㄷ ⑤ ㄱ, ㄴ, ㄷ

답 ①

1 읽기 전략 키워드 → 온대 저기압, 한랭 전선, 온난 전선

2 해결 전략 일기도를 보고 온대 저기압이 이동하면서 날씨가 어떻게 변화하는지 이해하자.

① 그림 분석
- 남서쪽에 한랭 전선, 남동쪽에 온난 전선을 거느린 온대 저기압이 우리나라에 자리하고 있다.
- 편서풍의 영향으로 온대 저기압은 ❶ _____ 으로 이동하고 있다.

② 〈보기〉 분석
ㄴ. A는 한랭 전선 뒤쪽이므로 강한 비, B는 맑고 따뜻하며, C는 ❷ _____ 전선 앞쪽이므로 약한 비가 내릴 것이다.
ㄷ. 온대 저기압이 이동함에 따라 기온이 올라갈 지역은 A와 C이다. B는 한랭 전선 뒤쪽에 들어가므로 기온이 내려간다.

답 ❶ 동쪽 ❷ 온난

3 암기 전략
온대 저기압

대표 유형 41 일기도 해석

그림은 어느 날 우리나라 주변의 일기도이다.

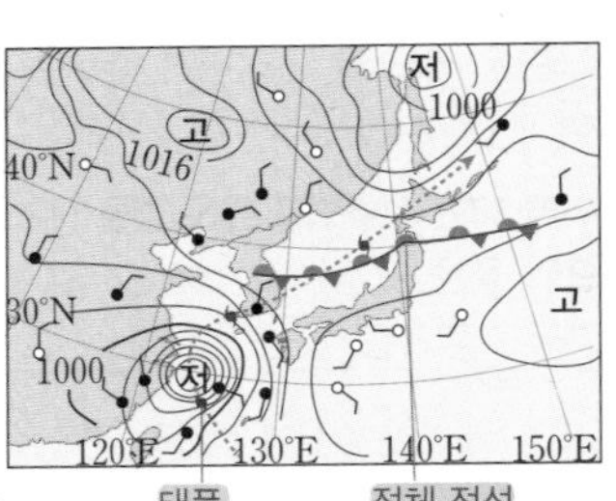

우리나라 주변의 날씨에 대해 옳게 설명한 것을 모두 고르면? [정답 2개]

① 우리나라의 계절은 겨울이나 초봄일 것이다.
② 장차 우리나라는 태풍의 영향을 받을 것이다.
③ 우리나라와 일본은 장맛비가 내리고 있다.
④ 우리나라 주변에서 바람은 매우 강하게 불고 있다.
⑤ 우리나라 주변의 날씨는 비교적 맑은 편이다.

답 ②, ③

1 읽기 전략 키워드 → 태풍, 정체(장마) 전선

2 해결 전략 일기도에 표시된 일기 기호를 이용하여 날씨를 해석하는 방법을 이해하자.

① 그림 분석
- 우리나라와 일본에 장마 전선이 형성되어 있다.
- 제주도의 서남쪽 해역에 ❶ ______ 이 발달해 있다.

② 선택지 분석
① 장마 전선, 태풍 등으로 보아 ❷ ______ 철의 일기도이다.
④ 풍속을 나타내는 깃이 1개이므로 우리나라 주변 풍속은 5 m/s 정도로 비교적 약한 편이다.
⑤ 일기 기호에서 원 안이 모두 검게 채워져 있으므로 우리나라 주변은 구름이 많은 흐린 날씨이다.

답 ❶ 태풍 ❷ 여름

3 암기 전략

일기도 해석

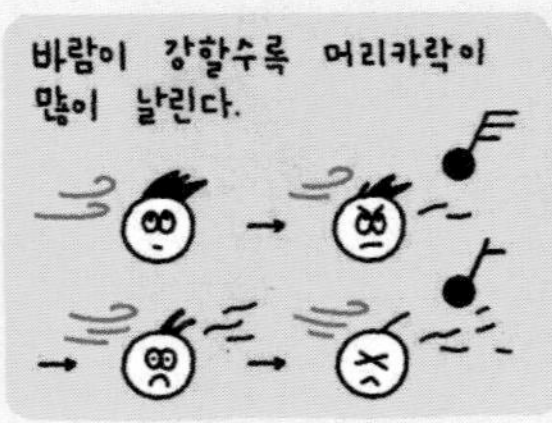

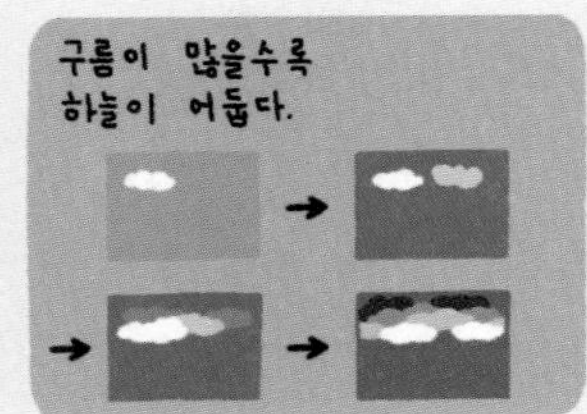

대표 유형 42 우리나라의 날씨

그림은 어느 두 계절 우리나라 주변의 일기도이다.

우리나라 날씨에 대한 설명으로 옳은 것을 |보기| 에서 모두 고른 것은?

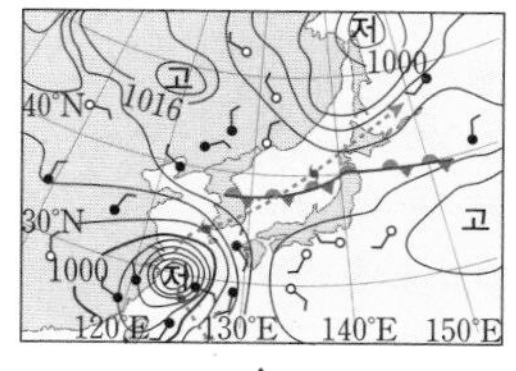

A

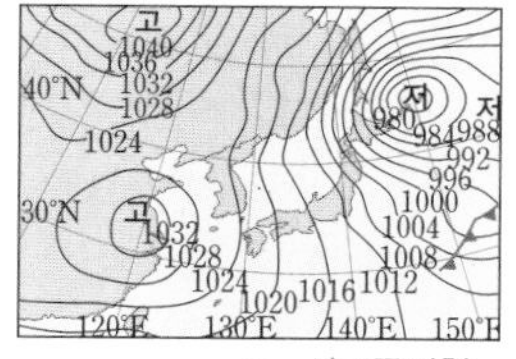

B 서고동저형 기압 배치

보기

ㄱ. A는 여름철, B는 겨울철에 자주 나타나는 일기도이다.

ㄴ. A의 일기도가 자주 나타나는 때보다 이른 계절에는 기압 배치가 수시로 변하면서 다른 계절에 비해 날씨 변화가 심하다.

ㄷ. B의 일기도가 자주 나타나는 때보다 이른 계절에는 양쯔강 기단의 영향으로 이동성 고기압이 자주 지나므로 날씨가 비교적 맑은 편이다.

① ㄱ ② ㄴ ③ ㄱ, ㄷ ④ ㄴ, ㄷ ⑤ ㄱ, ㄴ, ㄷ

답 ⑤

1 읽기 전략 키워드 → 여름철, 겨울철, 기압 배치, 이동성 고기압

2 해결 전략 일기도를 보고 계절을 알아내고, 우리나라 4계절의 날씨 특징을 정리해 보자.

① 그림 분석

- A는 일기도에 ❶ ______ 전선과 태풍이 나타나므로 여름철의 일기도이다.
- B는 서고동저형 기압 배치가 보이므로 겨울철 일기도이다.

② 〈보기〉 분석

ㄴ. 봄은 양쯔강 기단의 영향을 받으며 ❷ ______ 고기압과 저기압이 자주 지나가서 날씨 변화가 심하다.

ㄷ. 가을은 양쯔강 기단의 영향을 받으며 맑은 날씨가 자주 나타난다.

답 ❶ 장마 ❷ 이동성

3 암기 전략

우리나라 날씨의 특징

"봄에는 황(사)도, 여름에는 풍(태풍)성한 과일

가을에는 천(고마비)도 복숭아, 겨울에는 시(베리아 기단)린 홍시."

memo

중학 과학 3-1

BOOK 1

중간고사 대비

이 책의 구성과 활용

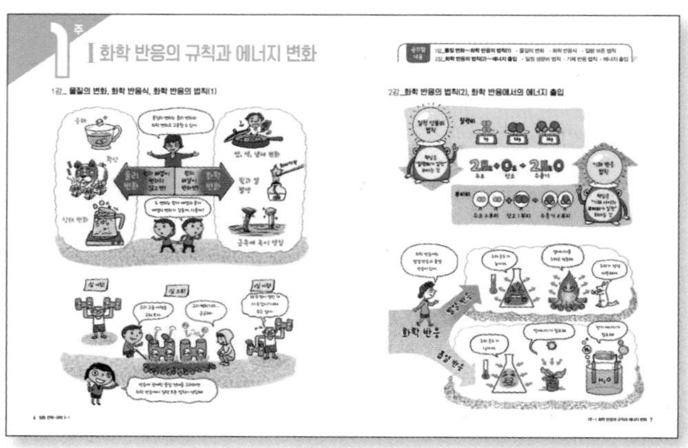

주 도입

이번 주에 배울 내용이 무엇인지 안내하는 부분입니다. 재미있는 개념 삽화를 통해 앞으로 배울 학습 내용을 미리 떠올려 봅니다.

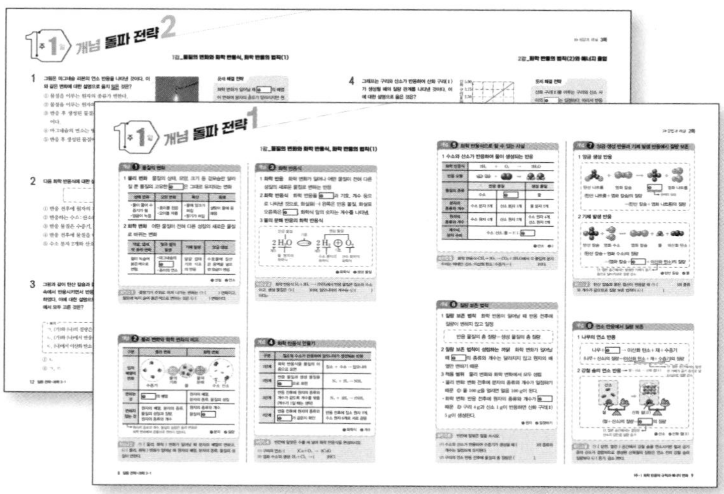

1일 개념 돌파 전략

주제별로 꼭 알아야 하는 핵심 개념을 익히고 문제를 풀며 개념을 잘 이해했는지 확인합니다.

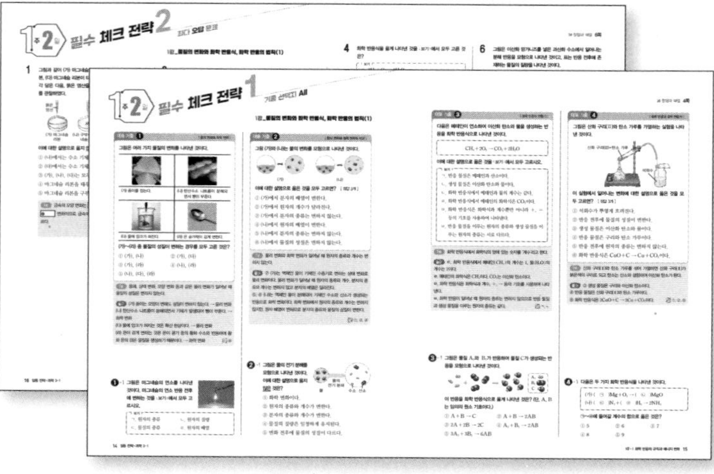

2일, 3일 필수 체크 전략

꼭 알아야 할 대표 기출 유형 문제를 쌍둥이 문제와 함께 풀어 보며 문제에 접근하는 과정과 방법을 체계적으로 연습합니다.

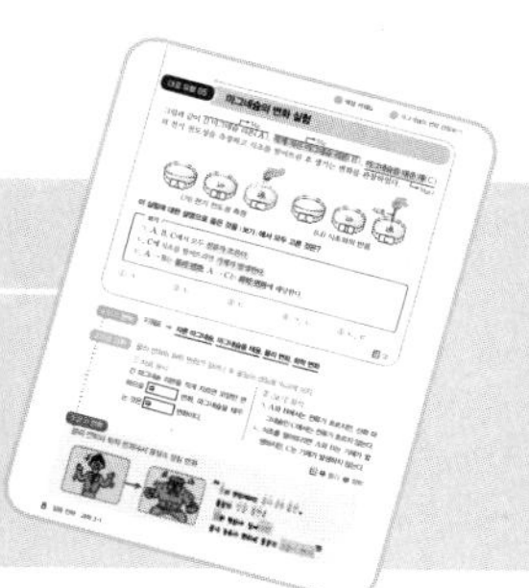

부록 시험에 잘 나오는 **대표 유형 ZIP**

부록을 뜯으면 미니북으로 활용할 수 있습니다. 시험 전에 대표 유형을 확실하게 익혀 보세요.

주 마무리 코너

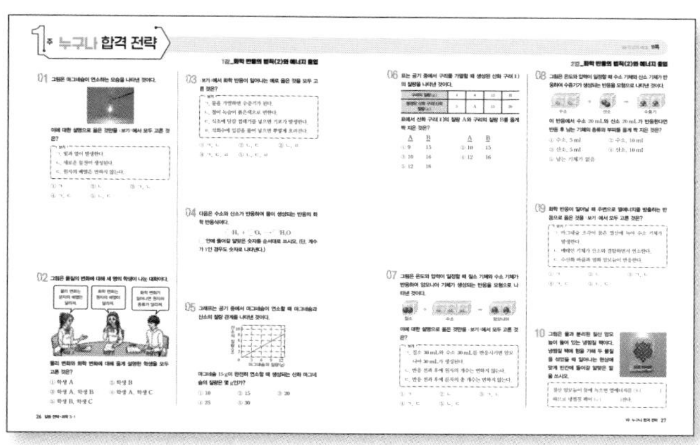

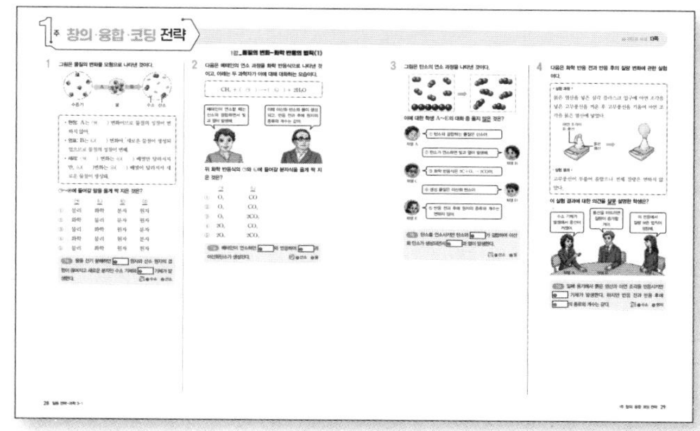

누구나 합격 전략

기초 이해력을 점검할 수 있는 종합 문제로 학습 자신감을 가질 수 있습니다.

창의·융합·코딩 전략

융·복합적 사고력과 문제 해결력을 길러 주는 문제로 구성하였습니다.

중간고사 마무리 코너

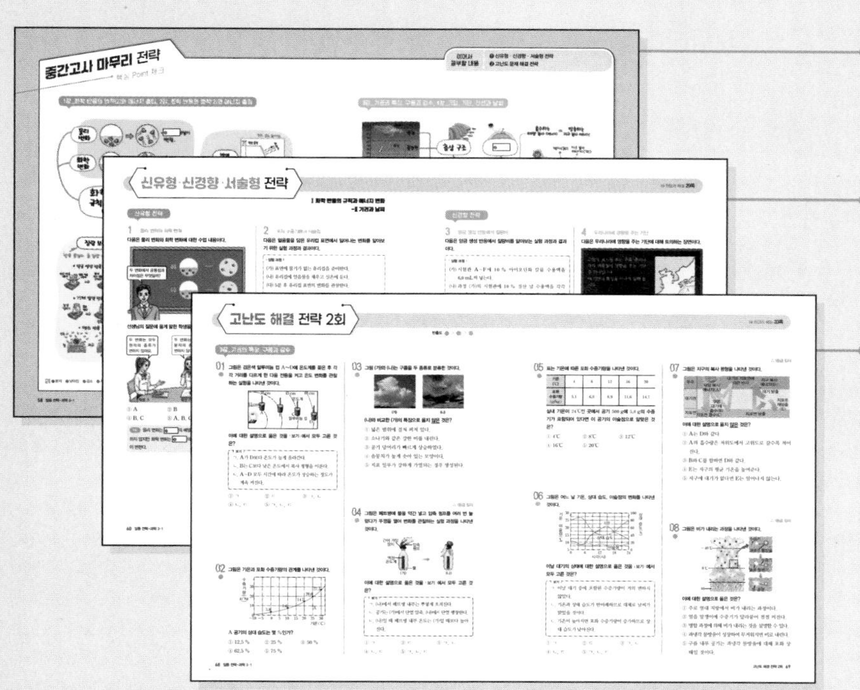

중간고사 마무리 전략

학습 내용을 마인드 맵으로 정리하여 앞에서 공부한 개념을 한눈에 파악할 수 있습니다.

신유형·신경향·서술형 전략

신유형·신경향·서술형 문제를 집중적으로 풀며 문제 적응력을 높일 수 있습니다.

고난도 해결 전략

실제 시험에 대비할 수 있는 고난도의 실전 문제 2회로 구성하였습니다.

이 책의 차례 BOOK 1

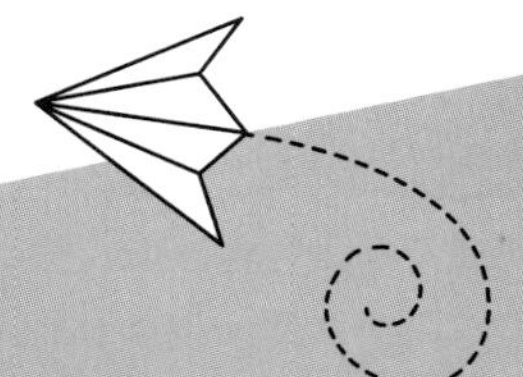

1주

Ⅰ 화학 반응의 규칙과 에너지 변화

1강_물질의 변화~화학 반응의 법칙(1)

2강_화학 반응의 법칙(2)~에너지 출입

1주 1일 개념 돌파 전략 1

개념 1 물질의 변화

1 물리 변화 물질의 상태, 모양, 크기 등 겉모습만 달라질 뿐 물질의 고유한 ❶ [　　] 은 그대로 유지되는 변화

상태 변화	모양 변화	확산	용해
• 물이 끓어 수증기가 됨 • 얼음이 녹음	• 종이를 접음 • 오이를 자름	• 물에 잉크가 퍼짐 • 향기가 퍼짐	설탕이 물에 용해됨

2 화학 변화 어떤 물질이 전혀 다른 성질의 새로운 물질로 바뀌는 변화

색깔, 냄새, 맛 등의 변화	빛과 열의 발생	기체 발생	앙금 생성
철이 녹슬어 붉은색으로 변함.	• 마그네슘의 ❷ [　　] • 종이의 연소	달걀 껍데기와 식초의 반응	수돗물에 질산은 용액을 넣으면 앙금이 생김.

❶ 성질 ❷ 연소

확인Q 1 꽃향기가 주위로 퍼져 나가는 변화는 ㉠ (　　) 변화이고, 철못에 녹이 슬어 붉은색으로 변하는 것은 ㉡ (　　) 변화이다.

개념 2 물리 변화와 화학 변화의 비교

구분	물리 변화	화학 변화
입자 배열의 변화	수증기 ← 물리 변화 (물의 기화) ← 물	물 → 화학 변화 (물의 분해) → 수소 산소
변하는 것	❶ [　　] 의 배열	원자의 배열, 분자의 종류, 물질의 성질
변하지 않는 것	원자의 배열, 분자의 종류, 물질의 성질과 질량, 원자의 종류와 개수	원자의 종류와 개수, 물질의 ❷ [　　]

→ 원자의 종류와 개수, 물질의 질량은 물리 변화와 화학 변화에서 공통으로 변하지 않는다.

❶ 분자 ❷ 질량

확인Q 2 ㉠ (물리, 화학) 변화가 일어날 때 분자의 배열이 변하고, ㉡ (물리, 화학) 변화가 일어날 때 원자의 배열, 분자의 종류, 물질의 성질이 변한다.

개념 3 화학 반응식

1 화학 반응 화학 변화가 일어나 어떤 물질이 전혀 다른 성질의 새로운 물질로 변하는 반응

2 화학 반응식 화학 반응을 ❶ [　　] 과 기호, 계수 등으로 나타낸 것으로, 화살표(→) 왼쪽은 반응 물질, 화살표 오른쪽은 ❷ [　　], 화학식 앞의 숫자는 계수를 나타냄.

3 물의 분해 반응의 화학 반응식

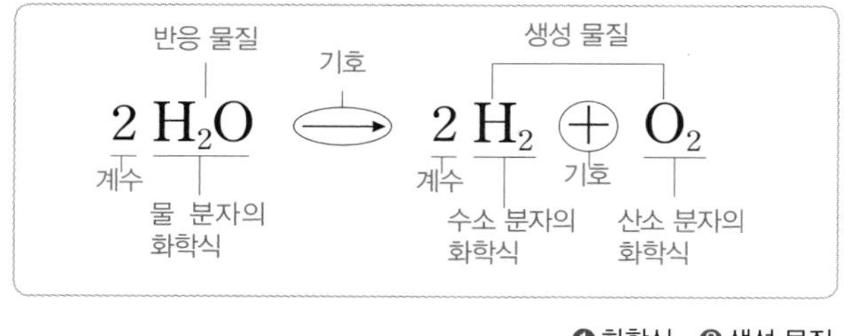

❶ 화학식 ❷ 생성 물질

확인Q 3 화학 반응식 $N_2+3H_2 \longrightarrow 2NH_3$에서 반응 물질은 질소와 수소이고, 생성 물질은 ㉠ (　　)이며, 암모니아의 계수는 ㉡ (　　)이다.

개념 4 화학 반응식 만들기

구분	질소와 수소가 반응하여 암모니아가 생성되는 반응	
1단계	화학 반응식을 물질의 이름으로 표현	질소 + 수소 → 암모니아
2단계	반응 물질과 생성 물질을 ❶ [　　] 으로 표현	$N_2 + H_2 \rightarrow NH_3$
3단계	반응 전후에 원자의 종류와 개수가 같도록 계수를 맞춤 (계수가 1일 때는 생략)	$N_2 + 3H_2 \rightarrow 2NH_3$
4단계	반응 전후에 원자의 종류와 ❷ [　　] 가 같은지 확인	반응 전후에 질소 원자 2개, 수소 원자 6개로 서로 같음

❶ 화학식 ❷ 개수

확인Q 4 빈칸에 알맞은 수를 써 넣어 화학 반응식을 완성하시오.

(1) 구리의 연소: (　　)$Cu+O_2 \rightarrow 2CuO$

(2) 염화 수소의 생성: $H_2+Cl_2 \rightarrow$ (　　)HCl

개념 5 화학 반응식으로 알 수 있는 사실

1 수소와 산소가 반응하여 물이 생성되는 반응

화학 반응식	$2H_2$	+ O_2	→ $2H_2O$
반응 모형			
물질의 종류	반응 물질		생성 물질
	수소	❶	물
분자의 종류와 개수	수소 분자 2개	산소 분자 1개	물 분자 2개
원자의 종류와 개수	수소 원자 4개	산소 원자 2개	수소 원자 4개, 산소 원자 2개
계수비, 분자 수비	수소 : 산소 : 물 = 2 : 1 : ❷		

❶ 산소 ❷ 2

확인Q 5 화학 반응식 $CH_4 + 2O_2 \rightarrow CO_2 + 2H_2O$에서 각 물질의 분자 수비는 메테인 : 산소 : 이산화 탄소 : 수증기 = (   )이다.

개념 6 질량 보존 법칙

1 질량 보존 법칙 화학 반응이 일어날 때 반응 전후에 질량이 변하지 않고 일정

반응 물질의 총 질량 = 생성 물질의 총 질량

2 질량 보존 법칙이 성립하는 까닭 화학 변화가 일어날 때 ❶ 의 종류와 개수는 달라지지 않고 원자의 배열만 변하기 때문

3 적용 범위 물리 변화와 화학 변화에서 모두 성립

- 물리 변화: 변화 전후에 분자의 종류와 개수가 일정하기 때문 예 물 100 g을 얼리면 얼음 100 g이 된다.
- 화학 변화: 반응 전후에 원자의 종류와 개수가 ❷ 때문 예 구리 4 g과 산소 1 g이 반응하면 산화 구리(Ⅱ) 5 g이 생성된다.

❶ 원자 ❷ 일정하기

확인Q 6 빈칸에 알맞은 말을 쓰시오.

(1) 수소와 산소가 반응하여 수증기가 생성될 때 (   )의 종류와 개수는 일정하게 유지된다.

(2) 구리의 연소 반응 전후에 물질의 총 질량은 (   ).

개념 7 앙금 생성 반응과 기체 발생 반응에서 질량 보존

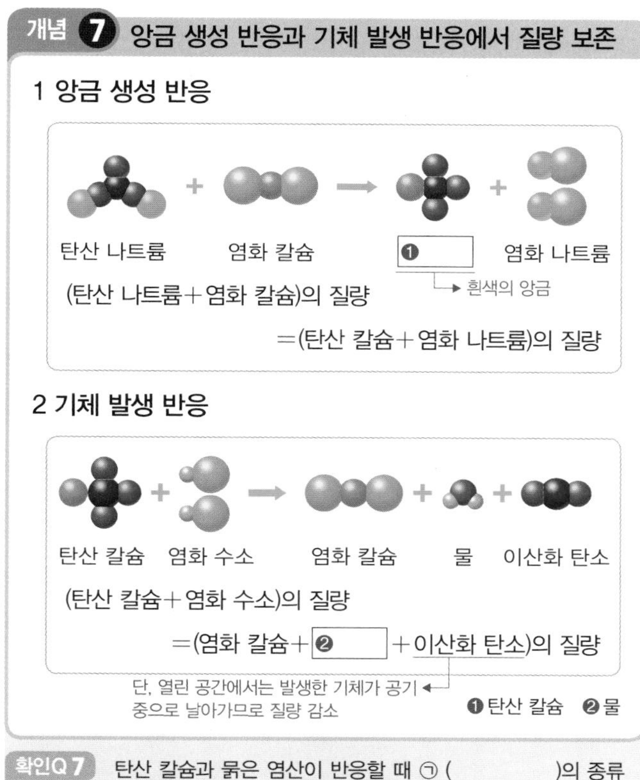

1 앙금 생성 반응

탄산 나트륨 + 염화 칼슘 → ❶ (흰색의 앙금) + 염화 나트륨

(탄산 나트륨 + 염화 칼슘)의 질량 = (탄산 칼슘 + 염화 나트륨)의 질량

2 기체 발생 반응

탄산 칼슘 + 염화 수소 → 염화 칼슘 + 물 + 이산화 탄소

(탄산 칼슘 + 염화 수소)의 질량 = (염화 칼슘 + ❷ + 이산화 탄소)의 질량

단, 열린 공간에서는 발생한 기체가 공기 중으로 날아가므로 질량 감소

❶ 탄산 칼슘 ❷ 물

확인Q 7 탄산 칼슘과 묽은 염산이 반응할 때 ㉠ (   )의 종류와 개수가 같으므로 질량 보존 법칙이 ㉡ (   ).

개념 8 연소 반응에서 질량 보존

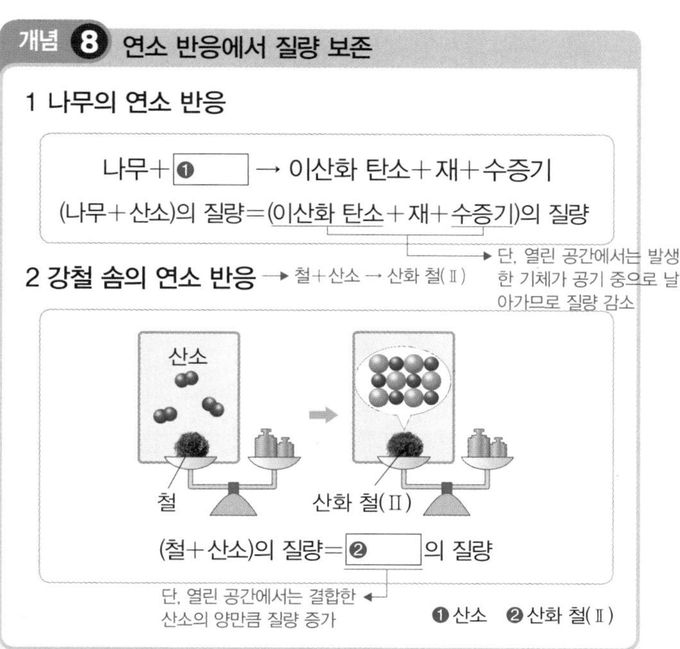

1 나무의 연소 반응

나무 + ❶ → 이산화 탄소 + 재 + 수증기

(나무 + 산소)의 질량 = (이산화 탄소 + 재 + 수증기)의 질량

단, 열린 공간에서는 발생한 기체가 공기 중으로 날아가므로 질량 감소

2 강철 솜의 연소 반응 → 철 + 산소 → 산화 철(Ⅱ)

(철 + 산소)의 질량 = ❷ 의 질량

단, 열린 공간에서는 결합한 산소의 양만큼 질량 증가

❶ 산소 ❷ 산화 철(Ⅱ)

확인Q 8 ㉠ (닫힌, 열린) 공간에서 강철 솜을 연소시키면 철과 공기 중의 산소가 결합하므로 생성된 산화철의 질량은 연소 전의 강철 솜의 질량보다 ㉡ (증가, 감소)한다.

개념 1 일정 성분비 법칙

1 **일정 성분비 법칙** 화합물을 구성하는 성분 원소 사이에는 일정한 ❶ [ ]가 성립 → 혼합물에서는 성립×

2 **일정 성분비 법칙이 성립하는 까닭** 원자는 질량이 일정하고, 화합물을 이루는 원자들이 일정한 ❷ [ ]로 결합하기 때문

3 **화합물에서 일정 성분비의 법칙**

수소 원자 1개와 산소 원자 1개의 질량비가 1 : 16이므로 물 분자를 구성하는 수소와 산소의 질량비는 (1×2) : 16 = 1 : 8이다.

분자	구성 원자	원자의 개수	질량비
물	수소	2개	수소 : 산소 = 1 : 8
	산소	1개	
과산화 수소	수소	2개	수소 : 산소 = 1 : 16
	산소	2개	

❶ 질량비 ❷ 개수비

확인Q 1 물은 구성 (원자, 분자)들이 항상 일정한 개수비로 결합하므로 일정 성분비 법칙이 성립한다.

개념 2 금속의 연소 반응에서 일정 성분비 법칙

1 **산화 구리(Ⅱ)의 생성** 구리를 연소시키면 구리와 산소가 4 : 1의 ❶ [ ]비로 결합하여 산화 구리(Ⅱ)가 됨

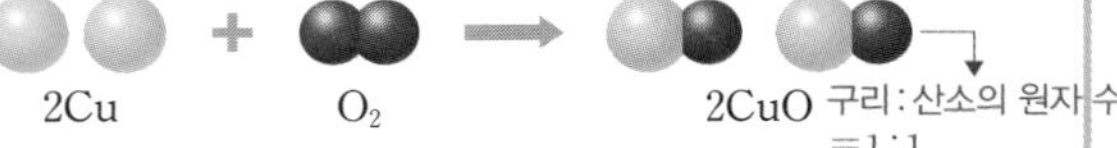

구리 : 산소의 원자 수비 = 1 : 1

2 **산화 구리(Ⅱ)를 구성하는 구리와 산소의 질량 관계**

구리와 산소	구리와 산화 구리(Ⅱ)
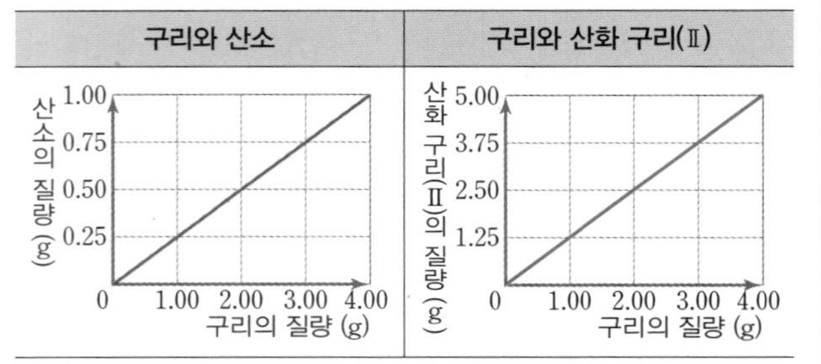	

➡ 반응하는 구리와 산소의 질량비는 ❷ [ ]로 일정

➡ 반응 물질과 생성 물질의 질량비는 구리 : 산소 : 산화 구리(Ⅱ) = 4 : 1 : 5로 일정

❶ 질량 ❷ 4 : 1

확인Q 2 산화 구리(Ⅱ)에서 구리와 산소의 원자 수비는 ㉠ (   )이고, 구리와 산소의 ㉡ (   )는 4 : 1이다.

개념 3 여러 가지 화합물에서 일정 성분비 법칙

1 **이산화 탄소와 암모니아에서 성분 원소의 질량비**

(원자의 상대적 질량: 탄소=12, 산소=16, 수소=1, 질소=14)

구분	이산화 탄소(CO_2)	암모니아(NH_3)
원자 수비	탄소 : 산소 = 1 : 2	질소 : 수소 = ❶ [ ]
질량비	탄소 : 산소 = 12 : (16×2) = 3 : 8	질소 : 수소 = 14 : (1×3) = 14 : 3

2 **화합물 모형(BN_2)에서 질량비**

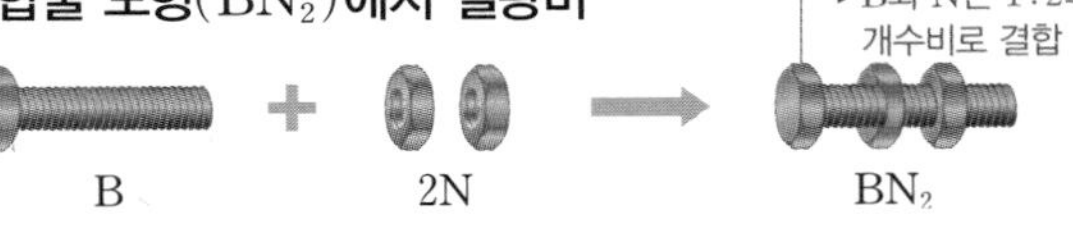

→ B와 N은 1 : 2의 개수비로 결합

➡ B가 5 g, N이 2 g일 때 B와 N의 ❷ [ ]는 B : N = (5×1) g : (2×2) g = 5 : 4이다.

❶ 1 : 3 ❷ 질량비

확인Q 3 이산화 탄소를 이루는 탄소와 산소의 원자 수비는 ㉠ (   )이고, 질량비는 ㉡ (   )이다.

개념 4 기체 반응 법칙

1 **기체 반응 법칙** 일정한 온도와 압력에서 기체가 반응하여 새로운 기체를 생성할 때 각 기체의 ❶ [ ] 사이에는 간단한 정수비가 성립 → 기체 반응 법칙은 반응 물질과 생성 물질 모두 기체일 때 성립

2 **수증기 생성 반응에서 각 기체 사이의 부피비** → 수소 : 산소 : 수증기 = 2 : 1 : 2

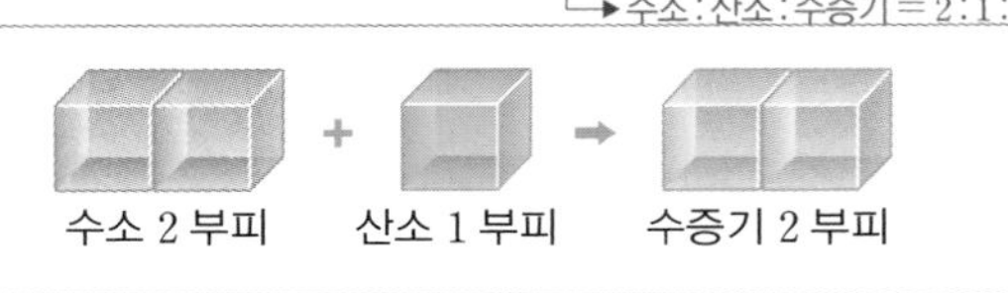

3 **암모니아 생성 반응에서 각 기체 사이의 부피비** → 질소 : 수소 : 암모니아 = 1 : 3 : 2

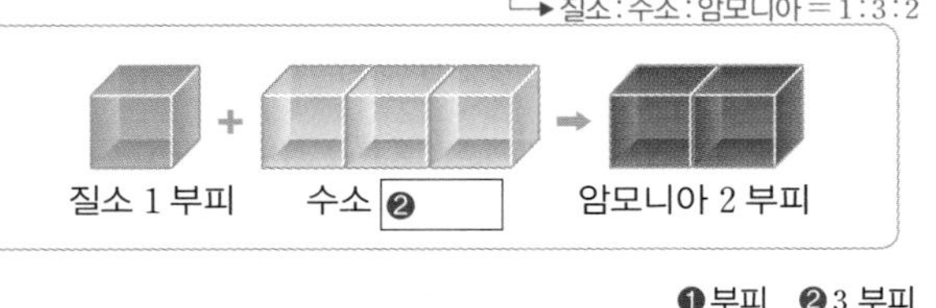

❶ 부피 ❷ 3 부피

확인Q 4 온도와 압력이 일정할 때 수증기의 생성 반응에서 각 기체 사이의 (질량비, 부피비)는 수소 : 산소 : 수증기 = 2 : 1 : 2이다.

개념 5 기체 반응 법칙이 성립하는 까닭

1 기체 반응 법칙이 성립하는 까닭 온도와 압력이 같을 때 모든 기체는 같은 부피 속에 같은 개수의 ❶ [ ]가 들어 있기 때문 → 아보가드로 법칙

기체	수소	수증기	암모니아
분자 모형			
분자 수	5	5	5
총 원자 수	10	15	20

➡ 온도와 압력이 같을 때 같은 부피의 풍선 속에 들어 있는 수소, 수증기, 암모니아의 분자 수는 ❷ [ ].

❶ 분자 ❷ 같다

확인Q 5 같은 온도와 압력에서 같은 부피의 풍선 속에 들어 있는 기체의 (분자 , 원자) 수는 같다.

개념 6 기체 반응 법칙과 화학 반응식

1 기체 반응의 법칙과 화학 반응식 반응 물질과 생성 물질이 ❶ [ ]일 때 다음이 성립한다. (온도, 압력은 일정)

각 기체의 부피비 = 각 기체의 분자 수비 = 계수비

화학 반응식의 계수비는 질량비와 관계 없다.

예 수증기의 생성 반응

모형	수소 2 부피 $2H_2$	+	산소 1 부피 O_2	⟶	수증기 2 부피 $2H_2O$
계수비	2	:	1	:	2
부피비	2	:	1	:	2
분자 수비	2	:	1	:	❷ [ ]

❶ 기체 ❷ 2

확인Q 6 수소 기체와 산소 기체가 반응하여 (   )를 생성할 때 기체 반응 법칙이 성립한다.

개념 7 화학 반응에서의 에너지 출입(1)

1 발열 반응 화학 반응이 일어날 때 주위로 ❶ [ ]를 방출하는 반응 ➡ 생성 물질의 에너지 합이 반응 물질의 에너지 합보다 작으므로, 주위의 온도가 ❷ [ ].

반응 물질 → 생성 물질 + 열에너지

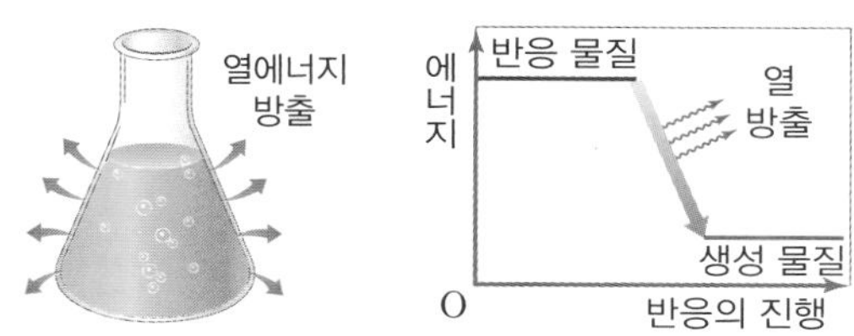

2 발열 반응의 예 연료의 연소 반응, 철이 녹스는 반응, 금속과 산의 반응, 산과 염기의 반응, 산과 물의 반응, 조리용 발열 팩, 휴대용 손난로, 제설제 등

❶ 에너지 ❷ 높아진다

확인Q 7 연소 반응이 일어나면 주위의 온도가 ㉠ (   ) 물질이 가진 에너지는 ㉡ (   ).

개념 8 화학 반응에서의 에너지 출입(2)

1 흡열 반응 화학 반응이 일어날 때 주위로부터 에너지를 ❶ [ ]하는 반응 ➡ 생성 물질의 에너지 합이 반응 물질의 에너지 합보다 크므로, 주위의 온도가 ❷ [ ].

반응 물질 + 열에너지 → 생성 물질

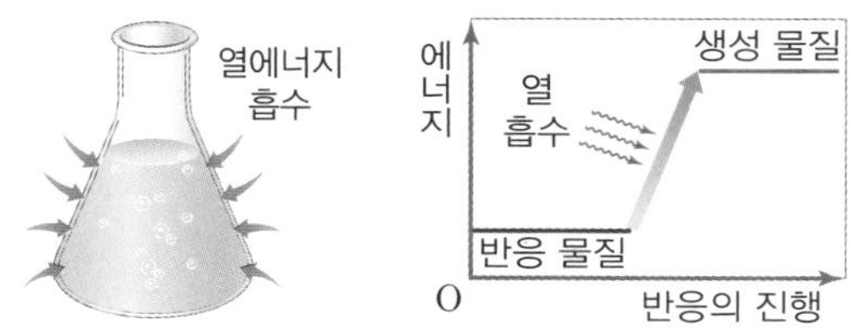

2 흡열 반응의 예 물의 전기 분해, 탄산수소 나트륨의 분해 반응, 광합성, 수산화 바륨과 염화 암모늄의 반응, 질산 암모늄의 용해, 소금이 얼음물에 녹는 반응, 냉각 팩 등

❶ 흡수 ❷ 낮아진다

확인Q 8 탄산수소 나트륨이 분해될 때에는 주위로부터 열에너지를 ㉠ (   )하여 주위의 온도가 ㉡ (   )진다.

1주 1일 개념 돌파 전략 2

1 그림은 마그네슘 리본의 연소 반응을 나타낸 것이다. 이와 같은 변화에 대한 설명으로 옳지 않은 것은?

① 물질을 이루는 원자의 종류가 변한다.
② 물질을 이루는 원자의 배열이 변한다.
③ 반응 후 생성된 물질은 마그네슘과는 다른 물질이다.
④ 마그네슘의 연소는 빛과 열이 발생하는 화학 변화이다.

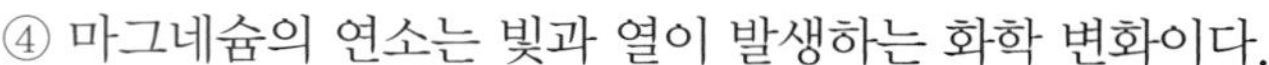

⑤ 반응 후 생성된 물질에 묽은 염산을 떨어뜨리면 기체가 발생하지 않는다.

문제 해결 전략

화학 변화가 일어날 때 ❶ [   ]의 배열이 변하여 분자의 종류가 달라지지만 원자의 ❷ [   ]와 개수는 변하지 않는다.

답 ❶ 원자 ❷ 종류

2 다음 화학 반응식에 대한 설명으로 옳은 것은?

$$2H_2 + O_2 \rightarrow 2H_2O$$

① 반응 전후에 원자의 개수가 변한다.
② 반응하는 수소 : 산소의 분자 수비는 1 : 1이다.
③ 반응 물질은 수증기, 생성 물질은 수소와 산소이다.
④ 반응 전후에 물질을 이루는 분자의 종류는 변하지 않는다.
⑤ 수소 분자 2개와 산소 분자 1개가 반응하면 물 분자 2개가 생성된다.

문제 해결 전략

화학 반응식에서 화살표를 기준으로 왼쪽이 반응 물질, 오른쪽이 ❶ [   ]이고, 반응 전후에 원자의 배열이 달라지므로 ❷ [   ]의 종류가 변한다.

답 ❶ 생성 물질 ❷ 분자

3 그림과 같이 탄산 칼슘과 묽은 염산을 밀폐된 병 속에서 반응시키면서 반응 전후의 질량을 측정하였다. 이에 대한 설명으로 옳은 것만을 | 보기 | 에서 모두 고른 것은?

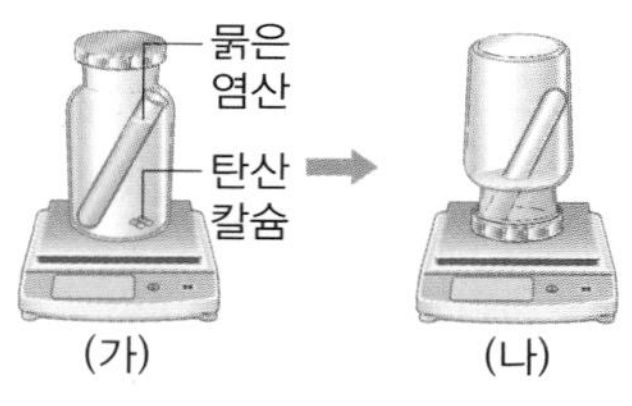

| 보기 |

ㄱ. (가)와 (나)의 질량은 같다.
ㄴ. (가)와 (나)에서 반응하는 물질과 생성되는 물질의 원자의 배열은 다르다.
ㄷ. (나)에서 이산화 탄소 기체가 발생하므로 질량 보존 법칙이 성립하지 않는다.

① ㄴ ② ㄷ ③ ㄱ, ㄴ
④ ㄱ, ㄷ ⑤ ㄱ, ㄴ, ㄷ

문제 해결 전략

기체가 발생하는 화학 변화가 ❶ [   ] 공간에서 진행되면 기체가 공기 중으로 날아가므로 측정되는 질량이 감소하지만, 닫힌 공간에서 일어나면 반응 전후 물질의 질량이 ❷ [   ].

답 ❶ 열린 ❷ 보존된다

4 그래프는 구리와 산소가 반응하여 산화 구리(Ⅱ)가 생성될 때의 질량 관계를 나타낸 것이다. 이에 대한 설명으로 옳은 것은?

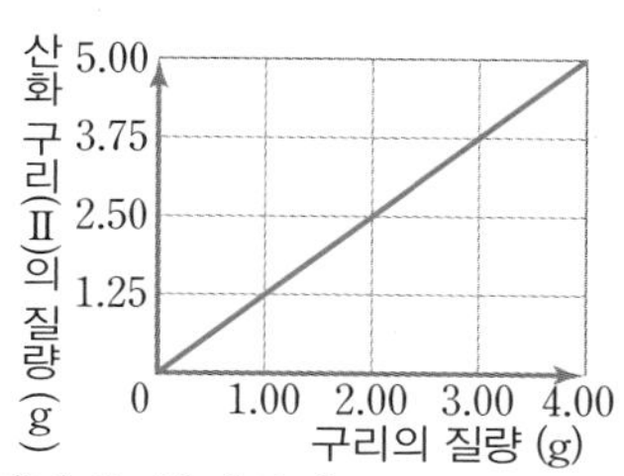

① 구리와 산화 구리(Ⅱ)의 질량비는 4 : 1 이다.
② 구리의 질량에 관계없이 결합하는 산소의 질량은 일정하다.
③ 산화 구리(Ⅱ)를 이루는 성분 원소 사이의 질량비는 일정하다.
④ 구리 3 g이 산소와 완전히 반응할 때 반응하는 산소의 질량은 3.75 g 이다.
⑤ 반응한 구리의 질량이 증가하면 생성된 산화 구리(Ⅱ)의 질량은 감소한다.

문제 해결 전략

산화 구리(Ⅱ)를 이루는 구리와 산소 사이의 ❶ ☐ 는 일정하다. 따라서 반응하는 구리의 질량이 증가할수록 구리와 결합하는 산소의 질량도 증가하고 생성되는 산화 구리(Ⅱ)의 질량도 ❷ ☐.

답 ❶ 질량비 ❷ 증가한다

5 그림은 수소와 산소가 반응하여 수증기가 생성되는 반응을 나타낸 것이다.

 +  → 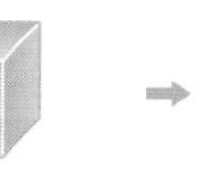

수소 산소 수증기

수소 40 mL와 산소 40 mL가 완전히 반응했을 때, 반응 후 (가) 남은 물질과 (나) 생성 물질의 종류와 부피를 옳게 짝 지은 것은? (단, 반응 전후에 온도와 압력은 같고, 수소와 산소의 상태는 기체이다.)

	(가)	(나)		(가)	(나)
①	없음	수증기 40 mL	②	산소 20 mL	수증기 40 mL
③	산소 20 mL	수증기 20 mL	④	수소 20 mL	수증기 20 mL
⑤	수소 20 mL	수증기 40 mL			

문제 해결 전략

수소 기체와 산소 기체가 반응하여 수증기가 생성될 때의 부피비는 수소 : 산소 : 수증기 = ❶ ☐ 이다. 따라서 수소 40 mL와 완전히 반응하는 산소의 부피는 ❷ ☐ mL이다.

답 ❶ 2 : 1 : 2 ❷ 20

6 발열 반응과 흡열 반응에 대한 설명으로 옳은 것을 |보기|에서 모두 고른 것은?

보기
ㄱ. 발열 반응은 열을 주위로 방출하는 반응이다.
ㄴ. 흡열 반응이 일어나면 주위의 온도가 높아진다.
ㄷ. 흡열 반응은 생성 물질의 에너지 합이 반응 물질의 에너지 합보다 크다.

① ㄱ ② ㄴ ③ ㄷ
④ ㄱ, ㄷ ⑤ ㄱ, ㄴ, ㄷ

문제 해결 전략

흡열 반응이 일어날 때 주위로부터 에너지를 ❶ ☐ 하므로 주위의 온도가 낮아지고, 물질이 에너지를 흡수하였으므로 생성 물질의 에너지 합은 반응 물질의 에너지 합보다 ❷ ☐.

답 ❶ 흡수 ❷ 크다

대표 기출 1

| 물리 변화와 화학 변화 |

그림은 여러 가지 물질의 변화를 나타낸 것이다.

	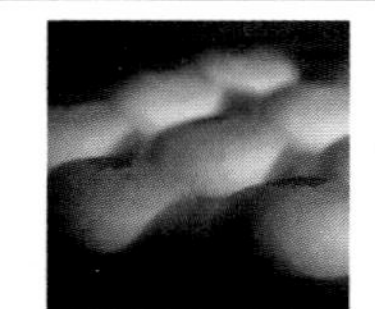
(가) 종이를 접는다.	(나) 탄산수소 나트륨이 분해되면서 빵이 부푼다.

(다) 물에 잉크가 퍼진다.	(라) 은 숟가락이 검게 변한다.

(가)~(라) 중 물질의 성질이 변하는 경우를 모두 고른 것은?

① (가), (나)　② (가), (다)
③ (가), (라)　④ (나), (라)
⑤ (나), (다), (라)

Tip 용해, 상태 변화, 모양 변화 등과 같은 물리 변화가 일어날 때 물질의 성질은 변하지 않는다.

풀이 (가) 종이는 모양이 변해도 성질이 변하지 않는다. → 물리 변화
(나) 탄산수소 나트륨이 분해되면서 기체가 발생되어 빵이 부푼다. → 화학 변화
(다) 물에 잉크가 퍼지는 것은 확산 현상이다. → 물리 변화
(라) 은이 검게 변하는 것은 은이 공기 중의 황화 수소와 반응하여 황화 은의 검은 물질을 생성하기 때문이다. → 화학 변화

답 ④

대표 기출 2

| 물리 변화와 화학 변화의 비교 |

그림 (가)와 (나)는 물의 변화를 모형으로 나타낸 것이다.

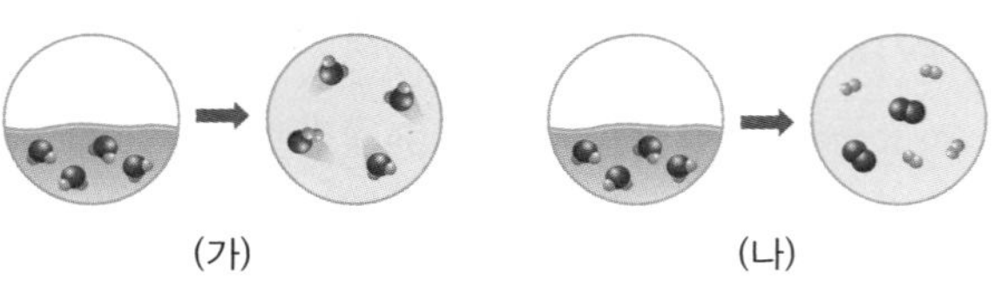

이에 대한 설명으로 옳은 것을 모두 고르면? [정답 3개]

① (가)에서 분자의 배열이 변한다.
② (가)에서 원자의 개수가 달라진다.
③ (가)에서 분자의 종류는 변하지 않는다.
④ (나)에서 원자의 배열이 변한다.
⑤ (나)에서 분자의 종류는 변하지 않는다.
⑥ (나)에서 물질의 성질은 변하지 않는다.

Tip 물리 변화와 화학 변화가 일어날 때 원자의 종류와 개수는 변하지 않는다.

풀이 ② (가)는 액체인 물이 기체인 수증기로 변하는 상태 변화로 물리 변화이다. 물리 변화가 일어날 때 원자의 종류와 개수, 분자의 종류와 개수는 변하지 않고 분자의 배열은 달라진다.
⑤, ⑥ (나)는 액체인 물이 분해되어 기체인 수소와 산소가 생성되는 반응으로 화학 변화이다. 화학 변화에서 원자의 종류와 개수는 변하지 않지만, 원자 배열이 변하므로 분자의 종류와 물질의 성질이 변한다.

답 ①, ③, ④

1-1 그림은 마그네슘의 연소를 나타낸 것이다. 마그네슘의 연소 반응 전후에 변하는 것을 | 보기 |에서 모두 고르시오.

| 보기 |
ㄱ. 원자의 종류　ㄴ. 원자의 질량
ㄷ. 물질의 종류　ㄹ. 원자의 배열

2-1 그림은 물의 전기 분해를 모형으로 나타낸 것이다. 이에 대한 설명으로 옳지 않은 것은?

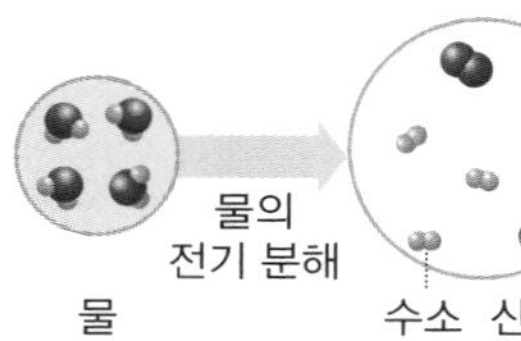

① 화학 변화이다.
② 원자의 종류와 개수가 변한다.
③ 분자의 종류와 개수가 변한다.
④ 물질의 질량은 일정하게 유지된다.
⑤ 변화 전후에 물질의 성질이 다르다.

>> 정답과 해설 4쪽

대표 기출 3

| 화학 반응식 만들기 |

다음은 메테인이 연소하여 이산화 탄소와 물을 생성하는 반응을 화학 반응식으로 나타낸 것이다.

$$CH_4+2O_2 \rightarrow CO_2+2H_2O$$

이에 대한 설명으로 옳은 것을 | 보기 | 에서 모두 고르시오.

보기
ㄱ. 반응 물질은 메테인과 산소이다.
ㄴ. 생성 물질은 이산화 탄소와 물이다.
ㄷ. 화학 반응식에서 메테인과 물의 계수는 같다.
ㄹ. 화학 반응식에서 메테인의 화학식은 CO_2이다.
ㅁ. 화학 반응식은 화학식과 계수뿐만 아니라 +, = 등의 기호를 사용하여 나타낸다.
ㅂ. 반응 물질을 이루는 원자의 종류와 생성 물질을 이루는 원자의 종류는 서로 다르다.

Tip 화학 반응식에서 화학식의 앞에 있는 숫자를 '계수'라고 한다.

풀이 ㄷ. 화학 반응식에서 메테인(CH_4)의 계수는 1, 물(H_2O)의 계수는 2이다.
ㄹ. 메테인의 화학식은 CH_4이다. CO_2는 이산화 탄소이다.
ㅁ. 화학 반응식은 화학식과 계수, +, → 등의 기호를 사용하여 나타낸다.
ㅂ. 화학 반응이 일어날 때 원자의 종류는 변하지 않으므로 반응 물질과 생성 물질을 이루는 원자의 종류는 같다.

답 ㄱ, ㄴ

3-1 그림은 물질 A_2와 B_2가 반응하여 물질 C가 생성되는 반응을 모형으로 나타낸 것이다.

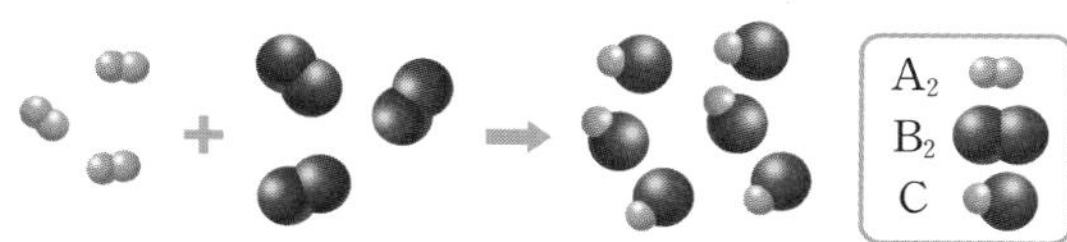

이 반응을 화학 반응식으로 옳게 나타낸 것은? (단, A, B는 임의의 원소 기호이다.)

① $A+B \rightarrow C$
② $A+B \rightarrow 2AB$
③ $2A+2B \rightarrow 2C$
④ $A_2+B_2 \rightarrow 2AB$
⑤ $3A_2+3B_2 \rightarrow 6AB$

대표 기출 4

| 화학 반응과 화학 반응식 |

그림은 산화 구리(Ⅱ)와 탄소 가루를 가열하는 실험을 나타낸 것이다.

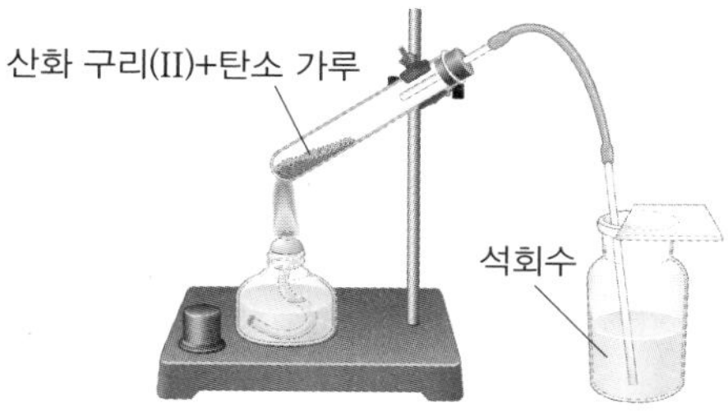

이 실험에서 일어나는 변화에 대한 설명으로 옳은 것을 모두 고르면? [정답 3개]

① 석회수가 뿌옇게 흐려진다.
② 반응 전후에 물질의 성질이 변한다.
③ 생성 물질은 이산화 탄소와 물이다.
④ 반응 물질은 구리와 탄소 가루이다.
⑤ 반응 전후에 원자의 종류는 변하지 않는다.
⑥ 화학 반응식은 $CuO+C \rightarrow Cu+CO_2$이다.

Tip 산화 구리(Ⅱ)와 탄소 가루를 섞어 가열하면 산화 구리(Ⅱ)가 붉은색의 구리로 되고 탄소는 산소와 결합하여 이산화 탄소가 된다.

풀이 ③ 생성 물질은 구리와 이산화 탄소이다.
④ 반응 물질은 산화 구리(Ⅱ)와 탄소 가루이다.
⑥ 화학 반응식은 $2CuO+C \rightarrow 2Cu+CO_2$이다.

답 ①, ②, ⑤

4-1 다음은 두 가지 화학 반응식을 나타낸 것이다.

(가) (㉠)$Mg+O_2 \rightarrow$ (㉡)MgO
(나) (㉢)N_2+(㉣)$H_2 \rightarrow 2NH_3$

㉠~㉣에 들어갈 계수의 합으로 옳은 것은?

① 5 ② 6 ③ 7
④ 8 ⑤ 9

대표 기출 5 | 화학 반응식으로 알 수 있는 사실 |

그림은 과산화 수소의 분해 반응을 모형과 화학 반응식으로 나타낸 것이다.

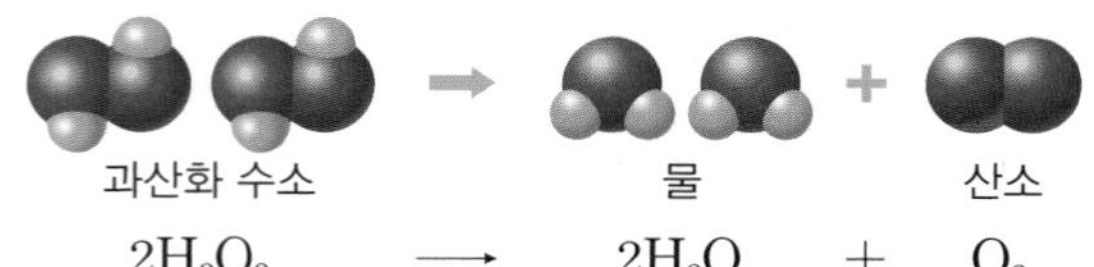

$2H_2O_2 \longrightarrow 2H_2O + O_2$

위 모형과 화학 반응식을 통해 알 수 있는 것으로 옳은 것을 | 보기 | 에서 모두 고르시오.

보기

ㄱ. 생성 물질의 성분 원소의 종류는 3가지이다.
ㄴ. 반응 전후에 원자 배열은 변하지 않는다.
ㄷ. 반응 전후에 분자의 종류는 다르다.
ㄹ. 반응 물질과 생성 물질의 성질은 다르다.
ㅁ. 화학 반응식에서 물질 사이의 분자 수비는 과산화 수소 : 물 : 산소 = 2 : 2 : 1이다.

Tip 화학 반응식을 통해 반응 전후의 원자의 종류와 개수, 분자의 종류와 개수를 알 수 있다. 화학 반응식에서 물질 사이의 분자 수비는 계수비와 같다.

풀이 ㄱ. 반응 물질과 생성 물질을 이루는 원소는 모두 산소와 수소이다. 따라서 성분 원소의 종류는 2가지이다.
ㄴ. 과산화 수소의 분해는 화학 변화이므로 원자 배열이 변한다.

답 ㄷ, ㄹ, ㅁ

5-1 화학 반응식으로 알 수 있는 사실로 옳지 않은 것은?

① 반응 물질과 생성 물질의 종류
② 반응 물질과 생성 물질의 분자 수비
③ 반응 물질과 생성 물질의 원자의 종류
④ 반응 물질과 생성 물질의 원자의 개수
⑤ 반응 물질과 생성 물질의 분자의 크기

대표 기출 6 | 질량 보존 법칙 |

그림은 염화 나트륨 수용액과 질산 은 수용액을 반응시킬 때 질량의 변화를 알아보는 실험을 나타낸 것이다.

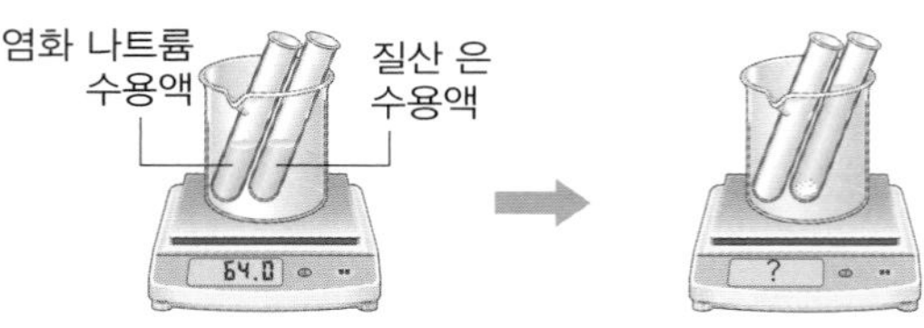

이에 대한 설명으로 옳은 것을 모두 고르면? [정답 3개]

① 이 반응에서 흰색 앙금이 생성된다.
② 질량 보존 법칙을 확인할 수 있다.
③ 열린 공간에서 반응하므로 질량이 감소한다.
④ 일정 성분비 법칙을 확인할 수 있다.
⑤ 산소가 결합하여 생성 물질의 질량이 증가한다.
⑥ 반응 전후에 원자의 종류와 개수는 변하지 않는다.

Tip 흰색의 염화 은 앙금이 생성되는 반응은 기체가 관여하지 않으므로 열린 공간이든 닫힌 공간이든 관계없이 반응 전후에 질량이 같게 유지된다.

풀이 ③, ⑤ 이 반응에서 공기 중의 산소가 반응에 참여하지 않고, 반응 후 기체가 생성되지 않으므로 제시된 장치를 사용하여 실험할 때 질량이 증가하거나 감소하지 않는다.
④ 질량 보존 법칙을 확인하는 실험이다.

답 ①, ②, ⑥

6-1 그림은 탄산 나트륨 수용액과 염화 칼슘 수용액의 반응을 모형으로 나타낸 것이다.

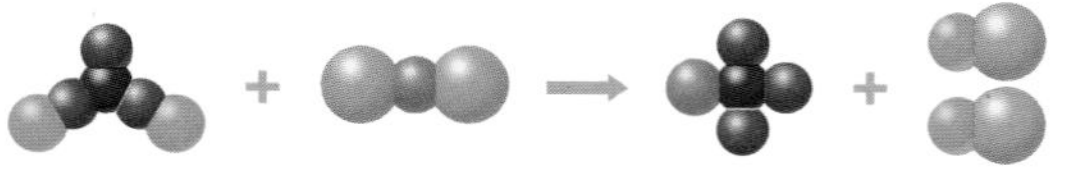

이에 대한 설명으로 옳은 것은?

① 반응 후 앙금이 생성되어 질량이 증가한다.
② 반응 전후에 원자의 배열은 변하지 않는다.
③ 반응 전후에 물질의 성질은 변하지 않는다.
④ 반응 전후에 원자의 종류와 개수는 일정하다.
⑤ 화학 반응이 일어나면 탄소 원자는 사라진다.

대표 기출 7 | 기체 발생 반응과 앙금 생성 반응에서 질량 보존 |

그림과 같이 탄산 칼슘과 묽은 염산을 밀폐된 병 안에서 반응시키면서 반응 전후의 질량과 병뚜껑을 연 후의 질량을 측정하였다.

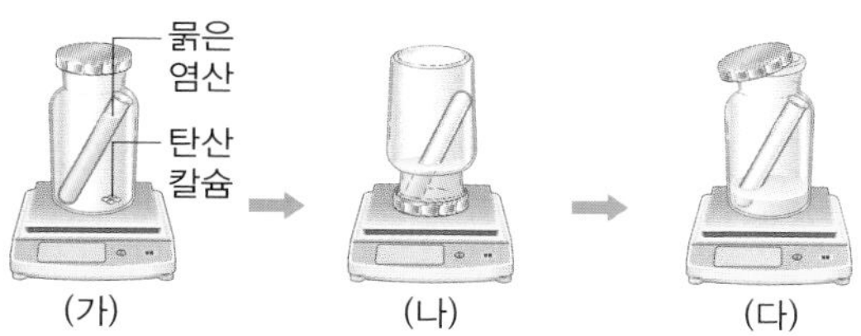

이에 대한 설명으로 옳은 것을 | 보기 | 에서 모두 고르시오.

| 보기 |
ㄱ. 수소 기체가 발생한다.
ㄴ. 원자의 종류와 개수는 변한다.
ㄷ. 물질을 이루는 원자들의 배열이 달라진다.
ㄹ. 기체가 발생하여 공기 중으로 날아가므로 측정한 질량을 비교하면 (가) > (다)이다.
ㅁ. 측정한 질량이 변하는 것으로 보아 이 반응은 질량 보존 법칙이 성립하지 않는다.

Tip 탄산 칼슘과 묽은 염산을 반응시키면 염화 칼슘과 물, 이산화 탄소가 생성된다. 기체가 발생하는 반응이므로 닫힌 공간에서는 질량이 변하지 않고, 열린 공간에서는 질량이 감소한다.

풀이 ㄱ. 이산화 탄소 기체가 발생한다.
ㄴ. 화학 반응에서 원자의 종류와 개수는 변하지 않으므로 질량 보존 법칙이 성립한다.
ㅁ. (다)에서는 발생한 기체가 공기 중으로 날아가므로 물질의 총 질량이 감소하지만, (가)와 (나)의 질량 비교로 이 반응에서 질량 보존 법칙이 성립함을 확인할 수 있다. **답** ㄷ, ㄹ

대표 기출 8 | 연소 반응에서 질량 보존 |

그림과 같이 막대저울의 양 끝에 질량이 같은 강철 솜 A와 B를 매단 후 B만 토치를 사용하여 충분히 태웠다.

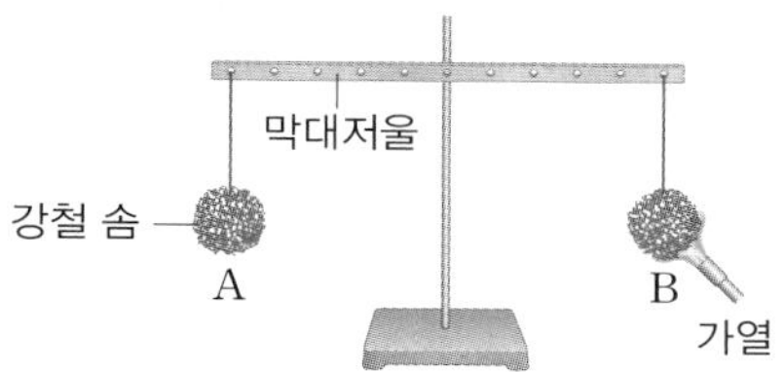

이에 대한 설명으로 옳은 것을 모두 고르면? [정답 3개]

① 연소 과정에서 B의 성질이 변한다.
② 반응 후에는 저울이 A쪽으로 기운다.
③ B는 결합한 산소의 질량만큼 가벼워진다.
④ 연소 과정에서 원자의 종류가 변하지 않는다.
⑤ A는 자석에 붙지만 B는 자석에 붙지 않는다.
⑥ A, B에 묽은 염산을 떨어뜨리면 A, B 모두 수소 기체가 발생한다.

Tip 연소 등의 화학 변화가 일어날 때 원자의 종류는 달라지지 않지만 분자의 종류가 달라지므로 물질의 성질이 변한다. 철은 자석에 붙지만 산화 철(Ⅱ)은 자석에 붙지 않는다.

풀이 ②, ③ 반응 후에는 저울이 B쪽으로 기울며, 결합한 산소의 질량만큼 B가 무거워진다.
⑥ 강철 솜 A는 묽은 염산과 반응하지만 산화 철(Ⅱ) B는 묽은 염산과 반응하지 않으므로 수소 기체가 발생하지 않는다. **답** ①, ④, ⑤

7-1 그림에 있는 고무풍선을 세워 두 물질을 반응시켰다. 이에 대한 설명으로 옳은 것을 | 보기 | 에서 모두 고르시오.

| 보기 |
ㄱ. 고무풍선이 부풀어 오른다.
ㄴ. 반응 전과 후에 물질의 질량은 같게 유지된다.
ㄷ. 고무풍선에 구멍을 뚫으면 질량이 증가한다.

8-1 그림은 밀폐 용기 안에서 강철 솜이 산소와 반응하기 전후의 질량을 비교하는 모습이다. 반응 전후에 변하지 않는 것을 | 보기 | 에서 모두 고르시오.

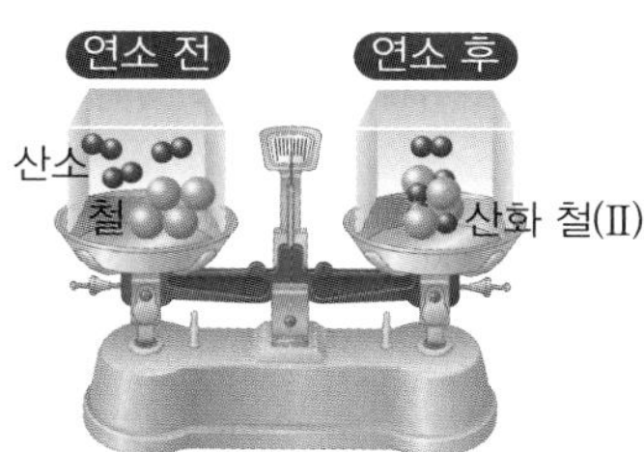

| 보기 |
ㄱ. 원자의 종류 ㄴ. 물질의 총 질량
ㄷ. 물질의 성질 ㄹ. 원자의 배열

1 그림과 같이 (가) 마그네슘 리본, (나) 구부린 마그네슘 리본, (다) 마그네슘 리본이 타고 남은 재를 페트리 접시에 각각 담은 다음, 묽은 염산을 두세 방울씩 떨어뜨리고 변화를 관찰하였다.

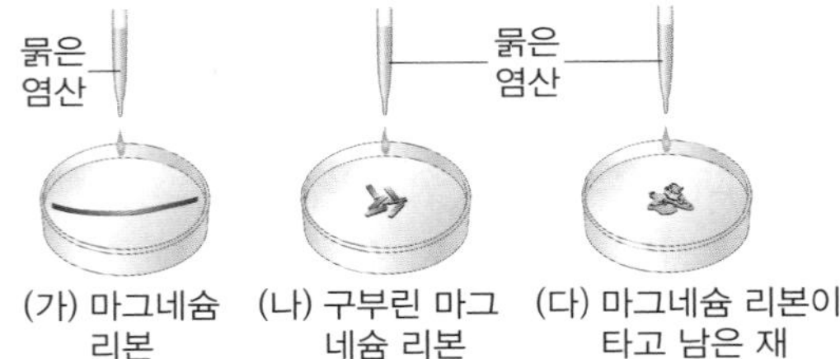

(가) 마그네슘 리본 (나) 구부린 마그네슘 리본 (다) 마그네슘 리본이 타고 남은 재

이에 대한 설명으로 옳지 않은 것은?

① (나)에서는 수소 기체가 발생한다.
② (다)에서는 수소 기체가 발생하지 않는다.
③ (가), (나), (다)는 모두 물질의 성질이 같다.
④ 마그네슘 리본을 태우면 화학 변화가 일어난다.
⑤ 마그네슘 리본을 구부리면 물리 변화가 일어난다.

Tip 금속의 모양 변화는 ❶ ______ 변화이고, 금속의 연소는 ❷ ______ 변화이므로 금속의 재와 원래의 금속은 성질이 다르다.

답 ❶ 물리 ❷ 화학

2 다음은 어떤 물질의 반응을 화학 반응식으로 나타낸 것이다.

$$CH_4 + (\ ㉠\ )O_2 \rightarrow CO_2 + 2H_2O$$

이에 대한 설명으로 옳은 것을 보기에서 모두 고른 것은?

보기
ㄱ. 메테인의 연소 반응이다.
ㄴ. 반응 물질은 메테인과 이산화 탄소이고, 생성 물질은 산소와 물이다.
ㄷ. ㉠에 적합한 숫자는 3이다.
ㄹ. 메테인 1분자가 연소하면 생성 물질 3분자가 생성된다.

① ㄱ, ㄴ ② ㄱ, ㄷ ③ ㄱ, ㄹ
④ ㄴ, ㄷ ⑤ ㄱ, ㄷ, ㄹ

Tip 화학 반응식의 ❶ ______ 를 맞출 때는 화살표의 왼쪽과 오른쪽에 있는 ❷ ______ 의 종류와 개수가 같도록 정한다.

답 ❶ 계수 ❷ 원자

3 그림은 반응 용기에 두 가지 반응 물질을 넣고 반응시켰을 때 반응 전후 용기에 들어 있는 물질을 모형으로 나타낸 것이다.

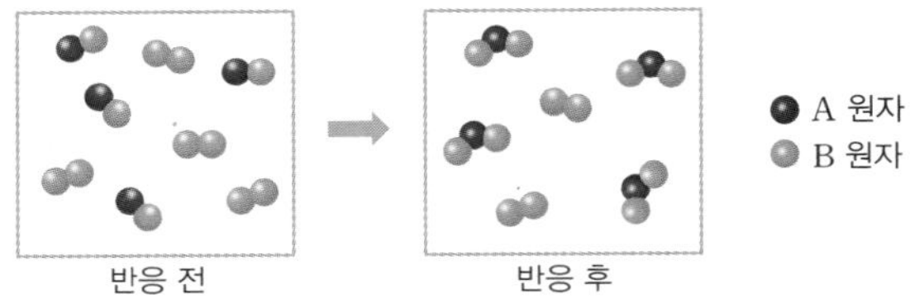

이 반응의 화학 반응식으로 옳은 것은? (단, A와 B는 임의의 원소 기호이다.)

① $A_2 + 2AB = 2AB_2$ ② $2A_2 + AB \rightarrow 2AB_2$
③ $2AB + B_2 = 2AB_2$ ④ $2AB + B_2 \rightarrow 2AB_2$
⑤ $4AB + 4B_2 \rightarrow 4AB_2 + 2B_2$

Tip 화학 반응식을 만들 때 화학 반응 전후에 ❶ ______ 의 종류와 개수가 같도록 ❷ ______ 를 맞춘다.

답 ❶ 원자 ❷ 계수

4 화학 반응식을 옳게 나타낸 것을 | 보기 |에서 모두 고른 것은?

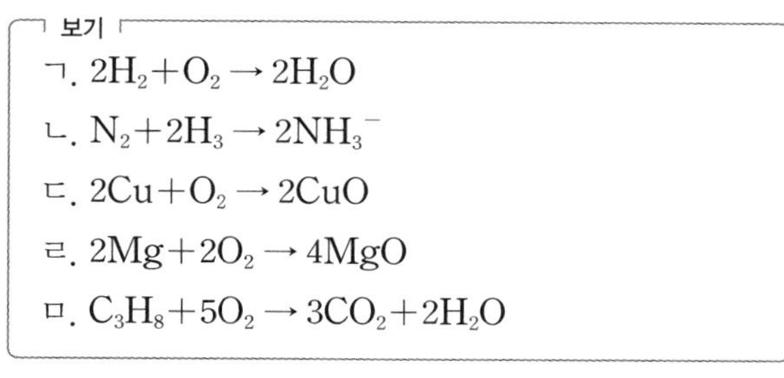
보기
ㄱ. $2H_2+O_2 \rightarrow 2H_2O$
ㄴ. $N_2+2H_3 \rightarrow 2NH_3$
ㄷ. $2Cu+O_2 \rightarrow 2CuO$
ㄹ. $2Mg+2O_2 \rightarrow 4MgO$
ㅁ. $C_3H_8+5O_2 \rightarrow 3CO_2+2H_2O$

① ㄱ, ㄴ ② ㄱ, ㄷ ③ ㄴ, ㄹ
④ ㄱ, ㄴ, ㄷ ⑤ ㄱ, ㄷ, ㅁ

Tip 화학 반응식을 완성하면 반응 전후에 ❶ ☐ 의 종류와 ❷ ☐ 가 같은지 확인해야 한다.

답 ❶ 원자 ❷ 개수

5 그림은 나무의 연소 반응을 모형으로 나타낸 것이다.

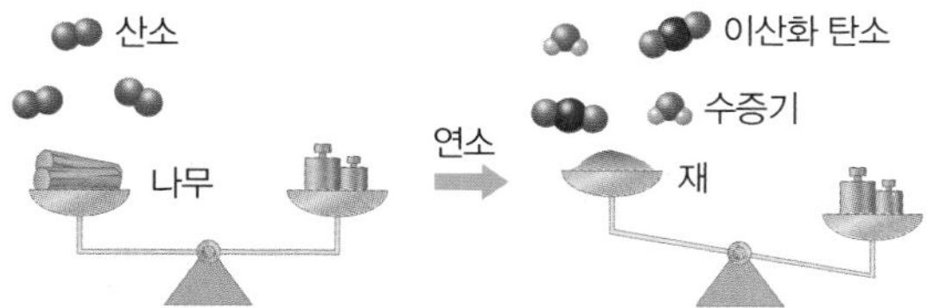

이에 대한 설명으로 옳은 것을 | 보기 |에서 모두 고른 것은?

보기
ㄱ. 나무의 질량은 재의 질량보다 크다.
ㄴ. 닫힌 공간에서 연소시키면 저울은 수평을 유지한다.
ㄷ. 결합한 산소만큼 반응 후에 질량이 증가한다.

① ㄱ ② ㄴ ③ ㄷ
④ ㄱ, ㄴ ⑤ ㄴ, ㄷ

Tip 화학 반응에 ❶ ☐ 상태의 물질이 포함된 경우, 닫힌 공간에서 반응해야 질량이 ❷ ☐.

답 ❶ 기체 ❷ 유지된다

6 그림은 이산화 망가니즈를 넣은 과산화 수소에서 일어나는 분해 반응을 모형으로 나타낸 것이고, 표는 반응 전후에 존재하는 물질의 질량을 나타낸 것이다.

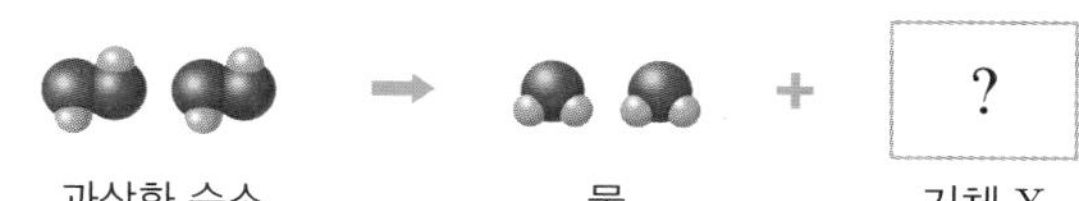

구분	반응 전		반응 후		
물질	과산화 수소	이산화 망가니즈	물	기체 X	이산화 망가니즈
질량	17 g	3 g	9 g	㉠	3 g

이에 대한 설명으로 옳은 것은?

① 기체 X는 산소이고, ㉠은 11 g이다.
② 기체 X는 수소이고, ㉠은 8 g이다.
③ 반응 후 새로운 물질이 생성되므로 반응 전후에 물질의 성질은 변한다.
④ 이산화 망가니즈는 반응 전후에 물질의 성질이 변한다.
⑤ 기체가 발생하는 반응이므로 질량 보존 법칙이 성립하지 않는다.

Tip 반응 전후에 분자의 종류는 ❶ ☐, 원자의 종류와 개수는 ❷ ☐.

답 ❶ 변하지만 ❷ 변하지 않는다

대표 기출 1

| 일정 성분비 법칙 |

그림은 볼트(B)와 너트(N)를 이용하여 화합물을 만드는 반응을 나타낸 것이다. 단, 볼트 5개의 질량은 20 g, 너트 5개의 질량은 10 g이다.

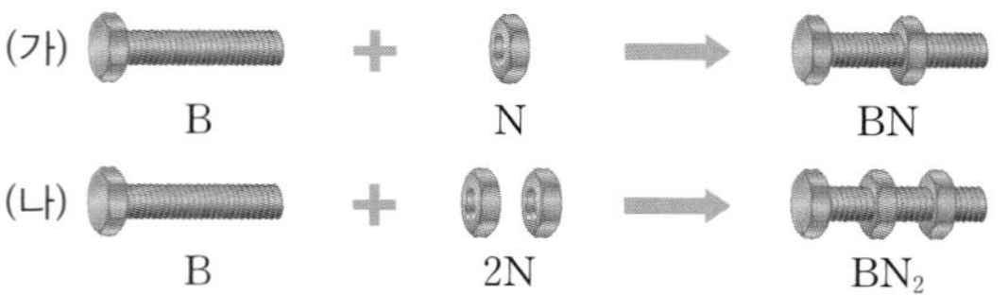

(가), (나)에 대한 설명으로 옳은 것을 | 보기 | 에서 모두 고르시오.

보기

ㄱ. (가)의 BN을 이루는 B : N의 질량비는 2 : 1이다.

ㄴ. (나)는 $B+N_2 \rightarrow BN_2$로 나타낼 수 있다.

ㄷ. (나)의 BN_2를 이루는 B : N의 질량비는 1 : 2이다.

ㄹ. BN과 BN_2는 원자 모형의 종류와 결합 방식이 비슷하므로 같은 물질이다.

ㅁ. (가)와 (나)를 이용하여 일정 성분비 법칙과 질량 보존 법칙을 설명할 수 있다.

Tip 분자를 구성하는 원자의 종류가 같아도 구성 원자 수가 다르면 분자의 종류가 다르다.

풀이 ㄴ. (나)를 화학 반응식으로 나타내면 $B+2N \rightarrow BN_2$이다.
ㄷ. (나)의 BN_2를 이루는 B : N의 질량비는 1 : 1이다.
ㄹ. BN과 BN_2는 한 분자를 이루는 원자의 개수가 다르므로 다른 물질이다.

답 ㄱ, ㅁ

대표 기출 2

| 금속의 연소 반응에서 일정 성분비 법칙 |

그래프는 마그네슘을 완전 연소시켜 산화 마그네슘이 생성될 때의 질량 관계를 나타낸 것이다. 이에 대한 설명으로 옳은 것을 | 보기 | 에서 모두 고르시오.

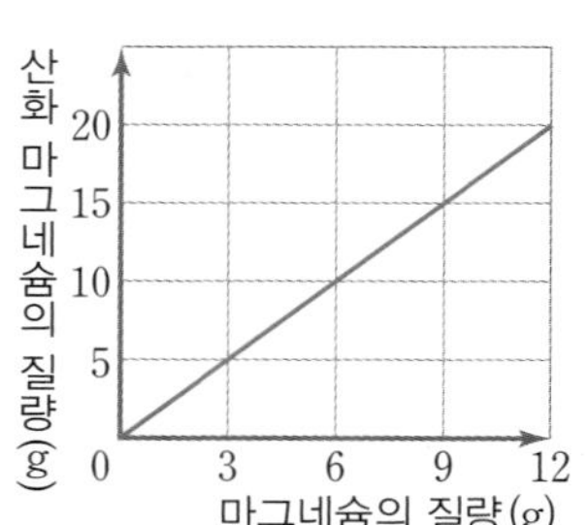

보기

ㄱ. 산화 마그네슘의 질량이 클수록 성분 원소 사이에 질량비가 커진다.

ㄴ. 산화 마그네슘 20 g을 얻기 위해 필요한 산소의 질량은 12 g이다.

ㄷ. 완전 연소시키는 마그네슘 질량이 2배 증가하면 반응하는 산소의 질량도 2배 커진다.

ㄹ. 그래프에서 반응하는 마그네슘과 산소의 질량비는 일정하다.

Tip 산화 마그네슘은 마그네슘과 산소가 반응하여 생성된 화합물이다. 화합물의 성분 원소 사이에는 항상 일정한 질량비가 성립한다.

풀이 ㄱ. 산화 마그네슘의 질량이 커져도 성분 원소 사이에 질량비는 일정하다. 따라서 마그네슘 질량이 2배로 증가하면 반응하는 산소의 질량도 2배 커진다.
ㄴ. 마그네슘 12 g이 완전 연소할 때 산화 마그네슘 20 g이 생성되므로 결합한 산소의 질량은 20 g − 12 g = 8 g이다.

답 ㄷ, ㄹ

1-1 다음 (가)~(다)는 볼트(B)와 너트(N)를 이용하여 화합물을 만드는 반응을 나타낸 것이다. (가)~(다)에서 볼트 30개와 너트 30개를 사용하여 최대한 만들 수 있는 화합물 모형은 몇 개인지 각각 쓰시오.

(가) $B+N \rightarrow BN$
(나) $B+2N \rightarrow BN_2$
(다) $B+4N \rightarrow BN_4$

2-1 표는 마그네슘을 연소시킬 때 반응하는 마그네슘과 생성되는 산화 마그네슘의 질량 관계를 나타낸 것이다.

마그네슘 질량(g)	1.5	3.0	4.5	6.0
산화 마그네슘 질량(g)	2.5	5.0	7.5	10.0

산화 마그네슘 40 g을 얻기 위해 필요한 산소의 질량은?

① 10 g ② 12 g ③ 14 g
④ 16 g ⑤ 18 g

대표 기출 3

| 여러 가지 화합물에서 일정 성분비 법칙 |

그림은 두 가지 물질을 구성하는 원소의 질량비를 나타낸 것이다.

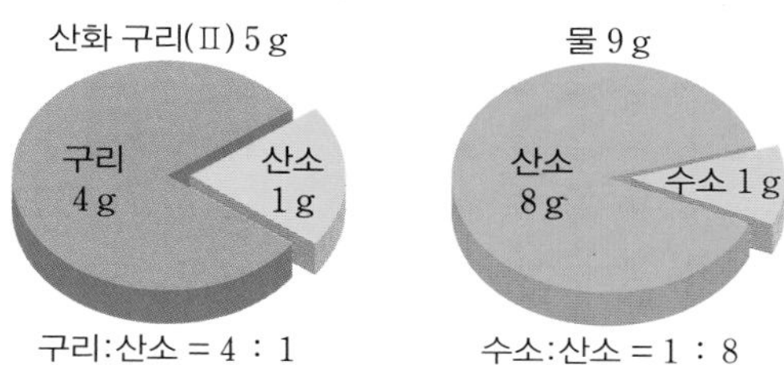

이에 대한 설명으로 옳은 것을 |보기|에서 모두 고르시오.

보기

ㄱ. 구리 20 g과 산소 10 g을 반응시키면 산소 5 g이 남는다.

ㄴ. 산소 40 g과 수소 20 g을 반응시키면 수소 5 g이 남는다.

ㄷ. 구리 8 g과 산소 8 g을 반응시키면 산화 구리(Ⅱ) 16 g이 생성된다.

ㄹ. 산소 20 g과 수소 2 g을 반응시키면 물 18 g이 생성된다.

Tip 화합물을 이루는 원소 사이의 질량비는 일정하다.

풀이 ㄴ. 산소 40 g과 수소 20 g을 반응시키면 수소는 5 g만 반응하므로 수소 15 g이 남는다.
ㄷ. 구리와 산소가 4 : 1의 질량비로 반응하므로 구리 8 g과 산소 2 g이 반응하여 산화 구리(Ⅱ) 10 g이 생성된다.

답 ㄱ, ㄹ

대표 기출 4

| 기체 반응 법칙 |

그림은 질소 기체와 수소 기체가 반응하여 암모니아 기체가 생성되는 반응을 부피 모형으로 나타낸 것이다.

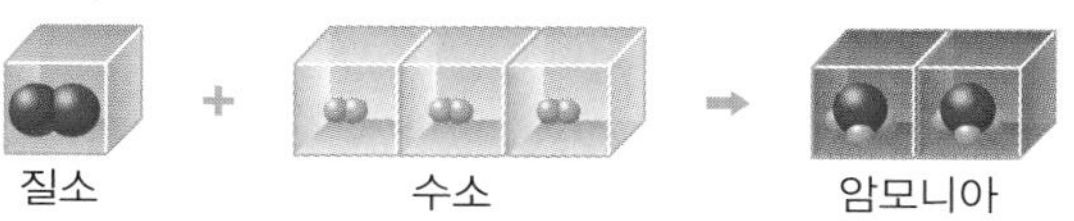

이에 대한 설명으로 옳은 것을 모두 고르면? (단, 반응 전후에 온도와 압력은 일정하다.) [정답 2개]

① 화학 반응식은 $N_2 + H_2 \rightarrow NH_3$이다.

② 기체 1 부피 속에 들어 있는 원자 수는 모두 2개이다.

③ 질소 기체 10 mL와 수소 기체 30 mL가 반응하면 암모니아 기체 20 mL가 생성된다.

④ 질소 기체 10 g과 수소 기체 30 g이 반응하면 암모니아 기체 20 g이 생성된다.

⑤ 질소 분자 5개와 수소 분자 15개가 충분히 반응하면 남는 반응 물질이 없다.

Tip 일정한 온도와 압력에서 기체가 반응하여 새로운 기체를 생성할 때 각 기체의 부피 사이에는 간단한 정수비가 성립한다.

풀이 ① 화학 반응식은 $N_2 + 3H_2 \rightarrow 2NH_3$이다.
② 기체 1 부피 속에 들어 있는 원자 수는 질소가 2개, 수소가 2개, 암모니아가 4개이다.
④ 기체 반응 법칙에서 성립하는 정수비는 질량비가 아니라 부피비이다.

답 ③, ⑤

3-1 그림은 암모니아의 분자 모형이다. 이에 대한 설명으로 옳은 것을 |보기|에서 모두 고르시오. (단, 수소 원자의 상대적 질량은 1, 질소 원자의 상대적 질량은 14이다.)

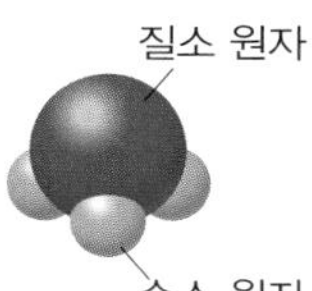

보기

ㄱ. 결합하는 질소와 수소의 질량비는 7 : 3이다.

ㄴ. 암모니아 1분자는 수소 원자 3개와 질소 원자 1개로 이루어져 있다.

ㄷ. 질소 56 g을 모두 반응시켜 암모니아를 만들기 위해 필요한 수소의 최소 질량은 12 g이다.

4-1 표는 홑원소 물질인 기체 A와 B가 반응하여 기체 C가 생성될 때 혼합한 두 기체의 부피와 반응 후 남은 기체의 부피, 생성된 기체 C의 부피를 나타낸 것이다.

실험	혼합한 기체의 부피(mL)		반응 후 남은 기체의 부피(mL)	생성된 기체 C의 부피(mL)
	A	B		
1	30	10	A, 10	20
2	40	15	(가)	(나)
3	50	40	B, 15	(다)

(가)~(다)에 해당하는 알맞은 값을 쓰시오.

대표 기출 5

| 기체 반응 법칙이 성립하는 까닭 |

그림은 수소 기체와 산소 기체가 반응하여 수증기를 생성하는 반응을 모형으로 나타낸 것이다.

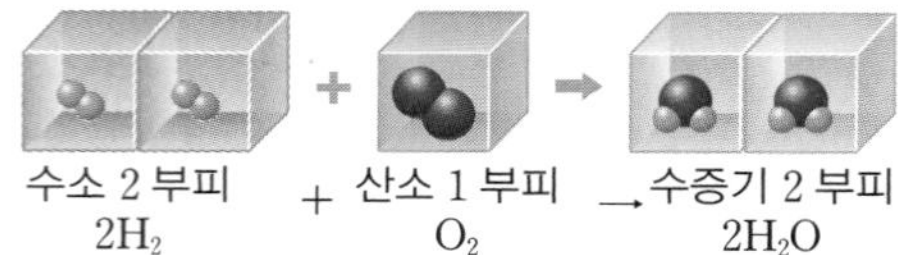

이에 대한 설명으로 옳은 것을 | 보기 |에서 모두 고르시오.
(단, 반응 전후에 온도와 압력은 일정하다.)

보기
- ㄱ. 기체 1 부피 안에 들어 있는 수소와 수증기의 원자 수가 같다.
- ㄴ. 기체 1 부피 안에 들어 있는 수소와 산소의 분자 수가 같다.
- ㄷ. 수소 기체 1분자가 차지하는 부피와 수증기 1분자가 차지하는 부피는 다르다.
- ㄹ. 이 반응에서 수소, 산소, 수증기의 분자 수비는 2:1:2이다.

Tip 일정한 온도와 압력에서 모든 기체는 같은 부피 속에 들어 있는 분자의 개수가 분자의 종류에 관계없이 같다.

풀이 ㄱ. 온도와 압력이 같을 때 모든 기체는 같은 부피 속에 들어 있는 분자의 개수가 같지만, 분자를 이루는 원자의 개수에 따라 기체 1 부피에 들어 있는 원자 수는 달라진다. 수소 분자는 원자 2개로, 수증기 분자는 원자 3개로 구성된다.
ㄷ. 모든 기체는 같은 부피 속에 같은 개수의 분자가 들어 있으므로 기체 1분자가 차지하는 부피도 서로 같다. **답** ㄴ, ㄹ

대표 기출 6

| 기체 반응 법칙과 화학 반응식 |

그림은 일정한 온도와 압력에서 수소 기체와 염소 기체가 반응하여 염화 수소 기체가 생성되는 반응을 나타낸 것이다.

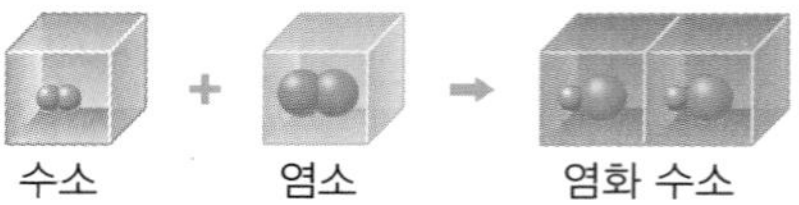

이에 대한 설명으로 옳은 것을 모두 고르면? [정답 3개]

① 화학 반응식은 H+Cl → HCl이다.
② 수소 : 염소 : 염화 수소의 계수비는 1 : 1 : 2이다.
③ 수소 : 염소 : 염화 수소의 부피비는 1 : 1 : 2이다.
④ 수소 : 염소 : 염화 수소의 분자 수비는 1 : 1 : 2이다.
⑤ 수소 : 염소 : 염화 수소를 이루는 총 원자 수비는 1 : 1 : 1이다.

Tip 기체가 반응하여 새로운 기체를 생성할 때 계수비와 부피비, 분자 수비는 같지만, 질량비는 같지 않다.

풀이 ① 화학 반응식은 $H_2+Cl_2 \rightarrow 2HCl$이다.
⑤ 수소 1분자와 염소 1분자를 이루는 원자의 개수는 수소 원자 2개, 염소 원자 2개이다. 염화 수소 1분자를 이루는 원자의 개수는 염소 원자 1개, 수소 원자 1개이므로 염화 수소 2분자를 이루는 총 원자 수는 4개이다. 따라서 각 기체를 이루는 총 원자 수비는 수소 : 염소 : 염화 수소 = 2 : 2 : 4 = 1 : 1 : 2이다. **답** ②, ③, ④

5-1 기체 반응의 법칙이 성립하는 경우로 옳은 것은?

① 고체 물질 + 고체 물질 → 고체 물질
② 고체 물질 + 액체 물질 → 고체 물질
③ 액체 물질 + 액체 물질 → 액체 물질
④ 액체 물질 + 기체 물질 → 기체 물질
⑤ 기체 물질 + 기체 물질 → 기체 물질

6-1 그림은 질소 기체와 수소 기체가 반응하여 암모니아 기체가 생성되는 반응을 부피 모형으로 나타낸 것이다.

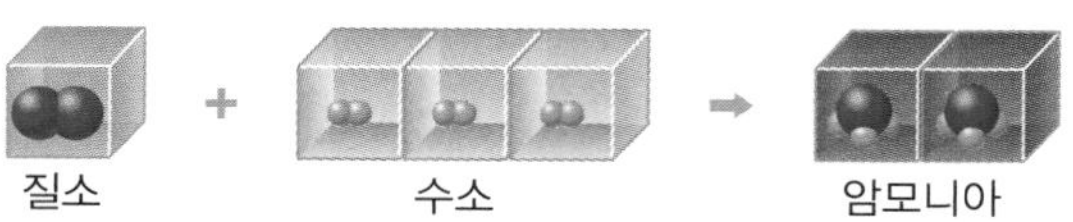

이에 대한 설명으로 옳은 것을 | 보기 |에서 모두 고르시오. (단, 온도와 압력은 일정하다.)

보기
- ㄱ. 화학 반응식은 $N_2+3H_2 \rightarrow 2NH_3$이다.
- ㄴ. 분자 수비와 기체의 부피비는 같다.
- ㄷ. 질량비는 질소 : 수소 : 암모니아 = 1 : 3 : 2이다.

대표 기출 7 | 화학 반응에서의 에너지 출입 |

그림은 우리 주변에서 일어나는 여러 가지 물질의 변화를 나타낸 것이다.

(가) 식물이 빛에너지를 이용하여 양분을 합성한다.	(나) 탄산수소 나트륨이 분해되면서 빵이 부푼다.
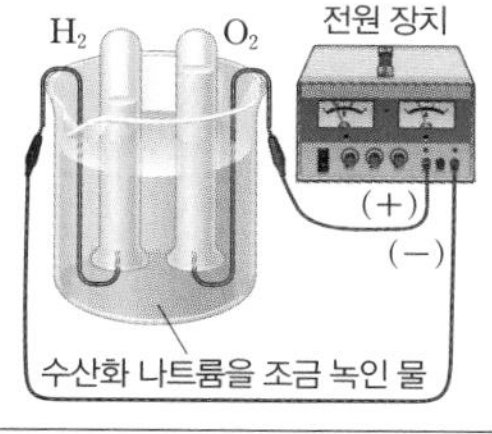	
(다) 물을 전기 분해하면 수소 기체와 산소 기체가 발생한다.	(라) 연료를 연소시킨다.

이에 대한 설명으로 옳은 것을 | 보기 | 에서 모두 고르시오.

보기
ㄱ. (가)에서 광합성이 일어날 때 에너지를 흡수한다.
ㄴ. (나)에서 반응 물질의 에너지의 합이 생성 물질의 에너지의 합보다 크다.
ㄷ. (다)에서 물이 분해될 때 에너지를 흡수한다.
ㄹ. (라)에서 연료가 산소와 반응하여 연소하면서 열을 흡수한다.
ㅁ. (가)와 (다)는 흡열 반응이고, (나)와 (라)는 발열 반응이다.

Tip 광합성과 탄산수소 나트륨의 분해 반응, 물의 전기 분해는 흡열 반응이다.

풀이 ㄱ. 식물의 광합성 반응이 일어날 때에는 에너지를 흡수한다.
ㄴ. 베이킹 파우더가 들어 있는 밀가루 반죽을 가열하면 탄산수소 나트륨이 에너지를 흡수하면서 분해되어 발생하는 이산화 탄소에 의해 빵이 부푼다. 이 반응은 흡열 반응으로 반응 물질의 에너지의 합이 생성 물질의 에너지의 합보다 작다.
ㄹ. 도시 가스의 주성분인 메테인이 산소와 반응하여 연소할 때 방출하는 열로 음식을 익히거나 공기를 따뜻하게 한다.
ㅁ. (가), (나), (다)는 흡열 반응, (라)는 발열 반응이다. 답 ㄱ, ㄷ

7-1 다음은 질산 암모늄이 물에 녹는 반응에서의 에너지 출입을 알아보는 실험이다.

비닐 팩 안에 질산 암모늄과 물이 든 비닐봉지를 넣은 후 비닐 팩을 밀봉한 후, 비닐 봉지를 눌러 터뜨리면 질산 암모늄이 물에 용해된다.

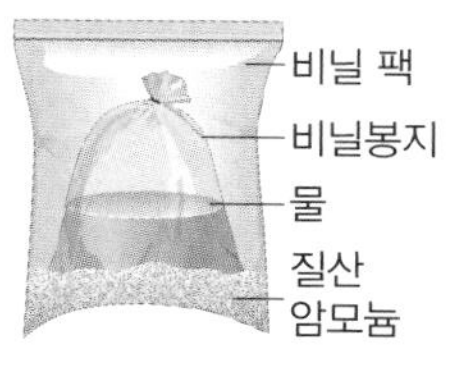

이에 대한 설명으로 옳은 것을 모두 고르면? [정답 2개]

① 비닐 팩이 차가워진다.
② 뷰테인 가스의 연소 반응과 열의 출입이 같다.
③ 이 반응이 일어날 때 주위의 온도가 높아진다.
④ 질산 암모늄이 물에 용해되는 것은 흡열 반응이다.
⑤ 불 없이 음식을 데울 때 이 반응을 이용할 수 있다.

7-2 그래프는 철가루가 들어 있는 손난로를 이용할 때 일어나는 물질의 에너지 변화를 나타낸 것이다.

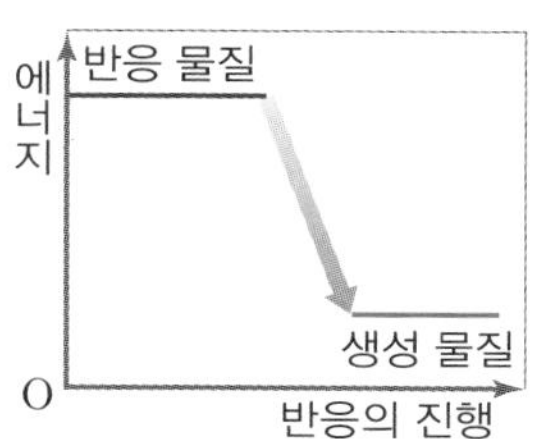

이에 대한 설명으로 옳지 않은 것을 모두 고르면? [정답 2개]

① 발열 반응이다.
② 반응이 일어나면 주위의 온도가 높아진다.
③ 손난로 속 철가루와 공기 중의 질소의 반응이다.
④ 잎에서 광합성이 일어날 때의 에너지 출입과 같다.
⑤ 생성 물질의 에너지 합이 반응 물질의 에너지 합보다 작다.

필수 체크 전략 2 최다 오답 문제

1 |보기| 중에서 질량 보존 법칙과 일정 성분비 법칙이 적용되는 경우를 각각 모두 골라 옳게 나열한 것은?

보기
ㄱ. 설탕을 물에 녹여 설탕물을 만들었다.
ㄴ. 질소 기체와 수소 기체를 반응시켜 암모니아를 합성하였다.
ㄷ. 염화 나트륨 수용액과 질산 은 수용액을 반응시켰더니 염화 은 앙금과 질산 나트륨 수용액이 생성되었다.

	질량 보존 법칙	일정 성분비 법칙
①	ㄱ, ㄷ	ㄱ, ㄴ
②	ㄴ, ㄷ	ㄱ, ㄴ, ㄷ
③	ㄱ, ㄷ	ㄱ, ㄷ
④	ㄱ, ㄴ, ㄷ	ㄴ, ㄷ
⑤	ㄱ, ㄴ, ㄷ	ㄱ, ㄴ, ㄷ

Tip 일정 ❶ [ ] 법칙은 화합물에서는 성립하지만 ❷ [ ] 에서는 성립하지 않는다.

답 ❶ 성분비 ❷ 혼합물

2 그래프는 구리를 가열하여 산화 구리(Ⅱ)가 생성될 때 반응하는 구리와 산소의 질량 관계를 나타낸 것이다.

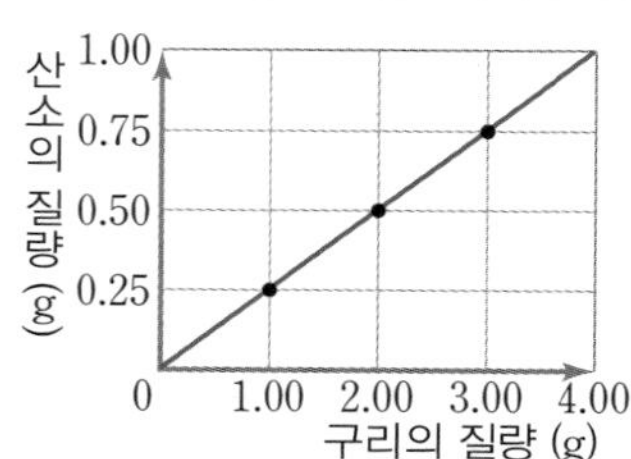

만약 구리 30 g과 산소 15 g을 완전히 연소시켜서 산화 구리(Ⅱ)를 만들었을 때 남는 물질과 그 질량은?

① 구리 15 g ② 구리 10 g ③ 산소 10 g
④ 산소 7.5 g ⑤ 산소 5 g

Tip 산화 구리(Ⅱ)의 구성 원소 사이의 ❶ [ ] 비는 구리 : 산소 = ❷ [ ] 로 일정하다.

답 ❶ 질량 ❷ 4 : 1

3 그래프는 6개의 시험관 A~F에 10% 아이오딘화 칼륨 수용액을 6 mL씩 넣은 후, 10% 질산 납 수용액을 순서대로 0 mL, 2 mL, 4 mL, 6 mL, 8 mL, 10 mL씩 넣어 반응시킨 후 생성된 앙금의 높이를 나타낸 것이다.

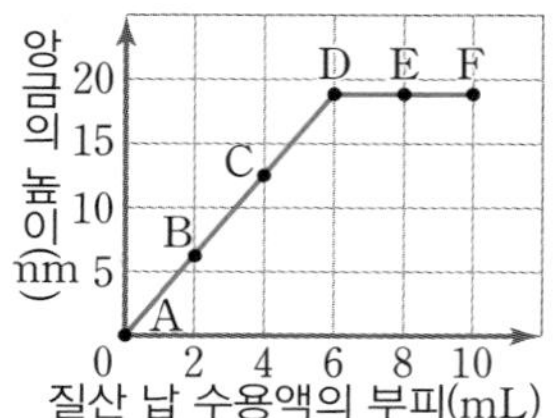

이에 대한 설명으로 옳은 것을 |보기|에서 모두 고른 것은?

보기
ㄱ. 시험관 C에 질산 납 수용액을 더 넣어 주면 앙금이 더 많이 생긴다.
ㄴ. 시험관 E에 반응하지 않은 아이오딘화 칼륨 수용액이 남아 있다.
ㄷ. 같은 농도의 질산 납 수용액과 아이오딘화 칼륨 수용액은 2 : 1의 부피비로 반응한다.

① ㄱ ② ㄴ ③ ㄷ
④ ㄱ, ㄴ ⑤ ㄱ, ㄴ, ㄷ

Tip 같은 농도의 질산 납 수용액과 아이오딘화 칼륨 수용액은 ❶ [ ] 의 부피비로 반응하며, 반응 후 생성된 앙금은 성분 원소 사이의 질량비가 ❷ [ ].

답 ❶ 1 : 1 ❷ 일정하다

4 그림은 일정한 온도와 압력에서 수소 기체와 염소 기체가 반응하여 염화 수소 기체가 생성되는 반응을 모형으로 나타낸 것이다.

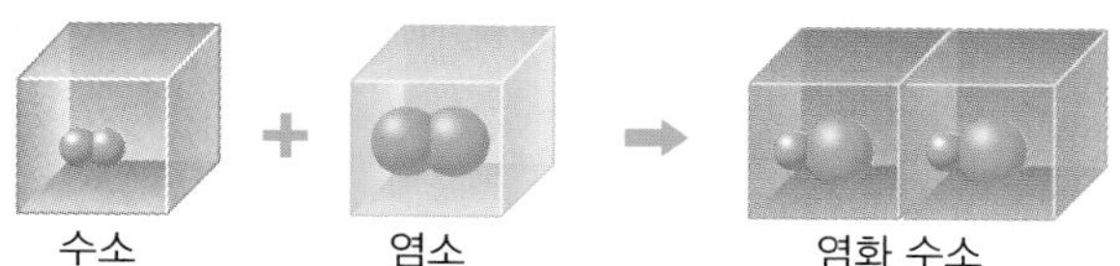

이에 대한 설명으로 옳은 것을 |보기|에서 모두 고른 것은? (단, 수소 원자의 상대적 질량은 1, 염소 원자의 상대적 질량은 35.5이다.)

보기
ㄱ. 수소와 염소는 질량비 1 : 1로 반응한다.
ㄴ. 수소 기체 10 mL와 염소 기체 20 mL가 반응하면 염화 수소 기체 20 mL가 생성된다.
ㄷ. 화학 반응식은 $H_2+Cl_2 \rightarrow 2HCl$이다
ㄹ. 염소 기체와 염화 수소 기체는 기체 1 부피에 들어 있는 분자 수가 같다.
ㅁ. 수소 분자 5개가 염소 분자들과 완전히 반응하면 염화 수소 분자 5개가 생성된다.

① ㄱ, ㄴ, ㄷ　② ㄴ, ㄷ, ㄹ
③ ㄷ, ㄹ, ㅁ　④ ㄱ, ㄴ, ㄷ, ㄹ
⑤ ㄴ, ㄷ, ㄹ, ㅁ

Tip 일정한 온도와 압력에서 같은 ❶ [ ]에 들어 있는 기체의 ❷ [ ]는 기체의 종류에 관계없이 같다.

답 ❶ 부피 ❷ 분자 수

5 그래프는 두 종류의 기체가 반응하여 한 종류의 기체가 생성되는 반응의 부피 관계를 나타낸 것이다.

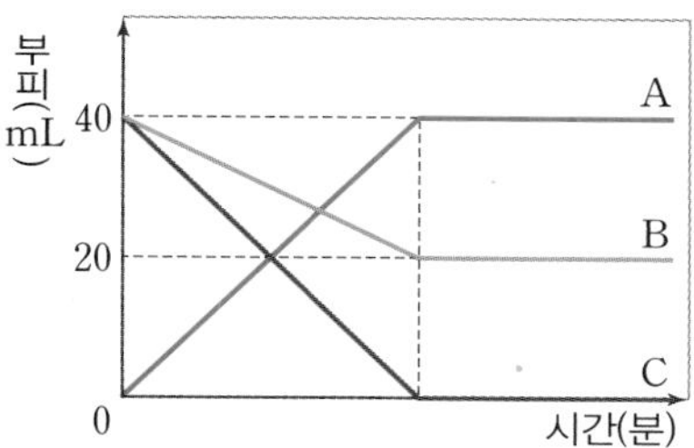

이 화학 반응에 대한 설명으로 옳은 것은? (단, 온도와 압력은 일정하고, A, B, C는 물질을 나타내는 임의의 기호이다.)

① A는 반응 물질이다.
② C는 생성 물질이다.
③ B와 C는 부피비 2 : 1로 반응한다.
④ 화학 반응식은 B+2C → 2A이다.
⑤ 반응이 끝난 후 반응 용기에는 A만 남아 있다.

Tip 시간이 흐를수록 부피가 감소한 기체 B와 C는 ❶ [ ]이고, 부피가 증가한 기체 A는 ❷ [ ]이다.

답 ❶ 반응 물질 ❷ 생성 물질

6 표는 에너지의 출입에 따라 화학 반응을 분류한 것이다.

(가)	(나)
메테인의 연소	탄산수소 나트륨의 분해
산과 염기의 반응	식물의 광합성
㉠	㉡

이에 대한 설명으로 옳은 것을 |보기|에서 모두 고른 것은?

보기
ㄱ. (가)는 흡열 반응이고, (나)는 발열 반응이다.
ㄴ. '산화 칼슘과 물의 반응'은 ㉠에 적당하다.
ㄷ. '물의 전기 분해'는 ㉡에 적당하다.

① ㄱ　② ㄴ　③ ㄷ
④ ㄱ, ㄴ　⑤ ㄴ, ㄷ

Tip (가) 반응이 일어날 때 주위의 온도가 ❶ [ ]므로 (가)는 ❷ [ ] 반응이다.

답 ❶ 높아지 ❷ 발열

01 그림은 마그네슘이 연소하는 모습을 나타낸 것이다.

이에 대한 설명으로 옳은 것만을 |보기|에서 모두 고른 것은?

보기
ㄱ. 빛과 열이 발생한다.
ㄴ. 새로운 물질이 생성된다.
ㄷ. 원자의 배열은 변하지 않는다.

① ㄱ ② ㄴ ③ ㄱ, ㄴ
④ ㄱ, ㄷ ⑤ ㄴ, ㄷ

02 그림은 물질의 변화에 대해 세 명의 학생이 나눈 대화이다.

물리 변화와 화학 변화에 대해 옳게 설명한 학생을 모두 고른 것은?

① 학생 A ② 학생 B
③ 학생 A, 학생 B ④ 학생 A, 학생 C
⑤ 학생 B, 학생 C

03 |보기|에서 화학 반응이 일어나는 예로 옳은 것을 모두 고른 것은?

보기
ㄱ. 물을 가열하면 수증기가 된다.
ㄴ. 철이 녹슬어 붉은색으로 변한다.
ㄷ. 식초에 달걀 껍데기를 넣으면 기포가 발생한다.
ㄹ. 석회수에 입김을 불어 넣으면 뿌옇게 흐려진다.

① ㄱ, ㄴ ② ㄴ, ㄷ ③ ㄴ, ㄹ
④ ㄱ, ㄷ, ㄹ ⑤ ㄴ, ㄷ, ㄹ

04 다음은 수소와 산소가 반응하여 물이 생성되는 반응의 화학 반응식이다.

$$\square H_2 + \square O_2 \longrightarrow \square H_2O$$

☐ 안에 들어갈 알맞은 숫자를 순서대로 쓰시오. (단, 계수가 1인 경우도 숫자로 나타낸다.)

( )

05 그래프는 공기 중에서 마그네슘이 연소할 때 마그네슘과 산소의 질량 관계를 나타낸 것이다.

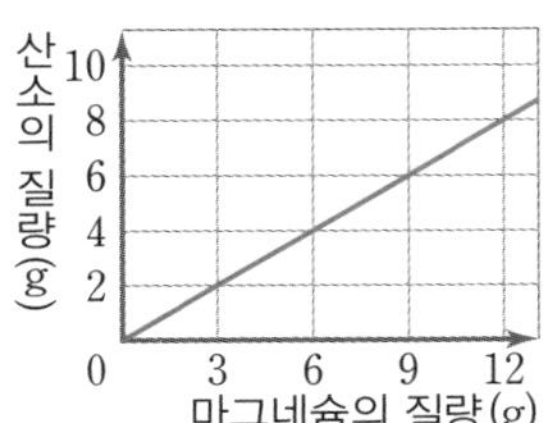

마그네슘 15 g이 완전히 연소할 때 생성되는 산화 마그네슘의 질량은 몇 g인가?

① 10 ② 15 ③ 20
④ 25 ⑤ 30

06 표는 공기 중에서 구리를 가열할 때 생성된 산화 구리(Ⅱ)의 질량을 나타낸 것이다.

구리의 질량(g)	4	8	12	B
생성된 산화 구리(Ⅱ)의 질량(g)	5	A	15	20

표에서 산화 구리(Ⅱ)의 질량 A와 구리의 질량 B를 옳게 짝 지은 것은?

	A	B		A	B
①	9	15	②	10	15
③	10	16	④	12	16
⑤	12	18			

07 그림은 온도와 압력이 일정할 때 질소 기체와 수소 기체가 반응하여 암모니아 기체가 생성되는 반응을 모형으로 나타낸 것이다.

이에 대한 설명으로 옳은 것만을 |보기|에서 모두 고른 것은?

보기
ㄱ. 질소 30 mL와 수소 30 mL를 반응시키면 암모니아 30 mL가 생성된다.
ㄴ. 반응 전과 후에 원자의 개수는 변하지 않는다.
ㄷ. 반응 전과 후에 분자의 총 개수는 변하지 않는다.

① ㄱ ② ㄴ ③ ㄱ, ㄴ
④ ㄱ, ㄷ ⑤ ㄴ, ㄷ

08 그림은 온도와 압력이 일정할 때 수소 기체와 산소 기체가 반응하여 수증기가 생성되는 반응을 모형으로 나타낸 것이다.

이 반응에서 수소 20 mL와 산소 20 mL가 반응한다면 반응 후 남는 기체의 종류와 부피를 옳게 짝 지은 것은?

① 수소, 5 ml ② 수소, 10 ml
③ 산소, 5 ml ④ 산소, 10 ml
⑤ 남는 기체가 없음

09 화학 반응이 일어날 때 주변으로 열에너지를 방출하는 반응으로 옳은 것을 |보기|에서 모두 고른 것은?

보기
ㄱ. 마그네슘 조각이 묽은 염산에 녹아 수소 기체가 발생한다.
ㄴ. 메테인 기체가 산소와 결합하면서 연소한다.
ㄷ. 수산화 바륨과 염화 암모늄이 반응한다.

① ㄱ ② ㄴ ③ ㄱ, ㄴ
④ ㄱ, ㄷ ⑤ ㄴ, ㄷ

10 그림은 물과 분리된 질산 암모늄이 들어 있는 냉찜질 팩이다. 냉찜질 팩에 힘을 가해 두 물질을 섞었을 때 일어나는 현상에 맞게 빈칸에 들어갈 알맞은 말을 쓰시오.

질산 암모늄이 물에 녹으면 열에너지를 ㉠ (   ) 하므로 냉찜질 팩이 ㉡ (   )진다.

1주 창의·융합·코딩 전략

1 그림은 물질의 변화를 모형으로 나타낸 것이다.

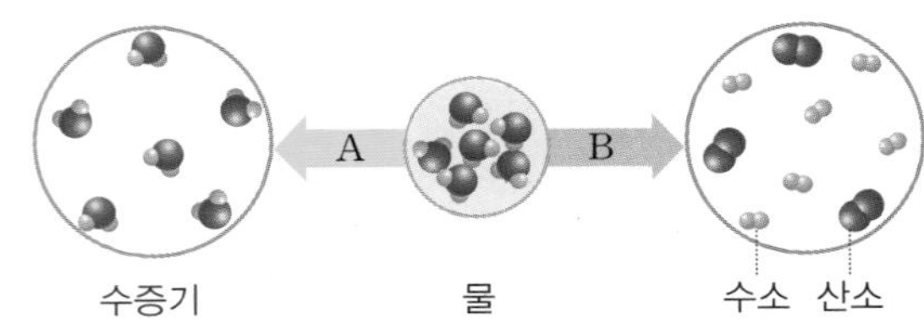

- 현정: A는 ㉠(　　) 변화이므로 물질의 성질이 변하지 않아.
- 영표: B는 ㉡(　　) 변화야. 새로운 물질이 생성되었으므로 물질의 성질이 변해.
- 세리: ㉠(　　) 변화는 ㉢(　　) 배열만 달라지지만, ㉡(　　)변화는 ㉣(　　) 배열이 달라져서 새로운 물질이 생성돼.

㉠~㉣에 들어갈 말을 옳게 짝 지은 것은?

	㉠	㉡	㉢	㉣
①	물리	화학	분자	원자
②	화학	물리	분자	원자
③	물리	화학	원자	분자
④	화학	물리	원자	분자
⑤	물리	화학	원자	원자

Tip 물을 전기 분해하면 ❶ ☐ 원자와 산소 원자의 결합이 끊어지고 새로운 분자인 수소 기체와 ❷ ☐ 기체가 발생한다.

답 ❶ 수소 ❷ 산소

2 다음은 메테인의 연소 과정을 화학 반응식으로 나타낸 것이고, 아래는 두 과학자가 이에 대해 대화하는 모습이다.

CH_4 + (㉠) ⟶ (㉡) + $2H_2O$

메테인이 연소할 때는 산소와 결합하면서 빛과 열이 발생해.

이때 이산화 탄소와 물이 생성되고, 반응 전과 후에 원자의 종류와 개수는 같아.

위 화학 반응식의 ㉠와 ㉡에 들어갈 분자식을 옳게 짝 지은 것은?

	㉠	㉡
①	O_2	CO
②	O_2	CO_2
③	O_2	$2CO_2$
④	$2O_2$	CO_2
⑤	$2O_2$	$2CO_2$

Tip 메테인이 연소하면 ❶ ☐ 와 반응하여 ❷ ☐ 과 이산화탄소가 생성된다.

답 ❶ 산소 ❷ 물

3 그림은 탄소의 연소 과정을 나타낸 것이다.

이에 대한 학생 A~E의 대화 중 옳지 않은 것은?

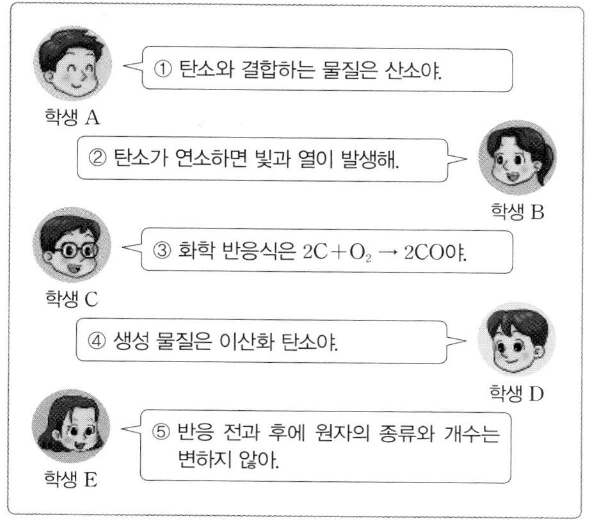

Tip 탄소를 연소시키면 탄소와 ❶ [ ] 가 결합하여 이산화 탄소가 생성되면서 ❷ [ ] 과 열이 발생한다.

답 ❶ 산소 ❷ 빛

4 다음은 화학 반응 전과 반응 후의 질량 변화에 관한 실험이다.

| 실험 과정 |

묽은 염산을 넣은 삼각 플라스크 입구에 아연 조각을 넣은 고무풍선을 끼운 후 고무풍선을 기울여 아연 조각을 묽은 염산에 넣었다.

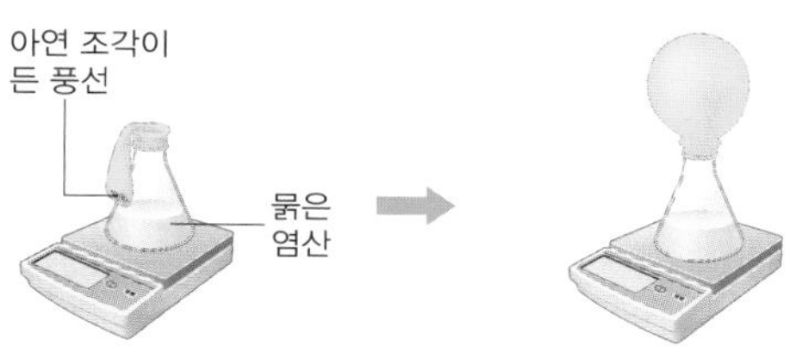

| 실험 결과 |

고무풍선이 부풀어 올랐으나 전체 질량은 변하지 않았다.

이 실험 결과에 대한 의견을 잘못 설명한 학생은?

Tip 밀폐 용기에서 묽은 염산과 아연 조각을 반응시키면 ❶ [ ] 기체가 발생한다. 하지만 반응 전과 반응 후에 ❷ [ ] 의 종류와 개수는 같다.

답 ❶ 수소 ❷ 원자

5 다음은 어떤 분자에 대한 설명이다.

> 나는 누구일까요?
>
> 나는 두 가지 종류의 원자로 구성되어 있어요.
> 나를 구성하는 원자의 개수비는
> A 원자 : B 원자 = 1 : 1이에요.
> 나를 구성하는 원자의 질량비는
> A 원자 : B 원자 = 1 : 16이에요.

(1) 위에서 설명하는 분자에 해당하는 것을 보기 에서 고르시오. (단, 원자의 상대적 질량은 수소는 1, 탄소는 12, 산소는 16, 질소는 14이다.)

보기

H_2O	H_2O_2	NH_3	CO
(가)	(나)	(다)	(라)

(2) A 원자와 B 원자의 종류는 무엇인지 쓰시오.

• A 원자: (　　　　　　)

• B 원자: (　　　　　　)

Tip 화합물의 성분 원소 사이에는 일정한 ❶ (　　) 가 성립하는데, 이를 일정 ❷ (　　) 법칙이라고 한다.

답 ❶ 질량비 ❷ 성분비

6 표는 온도와 압력이 일정할 때 기체 A_2 20 mL와 부피를 변화시킨 기체 B_2가 반응할 때 생성되는 기체 C의 부피와 반응하지 않고 남은 기체의 부피를 나타낸 것이다. (단, A, B는 임의의 원자를 나타내고, 각 원자의 상대적 질량은 A가 1, B가 35.5이다.)

실험	반응한 기체의 부피(mL)		생성된 기체 C의 부피(mL)	남은 기체의 종류와 부피(mL)
	A_2	B_2		
1	20	10	20	(가)
2	20	20	40	0
3	20	30	40	(나)

(1) 표의 (가)와 (나)에 들어갈 기체의 종류와 부피를 쓰시오.

(가): (　　　　　　)

(나): (　　　　　　)

(2) 위 실험의 결과로 알 수 있는 화학 반응의 법칙을 두 가지 쓰고, 그렇게 생각한 까닭을 서술하시오.

Tip 온도와 ❶ (　　) 이 일정할 때 반응하는 기체와 생성되는 기체의 부피 사이에 간단한 ❷ (　　) 가 성립하는 것을 기체 반응 법칙이라고 한다.

답 ❶ 압력 ❷ 정수비

7 다음은 화학 반응에서 에너지 출입이 일어나는 경우를 나타낸 것이다.

보기

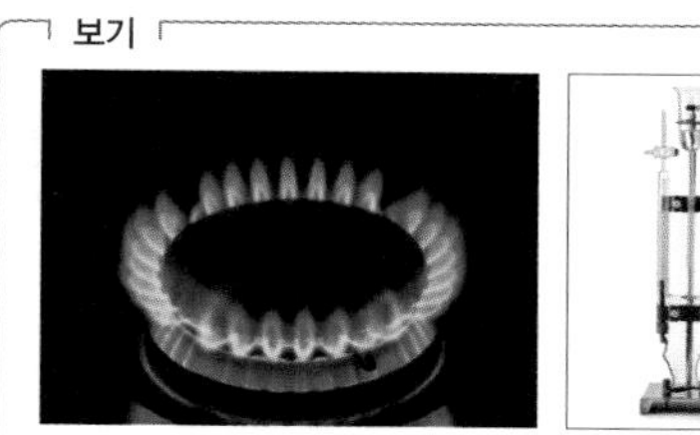
(가) 연료의 연소

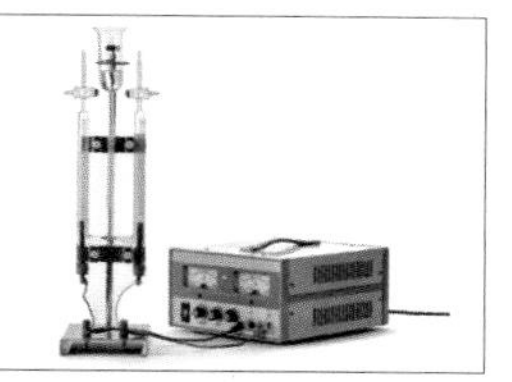
(나) 물의 전기 분해

(다) 철이 녹스는 현상

(라) 베이킹파우더를 넣은 반죽을 구우면 빵이 부풀어 오름.

아래와 같은 현상이 일어나는 반응을 보기에서 모두 고른 것은?

- 화학 반응이 일어날 때 주위로 열에너지를 방출한다.
- 화학 반응이 일어나면 주위의 온도가 높아진다.

① (가), (나)　② (가), (다)
③ (나), (다)　④ (다), (라)
⑤ (가), (다), (라)

Tip 발열 반응이 일어나면 반응 물질과 ❶ ______ 물질의 에너지 차이만큼 ❷ ______로 방출된다.

답 ❶ 생성 ❷ 열(에너지)

8 다음은 진한 황산(H_2SO_4)을 물(증류수)과 반응시키는 실험 과정과 결과를 나타낸 것이다.

실험 과정

(가) 비커에 진한 황산 10 mL를 넣고, 온도(t_1)를 측정한다.
(나) 다른 비커에 증류수 10 mL를 넣고, 온도(t_2)를 측정한다.
(다) (나)의 비커에 진한 황산을 스포이트로 1 mL씩 1분 간격으로 10회 넣고 온도(t_3)를 측정한다.

실험 결과

- $t_1=t_2=20$ ℃이다.
- t_3 : 온도가 변하였다.

이에 대한 설명으로 옳은 것을 보기에서 모두 고른 것은?

보기

ㄱ. t_3는 20 ℃보다 높다.
ㄴ. (다)에서 일어나는 반응은 산과 염기의 반응과 에너지의 출입 방향이 같다.
ㄷ. (다)에서 일어나는 반응은 생성 물질의 에너지 합이 반응 물질의 에너지 합보다 크다.

① ㄱ　② ㄴ　③ ㄱ, ㄴ
④ ㄱ, ㄷ　⑤ ㄱ, ㄴ, ㄷ

Tip 진한 황산과 물은 반응하면서 주위로 열을 방출하므로 ❶ ______ 반응이며, 이 반응이 일어나면 주위의 온도가 ❷ ______.

답 ❶ 발열 ❷ 높아진다

2주 Ⅱ 기권과 날씨

3강_기권의 특징, 구름과 강수

공부할 내용				
3강_기권의 특징, 구름과 강수	• 기권	• 복사 평형	• 상대 습도	• 구름과 강수
4강_기압, 기단, 전선과 날씨	• 기압	• 기단과 전선	• 온대 저기압	• 계절별 날씨

4강_기압, 기단, 전선과 날씨

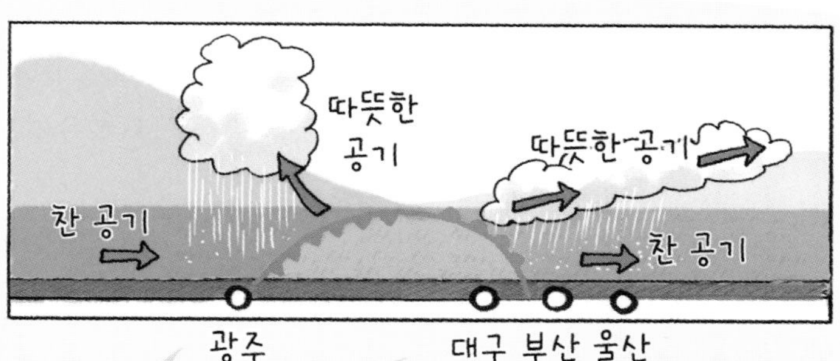

2주 1일 개념 돌파 전략 1

개념 1 기권의 구조와 특징

1 **기권(대기권)** 지구 표면을 둘러싸고 있는 공기층

2 **기권의 층상 구조** 높이에 따른 ❶ [   ] 변화를 기준으로 4개의 층으로 구분한다.

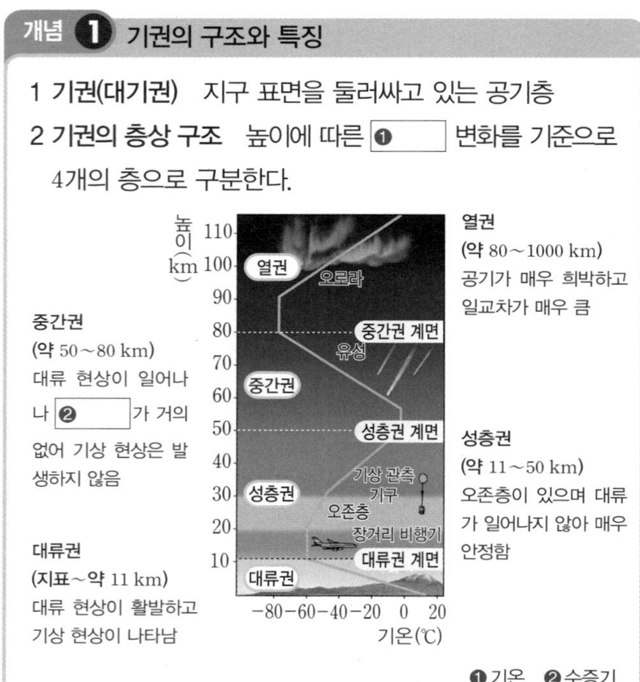

❶기온 ❷수증기

확인Q 1 기권의 층상 구조 중 높이 올라감에 따라 기온이 하강하는 층을 모두 쓰시오.

개념 2 지구의 복사 평형

1 **복사 에너지** 물체가 ❶ [   ]의 형태로 방출하는 에너지

➡ 온도가 높을수록 더 많이 방출

2 **복사 평형** 어떤 물체가 흡수하는 에너지양과 방출하는 에너지양이 같은 상태

3 **지구의 복사 평형** 지구가 흡수하는 태양 복사 에너지양과 방출하는 지구 복사 에너지양이 같다.

➡ 지구의 ❷ [   ]이 거의 일정하게 유지

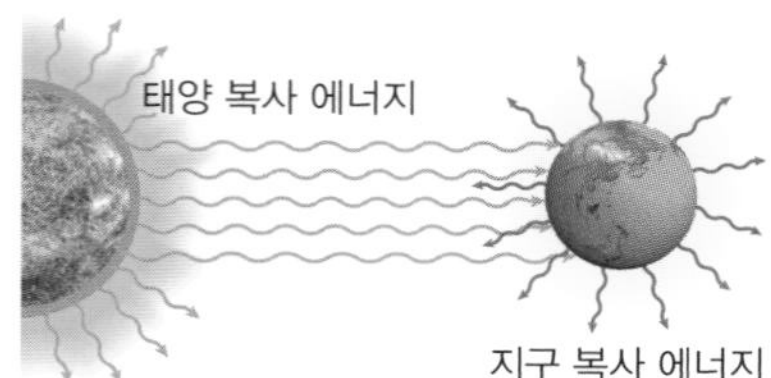

❶복사 ❷평균 기온

확인Q 2 태양은 막대한 양의 (   ) 에너지를 우주 공간으로 내보낸다.

개념 3 위도별 에너지 분포

1 지구는 전체적으로 복사 평형을 이루고 있으나, 지구는 둥글기 때문에 위도별로는 에너지가 ❶ [   ]인 상태이다.

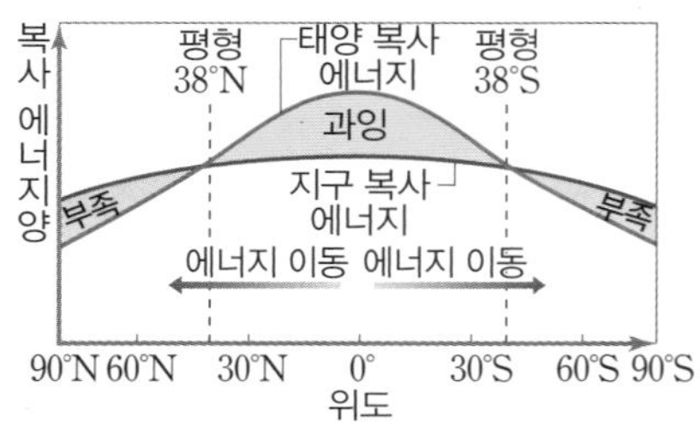

2 대기와 ❷ [   ]가 이동하면서 저위도의 남는 에너지를 고위도로 운반한다.

➡ 위도별 평균 기온 일정하게 유지

❶불균형 ❷해수

확인Q 3 위도 38° 부근을 기준으로 (저위도 / 고위도)는 에너지가 남고, (저위도 / 고위도)는 에너지가 부족하다.

개념 4 온실 효과와 지구 온난화

1 **온실 효과** 대기가 지표로부터 방출된 에너지 중 일부를 흡수하였다가 재방출하고, 이를 지표가 재흡수하여 지구의 평균 기온이 ❶ [   ] 유지되는 현상

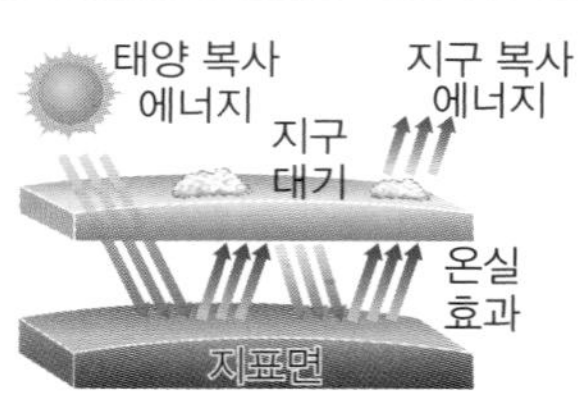

2 **온실 기체** 지구 대기를 이루는 기체 중에서 지구 복사 에너지를 흡수하여 온실 효과를 일으키는 것

예 수증기, 이산화 탄소, 메테인 등

3 **지구 온난화** 대기 중으로 배출되는 ❷ [   ]의 양이 증가하여 지구의 평균 기온이 지속적으로 상승하는 현상

❶높게 ❷온실 기체

확인Q 4 온실 효과를 일으키는 기체를 모두 고르면? [정답 2개]

① 질소 ② 이산화 탄소 ③ 메테인 ④ 산소

개념 5 포화 수증기량과 이슬점

1 **포화** 공기가 ❶ ______를 최대한 포함하고 있는 상태

2 **포화 수증기량** 공기 1 kg에 최대로 포함될 수 있는 수증기의 양을 g으로 나타낸 것

3 **포화 수증기량 곡선**

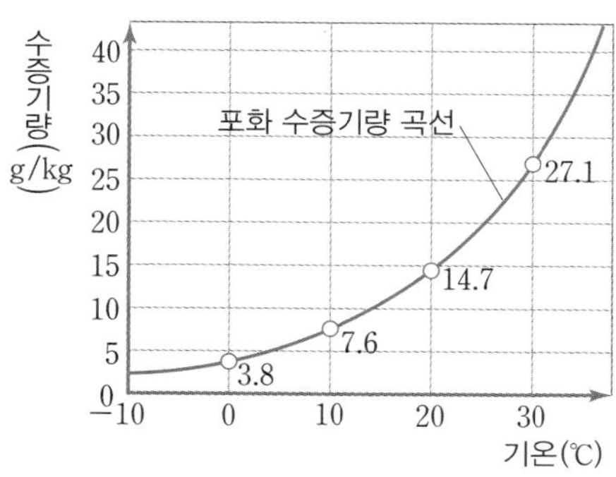

4 **이슬점** 공기 중의 수증기가 ❷ ______하기 시작할 때의 온도 ➡ 공기 중에 포함된 수증기량에 따라 달라진다.

❶수증기 ❷응결

확인Q 5 포화 수증기량은 기온이 (높을 / 낮을)수록 증가한다.

개념 6 상대 습도

1 **습도** 공기가 건조하거나 습한 정도

2 **상대 습도** 현재 기온에서의 포화 수증기량에 대한 ❶ ______ 수증기량의 비율을 ❷ ______로 나타낸 것

$$\text{상대 습도} = \frac{\text{현재 공기 중의 실제 수증기량(g/kg)}}{\text{현재 기온에서의 포화 수증기량(g/kg)}} \times 100$$

3 **맑은 날 기온과 상대 습도의 관계**

① 기온이 낮을 때 → 포화 수증기량 감소 → 상대 습도 높아짐

② 기온이 높을 때 → 포화 수증기량 증가 → 상대 습도 낮아짐

❶실제 ❷백분율

확인Q 6 현재 공기 중에 포함된 실제 수증기량이 6 g/kg이고, 현재 기온에서의 포화 수증기량이 10 g/kg일 때, 상대 습도를 구하시오.

개념 7 구름의 생성 과정

1 **단열 변화** 외부와의 열 교환 없이 공기의 ❶ ______가 변하여 온도가 변하는 현상

2 **단열 팽창** 공기의 부피 증가 ➡ 기온 하강

3 **구름** 공기가 단열 팽창하면 공기 중의 수증기가 응결핵을 중심으로 응결한다. 이때 생긴 작은 물방울이나 얼음 알갱이가 하늘에 떠 있는 것

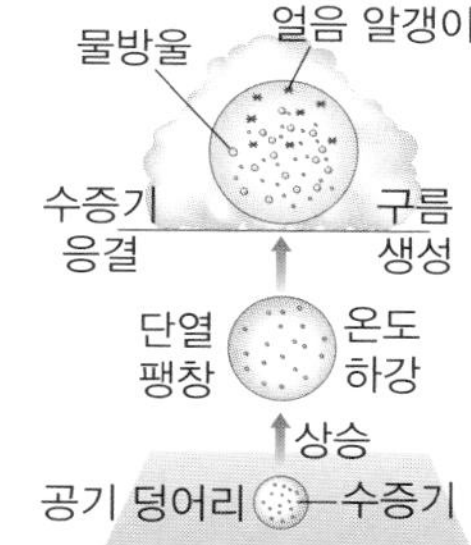

4 **구름 생성** 공기 덩어리가 ❷ ______하면서 구름 생성

① 지표의 일부분이 강하게 가열될 때

② 공기가 산을 타고 오를 때

③ 기압이 낮은 곳으로 공기가 모여들 때

④ 찬 공기와 따뜻한 공기가 만날 때

❶부피 ❷상승

확인Q 7 공기 중에 작은 먼지 입자나 소금 입자 등의 (   )이 많이 포함되어 있으면 수증기가 쉽게 응결하므로 구름이 더 잘 생성된다.

개념 8 강수 과정

1 **강수** 구름에서 비나 눈이 지표로 내리는 것

2 **강수 과정**

① **병합설**: 열대 지방이나 ❶ ______ 지방에서 크고 작은 물방울이 합쳐져 비로 내린다.

② **빙정설**: 중위도나 고위도 지방에서 얼음 알갱이에 ❷ ______가 달라붙어 점점 커지면서 눈으로 내리다가 녹으면 비로 내린다.

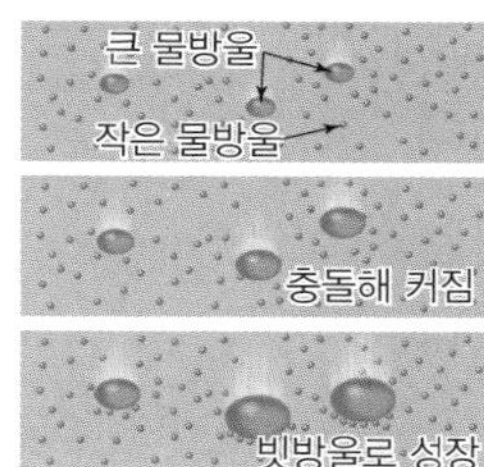

▲저위도 지방의 강수

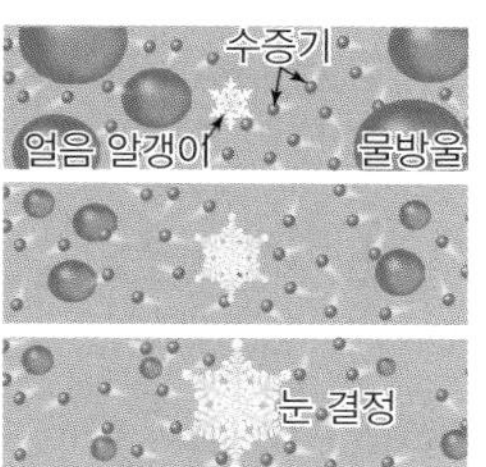

▲중·고위도 지방의 강수

❶저위도 ❷수증기

확인Q 8 비나 눈이 내리려면 (   ) 입자가 빗방울 크기만큼 성장해야 한다.

개념 1 기압

1 **기압(대기압)**

① 단위 넓이에 수직으로 대기가 작용하는 힘
➡ 모든 방향에서 ❶ ____하게 작용

② **단위**: hPa(헥토파스칼)

③ **1기압**: 수은 기둥 76 cm의 압력에 해당하는 대기의 압력으로 정의

> 1기압 = 76 cm 수은 기둥의 압력
> ≒ 1013 hPa ≒ 10 m 물기둥의 압력

2 **고도에 따른 기압의 변화** 기압은 공기 기둥의 ❷ ____에 비례 ➡ 높은 곳으로 올라갈수록 감소

3 **고기압과 저기압** 같은 고도에서 주변보다 기압이 높은 곳은 고기압이고, 낮은 곳은 저기압이다.

❶동일 ❷무게

확인Q 1 기압의 크기는 공기 기둥의 무게에 ( )하므로 높은 곳으로 올라갈수록 기압은 낮아진다.

개념 2 바람

1 **바람** 기압 차이로 인해 기압이 높은 곳에서 낮은 곳으로 공기가 ❶ ____하는 것
➡ 기압 차이가 클수록 바람의 세기가 강하다.

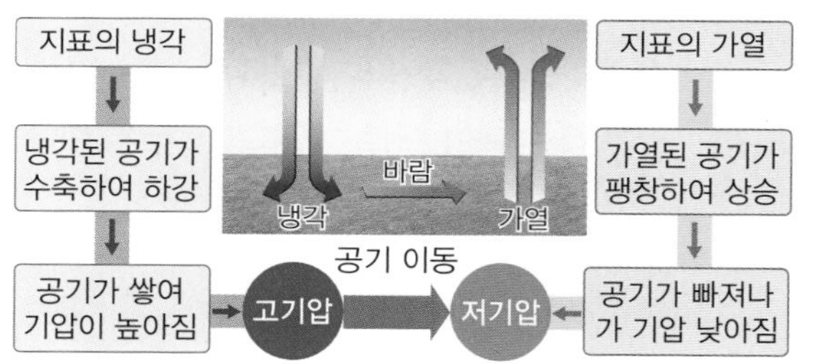

2 **해륙풍** 해안에서 육지와 바다의 차등 가열에 의해 하루를 주기로 풍향이 바뀌는 바람

3 **계절풍** 계절에 따라 대륙과 해양의 차등 가열에 의해 ❷ ____을 주기로 풍향이 바뀌는 바람

❶이동 ❷1년

확인Q 2 육지는 바다보다 ( )이 작아 바다보다 빨리 가열되고 빨리 냉각된다.

개념 3 기단

1 **기단** 한 지역에 오래 머물면서 그 지역의 온도 및 습도와 비슷해진 커다란 ❶ ____ 덩어리

2 **우리나라에 영향을 주는 기단과 성질**

① 봄·가을: 양쯔강 기단

② 초여름: 오호츠크해 기단

③ ❷ ____: 북태평양 기단

④ 겨울: 시베리아 기단

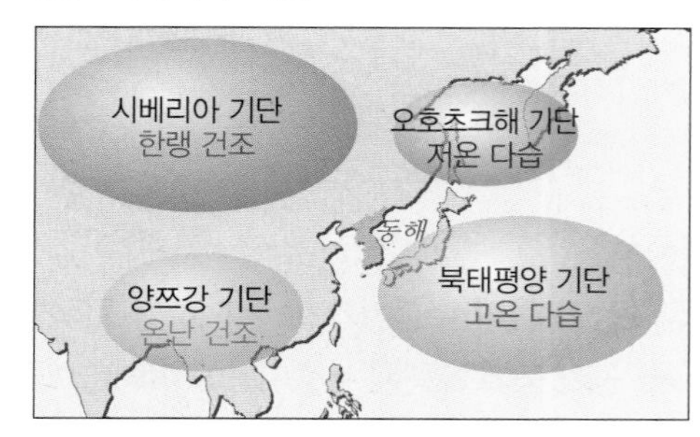

❶공기 ❷여름

확인Q 3 우리나라 겨울철에 영향을 미치는 기단은?

① 양쯔강 기단 ② 오호츠크해 기단
③ 시베리아 기단 ④ 북태평양 기단

개념 4 전선면과 전선

1 **전선면**

① 찬 기단과 따뜻한 기단이 만나 생기는 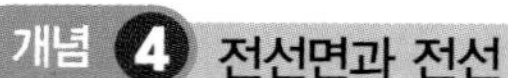

② 전선면에서 구름이 형성됨

③ 전선면을 경계로 날씨 변화가 나타남

2 **전선** 전선면과 ❷ ____이 만나는 경계선

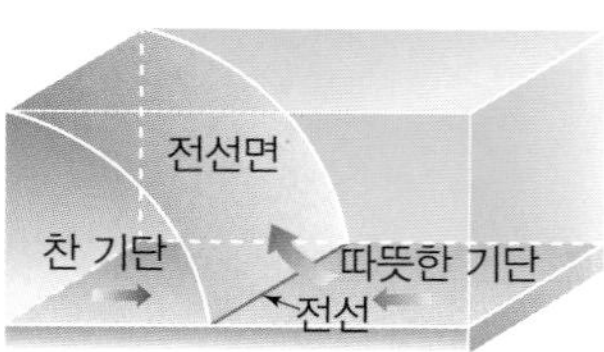

❶경계면 ❷지표면

확인Q 4 전선면에서 따뜻한 공기는 위로 상승하므로 단열 팽창하여 ( )이 형성되고 날씨의 변화가 생긴다.

개념 5 전선의 종류와 날씨

1 한랭 전선과 온난 전선

① **한랭 전선**(▲▲▲▲): 찬 기단이 따뜻한 기단 아래로 파고들면서 생기는 전선

② **온난 전선**(●●●●): 따뜻한 기단이 찬 기단 위로 오르며 생기는 전선

전선	전선면 기울기	구름	강수	전선 통과 후
한랭 전선	급함	적운형	좁은 지역 강한 비	기온 하강
온난 전선	완만함	층운형	넓은 지역 약한 비	기온 상승

2 **폐색 전선**(▲●▲●▲) 이동 속력이 빠른 ❶ [ ] 전선이 ❷ [ ] 전선을 따라잡아 겹쳐지며 형성

3 **정체 전선**(▼●▼●▼) 세력이 비슷한 두 기단이 한 지점에서 만나 한곳에 장시간 머물러 형성되는 전선
예 장마 전선

❶ 한랭 ❷ 온난

확인Q 5 기호에 알맞은 전선의 이름을 쓰시오.

(1) 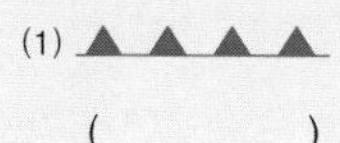
( )

(2) 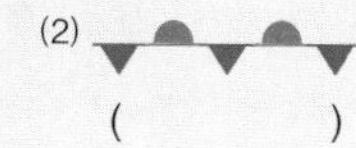
( )

개념 6 고기압과 저기압에서의 날씨

1 **저기압 주변의 날씨** 지표 부근에서 주변 공기가 모인다. ➡ ❶ [ ] 기류로 구름이 생성되어 날씨가 흐리고 비가 내림

2 **고기압 주변의 날씨** 지표 부근의 공기가 주변으로 불어 나간다. ➡ ❷ [ ] 기류로 구름이 소멸되어 날씨가 맑음

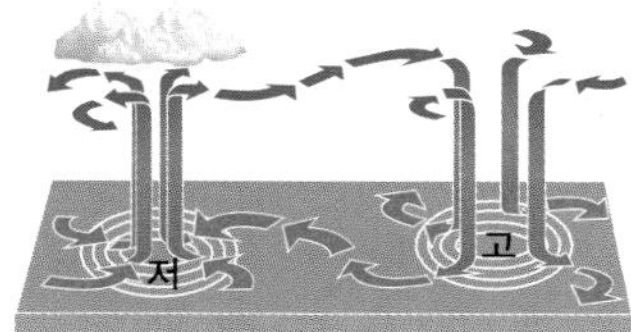

❶ 상승 ❷ 하강

확인Q 6 북반구에서 바람은 저기압 중심에서 (시계 / 시계 반대) 방향으로 불어 들어간다.

개념 7 온대 저기압 주변의 날씨

• 온대 저기압 주변의 날씨

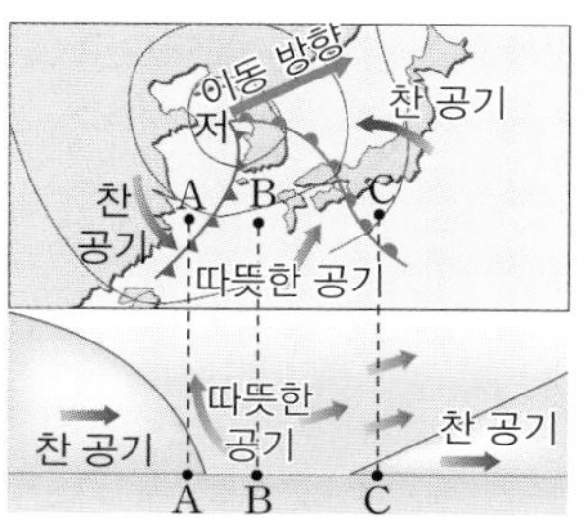

지역	날씨
A	한랭 전선이 통과하여 ❶ [ ] 구름이 생기면서 짧은 시간 동안 강한 비가 내리고, 한랭 전선 통과 후 기온이 떨어짐
B	온난 전선이 지나가며 남쪽의 따뜻한 공기가 들어와 맑은 날씨가 나타남
C	온난 전선의 앞쪽으로 ❷ [ ] 구름이 넓게 발달하기 때문에 온난 전선 통과 전부터 흐리고 장시간 비가 내림

❶ 적운형 ❷ 층운형

확인Q 7 온대 저기압 중심의 남서쪽에는 ( ) 전선, 남동쪽에는 ( ) 전선이 나타나며, 두 전선은 온대 저기압과 함께 서쪽에서 동쪽으로 이동한다.

개념 8 우리나라의 계절별 주요 날씨

1 **봄** 이동성 고기압과 온대 저기압의 영향을 자주 받는다. ➡ 비가 자주 내리고, 꽃샘추위가 나타난다.

2 **여름** 초여름에는 ❶ [ ]가 나타나며, 한여름에는 북태평양 기단의 영향으로 덥고 습한 날씨를 보인다. ➡ 열대야가 나타나기도 한다.

3 **가을** 이동성 고기압이 자주 지나므로 맑은 날씨가 나타난다. ➡ 시베리아 기단의 영향이 점점 강해져 날씨가 서늘해진다.

4 **겨울** ❷ [ ] 기단의 영향으로 차고 건조한 날씨를 보인다. ➡ 북서 계절풍과 함께 한파가 나타난다.

❶ 장마 ❷ 시베리아

확인Q 8 우리나라 여름철 날씨의 특징을 모두 고르면? [정답 2개]

① 한파 ② 장마 ③ 태풍 ④ 꽃샘추위

2주 1일 개념 돌파 전략 2

1 기권의 구조와 특징에 대한 설명으로 옳은 것은?

① 성층권에서는 오로라 현상이 나타난다.
② 열권의 오존층에서 자외선을 흡수한다.
③ 대류권은 여러 기상 현상이 나타나며 매우 안정하다.
④ 중간권은 대류 현상이 일어나기 때문에 기상 현상이 발생한다.
⑤ 기권의 층상 구조는 높이에 따른 기온 변화를 기준으로 구분한다.

문제 해결 전략

오존층은 ❶ [　　] 이 밀집하여 분포하는 층으로 태양으로부터 오는 ❷ [　　] 을 흡수하여 지구의 생명체를 보호하는 역할을 한다.

답 ❶ 오존 ❷ 자외선

2 온실 효과에 대한 설명으로 옳지 않은 것은?

① 지구의 평균 기온을 높게 유지하는 역할을 한다.
② 대기가 없는 달에서는 온실 효과가 일어나지 않는다.
③ 온실 효과로 인해 지구는 복사 평형을 이루지 못한다.
④ 수증기와 이산화 탄소는 온실 효과를 일으키는 기체이다.
⑤ 대기 중 온실 기체 농도의 증가는 지구 온난화의 원인이 된다.

문제 해결 전략

대기 중 온실 기체는 지표가 방출한 에너지 중 일부를 흡수하였다가 우주와 지표로 ❶ [　　] 하고, 지표는 이를 다시 ❷ [　　] 하기 때문에 높은 온도에서 복사 평형을 이루게 된다.

답 ❶ 방출 ❷ 흡수

3 그림은 어느 맑은 날 하루 동안의 기온, 상대 습도, 이슬점의 변화를 나타낸 것이다.

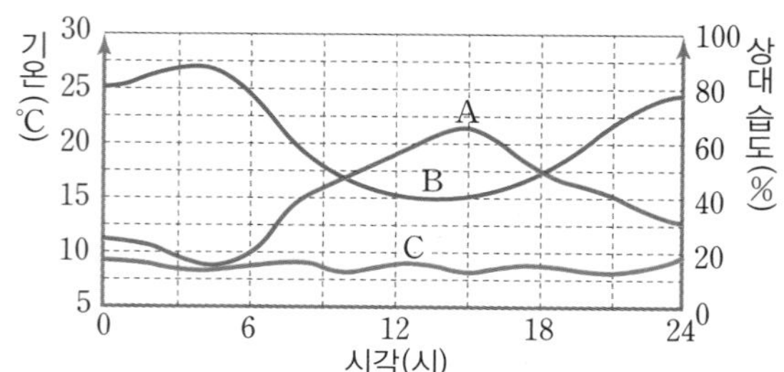

A, B, C는 각각 무엇에 해당하는지 쓰시오.

A: (　　　　　), B: (　　　　　), C: (　　　　　)

문제 해결 전략

기온이 낮으면 포화 수증기량이 줄어들어 상대 습도가 ❶ [　　], 기온이 높으면 포화 수증기량이 늘어나므로 상대 습도가 ❷ [　　].

답 ❶ 높고 ❷ 낮다

4 그림은 어느 전선의 단면을 나타낸 것이다.

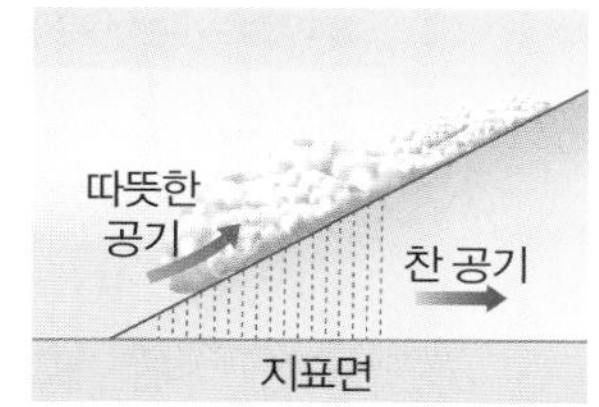

이 전선에 대한 설명으로 옳은 것을 보기 에서 모두 고르시오.

보기
ㄱ. 온난 전선이다.
ㄴ. 전선이 통과한 후 기온이 내려간다.
ㄷ. 전선 뒤쪽의 넓은 공간에서 오랫동안 약한 비가 내린다.
ㄹ. 따뜻한 기단이 찬 기단 쪽으로 이동해 생기는 전선이다.

문제 해결 전략

기단은 이동 방향이나 ❶ [ ] 등이 다양하기 때문에 두 기단이 만날 때에는 여러 가지 형태의 ❷ [ ] 이 나타난다.

답 ❶ 속력 ❷ 전선

5 고기압과 저기압 주변의 날씨에 대한 설명으로 옳은 것을 고르면? [정답 2개]

① 바람은 고기압에서 저기압 방향으로 분다.
② 고기압에서는 날씨가 흐리거나 비가 내린다.
③ 북반구 저기압 중심에서는 바람이 시계 방향으로 불어 나간다.
④ 고기압 중심부에는 하강 기류가 있어서 날씨가 맑다.
⑤ 저기압에서는 공기가 모여들어 하강 기류를 형성한다.

문제 해결 전략

지구 자전의 영향으로 북반구에서 바람은 고기압에서는 ❶ [ ] 방향으로 불어 나가고, 저기압에서는 ❷ [ ] 방향으로 불어 들어간다.

답 ❶ 시계 ❷ 시계 반대

6 우리나라의 계절별 주요 날씨에 대한 설명으로 옳지 않은 것은?

① 봄에는 날씨의 변화가 심하다.
② 한여름에는 기온과 습도가 높은 무더운 날씨가 나타난다.
③ 북태평양 기단이 남쪽으로 물러가며 초여름 장마를 형성한다.
④ 가을에는 이동성 고기압의 영향으로 맑은 날이 많다.
⑤ 겨울에는 북서 계절풍이 불고 한파가 나타난다.

문제 해결 전략

우리나라 겨울철에는 대륙에서 만들어진 건조한 기단이 ❶ [ ] 를 지나면서 변질되어 서해안 지역에 ❷ [ ] 이 내리기도 한다.

답 ❶ 서해 ❷ 폭설

대표 기출 1 | 기권의 구조 |

그림은 기권의 층상 구조를 나타낸 것이다.
이에 대한 설명으로 옳은 것을 모두 고르면? [정답 3개]

높이(km) 120, 100, 80, 60, 40, 20, 0 / 열권, 중간권, 오존층, 대류권 / −100 −80 −60 −40 −20 0 20 기온(°C)

① 대류권과 열권에서는 대류가 일어난다.
② 기권에 있는 공기의 대부분은 대류권에 모여 있다.
③ 성층권은 오존층의 영향으로 높이 올라갈수록 기온이 상승한다.
④ 중간권은 매우 안정하여 장거리 비행기의 항로로 이용된다.
⑤ 열권은 공기가 희박하여 낮과 밤의 기온 차가 작다.
⑥ 기권의 구조를 구분하는 기준은 높이에 따른 기온 변화이다.

Tip 기권은 높이에 따른 기온 분포를 기준으로 대류권, 성층권, 중간권, 열권의 4개 층으로 구분된다.

풀이 ① 대류는 높이 올라갈수록 기온이 하강하는 대류권과 중간권에서 일어난다.
④ 장거리 비행기의 항로로 이용되는 층은 성층권으로, 대류 현상이 없어 매우 안정하다.
⑤ 열권은 공기가 매우 희박하므로 낮과 밤의 기온 차가 매우 크다.

답 ②, ③, ⑥

1-1 그림은 기권의 구조를 나타낸 것이다.
기권의 층상 구조에 대한 설명으로 옳은 것을 |보기|에서 모두 고르시오.

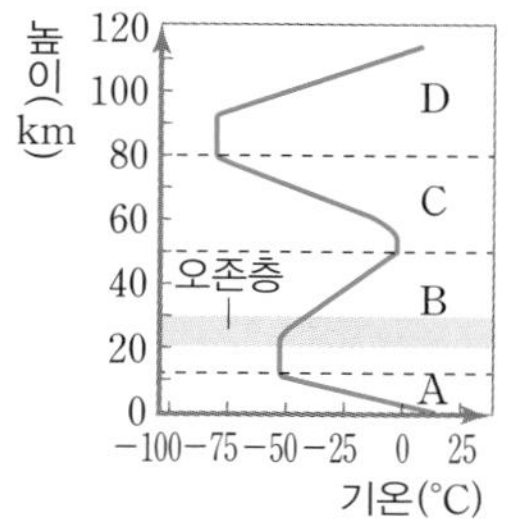

| 보기 |
ㄱ. A와 C에서는 대류 현상이 일어난다.
ㄴ. B의 오존층은 지표의 복사 에너지를 흡수한다.
ㄷ. D는 공기가 희박하여 낮과 밤의 기온 차가 크다.

대표 기출 2 | 복사 평형 |

그림은 지구의 복사 평형을 나타낸 것이다.

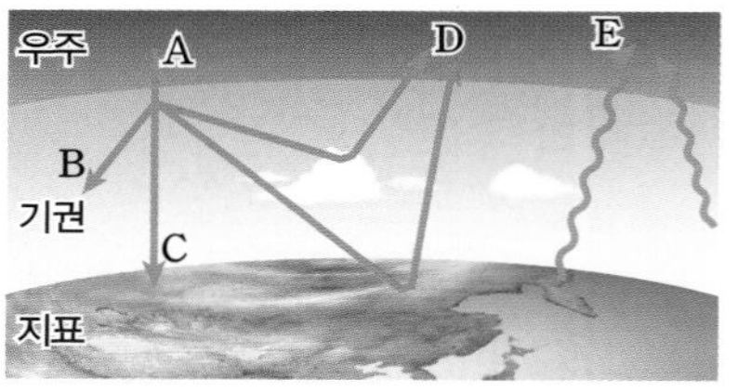

이에 대한 설명으로 옳은 것을 모두 고르면? [정답 3개]

① A와 E는 같다.
② A는 지구로 들어오는 태양 복사 에너지의 전체 양이다.
③ B와 C는 대기와 지표면에 흡수되는 지구 복사 에너지양이다.
④ D는 지구에서 반사되는 지구 복사 에너지양이다.
⑤ E는 B와 C의 합과 같다.
⑥ E는 우주로 방출되는 지구 복사 에너지양이다.

Tip 지구는 복사 평형 상태로, 평균 기온이 일정하게 유지된다.

풀이 ① A는 D+E와 같다.
③ B와 C는 대기와 지표면에 흡수되는 태양 복사 에너지양이다.
④ D는 지구에서 반사되는 태양 복사 에너지양이다.

답 ②, ⑤, ⑥

2-1 그림은 지구의 복사 평형을 나타낸 것이다.
지구에 출입하는 복사 에너지에 대한 설명으로 옳지 않은 것은?

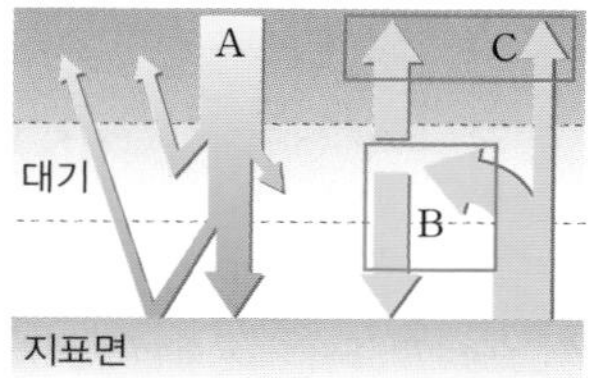

① A는 지구로 들어오는 전체 태양 복사 에너지양이다.
② B는 온실 효과이다.
③ C는 A의 양과 같다.
④ 지구의 평균 기온은 일정하게 유지된다.
⑤ 지구는 전체적으로 복사 평형 상태에 있다.

대표 기출 3 | 위도별 에너지 분포 |

그림은 위도에 따른 복사 에너지양의 분포를 나타낸 것이다.

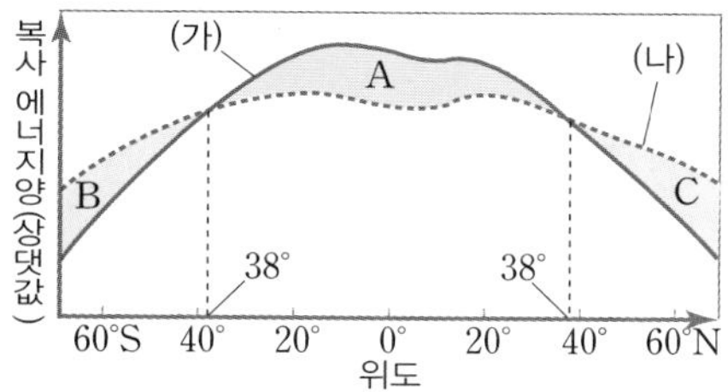

이에 대한 설명으로 옳은 것을 | 보기 | 에서 모두 고르시오.

보기
ㄱ. (가)는 지구 복사 에너지이다.
ㄴ. (나)는 (가)보다 위도에 따른 차이가 크다.
ㄷ. A는 대기와 해수에 의해 이동한다.
ㄹ. B와 C는 고위도의 남는 에너지를 나타낸다.
ㅁ. 위도 38° 부근에서는 에너지 평형을 이룬다.
ㅂ. 지구 전체는 복사 평형을 이루므로 A와 B의 합은 C와 같다.

Tip 지구 전체는 복사 평형을 이루지만 위도별로는 에너지 불균형 상태이므로 저위도의 남는 에너지는 고위도로 이동한다.

풀이 ㄱ. (가)는 태양 복사 에너지이다.
ㄴ. 위도에 따른 차이는 (가)가 (나)보다 크다.
ㄹ. B와 C는 고위도의 부족한 에너지를 나타낸다.
ㅂ. 지구 전체가 복사 평형을 이루므로 A는 B+C와 같다. 답 ㄷ, ㅁ

대표 기출 4 | 온실 효과 |

그림 (가)와 (나)는 각각 지구에 대기가 없을 때와 있을 때의 복사 평형을 나타낸 것이다.

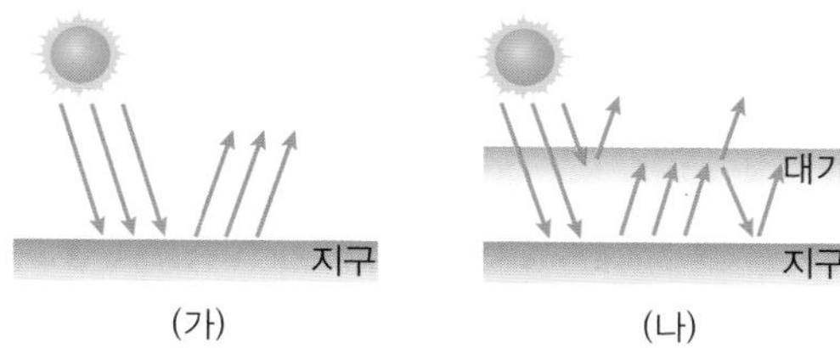

이에 대한 설명으로 옳지 않은 것을 모두 고르면? [정답 2개]

① (가)는 (나)보다 지구의 평균 기온이 높다.
② (가)와 (나) 모두 평균 기온은 일정하게 유지된다.
③ 지구에 대기가 없다면 복사 평형을 이룰 수 없다.
④ (나)에서 대기는 태양 복사 에너지를 흡수하기도 하고 반사하기도 한다.
⑤ (나)에서 대기가 흡수하여 방출한 에너지를 지표가 재흡수한다.
⑥ 온실 효과는 수증기, 이산화 탄소, 메테인 등의 온실 기체가 일으킨다.

Tip 지구는 온실 효과로 평균 기온이 높게 유지된다.

풀이 ① 지구는 대기에 의한 온실 효과로 인해 대기가 없을 때보다 평균 기온이 높게 유지된다.
③ 대기가 없어도 흡수한 태양 복사 에너지양과 방출하는 지구 복사 에너지양이 같은 복사 평형을 이룬다. 답 ①, ③

3-1 그림은 위도에 따른 태양 고도를 나타낸 것이다.
이에 대한 설명으로 옳은 것을 | 보기 | 에서 모두 고르시오.

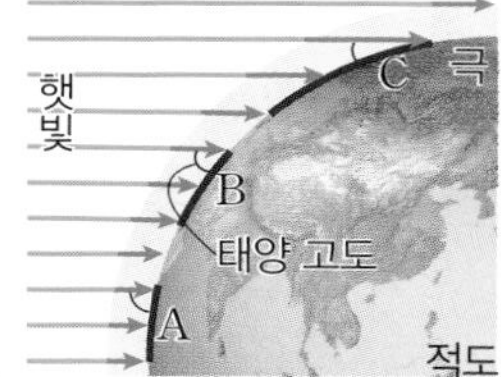

보기
ㄱ. 태양의 고도는 A~C 중 A에서 가장 높다.
ㄴ. 단위 면적당 도달하는 태양 복사 에너지양은 A~C 중 C에서 가장 크다.
ㄷ. 지구가 방출하는 지구 복사 에너지양은 모든 위도에서 같다.

4-1 그림은 지구에 대기가 있을 때 복사 평형을 나타낸 것이다.
이에 대한 설명으로 옳은 것을 | 보기 | 에서 모두 고르시오.

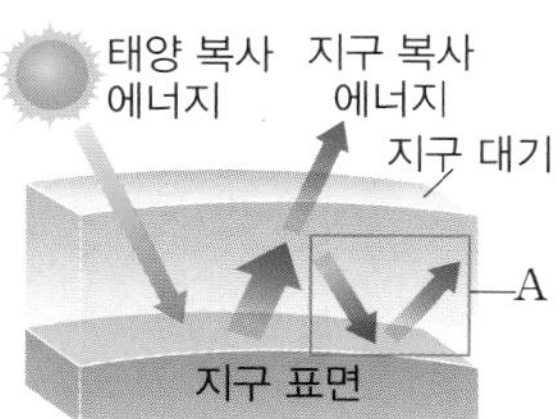

보기
ㄱ. A는 온실 효과이다.
ㄴ. 지구에 대기가 없다면 평균 기온이 더 높을 것이다.
ㄷ. 대기 중 온실 기체 농도가 증가하면 지구 평균 기온은 상승한다.

대표 기출 5 | 포화 수증기량과 이슬점 |

그림은 기온과 포화 수증기량의 관계를 나타낸 것이다.

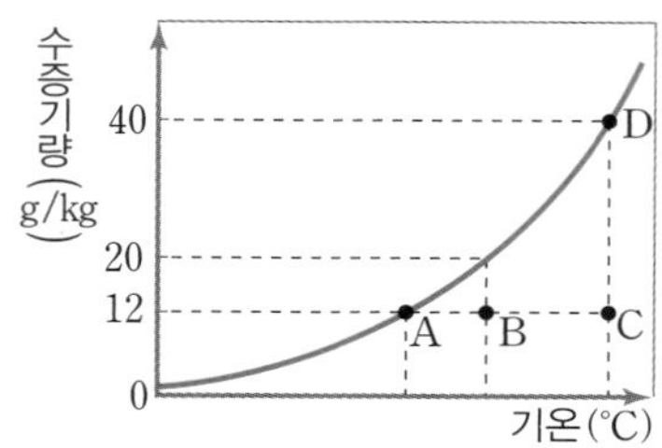

이에 대한 설명으로 옳은 것을 | 보기 | 에서 모두 고르시오.

보기
ㄱ. A는 포화 상태이다.
ㄴ. A와 B는 포화 수증기량이 같다.
ㄷ. B와 C는 이슬점이 같다.
ㄹ. C와 D는 포화 수증기량이 같다.
ㅁ. A~D 중 상대 습도는 B에서 가장 높다.
ㅂ. A~D 중 현재 수증기량은 C에서 가장 크다.

Tip 포화 수증기량은 1 kg의 공기가 최대로 포함할 수 있는 수증기의 양을 g으로 나타낸 것이다.

풀이 ㄴ. A의 포화 수증기량은 12 g/kg이고, B의 포화 수증기량은 20 g/kg이다.
ㅁ. A와 D의 상대 습도가 100 %이므로, 상대 습도는 A와 D가 가장 높다.
ㅂ. A, B, C의 현재 수증기량은 12 g/kg으로 같고, D의 현재 수증기량은 40 g/kg으로 가장 크다.

답 ㄱ, ㄷ, ㄹ

대표 기출 6 | 상대 습도 |

그림은 포화 수증기량 곡선을 나타낸 것이다.

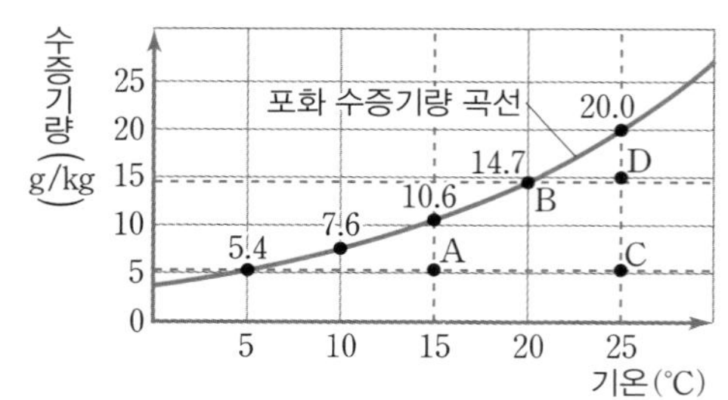

이에 대한 설명으로 옳은 것을 모두 고르면? [정답 2개]

① A의 상대 습도는 50 %보다 작다.
② A와 C는 상대 습도가 같다.
③ B의 상대 습도는 100 %이다.
④ B와 D는 포화 수증기량이 같다.
⑤ C는 D와 상대 습도가 같다.
⑥ D의 상대 습도는 75 %이다.

Tip 상대 습도는 공기의 건조하고 습한 정도를 나타낸다.

풀이 ①, ②, ⑤ 상대 습도(%)

$$= \frac{\text{현재 공기 중의 실제 수증기량(g/kg)}}{\text{현재 기온의 포화 수증기량(g/kg)}} \times 100$$

이므로 A~D의 상대 습도를 각각 구해 보면 A는 약 51 %, B는 100 %, C는 27 %, D는 75 %이다.
④ B는 현재 포화 상태이며, D의 포화 수증기량은 20 g/kg이다.

답 ③, ⑥

5-1 그림은 기온과 포화 수증기량의 관계를 나타낸 것이다.
A 공기가 포화 상태가 될 수 있는 경우를 | 보기 | 에서 모두 고르시오.

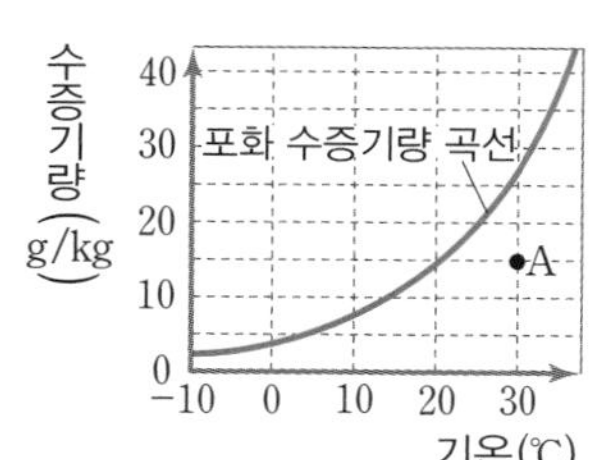

보기
ㄱ. 수증기를 더 공급한다.
ㄴ. 공기에 압력을 가한다.
ㄷ. 기온을 이슬점까지 낮춘다.

6-1 그림은 맑은 날 하루 동안의 기온, 상대 습도, 이슬점의 변화를 나타낸 것이다.
이에 대한 설명으로 옳은 것을 | 보기 | 에서 모두 고르시오.

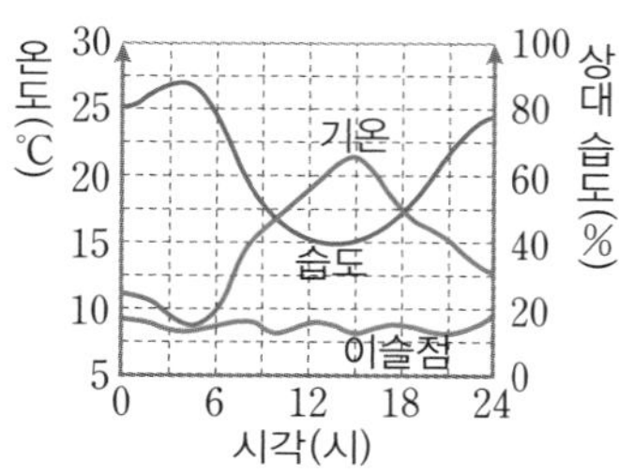

보기
ㄱ. 기온은 오후 2시경에 가장 높다.
ㄴ. 상대 습도는 새벽녘에 가장 높다.
ㄷ. 이슬점은 거의 일정하게 유지된다.

대표 기출 7

| 구름의 생성 |

그림은 지표면의 공기 덩어리가 상승하여 구름이 생성되는 과정을 나타낸 것이다.
이에 대한 설명으로 옳지 않은 것을 모두 고르면? [정답 2개]

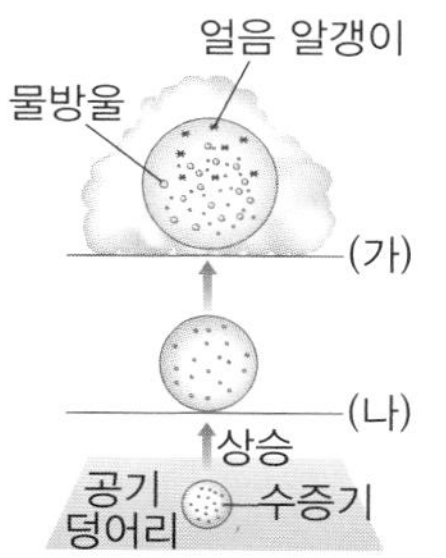

① 공기 덩어리는 상승하면서 단열 팽창한다.
② 구름 내부에 온도가 0℃보다 낮은 영역이 존재한다.
③ (가)에서 공기 덩어리 내부 온도는 이슬점에 도달한다.
④ (나)에서 공기 덩어리는 외부와 열을 주고받기 시작한다.
⑤ 공기 덩어리가 천천히 상승하는 경우에는 적운형 구름이 만들어진다.
⑥ 공기 중에 작은 먼지 입자 등이 포함되어 있으면 구름이 잘 생성된다.

Tip 구름은 공기 중의 수증기가 응결하여 생긴 작은 물방울이나 얼음 알갱이가 하늘에 떠 있는 것이다.

풀이 ④ 공기 덩어리는 상승하면서 외부와 열을 주고 받지 않으면서 단열 변화한다.
⑤ 공기 덩어리가 천천히 상승하는 경우에는 층운형 구름이, 빠르게 상승하는 경우에는 적운형 구름이 생성된다.

답 ④, ⑤

7-1 그림은 지표면의 공기 덩어리가 상승하여 구름이 생성되는 모습을 나타낸 것이다.
이에 대한 설명으로 옳은 것을 |보기|에서 모두 고르시오.

보기
ㄱ. 공기 덩어리는 상승하면서 부피가 커진다.
ㄴ. 공기 덩어리가 빠르게 상승하면 층운형 구름이 생성된다.
ㄷ. 공기 덩어리 내부의 온도가 이슬점에 도달하면 수증기가 응결한다.

대표 기출 8

| 강수 과정 |

그림은 어느 지역의 구름에서 비가 내리는 과정을 나타낸 것이다.

이에 대한 설명으로 옳은 것을 모두 고르면? [정답 2개]

① 따뜻한 비가 내리는 과정이다.
② 이러한 강수 과정을 빙정설이라고 한다.
③ 구름 내부의 온도가 대체로 0℃보다 낮다.
④ 구름 내부에 과냉각 물방울이 포함되어 있다.
⑤ 주로 중위도나 고위도 지방에서의 강수 과정이다.
⑥ 구름 속의 크고 작은 물방울들이 합쳐져 비로 내린다.

Tip 비나 눈이 지표로 내리는 강수 과정에는 병합설과 빙정설이 있다.

풀이 ②, ③, ④, ⑤ 그림은 크고 작은 물방울이 합쳐져 비가 내리는 강수 과정인 병합설이며, 주로 열대 지방이나 저위도 지방에서의 강수 과정을 설명한다. 병합설에서 구름 내부 온도는 0℃보다 높아 과냉각 물방울이나 얼음 알갱이가 존재하지 않는다.

답 ①, ⑥

8-1 그림은 중위도 지역에서 생성된 구름을 나타낸 것이다.
이 구름에서의 강수 과정에 대한 설명으로 옳은 것을 |보기|에서 모두 고르시오.

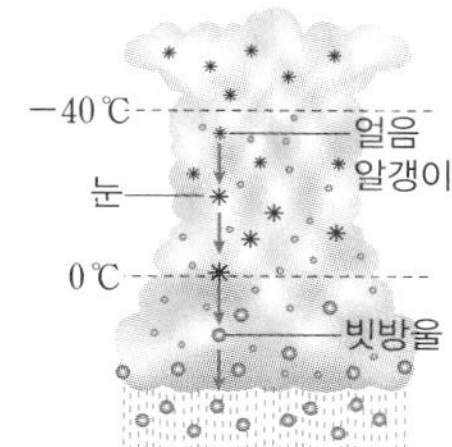

보기
ㄱ. 주로 중위도나 고위도 지방에서의 강수 과정을 설명한다.
ㄴ. 물방울들이 서로 병합하여 무거워지면 비로 내리는 과정이다.
ㄷ. 구름 내부의 과냉각 물방울에서 증발한 수증기가 얼음 알갱이에 달라붙는다.

1 그림과 같이 검은색 알루미늄 컵에 온도계를 꽂고 전등을 켠 다음 2분 간격으로 알루미늄 컵 안의 온도를 측정하였다.

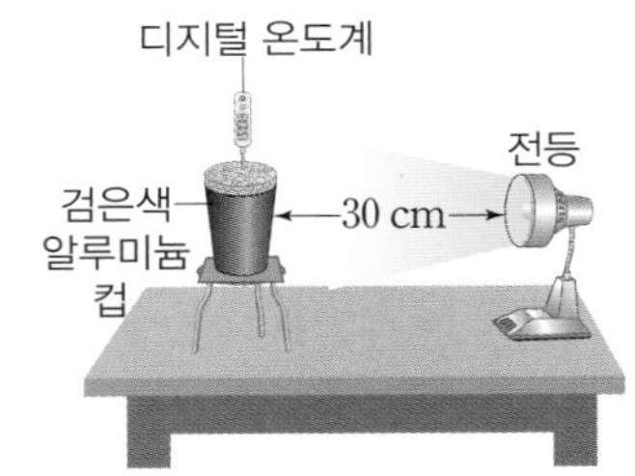

이에 대한 설명으로 옳지 않은 것은?

① 일정 시간 이후에 온도가 일정하게 유지된다.
② 지구의 평균 기온이 일정하게 유지되는 이유를 설명할 수 있다.
③ 시간이 지나면서 컵이 흡수하는 복사 에너지양이 점차 줄어든다.
④ 처음에는 컵이 흡수하는 복사 에너지양이 방출하는 복사 에너지양보다 많다.
⑤ 전등과 컵 사이의 거리를 가깝게 하면 컵 내부 온도가 더 높아질 수 있다.

Tip 복사 평형은 어떤 물체가 ❶ ☐ 하는 복사 에너지양과 ❷ ☐ 하는 복사 에너지양이 같은 상태이다.

답 ❶ 흡수 ❷ 방출

2 그림은 위도별 복사 에너지양을 나타낸 것이다.

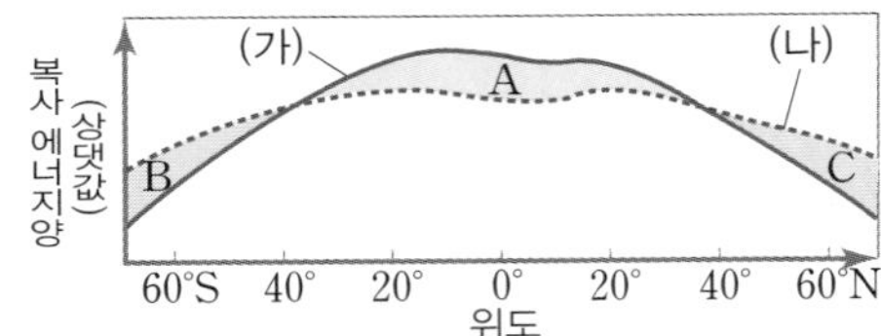

이에 대한 설명으로 옳은 것을 보기 에서 모두 고른 것은?

보기
ㄱ. (가)는 태양 복사 에너지이다.
ㄴ. (나)는 (가)보다 위도에 따른 차이가 크다.
ㄷ. A는 에너지 과잉으로 남는 에너지의 양이다.
ㄹ. B와 C는 대기와 해수에 의해 저위도로 운반된다.

① ㄱ, ㄴ ② ㄱ, ㄷ ③ ㄴ, ㄷ
④ ㄴ, ㄹ ⑤ ㄷ, ㄹ

Tip 지구 전체는 복사 ❶ ☐ 을 이루지만 위도별로는 에너지 ❷ ☐ 상태이다.

답 ❶ 평형 ❷ 불균형

3 그림은 1880년 이후 대기 중 이산화 탄소 농도 변화와 지구 평균 기온 변화를 나타낸 것이다.

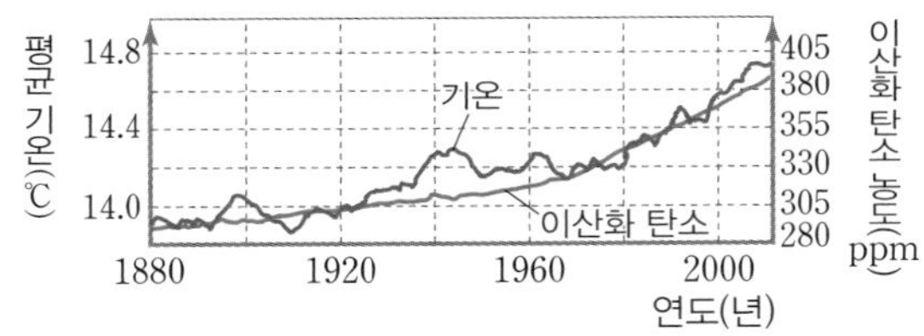

이에 대한 설명으로 옳지 않은 것은?

① 대기 중 이산화 탄소의 농도가 증가하였다.
② 지구 평균 기온이 대체로 상승하는 경향을 보인다.
③ 이산화 탄소는 지구 대기의 온실 기체이다.
④ 이 기간에 극지방 빙하 면적이 증가했을 것이다.
⑤ 대기 중 이산화 탄소 농도 증가는 지구 온난화의 원인이 된다.

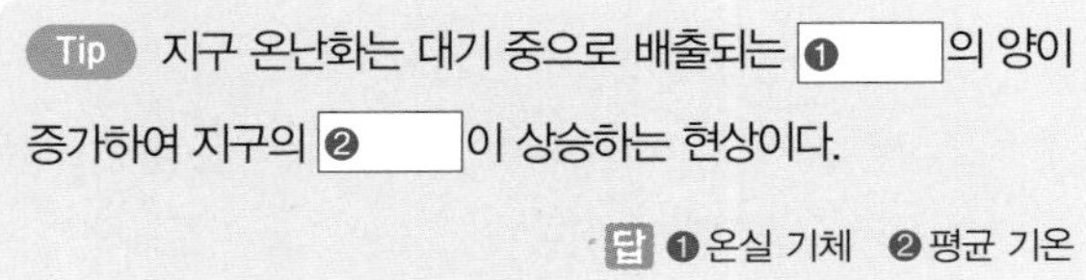
Tip 지구 온난화는 대기 중으로 배출되는 ❶ ☐ 의 양이 증가하여 지구의 ❷ ☐ 이 상승하는 현상이다.

답 ❶ 온실 기체 ❷ 평균 기온

>> 정답과 해설 18쪽

4 그림은 맑은 날 하루 동안의 기온, 상대 습도, 이슬점의 변화를 나타낸 것이다.

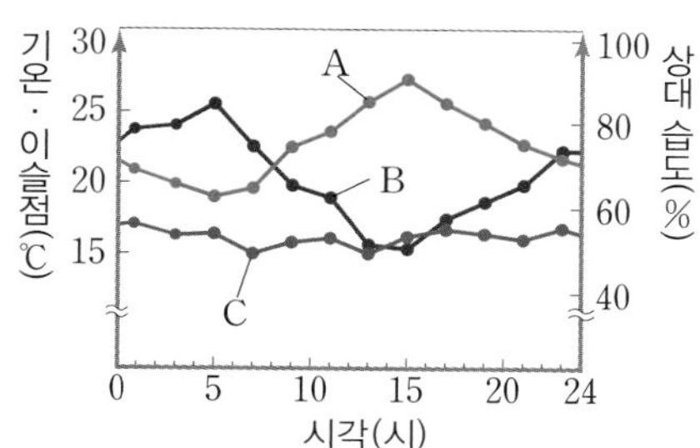

이에 대한 설명으로 옳은 것을 |보기|에서 모두 고른 것은?

보기
ㄱ. A는 기온이다. ㄴ. B는 대체로 A와 반대로 나타난다. ㄷ. C는 상대 습도이다. ㄹ. 맑은 날은 대기 중 수증기량이 거의 변하지 않는다.

① ㄱ, ㄴ ② ㄴ, ㄷ ③ ㄷ, ㄹ
④ ㄱ, ㄴ, ㄹ ⑤ ㄱ, ㄷ, ㄹ

Tip 맑은 날에는 ❶ [ ]이 거의 일정하다. 이런 날에는 상대 습도와 ❷ [ ]의 변화 경향이 대체로 반대로 나타난다.

답 ❶ 이슬점 ❷ 기온

5 그림 (가)와 (나)는 페트병에 물 2 mL 정도와 액정 온도계를 넣고 구름 발생 원리를 알아보기 위한 실험 과정이다.

(가) 펌프를 여러 번 눌러 공기를 채운다.

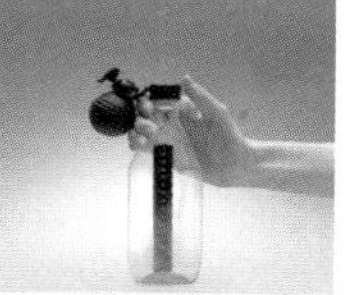
(나) 뚜껑을 연다.

이에 대한 설명으로 옳지 않은 것은?

① (가)에서 페트병 내부 온도는 올라간다.
② (나)에서 페트병 내부 공기는 단열 팽창한다.
③ (나)에서는 수증기가 물방울로 응결하여 뿌옇게 흐려진다.
④ (가)와 (나) 모두 단열 변화가 일어난다.
⑤ (나) 이후에 다시 뚜껑을 닫고 펌프를 눌러 공기를 채우면 페트병 내부가 더 뿌옇게 흐려진다.

Tip 외부로부터 열을 얻거나 빼앗기지 않고 공기의 ❶ [ ]가 변하여 온도가 변하는 것을 ❷ [ ]라고 한다.

답 ❶ 부피 ❷ 단열 변화

6 그림 (가)와 (나)는 비가 내리는 과정을 나타낸 것이다.

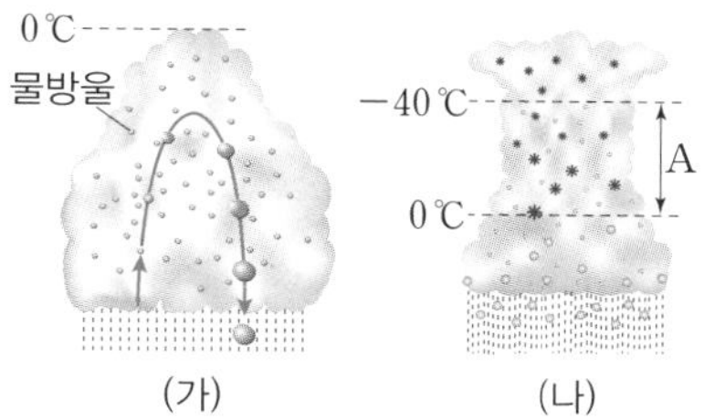

이에 대한 설명으로 옳지 않은 것은?

① (가)에서 눈은 내릴 수 없다.
② (가)는 병합설을 표현한 것이다.
③ (가)에서 비는 크고 작은 물방울이 합쳐져서 내린다.
④ (나)는 주로 중위도나 고위도 지방에서의 강수 과정을 설명한다.
⑤ (나)의 A에는 얼음 알갱이만 존재한다.

Tip 빙정설에서는 ❶ [ ]에서 증발하고, 그 수증기가 ❷ [ ]에 달라 붙어 빙정이 점차 성장한다고 설명한다.

답 ❶ 물방울 ❷ 얼음 알갱이

대표 기출 1 | 기압 |

그림은 토리첼리의 실험을 나타낸 것이다.

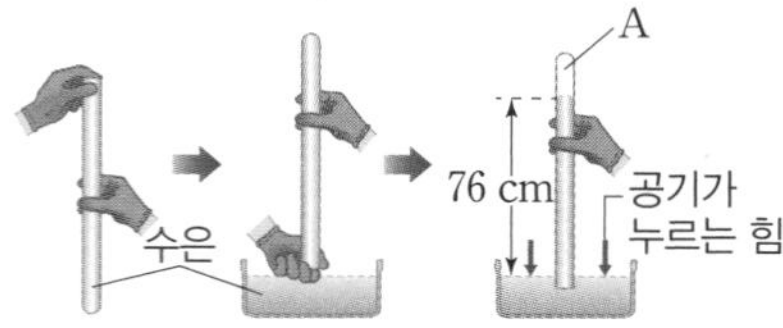

이에 대한 설명으로 옳은 것을 | 보기 | 에서 모두 고르면? [정답 2개]

① A 부분은 진공 상태이다.
② 기압은 아래 방향으로만 작용한다.
③ 수은 대신 물을 채워도 실험 결과는 같다.
④ 기압이 높아지면 수은 기둥의 높이가 낮아진다.
⑤ 더 굵은 유리관을 사용하면 수은 기둥의 높이는 낮아진다.
⑥ 유리관을 기울여도 수은 기둥의 높이는 달라지지 않는다.

Tip 1기압은 76 cm 수은 기둥의 압력과 같다.

풀이 ② 기압은 모든 방향에서 동일하게 작용한다.
③ 1기압은 76 cm의 수은 기둥이 누르는 압력과 같으며, 이를 물로 바꾸면 10 m의 물기둥 압력과 같다.
④ 기압이 높아지면 수은 기둥의 높이는 높아진다.
⑤ 유리관의 굵기가 달라져도 수은 기둥의 높이는 같다. 답 ①, ⑥

대표 기출 2 | 바람 |

그림은 여름철과 겨울철에 부는 바람을 나타낸 것이다.

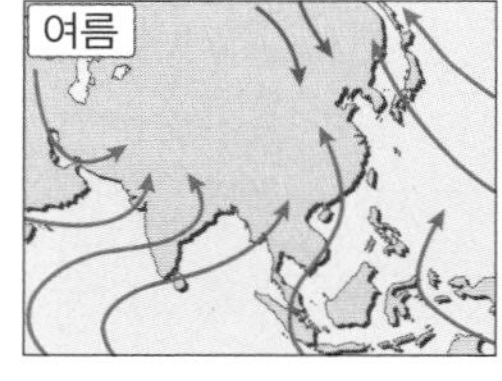

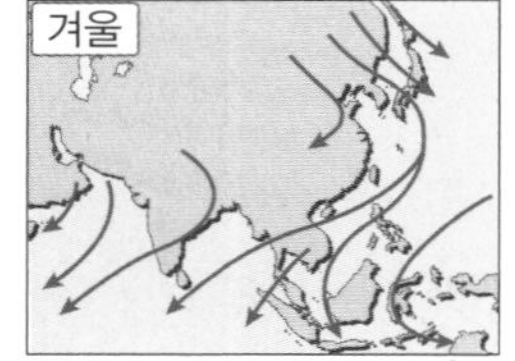

이에 대한 설명으로 옳은 것을 모두 고르면? [정답 2개]

① 바람의 풍향은 1년을 주기로 바뀐다.
② 여름철에 기압은 대륙이 해양보다 높다.
③ 겨울철에 기온은 대륙이 바다보다 높다.
④ 여름철에 대륙이 바다보다 빨리 가열된다.
⑤ 대륙과 해양 중 냉각이 빠른 곳의 기압이 더 낮아진다.
⑥ 대륙과 해양 간의 기압 차이가 크면 바람의 세기가 더 강해진다.

Tip 대륙은 해양보다 여름철에는 빨리 가열되고, 겨울철에는 더 빨리 냉각된다.

풀이 ②, ③ 여름철에는 대륙이 해양보다 빨리 가열되므로 기압은 해양에서 더 높고, 겨울철에는 대륙이 해양보다 빨리 냉각되므로 기온은 해양에서 더 높다.
⑤ 대륙과 해양 중 더 빠르게 가열되는 곳이 공기가 더 많이 상승하여 저기압이 된다. 답 ①, ④, ⑥

1-1 그림은 토리첼리의 실험을 나타낸 것이다. 이에 대한 설명으로 옳은 것을 | 보기 | 에서 모두 고르시오.

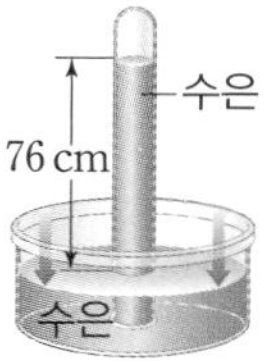

보기
ㄱ. 기압이 높아지면 수은 기둥의 높이는 76 cm보다 높아진다.
ㄴ. 수조의 수은 면에 작용하는 기압은 수은 기둥의 압력과 같다.
ㄷ. 굵기가 가는 유리관을 사용하면 수은 기둥의 높이는 높아진다.

2-1 그림은 어느 해안가에서 부는 바람을 나타낸 것이다. 이에 대한 설명으로 옳지 <u>않은</u> 것은?

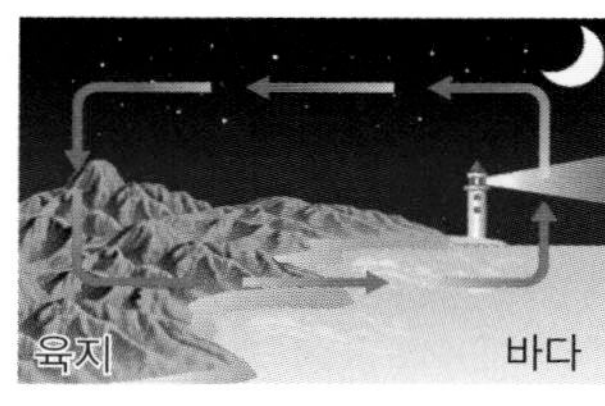

① 밤에 육풍이 부는 모습이다.
② 육지가 바다보다 비열이 작다.
③ 하루를 주기로 풍향이 바뀌는 바람이다.
④ 육지는 고기압, 바다는 저기압이 형성된다.
⑤ 육지가 바다보다 빨리 가열되어 바람이 분다.

대표 기출 3

| 우리나라에 영향을 주는 기단 |

그림은 우리나라에 영향을 주는 기단을 나타낸 것이다.

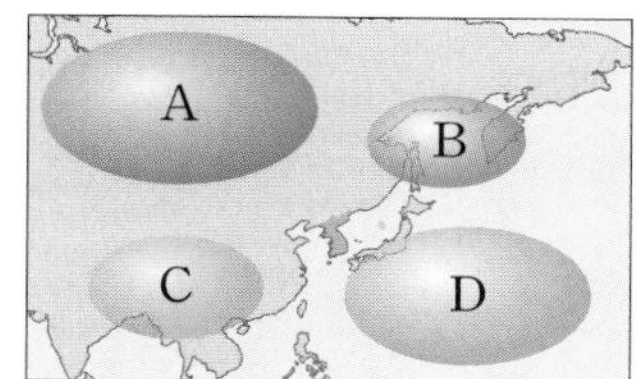

이에 대한 설명으로 옳은 것을 |보기|에서 모두 고르시오.

보기
ㄱ. A는 시베리아 기단이다.
ㄴ. B는 주로 겨울철에 영향을 준다.
ㄷ. C는 온난 다습한 성질을 가진다.
ㄹ. D는 덥고 습한 날씨를 형성한다.
ㅁ. A와 B가 북상하며 장마 전선을 형성한다.
ㅂ. 기단은 공기가 대륙에 오래 머물러 있을 때에만 생성된다.

Tip 우리나라의 계절별 날씨 변화는 우리나라에 영향을 주는 대규모 공기 덩어리에 의해 결정된다.

풀이 ㄴ. B는 오호츠크해 기단으로 주로 봄, 가을과 초여름에 짧게 영향을 준다.
ㄷ. C는 양쯔강 기단으로 온난 건조한 성질을 가진다.
ㅁ. 장마 전선은 북태평양 기단(D)이 북상하며 북쪽의 찬 기단을 만나 오래 머물며 형성한다.
ㅂ. 오호츠크해 기단과 북태평양 기단은 해양에서 생겨난 기단이다.

답 ㄱ, ㄹ

3-1

그림은 우리나라 주변의 기단을 나타낸 것이다.
이에 대한 설명으로 옳은 것을 |보기|에서 모두 고르시오.

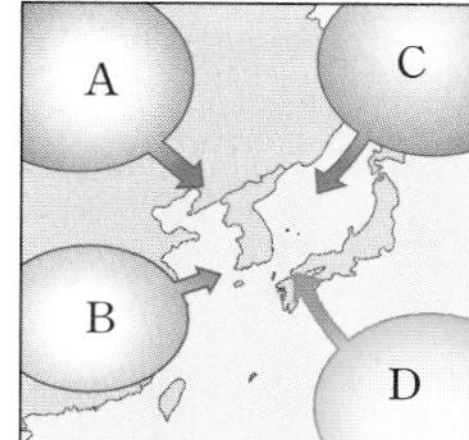

보기
ㄱ. A는 한랭 건조한 성질을 가진다.
ㄴ. B와 C는 주로 여름에 영향을 준다.
ㄷ. D는 따뜻하고 건조한 날씨를 형성한다.

대표 기출 4

| 전선면과 전선 |

그림은 찬 기단과 따뜻한 기단이 만나는 모습을 나타낸 것이다.

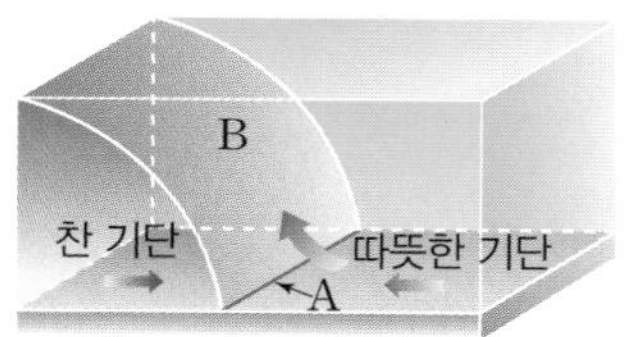

이에 대한 설명으로 옳은 것을 모두 고르면? [정답 3개]

① A는 B와 지표면의 경계선이다.
② 찬 기단은 따뜻한 기단보다 밀도가 작다.
③ B를 따라 공기가 상승하여 구름이 형성된다.
④ 대체로 강수 현상은 따뜻한 기단이 위치한 쪽에 나타난다.
⑤ 찬 기단과 따뜻한 기단의 세력이 비슷하면 A는 형성되지 않는다.
⑥ 찬 기단과 따뜻한 기단의 상대적인 이동 속력과 이동 방향에 따라 B의 기울기가 달라진다.

Tip 찬 기단과 따뜻한 기단이 만나 이루는 경계면을 전선면, 전선면과 지표면의 경계선을 전선이라고 한다.

풀이 ② 찬 기단은 따뜻한 기단보다 밀도가 커서 아래로 파고든다.
④ 강수 현상은 일반적으로 찬 기단이 위치한 쪽에 나타난다.
⑤ 두 기단의 세력이 비슷할 때 만들어진 전선은 한 곳에 오랫동안 머무를 수 있다.

답 ①, ③, ⑥

4-1

그림은 칸막이가 있는 수조에 찬물과 따뜻한 물을 각각 넣은 다음 칸막이를 빠르게 들어 올리는 모습이다.
이에 대한 설명으로 옳은 것을 |보기|에서 모두 고르시오.

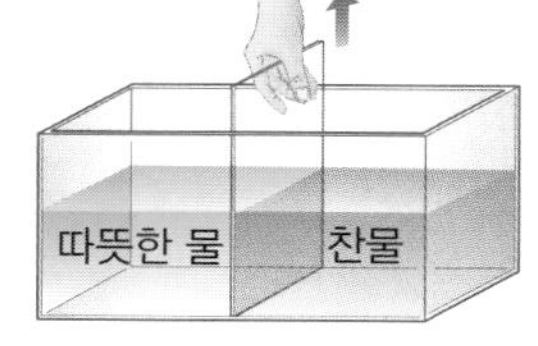

보기
ㄱ. 찬물이 따뜻한 물보다 밀도가 더 작다.
ㄴ. 칸막이를 들어 올리면 찬물이 따뜻한 물 아래로 파고든다.
ㄷ. 칸막이를 들어 올리면 찬물과 따뜻한 물 사이에 경계가 만들어진다.

대표 기출 5 | 전선의 종류와 날씨 |

그림 (가)와 (나)는 서로 다른 종류의 전선을 나타낸 것이다.

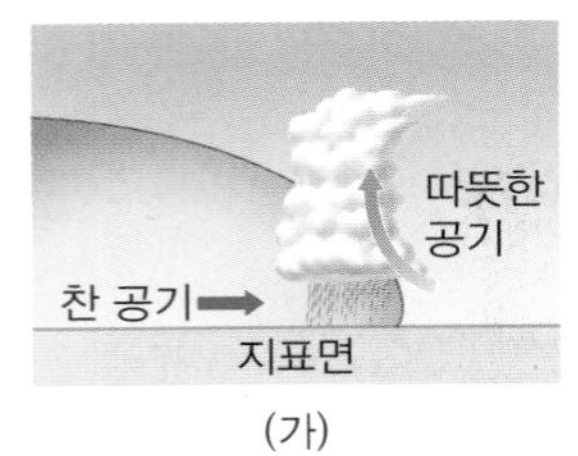

(가)

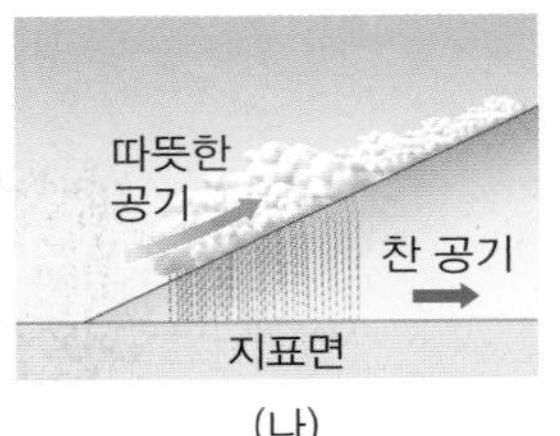

(나)

이에 대한 설명으로 옳은 것을 | 보기 | 에서 모두 고르시오.

보기
ㄱ. (가)는 한랭 전선이다.
ㄴ. (가)가 통과한 후에 기온이 상승한다.
ㄷ. (나)는 전선의 앞쪽에 약한 비가 내린다.
ㄹ. (가)는 (나)보다 이동 속도가 느리다.
ㅁ. (가)는 (나)보다 전선면의 기울기가 완만하다.
ㅂ. (가)는 (나)보다 따뜻한 공기가 더 빠르게 상승한다.

Tip 기단은 이동 방향이나 이동 속력 등이 다양하여 두 기단이 만날 때에는 여러 형태의 전선이 나타난다.

풀이 ㄴ. (가)는 한랭 전선으로 통과 후 기온이 하강한다.
ㄹ. 한랭 전선은 온난 전선보다 이동 속도가 빠르다.
ㅁ. 한랭 전선은 온난 전선보다 전선면의 기울기가 급하다.

답 ㄱ, ㄷ, ㅂ

대표 기출 6 | 고기압과 저기압에서의 날씨 |

그림은 북반구 어느 지역의 고기압과 저기압 주변의 공기 흐름을 나타낸 것이다.

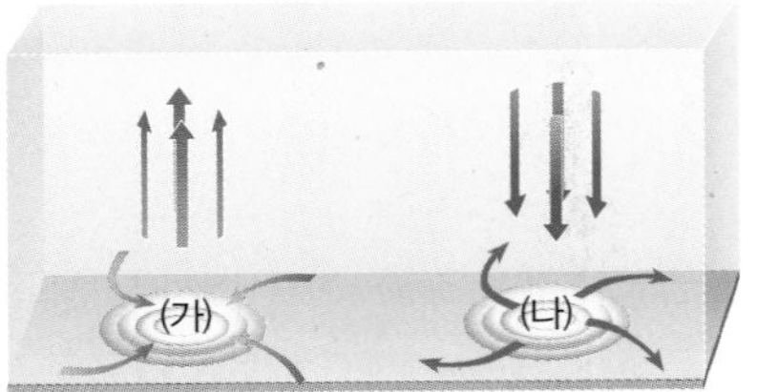

이에 대한 설명으로 옳은 것을 모두 고르면? [정답 3개]

① (가)는 주위보다 기압이 높다.
② (가)는 날씨가 흐리고 강수가 나타난다.
③ (나)에는 상승 기류가 있다.
④ (나)의 상공에서는 구름이 소멸된다.
⑤ (나)에서는 공기가 시계 방향으로 불어 나간다.
⑥ 지표 부근의 바람은 (가)에서 (나) 쪽으로 분다.

Tip 날씨와 바람은 기압과 밀접한 관련이 있다.

풀이 ① (가)는 저기압으로 주위보다 기압이 낮다.
③ (나)는 고기압으로, 하강 기류가 있다.
⑥ 바람은 고기압에서 저기압 쪽으로 분다.

답 ②, ④, ⑤

5-1 그림은 어떤 전선의 모습을 나타낸 것이다.

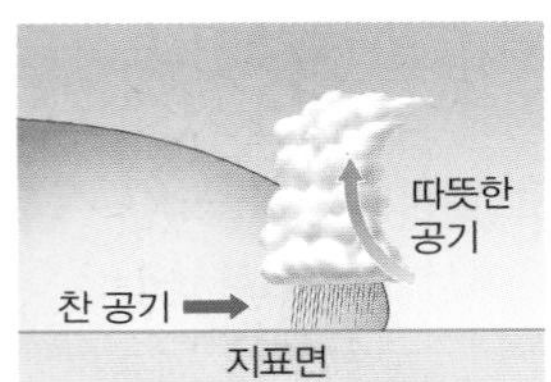

이에 대한 설명으로 옳은 것을 | 보기 | 에서 모두 고르시오.

보기
ㄱ. 한랭 전선이다.
ㄴ. 전선의 뒤쪽에 강한 비가 내린다.
ㄷ. 전선이 통과한 후 기온이 상승한다.

6-1 그림은 북반구 저기압 주변 공기의 흐름을 나타낸 것이다.

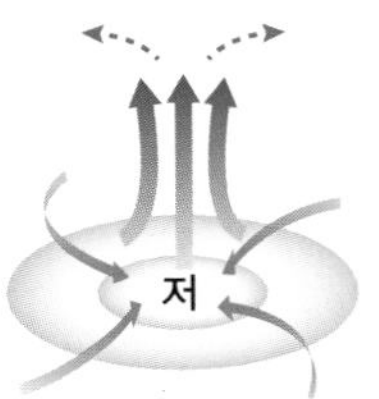

이에 대한 설명으로 옳은 것을 | 보기 | 에서 모두 고르시오.

보기
ㄱ. 상승 기류가 형성된다.
ㄴ. 날씨가 흐리고 비가 내릴 것이다.
ㄷ. 바람이 시계 방향으로 불어 들어온다.

대표 기출 7

| 온대 저기압 주변의 날씨 |

그림은 우리나라 주변의 일기도를 나타낸 것이다.

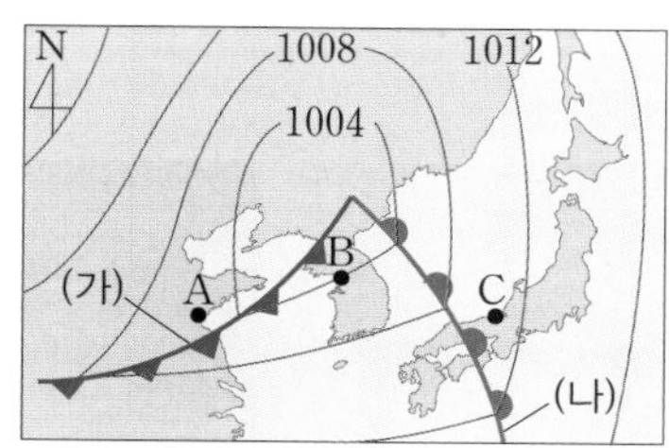

우리나라 주변 날씨에 대한 설명으로 옳은 것을 | 보기 | 에서 모두 고르시오.

보기
ㄱ. A 지역에는 강한 비가 내린다.
ㄴ. B 지역에는 북서풍이 분다.
ㄷ. A 지역은 B 지역보다 기온이 높다.
ㄹ. 시간이 지나면 C 지역의 기온이 올라간다.
ㅁ. (가)와 (나)는 이동 방향이 반대이다.
ㅂ. (가)는 (나)보다 이동 속도가 빠르다.

Tip 온대 저기압은 한랭 전선과 온난 전선을 동반하며, 두 전선은 온대 저기압과 함께 이동한다.

풀이 ㄴ. 온대 저기압의 한랭 전선과 온난 전선 사이에서는 남서풍이 분다.
ㄷ. 한랭 전선의 뒤쪽은 두 전선 사이 지역보다 기온이 낮다.
ㅁ. 온대 저기압은 편서풍의 영향으로 서쪽에서 동쪽으로 이동한다.

답 ㄱ, ㄹ, ㅂ

7-1 그림은 우리나라 주변에 온대 저기압이 위치할 때의 모습을 나타낸 것이다. A 지역의 날씨에 대한 설명으로 옳은 것을 | 보기 | 에서 모두 고르시오.

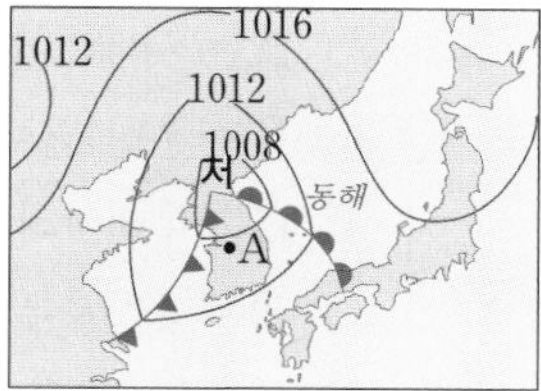

보기
ㄱ. 남서풍이 분다.
ㄴ. 오랜 시간 동안 약한 비가 내린다.
ㄷ. 시간이 지나면 기온이 내려갈 것이다.

대표 기출 8

| 우리나라의 계절별 주요 날씨 |

그림은 어느 계절의 우리나라 주변 일기도를 나타낸 것이다.

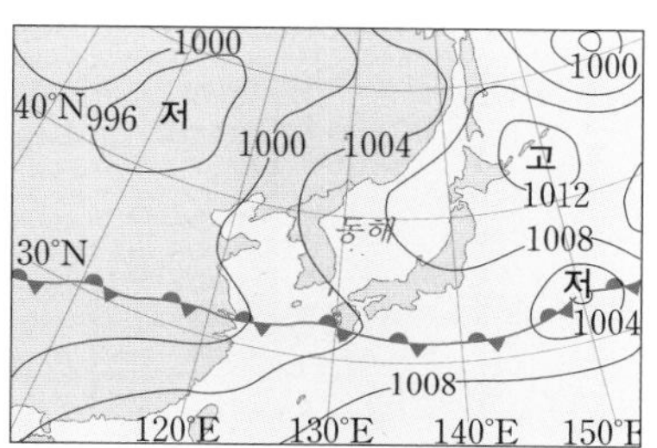

이 계절의 우리나라 날씨에 대한 설명으로 옳은 것을 모두 고르면? [정답 2개]

① 북서 계절풍이 나타난다.
② 긴 기간 동안 비가 내린다.
③ 이동성 고기압이 자주 지난다.
④ 시베리아 기단의 영향을 받는다.
⑤ 한밤중에 열대야가 나타날 수 있다.
⑥ 기단의 변질로 서해안에 폭설이 내린다.

Tip 우리나라는 계절별로 주요한 날씨의 특징을 보인다.

풀이 ①, ④, ⑥ 우리나라 겨울철 날씨의 특징이다.
③ 이동성 고기압은 봄과 가을철에 주로 우리나라 날씨에 영향을 준다.

답 ②, ⑤

8-1 그림은 어느 계절에 우리나라 주변의 일기도를 나타낸 것이다.

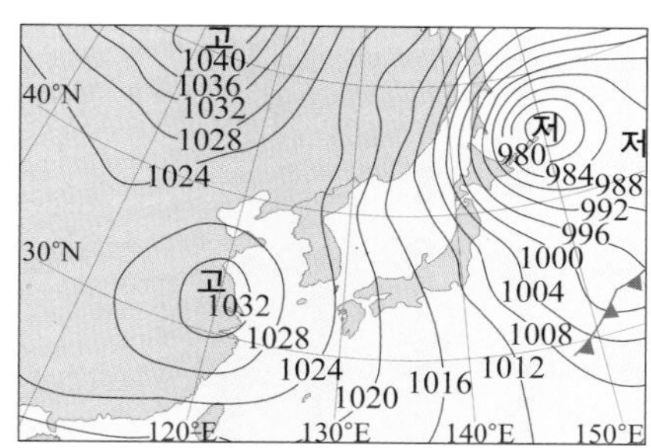

이에 대한 설명으로 옳은 것을 | 보기 | 에서 모두 고르시오.

보기
ㄱ. 북서 계절풍이 나타난다.
ㄴ. 시베리아 기단의 세력이 확장된다.
ㄷ. 이 계절에는 춥고 습한 날씨를 보인다.

1 그림은 토리첼리의 기압 측정 실험을 나타낸 것이다.

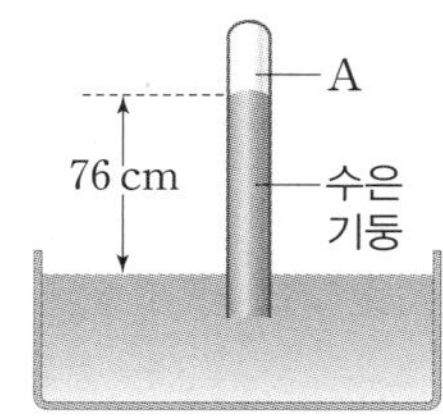

이에 대한 설명으로 옳지 않은 것은?

① A는 진공 상태이다.
② 유리관을 기울여도 수은 기둥의 높이는 같다.
③ 더 가는 유리관을 사용하면 수은 기둥의 높이는 높아진다.
④ 수은 기둥의 압력은 수조의 수은 표면에 작용하는 기압과 같다.
⑤ 이와 같은 실험을 높은 산의 정상에서 하면 수은 기둥의 높이는 76 cm보다 낮아질 것이다.

> **Tip** 기압은 단위 넓이에 ❶ [ ]으로 작용하는 공기의 ❷ [ ]에 의한 압력이다.
>
> 답 ❶수직 ❷무게

2 그림 (가)와 (나)는 어느 해안 지역에서 부는 바람을 나타낸 것이다.

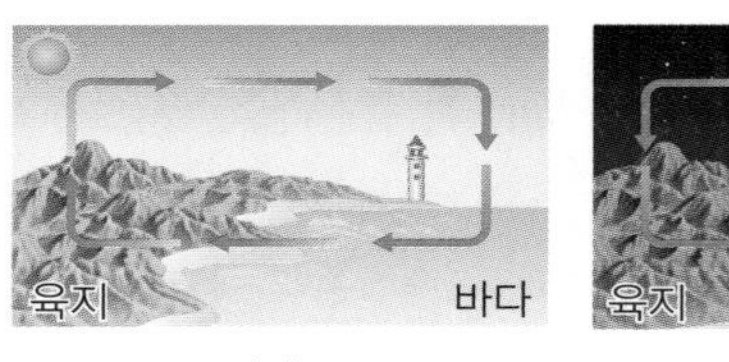

(가)

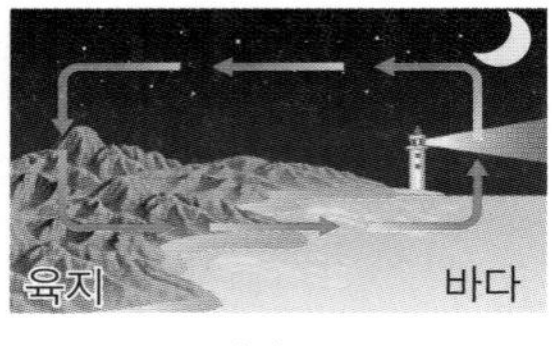

(나)

이에 대한 설명으로 옳지 않은 것은?

① (가)에서 육지는 바다보다 빨리 가열된다.
② (가)에서 육지는 바다보다 기압이 낮다.
③ (나)는 육풍이 불 때의 모습이다.
④ (나)에서 육지는 바다보다 느리게 냉각된다.
⑤ 이러한 바람의 방향은 하루를 주기로 변한다.

> **Tip** 해륙풍은 해안에서 육지와 바다의 ❶ [ ] 가열에 의해 ❷ [ ]를 주기로 풍향이 바뀌는 바람이다.
>
> 답 ❶차등 ❷하루

3 그림은 우리나라에 영향을 주는 기단을 나타낸 것이다.

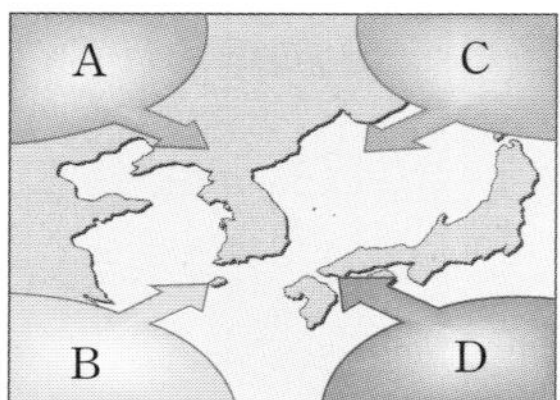

이에 대한 설명으로 옳은 것을 보기에서 모두 고른 것은?

> 보기
>
> ㄱ. A는 시베리아 기단이다.
> ㄴ. B는 온난 건조한 성질을 가진다.
> ㄷ. C는 우리나라에 덥고 습한 날씨를 형성한다.
> ㄹ. D는 꽃샘추위와 관련이 있다.

① ㄱ, ㄴ ② ㄱ, ㄷ ③ ㄴ, ㄷ
④ ㄴ, ㄹ ⑤ ㄷ, ㄹ

> **Tip** 기단은 한곳에 오래 머물러 ❶ [ ]의 영향으로 온도와 ❷ [ ]가 비슷해진 공기 덩어리이다. 답 ❶지표 ❷습도

4 그림은 어느 날 우리나라 주변의 일기도를 나타낸 것이다.

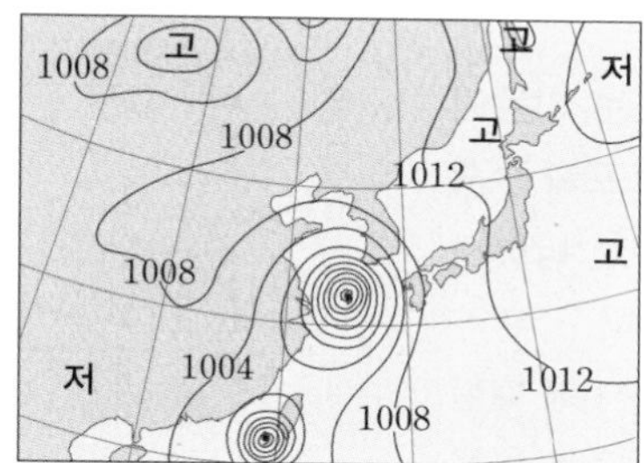

이 계절 날씨의 특징에 대한 설명으로 옳지 않은 것은?

① 덥고 습한 날씨가 지속된다.
② 북태평양 기단의 영향을 받는다.
③ 한밤중에 열대야가 나타나기도 한다.
④ 태풍에 의한 피해가 나타나기도 한다.
⑤ 이동성 고기압과 온대 저기압의 영향을 자주 받는다.

Tip 여름철 일기도에는 ❶ ____을 동반하지 않고 원형의 등압선을 가진 ❷ ____이 가끔 나타난다.

답 ❶전선 ❷태풍

5 그림은 온대 저기압의 단면을 나타낸 것이다.

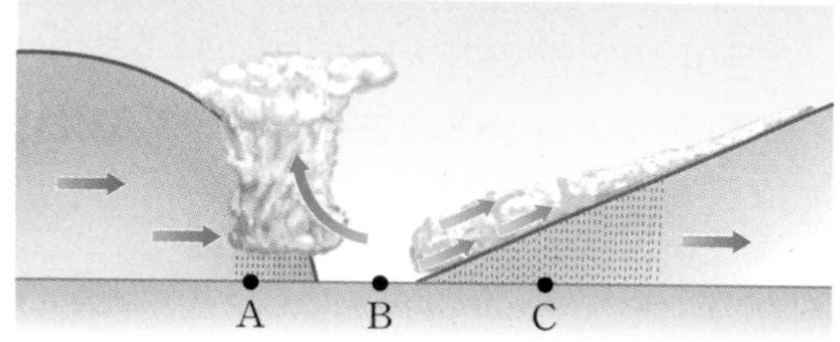

이에 대한 설명으로 옳지 않은 것은?

① A 지역은 B 지역보다 기온이 낮다.
② B 지역의 날씨는 맑다.
③ C 지역에는 북동풍이 분다.
④ 온대 저기압은 A에서 C 쪽으로 이동한다.
⑤ B 지역은 점차 날씨가 흐려지고 강한 비가 내릴 것이다.

Tip 온대 저기압은 찬 기단과 따뜻한 기단이 만나 형성되며, ❶ ____ 전선과 ❷ ____ 전선을 동반한다.

답 ❶온난 ❷한랭

6 그림 (가)와 (나)는 서로 다른 두 종류의 전선을 나타낸 것이다.

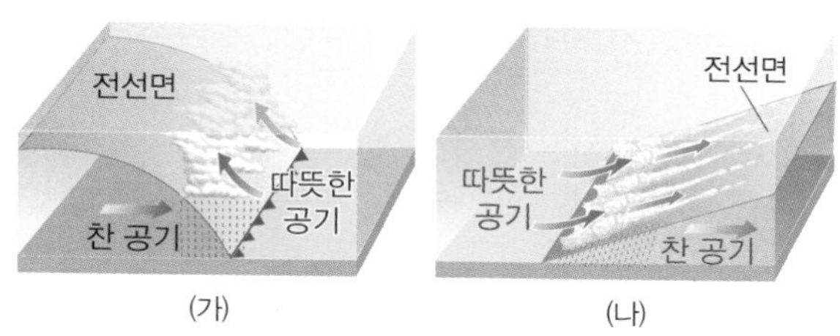

(가) (나)

이에 대한 설명으로 옳은 것을 보기 에서 모두 고른 것은?

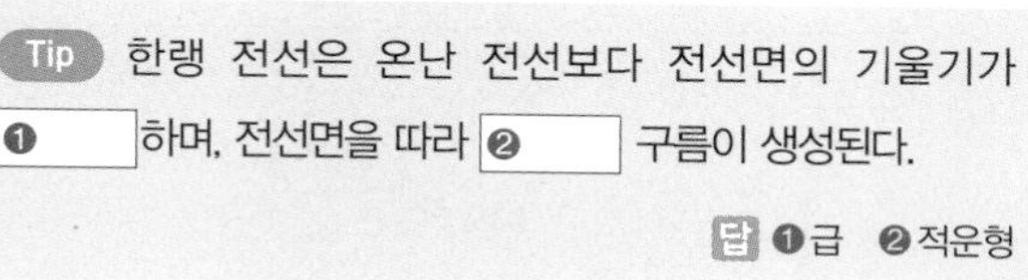

보기
ㄱ. (가)는 한랭 전선이다.
ㄴ. (가)가 통과한 후에는 기온이 내려간다.
ㄷ. (나)는 전선의 뒤쪽에서 비가 내린다.
ㄹ. (가)는 (나)보다 이동 속도가 빠르다.
ㅁ. 강수 지속 시간은 (가)가 (나)보다 길다.

① ㄱ, ㄷ, ㅁ ② ㄴ, ㄹ, ㅁ ③ ㄷ, ㄹ, ㅁ
④ ㄱ, ㄴ, ㄹ ⑤ ㄴ, ㄷ, ㄹ

Tip 한랭 전선은 온난 전선보다 전선면의 기울기가 ❶ ____하며, 전선면을 따라 ❷ ____ 구름이 생성된다.

답 ❶급 ❷적운형

01 그림은 기권의 층상 구조를 나타낸 것이다.

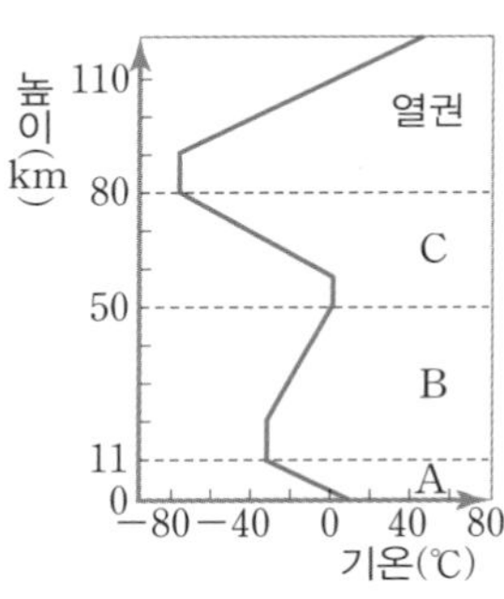

이에 대한 설명으로 옳은 것을 |보기|에서 모두 고른 것은?

> 보기
> ㄱ. A에는 기권에 존재하는 공기의 대부분이 모여 있다.
> ㄴ. B는 대류 현상이 있어 매우 안정하다.
> ㄷ. C에는 대류 현상이 있지만 기상 현상은 나타나지 않는다.

① ㄴ ② ㄷ ③ ㄱ, ㄴ
④ ㄱ, ㄷ ⑤ ㄴ, ㄷ

02 복사 에너지와 복사 평형에 대한 설명으로 옳은 것을 |보기|에서 모두 고른 것은?

> 보기
> ㄱ. 지구는 평균 기온이 거의 일정하게 유지되고 있다.
> ㄴ. 물체가 복사의 형태로 방출하는 에너지를 복사 에너지라고 한다.
> ㄷ. 지구는 흡수하는 태양 복사 에너지양과 방출하는 지구 복사 에너지양이 같다.

① ㄱ ② ㄴ ③ ㄱ, ㄷ
④ ㄴ, ㄷ ⑤ ㄱ, ㄴ, ㄷ

03 그림은 기온에 따른 포화 수증기량을 나타낸 것이다. A 공기에 대한 설명으로 옳은 것을 |보기|에서 모두 고른 것은?

> 보기
> ㄱ. 포화 상태이다.
> ㄴ. 이슬점은 30℃이다.
> ㄷ. 포화 수증기량은 14.7 g/kg이다.
> ㄹ. B 공기와 이슬점이 같다.

① ㄱ, ㄴ ② ㄱ, ㄷ ③ ㄴ, ㄷ
④ ㄴ, ㄹ ⑤ ㄷ, ㄹ

04 표는 기온에 따른 포화 수증기량을 나타낸 것이다.

기온(℃)	5	10	15	20	25	30
포화 수증기량 (g/kg)	6.0	7.6	10.6	14.7	20.0	27.1

기온이 10℃인 공기 1 kg에 포함된 수증기가 5.7 g이었다면, 이 공기의 상대 습도는 몇 %인지 구하시오.

( )

05 구름의 생성과 강수 과정에 대한 설명으로 옳은 것을 |보기|에서 모두 고른 것은?

> 보기
> ㄱ. 공기 덩어리가 상승하면 단열 팽창한다.
> ㄴ. 공기 중에 포함된 소금 입자 등은 구름 생성을 방해한다.
> ㄷ. 중위도나 고위도 지방의 강수 과정은 주로 병합설로 설명한다.

① ㄱ ② ㄴ ③ ㄱ, ㄷ
④ ㄴ, ㄷ ⑤ ㄱ, ㄴ, ㄷ

4강_기압, 기단, 전선과 날씨

06 그림 (가)와 (나)는 계절에 따른 바람의 방향을 나타낸 것이다.

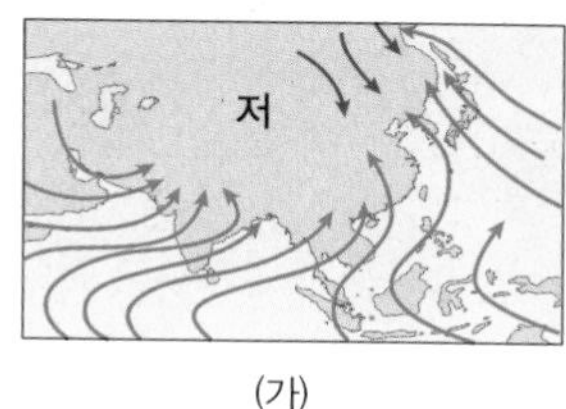

(가)

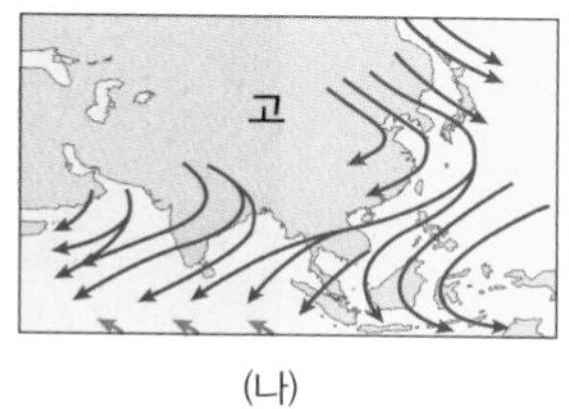

(나)

이에 대한 설명으로 옳은 것을 보기 에서 모두 고른 것은?

보기
ㄱ. (가)는 겨울철 바람의 방향이다.
ㄴ. (나)일 때 대륙은 해양보다 빨리 냉각된다.
ㄷ. 계절에 따라 풍향이 바뀌어 부는 바람을 계절풍이라고 한다.

① ㄱ ② ㄷ ③ ㄱ, ㄴ
④ ㄴ, ㄷ ⑤ ㄱ, ㄴ, ㄷ

07 다음 설명에 해당하는 기단의 종류를 쓰시오.

주로 봄과 가을에 우리나라에 영향을 주는 기단으로, 따뜻하고 건조한 날씨를 형성한다.

( )

08 전선의 종류에 따른 날씨에 대한 설명으로 옳은 것을 보기 에서 모두 고른 것은?

보기
ㄱ. 한랭 전선은 뒤쪽의 좁은 지역에서 강한 비가 내린다.
ㄴ. 온난 전선이 통과한 후에는 기온이 상승한다.
ㄷ. 폐색 전선 형성 후에는 더운 공기가 찬 공기 아래에 위치한다.

① ㄱ ② ㄷ ③ ㄱ, ㄴ
④ ㄴ, ㄷ ⑤ ㄱ, ㄴ, ㄷ

09 고기압과 저기압 주변의 날씨에 대한 설명으로 옳은 것을 보기 에서 모두 고른 것은?

보기
ㄱ. 저기압은 주변으로부터 공기가 모여들어 상승한다.
ㄴ. 고기압에서는 하강 기류가 형성되어 구름이 소멸되고 날씨가 맑다.
ㄷ. 북반구에서 저기압은 시계 반대 방향, 고기압은 시계 방향의 공기 흐름이 형성된다.

① ㄱ ② ㄴ ③ ㄱ, ㄷ
④ ㄴ, ㄷ ⑤ ㄱ, ㄴ, ㄷ

10 그림은 우리나라를 통과하는 온대 저기압을 나타낸 것이다.

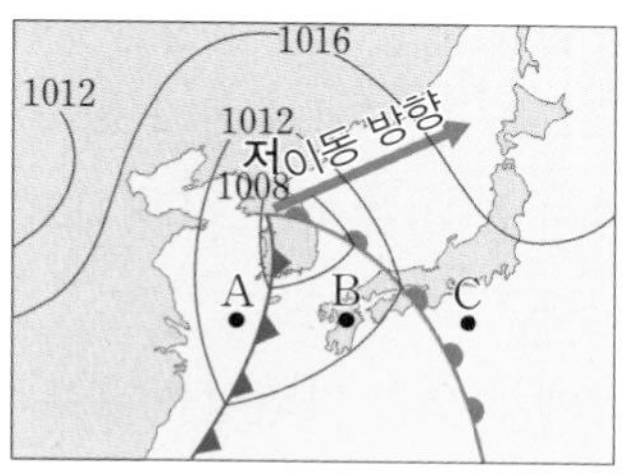

이에 대한 설명으로 옳은 것을 보기 에서 모두 고른 것은?

보기
ㄱ. A에서는 남동풍이 분다.
ㄴ. B에서는 좁은 지역에 강한 비가 내린다.
ㄷ. 시간이 지나면 C의 기온은 높아지고 날씨가 맑아진다.

① ㄱ ② ㄷ ③ ㄱ, ㄴ
④ ㄴ, ㄷ ⑤ ㄱ, ㄴ, ㄷ

2주 창의·융합·코딩 전략

1 그림 (가)는 비행기에서 나오는 안내 방송과 화면을, (나)는 기권의 연직 구조를 나타낸 것이다.

승객 여러분, 갑작스러운 기류 변화로 비행기가 흔들리고 있습니다. 좌석에 앉아 좌석 벨트를 매주시기 바랍니다.

비행 고도: 8 km
외부 온도: −40℃

(가)

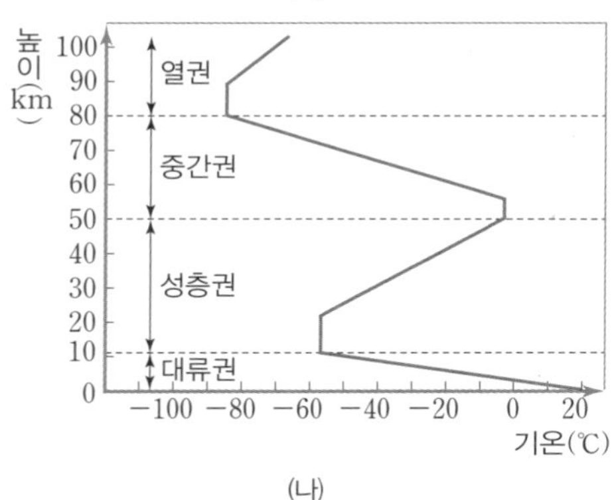

(나)

기권의 구조 중 현재 이 비행기가 운항하고 있는 층에 대한 설명으로 옳은 것은?

① 오로라가 발생하는 층이다.

② 성층권에 해당하며 안정한 층이다.

③ 4개의 층 중 공기가 가장 희박하다.

④ 바람이 불고 눈이나 비가 내리는 기상 현상이 일어난다.

⑤ 태양에서 오는 자외선을 흡수하여 높이 올라갈수록 기온이 점점 높아지는 층이다.

> **Tip** 대류권에서는 대류와 ❶ ______ 현상이 일어나고, 성층권에는 ❷ ______이 존재한다. 중간권에는 대류 현상만 일어나고, 열권은 공기가 희박하다.
>
> 답 ❶기상 ❷오존층

2 그림은 지구 온난화의 위험을 알리기 위한 포스터이다.

(출처: 기상청, 기후정보포털)

지구 온난화에 대한 설명으로 옳지 <u>않은</u> 것은?

① 산업화로 인해 대기 중 온실 기체의 농도가 급격히 증가한 것이 원인이다.

② 지구의 평균 기온이 지속적으로 상승하였다.

③ 극지방 빙하의 면적이 줄어들고 있다.

④ 태풍의 세력이 더 강해져서 많은 피해를 입힐 수 있다.

⑤ 지구 온난화는 온실 효과와 같은 의미이다.

> **Tip** 지구 온난화는 인간 활동으로 ❶ ______ 사용이 증가하여 이산화 탄소를 비롯한 많은 양의 ❷ ______가 대기 중으로 배출되어 나타난 현상이다.
>
> 답 ❶화석 연료 ❷온실 기체

3 그림은 강수 과정을 애니메이션으로 표현하기 위한 코딩 중 일부를 나타낸 것이다.

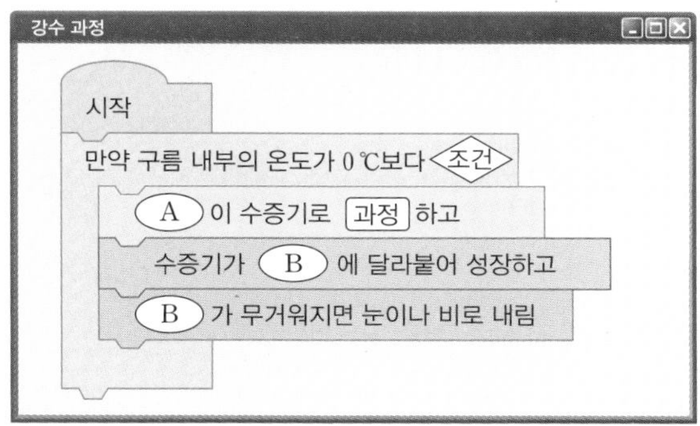

그림에서 조건, A, 과정, B에 들어갈 내용으로 옳은 것은?

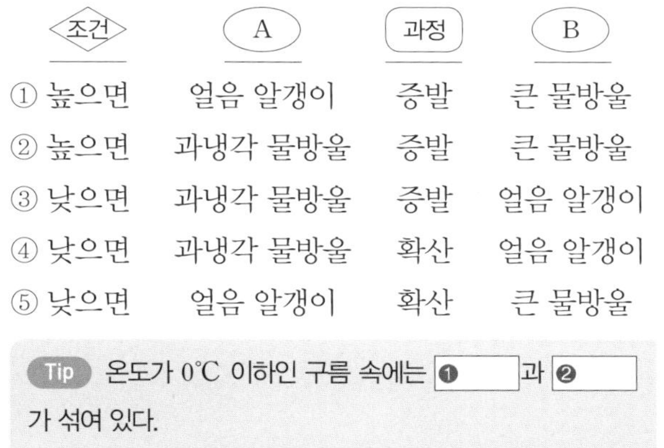

	조건	A	과정	B
①	높으면	얼음 알갱이	증발	큰 물방울
②	높으면	과냉각 물방울	증발	큰 물방울
③	낮으면	과냉각 물방울	증발	얼음 알갱이
④	낮으면	과냉각 물방울	확산	얼음 알갱이
⑤	낮으면	얼음 알갱이	확산	큰 물방울

Tip 온도가 0℃ 이하인 구름 속에는 ❶ ______ 과 ❷ ______ 가 섞여 있다.

답 ❶ 과냉각 물방울 ❷ 얼음 알갱이

4 구름이 만들어지는 경우에 대해 대화를 나눈 메신저 화면이다.

구름이 만들어지는 조건에 대해 옳지 않은 내용을 제시한 학생은?

> 민제: 지표의 일부가 강하게 가열될 때!
> 수한: 공기가 산을 타고 올라갈 때!
> 주원: 상공에서 하강 기류가 있을 때!
> 의준: 기압이 낮은 곳으로 공기가 모여들 때!
> 세용: 찬 공기가 따뜻한 공기와 만날 때!

① 민제 ② 수한 ③ 주원
④ 의준 ⑤ 세용

Tip 구름은 공기 덩어리가 상승하여 ❶ ______ 에 의해 온도가 내려가고 ❷ ______ 에 이르러 수증기가 응결함에 따라 생성된다.

답 ❶ 단열 팽창 ❷ 포화

5 다음은 바람이 부는 까닭을 알아보기 위한 실험 과정을 나타낸 것이다.

| 실험 과정 |

(가) 수조에 물과 모래를 담고 온도계를 설치한 후, 물과 모래 사이에 향을 설치하고 불을 붙인다.

(나) 적외선 전등을 켜고 2분 간격으로 10분 동안 모래와 물의 온도를 측정하고, 향 연기의 이동 방향을 기록한다.

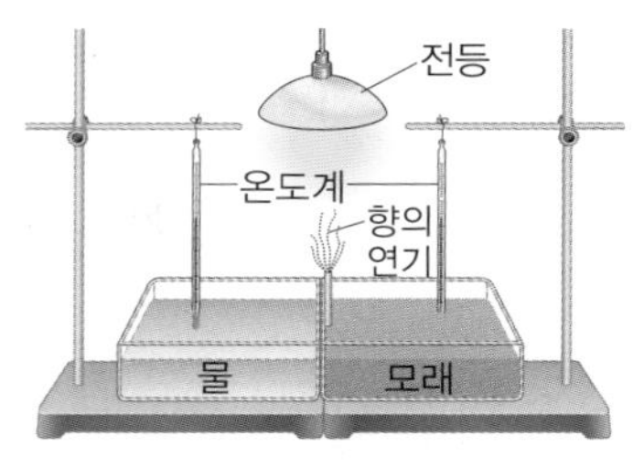

이 실험의 결과에 대해 타당한 주장을 한 사람은?

① 영희 ② 철수 ③ 정은
④ 민수 ⑤ 미영

Tip 해륙풍은 육지와 바다의 ❶ ______ 가열에 의해 부는 바람으로, ❷ ______ 를 주기로 방향이 바뀐다.

답 ❶ 차등 ❷ 하루

6 그림은 한랭 전선, 온난 전선, 폐색 전선, 정체 전선을 구분하는 과정을 나타낸 것이다.

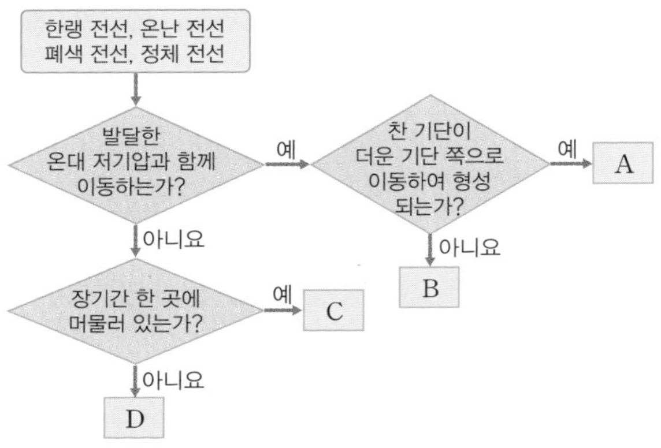

(1) A~D 중 장마 전선과 관련 있는 것의 기호와 명칭을 쓰시오.

( )

(2) 전선 D의 형성 과정과 특징을 서술하시오.

Tip 정체 전선은 두 기단의 ❶ ______ 이 비슷하여 한곳에 오래 머물면서 형성된 전선으로 우리나라의 ❷ ______ 전선이 대표적인 예이다.

답 ❶ 세력 ❷ 장마

7 그림은 해륙풍과 계절풍에 대한 수업 자료이다.

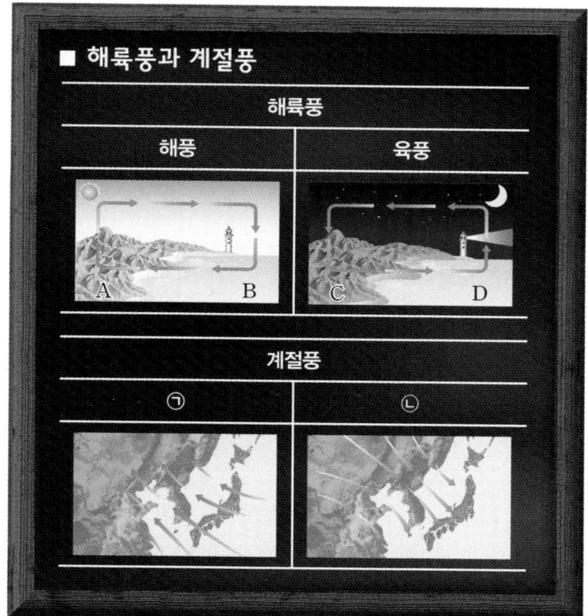

이에 대한 설명으로 적절하지 않은 것은?

① 낮에는 A에 저기압, B에 고기압이 형성된다.
② 밤에는 D의 기온이 C의 기온보다 높다.
③ ㉠은 여름철에 부는 남동 계절풍, ㉡은 겨울철에 부는 북서 계절풍이다.
④ 모두 육지와 바다의 비열 차이로 풍향이 바뀌어 부는 바람이다.
⑤ 바다는 육지보다 비열이 작기 때문에 더 빨리 가열되고 빨리 냉각된다.

Tip 바람은 기압이 ❶ 곳에서 낮은 곳으로 불며, 공기가 빨리 가열되는 곳은 공기가 ❷ 하여 기압이 낮다.

답 ❶높은 ❷상승

8 (가)는 우리나라에 영향을 주는 기단을 분류하는 과정을 나타낸 것이고, (나)는 날씨와 관련된 뉴스의 장면이다.

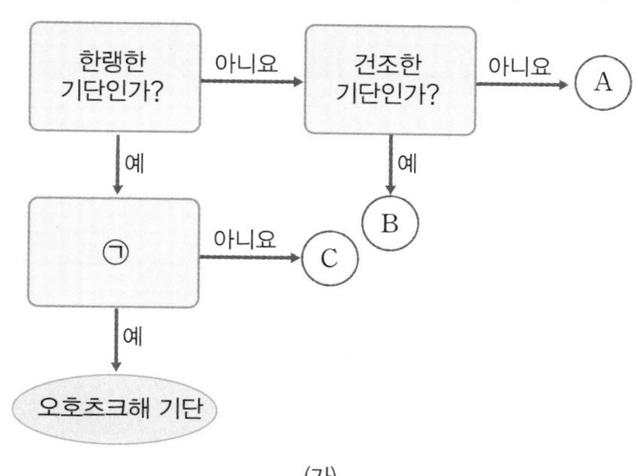

(가)

(나)

이에 대한 설명으로 옳은 것을 보기에서 모두 고른 것은?

보기
ㄱ. '바다에서 발생한 기단인가?'는 ㉠에 적합하다.
ㄴ. 기단 B는 시베리아 기단이고, 기단 C는 양쯔강 기단이다.
ㄷ. (나)의 뉴스가 나오는 계절에는 기단 A의 영향을 받는다.

① ㄱ ② ㄴ ③ ㄱ, ㄷ
④ ㄴ, ㄷ ⑤ ㄱ, ㄴ, ㄷ

Tip 우리나라의 ❶ 철에 큰 영향을 끼치는 기단은 ❷ 북쪽에서 머물던 기단으로, 습하고 더운 날씨의 원인이 된다.

답 ❶여름 ❷태평양

중간고사 마무리 전략

핵심 Point 체크

1강_물질의 변화, 화학 반응식, 화학 반응의 법칙(1), 2강_화학 반응의 법칙(2)와 에너지 출입

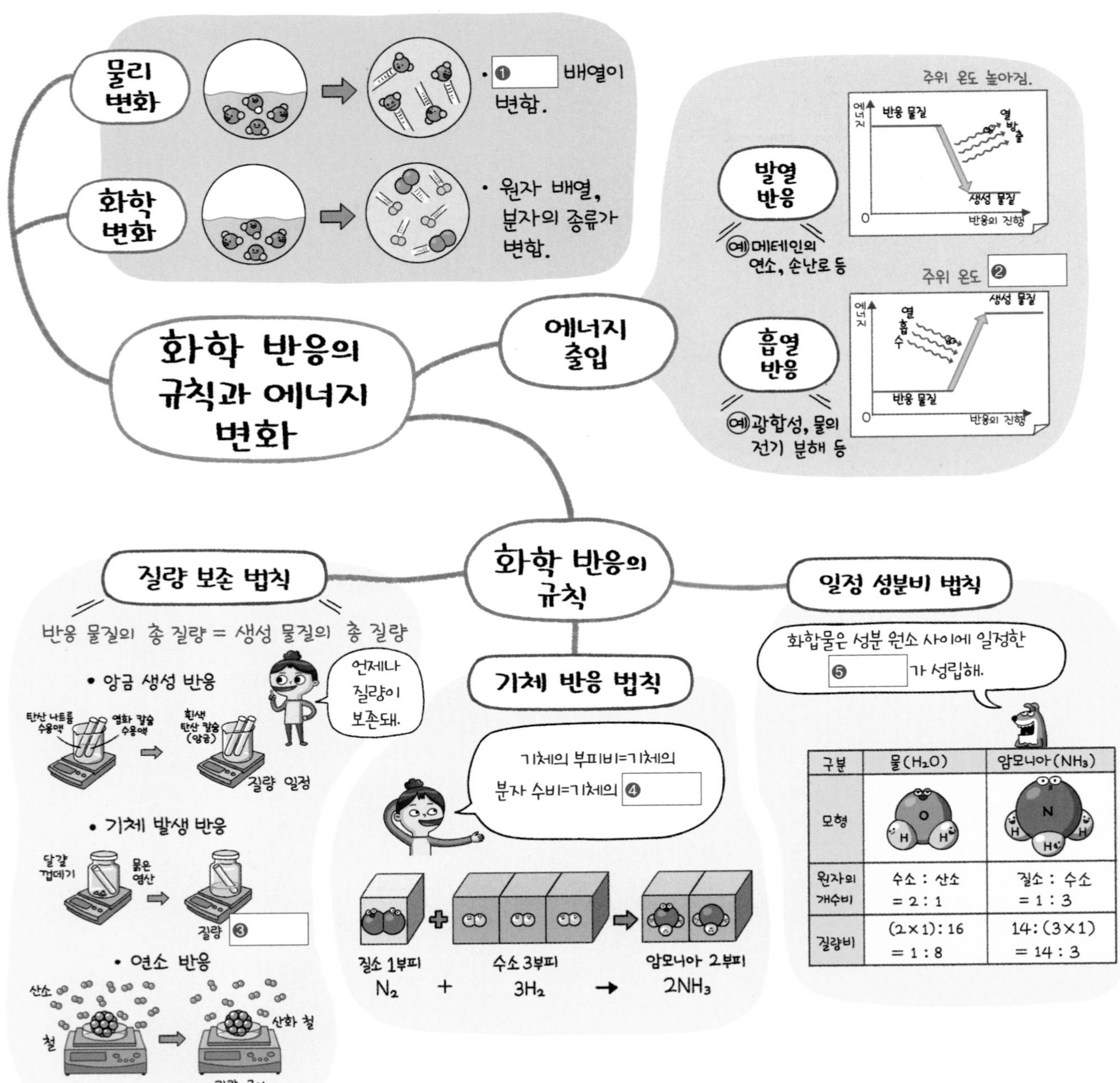

구분	물(H_2O)	암모니아(NH_3)
모형		
원자의 개수비	수소 : 산소 = 2 : 1	질소 : 수소 = 1 : 3
질량비	(2×1) : 16 = 1 : 8	14 : (3×1) = 14 : 3

답 ❶ 분자 ❷ 낮아짐 ❸ 감소 ❹ 계수비 ❺ 질량비

이어서 공부할 내용	❶ 신유형 · 신경향 · 서술형 전략 ❷ 고난도 해결 전략

3강_기권의 특징, 구름과 강수, 4강_기압, 기단, 전선과 날씨

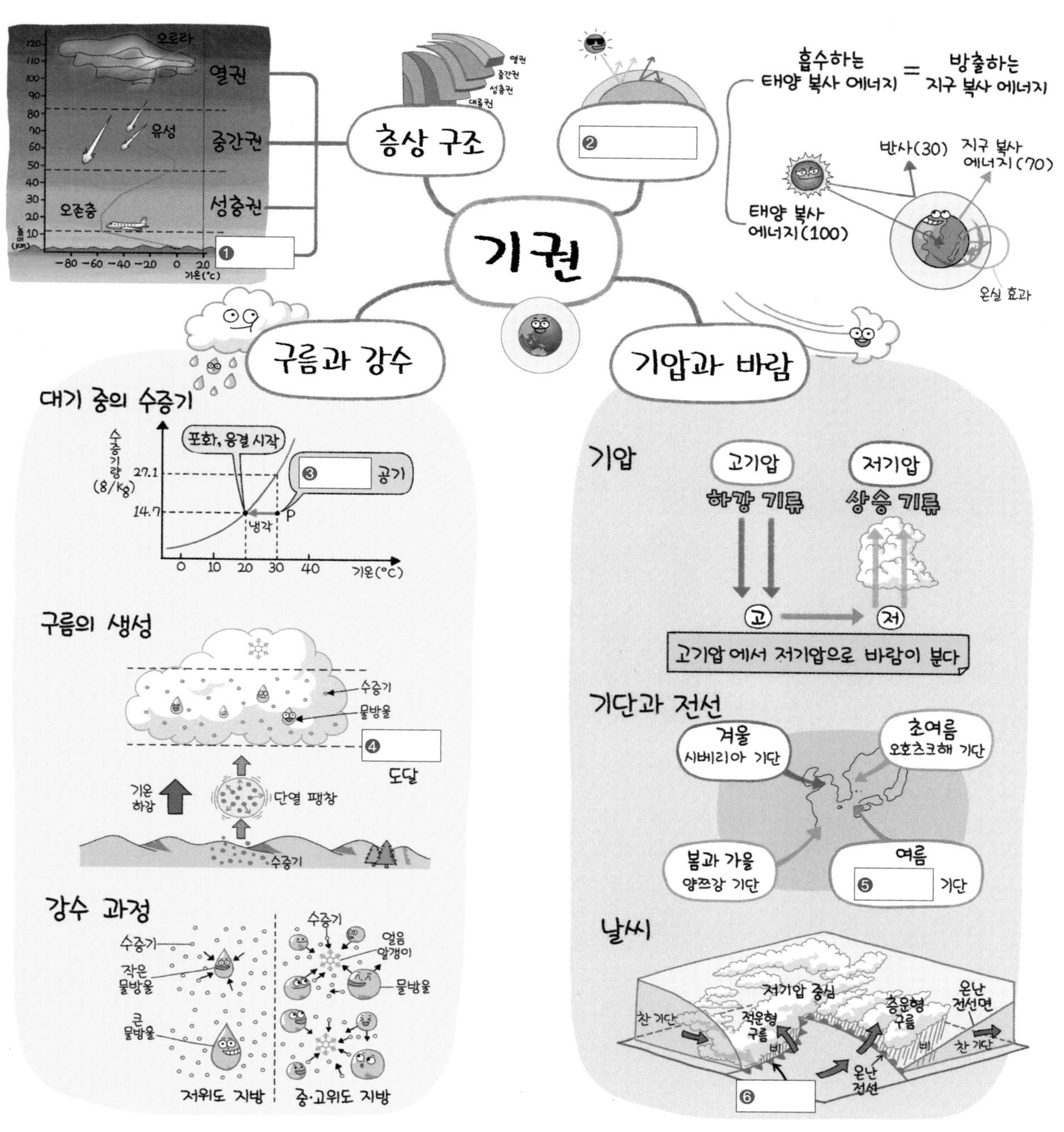

답 ❶ 대류권 ❷ 복사 평형 ❸ 불포화 ❹ 이슬점 ❺ 북태평양 ❻ 한랭 전선

신유형·신경향·서술형 전략

신유형 전략

1 물리 변화와 화학 변화

다음은 물리 변화와 화학 변화에 대한 수업 내용이다.

선생님의 질문에 옳게 말한 학생을 모두 고른 것은?

① A ② B ③ A, C
④ B, C ⑤ A, B, C

Tip 물리 변화는 ❶ [ ] 의 배열만 달라지므로 물질의 성질이 변하지 않지만 화학 변화는 ❷ [ ] 의 배열이 달라지므로 물질의 성질이 변한다.

답 ❶분자 ❷원자

2 포화 수증기량과 이슬점

다음은 얼음물을 담은 유리컵 표면에서 일어나는 변화를 알아보기 위한 실험 과정과 결과이다.

| 실험 과정 |
(가) 표면에 물기가 없는 유리컵을 준비한다.
(나) 유리컵에 얼음물을 채우고 실온에 둔다.
(다) 5분 후 유리컵 표면의 변화를 관찰한다.

| 실험 결과 |
• 얼음물을 채운 유리컵 표면에 물방울이 맺혔다.

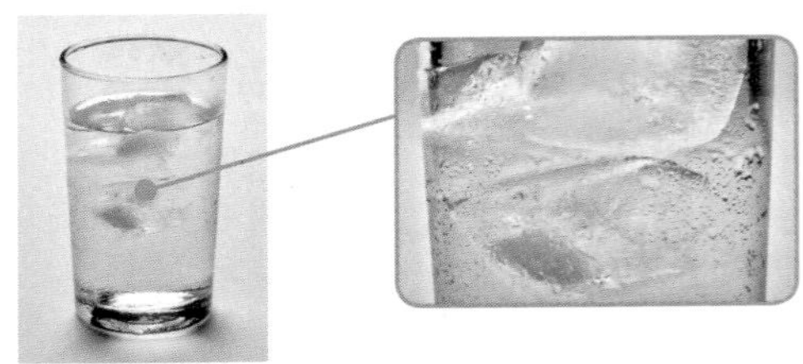

이에 대한 설명으로 옳은 것을 | 보기 | 에서 모두 고른 것은?

보기
ㄱ. 유리컵 주변 공기의 수증기가 얼음물을 담은 유리컵 표면에서 응결하였다.
ㄴ. 얼음물을 담은 유리컵 표면의 온도는 유리컵 주변 공기의 이슬점보다 높다.
ㄷ. 온도가 내려가면 포화 수증기량이 감소하므로 유리컵 표면에 물방울이 맺힌다.

① ㄱ ② ㄴ ③ ㄱ, ㄷ
④ ㄴ, ㄷ ⑤ ㄱ, ㄴ, ㄷ

Tip 공기 중의 수증기가 ❶ [ ] 하여 물방울이 되기 시작할 때의 온도를 ❷ [ ] 이라고 한다.

답 ❶응결 ❷이슬점

신경향 전략

3 앙금 생성 반응에서 질량비

다음은 앙금 생성 반응에서 질량비를 알아보는 실험 과정과 결과이다.

| 실험 과정 |

(가) 시험관 A~F에 10 % 아이오딘화 칼륨 수용액을 6.0 mL씩 넣는다.

(나) 과정 (가)의 시험관에 10 % 질산 납 수용액을 각각 0 mL, 2.0 mL, 4.0 mL, 6.0 mL, 8.0 mL, 10.0 mL씩 넣는다.

(다) 앙금이 생성되어 모두 가라앉은 후 앙금의 높이를 측정한다.

| 실험 결과 |

생성된 앙금의 높이 변화

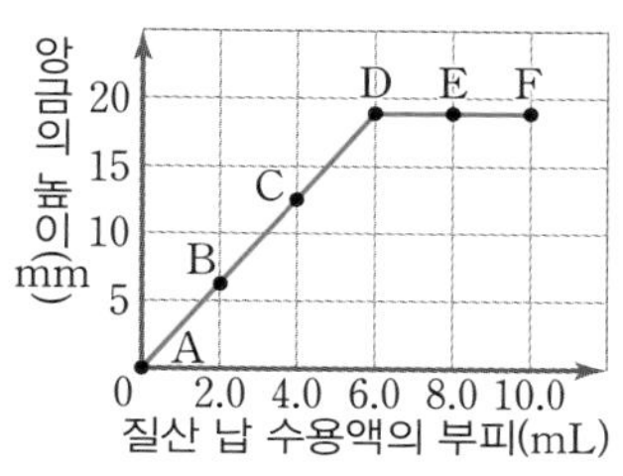

이에 대한 설명으로 옳은 것을 | 보기 |에서 모두 고른 것은?

| 보기 |
ㄱ. 시험관 B~F에서는 노란색 앙금이 생성된다.
ㄴ. 시험관 A, B, C에는 아이오딘화 이온이 남아 있다.
ㄷ. 시험관 D~F에서 시험관에 들어 있는 아이오딘화 이온은 모두 반응한다.
ㄹ. 시험관 D~F에는 반응하지 못한 납 이온이 들어 있다.

① ㄱ ② ㄴ ③ ㄱ, ㄴ
④ ㄱ, ㄴ, ㄷ ⑤ ㄴ, ㄷ, ㄹ

Tip 아이오딘화 칼륨 수용액과 질산 납 수용액이 반응하면 노란색 ❶ [ ] 인 ❷ [ ] 이 생성된다.
답 ❶ 앙금 ❷ 아이오딘화 납

4 우리나라에 영향을 주는 기단

다음은 우리나라에 영향을 주는 기단에 대해 토의하는 장면이다.

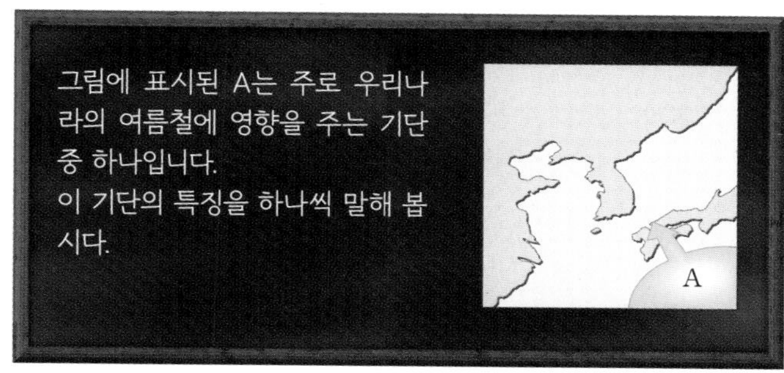

A기단의 특징에 대해 옳게 말한 학생을 모두 고른 것은?

① A ② B ③ A, C
④ B, C ⑤ A, B, C

Tip 한여름에는 ❶ [ ] 기단의 영향에 들어가 덥고 ❷ [ ] 날씨를 보인다.
답 ❶ 북태평양 ❷ 습한

서술형 전략

5 질량 보존 법칙

다음 (가)와 (나)는 화학 반응이 일어날 때 반응 전과 반응 후의 질량 변화를 알아보는 실험을 정리한 것이다.

(가) 염화 나트륨 수용액과 질산 은 수용액을 섞은 후 질량 변화를 관찰하였더니 반응 전과 반응 후의 질량이 같았다.

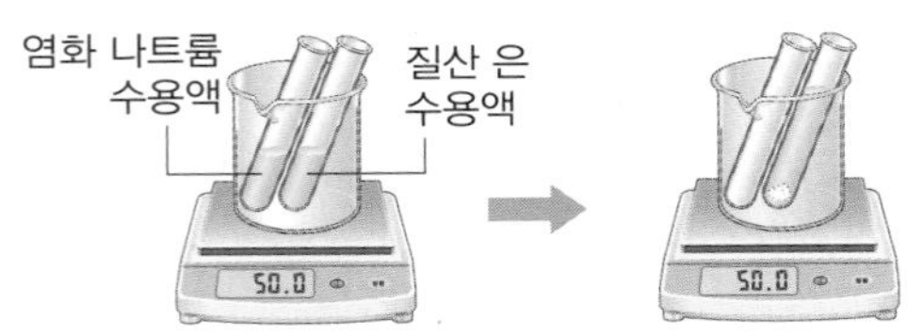

(나) 탄산 칼슘이 주성분인 달걀 껍데기와 묽은 염산을 밀폐된 용기에서 반응시킬 때는 반응 전과 반응 후의 질량이 같았으나 용기의 뚜껑을 열었더니 반응 후의 질량이 감소하였다.

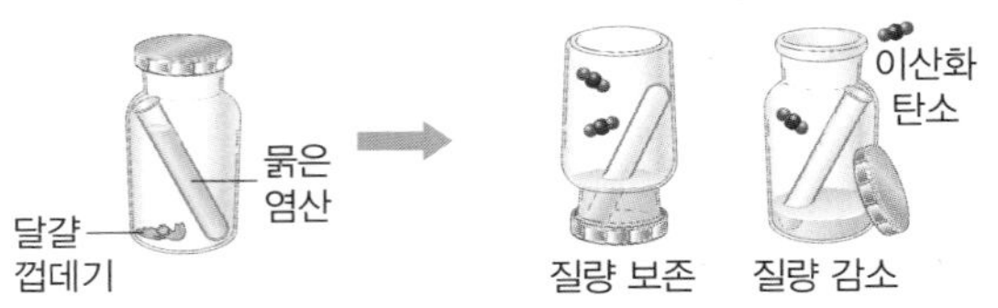

(1) (가) 실험을 통해 알 수 있는 사실을 다음 용어를 포함시켜서 서술하시오.

앙금, 질량

(2) (나) 실험에서 반응 후에 용기의 뚜껑을 열었더니 질량이 감소하는 까닭을 서술하시오.

Tip 화학 반응이 일어날 때 반응 전과 반응 후의 물질의 ❶ 은 변하지 않는다. 그 까닭은 반응 전과 반응 후의 ❷ 의 종류와 개수가 변하지 않기 때문이다.

답 ❶ 질량 ❷ 원자

6 일정 성분비 법칙

다음은 구리를 가열하는 실험 과정과 결과를 나타낸 것이다.

실험 과정

(가) 4개의 도가니에 구리 가루를 각각 4.0 g, 8.0 g, 12.0 g, 16.0 g씩 넣고 그림과 같이 구리 가루가 산소와 결합하여 모두 검은색으로 변할 때까지 가열한다.

(나) 각 도가니의 질량을 측정하여 생성된 산화 구리(Ⅱ)의 질량을 측정한다.

실험 결과

구리와 산소가 결합하여 생성된 산화 구리(Ⅱ)의 질량은 그래프와 같다.

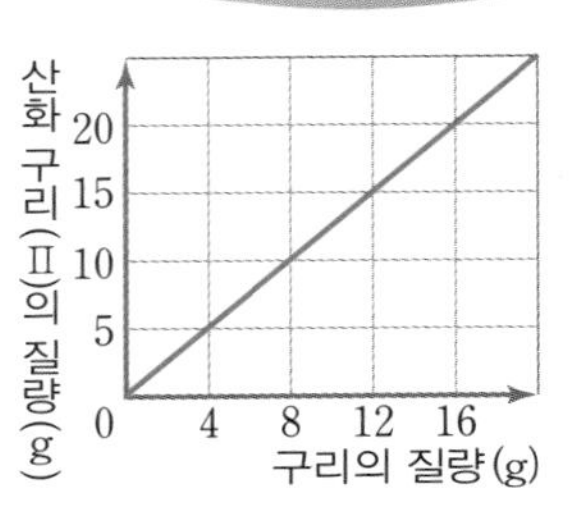

(1) 구리와 산소가 결합하여 산화 구리(Ⅱ)가 생성되는 과정을 화학 반응식으로 나타내시오.

( )

(2) 산화 구리(Ⅱ) 30.0 g을 얻기 위해 필요한 구리와 산소의 질량은 몇 g인지 쓰시오.

Tip 산화 구리(Ⅱ)를 이루는 구리와 산소의 ❶ 는 일정하므로 ❷ 법칙이 성립한다.

답 ❶ 질량비 ❷ 일정 성분비

>> 정답과 해설 29쪽

7 지구 온난화

다음은 1880년 이후 대기 중 이산화 탄소의 농도 변화와 지구 평균 기온 변화에 대한 자료이다.

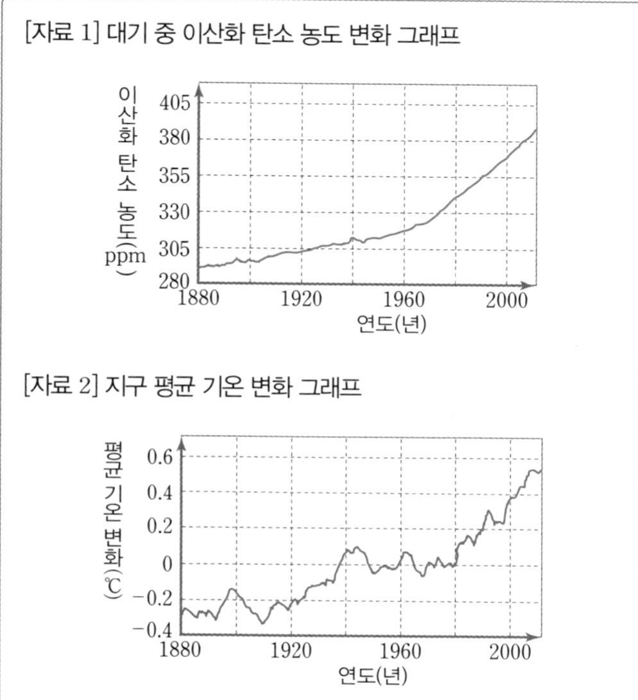

(1) 두 자료를 비교하여 지구 온난화의 원인을 설명하시오.

(2) 지구 온난화가 지구 환경에 미친 영향을 쓰시오.

Tip 인간 활동에 의해 ❶ [   ]의 사용량이 증가하여 대기 중으로 배출되는 온실 기체 중 가장 많은 양을 차지하는 것은 ❷ [   ]이다.

답 ❶ 화석 연료 ❷ 이산화 탄소

8 온대 저기압 주변의 날씨

다음은 온대 저기압에 대한 설명이다.

- 북쪽의 찬 기단과 남쪽의 따뜻한 기단이 만나 형성된다.
- 전선 (가)와 (나)를 동반한다.
- 중위도에서 부는 편서풍의 영향으로 서쪽에서 동쪽으로 이동한다.

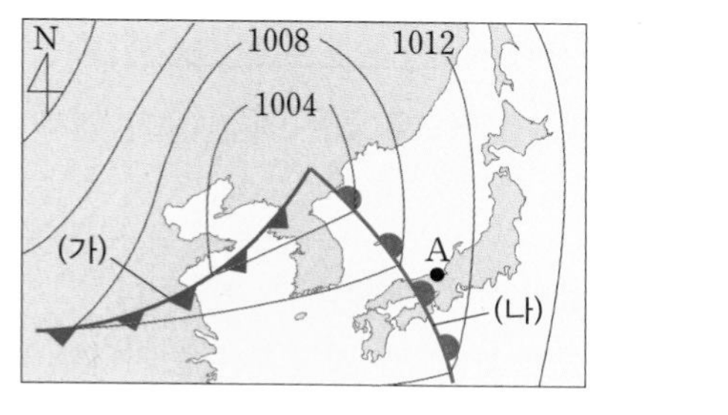

(1) 온대 저기압에 동반되는 두 전선 (가)와 (나)는 각각 무엇인지 쓰시오.

(가) (   )
(나) (   )

(2) 지도에 표시된 A 지역의 현재 날씨와 앞으로의 날씨가 어떻게 변화할지 서술하시오.

Tip 온대 저기압은 ❶ [   ]에서 ❷ [   ]으로 이동하며 그 지역의 날씨를 변화시킨다.

답 ❶ 서쪽 ❷ 동쪽

고난도 해결 전략 1회

빈출도 ● > ● > ●

1강_물질 변화와 화학 반응식, 화학 반응의 법칙(1)

01 그림은 물에 수산화 나트륨을 조금 녹인 후 전극에 전류를 흐르게 하여 물을 전기 분해하는 실험이다.

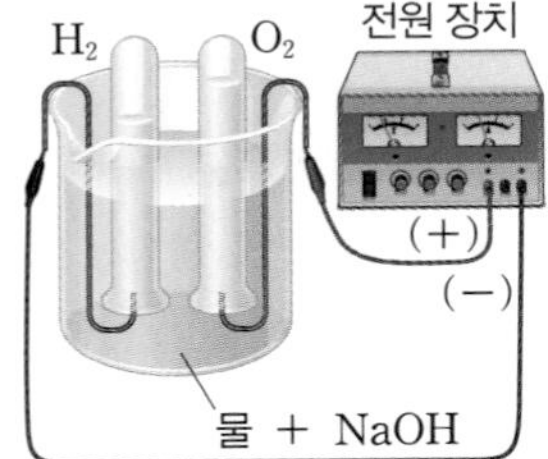

이에 대한 설명으로 옳은 것을 |보기|에서 모두 고른 것은?

보기
ㄱ. 물의 전기 분해는 물리 변화이다.
ㄴ. 물이 분해되면 가장 가벼운 기체와 생물의 호흡에 필요한 기체가 생성된다.
ㄷ. 물 분자는 수소 원자와 산소 원자로 이루어져 있다.

① ㄱ　② ㄷ　③ ㄱ, ㄴ
④ ㄱ, ㄷ　⑤ ㄴ, ㄷ

02 그림은 어떤 두 종류의 물질이 반응하여 새로운 물질이 생성되는 과정을 모형으로 나타낸 것이다. (단, 원자의 색과 상대적인 크기는 무시한다.)

이와 같은 모형으로 나타낼 수 있는 화학 반응식으로 적당한 것은?

① $2H_2 + O_2 \rightarrow 2H_2O$
② $H_2 + Cl_2 \rightarrow 2HCl$
③ $2C + 2O \rightarrow 2CO$
④ $N_2 + H_2 \rightarrow N_2H_2$
⑤ $N_2 + 2O_2 \rightarrow 2NO_2$

∴ 1등급 킬러

03 다음은 메테인의 연소 반응을 화학 반응식으로 나타낸 것이다.

$$CH_4 + 2O_2 \rightarrow CO_2 + 2H_2O$$

이에 대한 설명으로 옳은 것을 모두 고르면? [정답 2개]

① 흡열 반응이다.
② 반응 전후의 원자의 종류는 같다.
③ 반응 전후의 원자의 총 개수는 변한다.
④ 반응 물질과 생성 물질의 성질은 같다.
⑤ 반응 물질과 생성 물질의 총 분자 수는 같다.

04 그림은 마그네슘이 연소하는 모습이다.

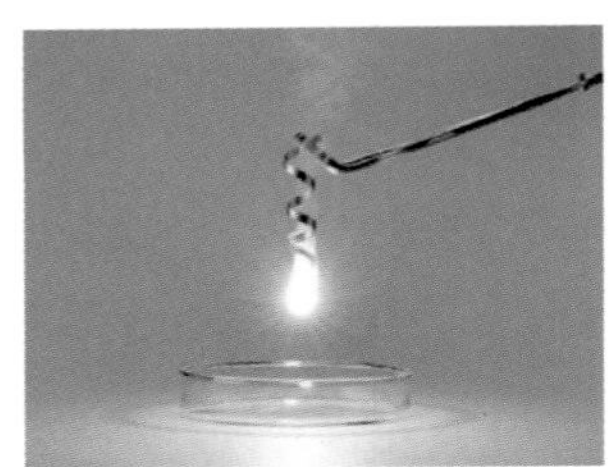

이 연소 반응을 화학 반응식으로 나타낼 때 빈칸에 들어갈 숫자를 옳게 짝 지은 것은? (단, 계수가 '1'인 것도 숫자로 나타낸다.)

(㉠)Mg + (㉡)O_2 → (㉢)MgO

	㉠	㉡	㉢
①	1	1	1
②	1	1	2
③	2	1	2
④	2	2	2
⑤	4	2	2

05 화학 반응식의 계수를 옳게 나타낸 것은?

① $Cu + O_2 \rightarrow 2CuO$

② $2H_2O_2 \rightarrow 2H_2O + 2O_2$

③ $2CuO + C \rightarrow 2Cu + CO_2$

④ $CH_4 + 2O_2 \rightarrow 4H_2O + CO_2$

⑤ $CaCO_3 + 2HCl \rightarrow CaCl_2 + H_2O + CO$

∴ 1등급 킬러

06 그림과 같이 밀폐된 용기 내부에서 달걀 껍데기와 묽은 염산을 반응시켰다.

이에 대한 설명으로 옳은 것을 | 보기 | 에서 모두 고른 것은?

| 보기 |
ㄱ. 달걀 껍데기가 묽은 염산에 녹아 기체가 발생한다.
ㄴ. 반응 전과 후의 원자의 종류와 개수는 변하지 않는다.
ㄷ. 반응하면서 기체가 발생하므로 반응 후 전체 질량은 줄어든다.

① ㄱ ② ㄴ ③ ㄱ, ㄴ
④ ㄱ, ㄷ ⑤ ㄴ, ㄷ

07 그림은 과산화 수소를 분해하는 실험 장치를 나타낸 것이다. 과산화 수소 17 g을 분해시켰더니 물 9 g이 생성되었다. 이에 대한 설명으로 옳은 것을 | 보기 | 에서 모두 고른 것은?

| 보기 |
ㄱ. 반응에서 발생한 기체의 질량은 8 g이다.
ㄴ. 집기병에 모인 기체는 불에 잘 타는 성질이 있다.
ㄷ. 이산화 망가니즈의 양이 반응 전보다 줄어든다.

① ㄱ ② ㄴ ③ ㄱ, ㄴ
④ ㄱ, ㄷ ⑤ ㄴ, ㄷ

08 그림은 공기 중에서 나무의 질량을 측정하는 모습이다.

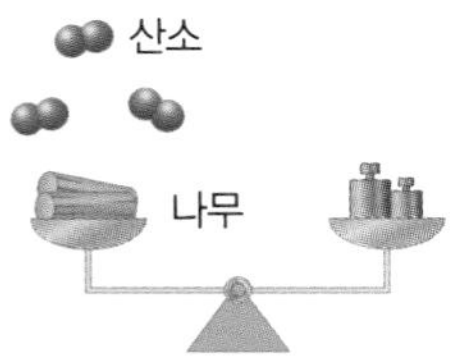

나무를 가열하여 연소시켰을 때 나타나는 변화에 대한 설명으로 옳은 것을 모두 고르면? [정답 2개]

① 연소 후 측정한 재의 질량은 늘어난다.
② 나무에서 일어나는 반응은 화학 변화이다.
③ 연소 반응에서 반응 물질은 나무와 물이다.
④ 연소 반응에서 생성된 산소와 이산화 탄소는 공기 중으로 날아간다.
⑤ 밀폐된 공간에서 실험하면 반응 전후 질량은 변하지 않는다.

빈출도 ● > ● > ●

2강_화학 반응의 법칙(2)와 에너지 출입

∴ 1등급 킬러

09 그림은 구리가 연소하여 산화 구리(Ⅱ)를 생성할 때 반응한 구리와 생성된 산화 구리(Ⅱ)의 질량 관계를 나타낸 그래프이다.

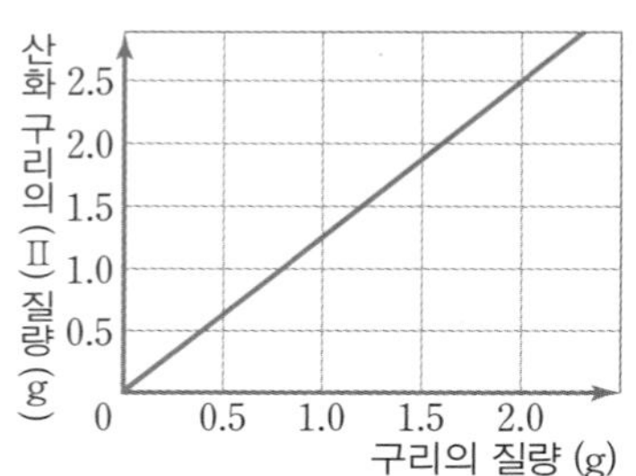

이에 대한 설명으로 옳은 것을 보기에서 모두 고른 것은?

보기
ㄱ. 구리와 산소는 4 : 1의 질량비로 반응한다.
ㄴ. 반응하는 구리의 질량이 8배 증가하면 구리와 반응하는 산소의 질량은 2배 증가한다.
ㄷ. 구리 1.0 g이 모두 연소할 때 생성되는 산화 구리(Ⅱ)의 질량은 1.25 g이다.
ㄹ. 산화 구리(Ⅱ) 2.5 g을 생성하기 위해서는 구리 1.5 g과 산소 1 g이 반응해야 한다.

① ㄱ ② ㄱ, ㄷ ③ ㄷ, ㄹ
④ ㄱ, ㄴ, ㄷ ⑤ ㄴ, ㄷ, ㄹ

10 그림은 볼트(B)와 너트(N)를 이용하여 화합물 BN_2를 만드는 반응을 나타낸 것이다.

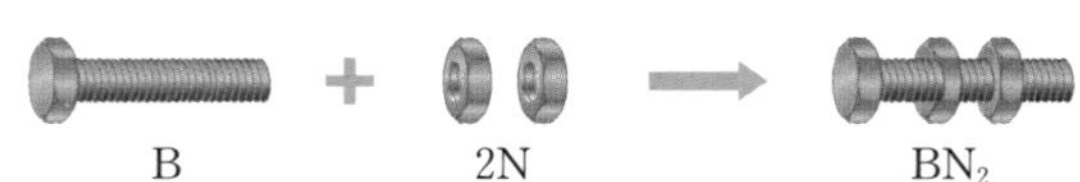

볼트(B) 15 g과 너트(N) 20 g을 이용하여 BN_2를 최대로 만들었을 때에 대한 설명으로 옳은 것은? (단, 볼트(B) 1개의 질량은 5 g이고, 너트(N) 1개의 질량은 2 g이다.)

보기
ㄱ. BN_2의 개수는 3개이다.
ㄴ. 남아 있는 너트(N)는 1개이다.
ㄷ. 만든 BN_2의 질량과 남은 너트(N)의 질량의 합은 35 g이다.

① ㄱ ② ㄷ ③ ㄱ, ㄴ
④ ㄱ, ㄷ ⑤ ㄴ, ㄷ

11 표는 수소와 산소가 결합하여 물이 생성되는 반응에서 반응 전후 물질들의 질량을 나타낸 것이다.

실험	반응 전 기체의 질량(g)		반응 후 남은 기체	
	수소	산소	종류	질량
1	0.3	1.6	수소	0.1 g
2	0.3	2.8	A	0.4 g
3	0.4	3.5	산소	B

A에 들어갈 기체의 종류와 B에 들어갈 기체의 질량을 바르게 나열한 것은?

	A	B
①	수소	0.1
②	수소	0.2
③	산소	0.1
④	산소	0.3
⑤	없음	없음

⁂ 1등급 킬러

12 그림은 수소 기체와 산소 기체가 반응하여 수증기가 생성되는 반응을 모형으로 나타낸 것이다. (단, 온도와 압력은 일정하다.)

이에 대한 설명으로 옳은 것을 |보기|에서 모두 고른 것은?

보기
ㄱ. 반응 전과 후에 원자의 종류가 변한다.
ㄴ. 수소 기체와 산소 기체가 반응하는 부피비는 2 : 1 이다.
ㄷ. 화학 반응식은 $H_2+O_2 \rightarrow H_2O$이다.

① ㄱ ② ㄴ ③ ㄱ, ㄴ
④ ㄱ, ㄷ ⑤ ㄴ, ㄷ

13 그림은 질소와 수소가 반응하여 암모니아가 생성되는 반응을 모형으로 나타낸 것이다. (단, 온도와 압력은 일정하다.)

질소 25 mL와 수소 60 mL가 반응할 때 (가) 생성되는 암모니아의 부피와 (나) 남는 기체의 종류와 부피를 옳게 짝 지은 것은?

	(가)	(나)
①	20 mL	질소, 20 mL
②	40 mL	질소, 5 mL
③	20 mL	수소, 20 mL
④	40 mL	수소, 5 mL
⑤	60 mL	수소, 5 mL

서술형

14 그림은 탄산수소 나트륨($NaHCO_3$)의 열분해 반응을 알아보는 실험을 나타낸 것이다.

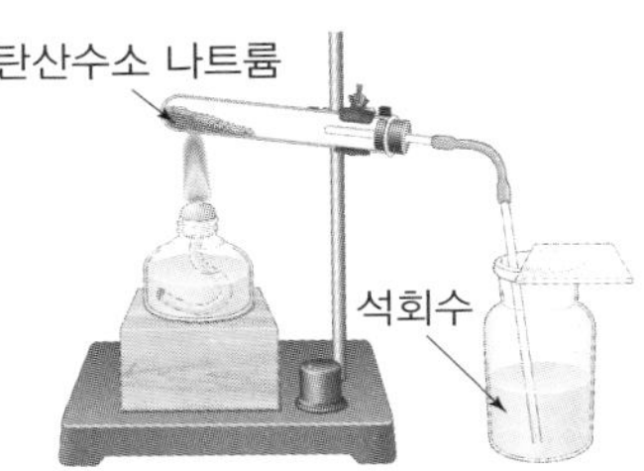

석회수가 뿌옇게 흐려지는 이유와 이 반응이 일어날 때 열의 출입에 대해 서술하시오.

서술형

15 화학 반응이 일어날 때 열의 출입을 알아보는 실험이다.

| 실험 과정 |

그림과 같이 얇은 나무판의 가운데에 물을 떨어뜨린 후, 삼각 플라스크를 올려놓고 수산화 바륨과 염화 암모늄을 넣어 반응시킨다. 잠시 후에 플라스크를 들어 올려 본다.

| 실험 결과 |

플라스크와 나무판 사이의 물이 얼어 나무판이 플라스크와 함께 들어 올려졌다.

플라스크와 나무판 사이의 물이 언 까닭을 화학 반응에서의 열에너지 출입과 관련지어 서술하시오.

고난도 해결 전략 2회

빈출도 ● > ● > ●

3강_기권의 특징, 구름과 강수

01 ● 그림은 검은색 알루미늄 컵 A~D에 온도계를 꽂은 후 각각 거리를 다르게 한 다음 전등을 켜고 온도 변화를 관찰하는 실험을 나타낸 것이다.

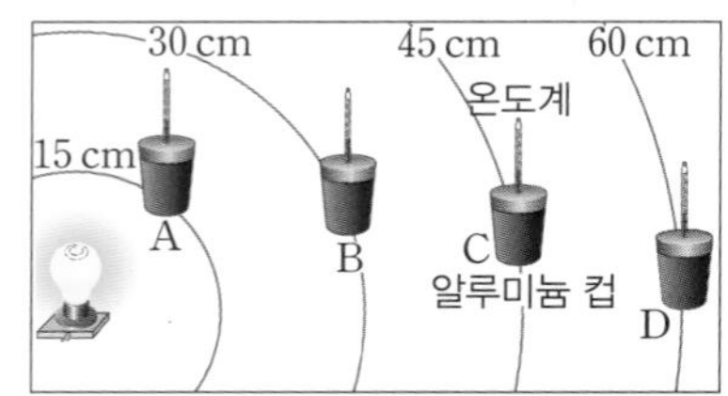

이에 대한 설명으로 옳은 것을 보기에서 모두 고른 것은?

보기
ㄱ. A가 D보다 온도가 높게 올라간다.
ㄴ. B는 C보다 낮은 온도에서 복사 평형을 이룬다.
ㄷ. A~D 모두 시간에 따라 온도가 상승하는 정도가 계속 커진다.

① ㄱ ② ㄷ ③ ㄱ, ㄴ
④ ㄴ, ㄷ ⑤ ㄱ, ㄴ, ㄷ

02 ● 그림은 기온과 포화 수증기량의 관계를 나타낸 것이다.

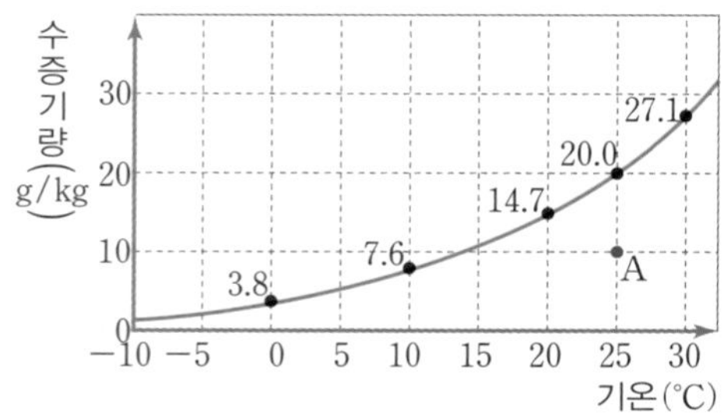

A 공기의 상대 습도는 몇 %인가?

① 12.5 % ② 25 % ③ 50 %
④ 62.5 % ⑤ 75 %

03 ● 그림 (가)와 (나)는 구름을 두 종류로 분류한 것이다.

(가)

(나)

(나)와 비교한 (가)의 특징으로 옳지 않은 것은?

① 넓은 범위에 걸쳐 퍼져 있다.
② 소나기와 같은 강한 비를 내린다.
③ 공기 덩어리가 빠르게 상승하였다.
④ 솜뭉치가 높게 솟아 있는 모양이다.
⑤ 지표 일부가 강하게 가열되는 경우 생성된다.

∴ 1등급 킬러

04 ● 그림은 페트병에 물을 약간 넣고 압축 펌프를 여러 번 눌렀다가 뚜껑을 열어 변화를 관찰하는 실험 과정을 나타낸 것이다.

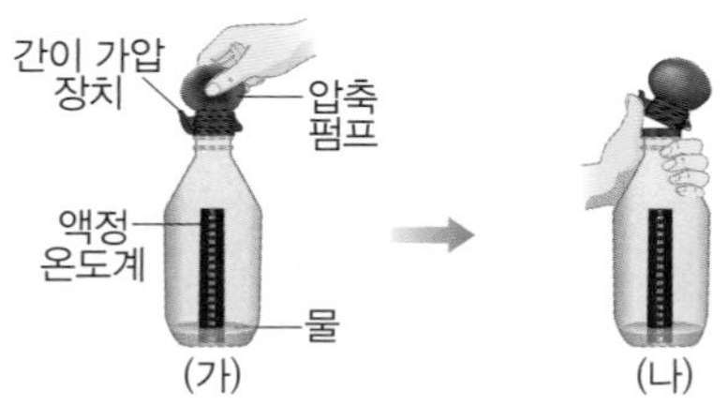

이에 대한 설명으로 옳은 것을 보기에서 모두 고른 것은?

보기
ㄱ. (나)에서 페트병 내부는 뿌옇게 흐려진다.
ㄴ. 공기는 (가)에서 단열 압축, (나)에서 단열 팽창한다.
ㄷ. (나)일 때 페트병 내부 온도는 (가)일 때보다 높아진다.

① ㄱ ② ㄷ ③ ㄱ, ㄴ
④ ㄴ, ㄷ ⑤ ㄱ, ㄴ, ㄷ

05 표는 기온에 따른 포화 수증기량을 나타낸 것이다.

기온(℃)	4	8	12	16	20
포화 수증기량(g/kg)	5.1	6.8	8.9	11.6	14.7

실내 기온이 24℃인 곳에서 공기 500 g에 5.8 g의 수증기가 포함되어 있다면 이 공기의 이슬점으로 알맞은 것은?

① 4℃ ② 8℃ ③ 12℃
④ 16℃ ⑤ 20℃

06 그림은 어느 날 기온, 상대 습도, 이슬점의 변화를 나타낸 것이다.

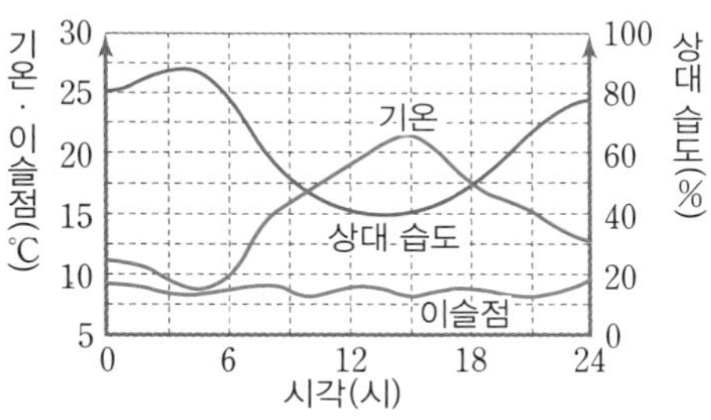

이날 대기의 상태에 대한 설명으로 옳은 것을 보기에서 모두 고른 것은?

보기
ㄱ. 이날 대기 중에 포함된 수증기량이 거의 변하지 않았다.
ㄴ. 기온과 상대 습도가 반비례하므로 대체로 날씨가 맑았을 것이다.
ㄷ. 기온이 높아지면 포화 수증기량이 증가하므로 상대 습도가 낮아진다.

① ㄱ ② ㄷ ③ ㄱ, ㄴ
④ ㄴ, ㄷ ⑤ ㄱ, ㄴ, ㄷ

1등급 킬러

07 그림은 지구의 복사 평형을 나타낸 것이다.

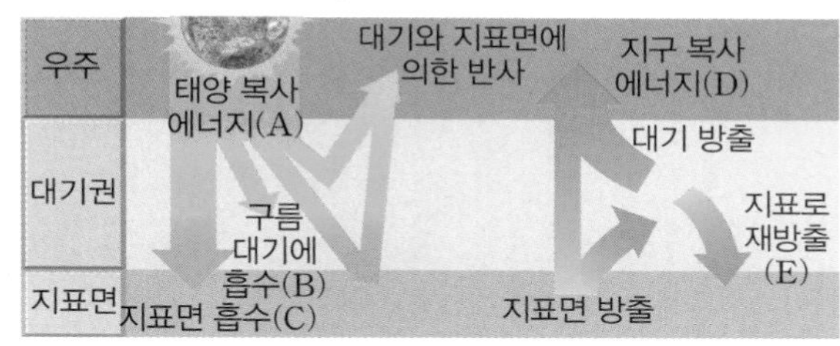

이에 대한 설명으로 옳지 않은 것은?

① A는 D와 같다.
② A의 흡수량은 저위도에서 고위도로 갈수록 적어진다.
③ B와 C를 합하면 D와 같다.
④ E는 지구의 평균 기온을 높여준다.
⑤ 지구에 대기가 없다면 E는 일어나지 않는다.

1등급 킬러

08 그림은 비가 내리는 과정을 나타낸 것이다.

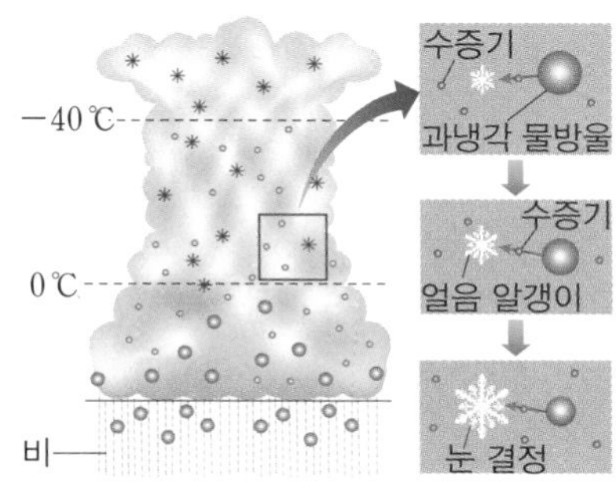

이에 대한 설명으로 옳은 것은?

① 주로 열대 지방에서 비가 내리는 과정이다.
② 얼음 알갱이에 수증기가 달라붙어 점점 커진다.
③ 병합 과정에 의해 비가 내리는 것을 설명할 수 있다.
④ 과냉각 물방울이 성장하여 무거워지면 비로 내린다.
⑤ 구름 내부 공기는 과냉각 물방울에 대해 포화 상태일 것이다.

빈출도 ● > ● > ●

4강_기압, 기단, 전선과 날씨

09 그림 (가)~(다)는 모두 길이가 1 m로 같고 굵기가 다른 유리관을 이용하여 기압이 같은 곳에서 실행한 토리첼리의 실험을 나타낸 것이다.

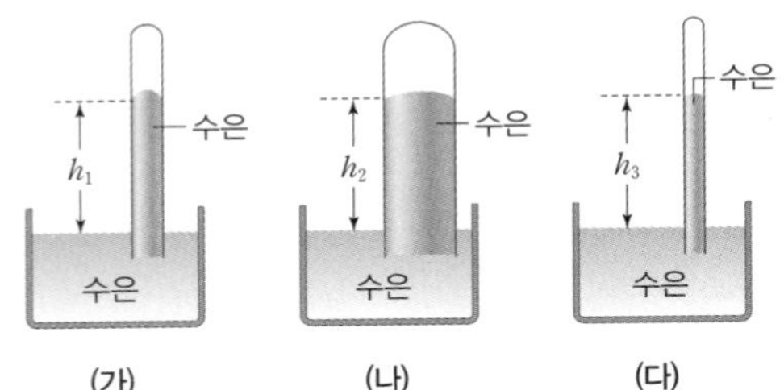

(가) (나) (다)

이에 대한 설명으로 옳은 것을 |보기|에서 모두 고른 것은?

보기
ㄱ. (가)~(다)의 수은 기둥 높이 h_1~h_3은 모두 같다.
ㄴ. (가)의 유리관을 기울이면 수은 기둥의 높이가 낮아진다.
ㄷ. 기압이 더 낮은 장소에서 (나) 수은 기둥의 높이를 측정하면 h_2보다 낮아진다.

① ㄴ ② ㄷ ③ ㄱ, ㄴ
④ ㄱ, ㄷ ⑤ ㄱ, ㄴ, ㄷ

서술형

10 그림은 어떤 전선의 단면을 나타낸 것이다.

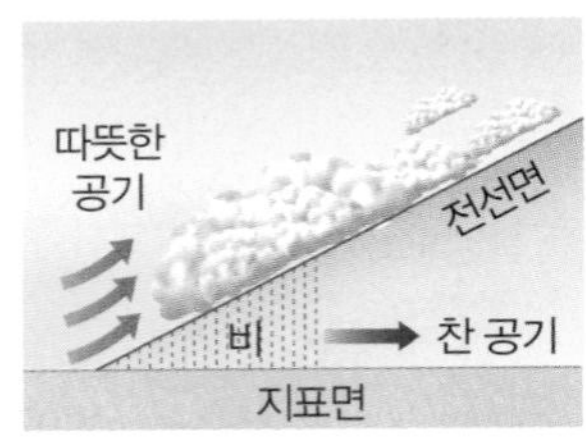

이 전선의 이름을 쓰고, 전선이 통과하기 전과 후에 강수, 기온 및 구름의 분포가 어떻게 다른지 비교하여 서술하시오.

11 그림 (가)~(다)는 며칠 간격의 우리나라 주변 일기도를 순서 없이 나타낸 것이다.

(가) (나) (다)

이에 대한 설명으로 옳은 것은?

① (가)일 때 우리나라에는 남동풍이 불었다.
② (나)일 때 우리나라에는 오랜 시간 동안 약한 비가 내렸다.
③ (다)일 때 우리나라 남해안에 강한 소나기가 내렸다.
④ 일기도는 (다) → (가) → (나) 순서로 나타났다.
⑤ 이 기간 동안 우리나라는 이동성 고기압의 영향을 받았다.

12 표는 온대 저기압이 지나갈 때 기상 관측소 A, B, C의 날씨를 나타낸 것이다.

관측소	풍향	기온	날씨
A	남동풍	낮음	약한 비
B	북서풍	낮음	소나기
C	남서풍	높음	맑음

이에 대한 설명으로 옳은 것을 |보기|에서 모두 고른 것은?

보기
ㄱ. A는 온난 전선의 앞쪽에 위치한다.
ㄴ. B는 C보다 서쪽에 위치한다.
ㄷ. C는 시간이 지나면 기온이 낮아진다.

① ㄱ ② ㄴ ③ ㄱ, ㄴ
④ ㄴ, ㄷ ⑤ ㄱ, ㄴ, ㄷ

∴ 1등급 킬러

13 그림은 폐색 전선이 만들어지는 과정을 나타낸 것이다.

이에 대한 설명으로 옳지 않은 것은?

① 폐색 전선에서는 공기의 상하 이동이 매우 활발하다.
② 폐색 전선이 형성된 후에는 찬 공기가 아래에 위치한다.
③ 폐색 전선이 형성된 후에는 강수 현상이 점차 사라진다.
④ 폐색 전선은 온대 저기압의 소멸 과정에서 주로 나타난다.
⑤ 한랭 전선이 온난 전선보다 이동 속도가 빨라 폐색 전선이 형성된다.

14 그림은 우리나라에 영향을 주는 기단을 나타낸 것이다.

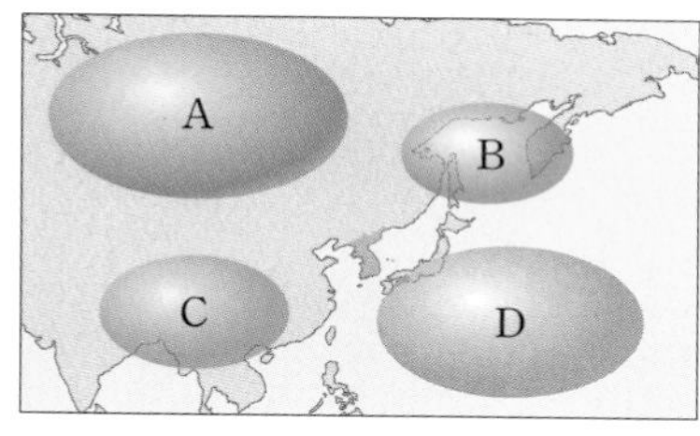

기단 A~D와 우리나라의 계절별 주요 날씨에 대한 설명으로 옳지 않은 것은?

① 봄에 A는 점차 북쪽으로 물러난다.
② B는 주로 초여름 날씨에 영향을 준다.
③ C는 따뜻하고 습한 날씨를 형성한다.
④ 여름철 한밤중의 열대야는 D의 영향으로 나타난다.
⑤ D와 북쪽의 찬 기단이 만나 장마 전선을 이룰 수 있다.

15 그림 (가)와 (나)는 각각 우리나라 어느 계절의 일기도를 나타낸 것이다.

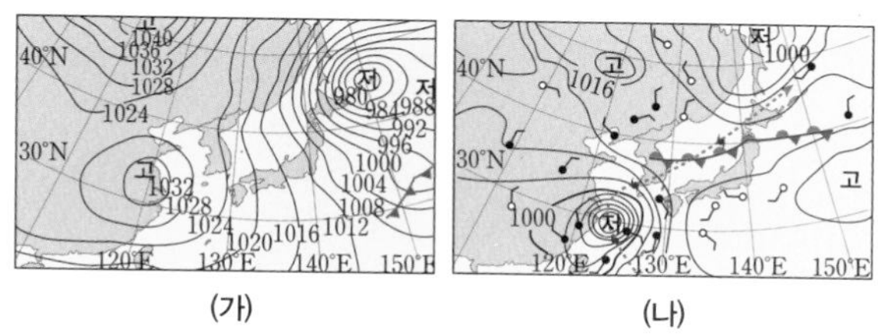

(가) (나)

이에 대한 설명으로 옳지 않은 것은?

① (가)일 때 우리나라에는 북서 계절풍이 분다.
② (가)일 때 대륙의 건조한 기단이 서해를 지나면서 변질되어 서해안에 폭설을 내릴 수 있다.
③ (나)일 때는 대기가 불안정하여 소나기가 자주 내릴 수 있다.
④ (나)의 일기도에서는 우리나라 주변에 온대 저기압이 형성되어 있음을 확인할 수 있다.
⑤ (가)에서는 기온이 낮고 건조한 대륙성 기단이, (나)에서는 기온이 높고 습한 해양성 기단이 우리나라에 영향을 미친다.

서술형

16 그림은 수조에 물과 모래를 담아 설치하고 전등을 켜서 온도 변화를 측정하는 실험을 나타낸 것이다.

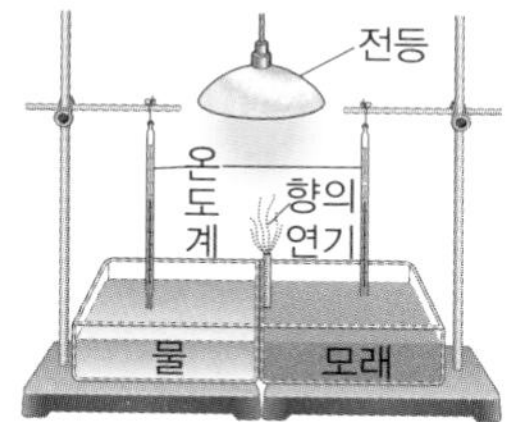

10분 동안 전등을 켜서 온도 변화를 측정한 후, 다시 전등을 끄고 10분 동안 온도 변화를 측정했다면, 이 실험 결과는 어떻게 나타날지 그래프에 표시해 보시오.

memo

book.chunjae.co.kr

대표 유형 01 운동의 분석

그림 (가), (나)는 장난감 자동차의 운동을 0.1초 간격으로 나타낸 것이다.

(가) 운동 방향 →

(나) 운동 방향 →

이에 대한 설명으로 옳은 것을 |보기|에서 모두 고른 것은?

보기
ㄱ. (가)는 속력이 점점 빨라지는 운동이다.
ㄴ. (나)는 속력이 점점 느려지는 운동이다.
ㄷ. 물체와 물체 사이의 간격이 넓을수록 속력이 빠른 것이다.

① ㄱ ② ㄷ ③ ㄱ, ㄴ ④ ㄴ, ㄷ ⑤ ㄱ, ㄴ, ㄷ

답 ⑤

1 읽기 전략 키워드 → 장난감 자동차, 운동, 속력

2 해결 전략 같은 시간 간격에서 물체 사이의 거리는 속력을 의미함을 이해하자.

(가) 운동 방향 →

(나) 운동 방향 →

자동차 사이의 거리가 점점 넓어진다. → 속력이 ❶ ____.

자동차 사이의 거리가 점점 좁아진다. → 속력이 ❷ ____.

답 ❶ 빨라진다 ❷ 느려진다

3 암기 전략

속력이 다른 운동의 분석

"느릿느릿"

"빨리빨리"

물체 사이의 거리가 짧으면 속력이 느리고, 물체 사이의 거리가 길면 속력이 빠르다.

대표 유형 02 빠르기 비교

그림은 여러 가지 운동에서 이동 거리와 이동하는 데 걸린 시간을 나타낸 것이다.

민재는 100 m를 달리는 데 17초가 걸렸다.

다혜는 100 m를 달리는 데 15초가 걸렸다.

1분

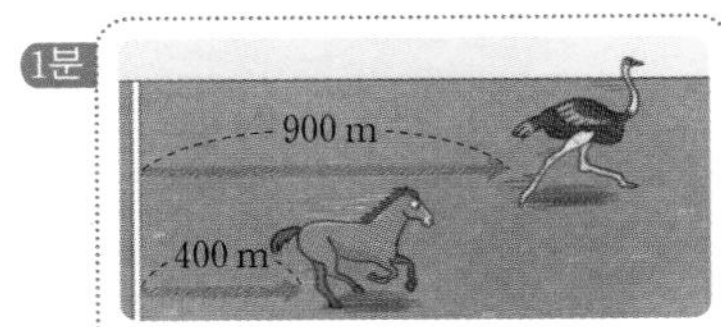

말은 1분에 400 m를 달렸다.

타조는 1분에 900 m를 달렸다.

㉠과 ㉡에 들어갈 알맞은 대상을 쓰시오.

- 민재와 다혜 중 누가 더 빠른가?
  ㉠ (   ): 같은 거리를 이동하는 데, 걸린 시간이 더 짧기 때문이다.
- 말과 타조 중 어느 동물이 더 빠른가?
  ㉡ (   ): 같은 시간 동안, 더 먼 거리를 이동하기 때문이다.

답 ㉠ 다혜, ㉡ 타조

1 읽기 전략 키워드 → 운동, 이동 거리, 걸린 시간

2 해결 전략 물체의 빠르기를 비교하는 방법을 이해하자.

㉠ 같은 거리를 이동할 때
↓
걸린 시간이 ❶ 빠르다.

㉡ 걸린 시간이 같을 때
↓
이동한 거리가 ❷ 빠르다.

답 ❶ 짧을수록 ❷ 길수록

3 암기 전략 같은 거리를 이동할 때의 빠르기

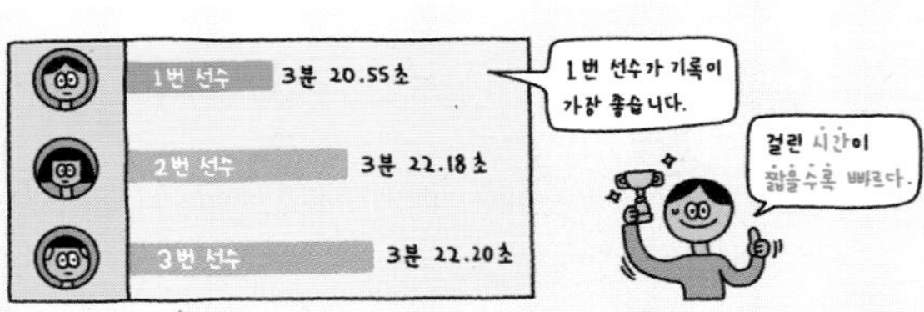

대표 유형 03 등속 운동의 예

관광지에 설치된 케이블카는 운행하는 동안 속력이 일정하다. 이와 같이 속력이 일정한 운동을 등속 운동이라고 한다.

일상생활에서의 여러 운동 중에서 등속 운동이 아닌 것은?

① 
에스컬레이터

② 
컨베이어

③ 
스키

④ 
리프트

⑤ 
무빙워크

답 ③

1 읽기 전략 키워드 → 속력, 속력이 일정한 운동, 등속 운동

2 해결 전략 일상생활에서 등속 운동을 하는 다양한 예를 알아 두자.

- 등속 운동: ❶ ______ 이 변하지 않는 운동
  예 무빙워크, 에스컬레이터, 리프트, 컨베이어 등

예 스키: 내려오는 동안 속력이 점점 ❷ ______ 운동

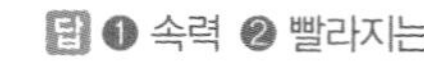

답 ❶ 속력 ❷ 빨라지는

3 암기 전략

일상생활에서의 등속 운동 예

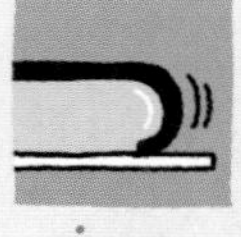
무빙워크

에스컬레이터

리프트

컨베이어

대표 유형 04 등속 운동 분석

그림은 전동차를 타고 직선 도로를 달리는 모습이다.

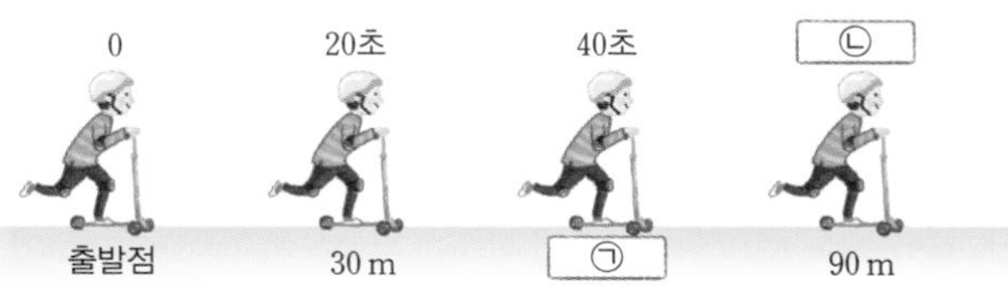

이에 대한 설명으로 옳은 것을 |보기|에서 모두 고른 것은?

보기
ㄱ. 전동차의 속력은 2 m/s로 일정하다.
ㄴ. 40초 동안 이동한 거리 ㉠은 50 m이다.
ㄷ. 전동차의 운동은 무빙워크의 운동과 같다.
ㄹ. 90 m를 이동하는 데 걸린 시간 ㉡은 60초이다.

① ㄱ, ㄴ ② ㄱ, ㄷ ③ ㄴ, ㄷ ④ ㄴ, ㄹ ⑤ ㄷ, ㄹ

답 ⑤

1 읽기 전략 키워드 → 전동차, 속력, 이동한 거리, 무빙워크

2 해결 전략 등속 운동에서 속력 공식을 활용하여 속력, 이동 거리, 시간을 구하는 방법을 알아 두자.

전동차의 운동은 ❶ ( ) 이다.	ㄱ. 전동차의 속력 $=\frac{30\text{ m}}{20\text{ s}}$ = ❷ ( ) m/s이다.	ㄴ. 이동 거리 =속력×시간 =1.5×40 =60(m)	ㄹ. 시간 $=\frac{\text{이동 거리}}{\text{속력}}$ $=\frac{90}{1.5}=60(\text{s})$

답 ❶ 등속 운동 ❷ 1.5

3 암기 전략

속력 공식 암기

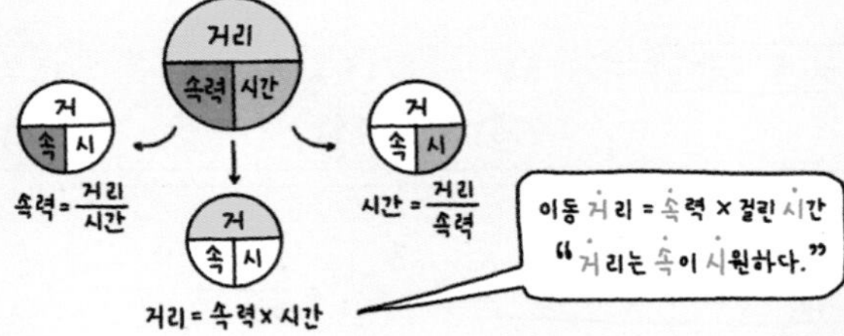

대표 유형 05 등속 운동의 다중 섬광 사진 분석

그림은 오른쪽으로 운동하는 장난감 자동차를 0.1초마다 연속으로 찍은 사진이다.

이에 대한 설명으로 옳은 것을 | 보기 | 에서 모두 고른 것은?

보기
ㄱ. 장난감 자동차의 속력은 0.8 m/s이다.
ㄴ. 장난감 자동차는 속력이 일정한 운동을 한다.
ㄷ. 장난감 자동차의 2초 동안 이동 거리는 0.8 m이다.

① ㄱ ② ㄷ ③ ㄱ, ㄴ ④ ㄴ, ㄷ ⑤ ㄱ, ㄴ, ㄷ

답 ④

1 읽기 전략 키워드 → 장난감 자동차, 속력, 속력이 일정한 운동, 이동 거리

2 해결 전략 다중 섬광 사진에서 걸린 시간과 이동 거리를 알아 두자.

① 그림 분석

ㄴ. 장난감 자동차는 0.1초 동안 0.04 m씩 이동하므로 ❶ [ ] 운동을 한다.

② 〈보기〉 분석

ㄱ. 장난감 자동차의 속력

$$=\frac{0.04\text{ m}}{0.1\text{ s}}=0.4\text{ m/s}$$이다.

ㄷ. 이동 거리= ❷ [ ] ×2 s=0.8 m이다.

답 ❶ 등속 ❷ 0.4 m/s

3 암기 전략

등속 운동 속력 구하는 방법

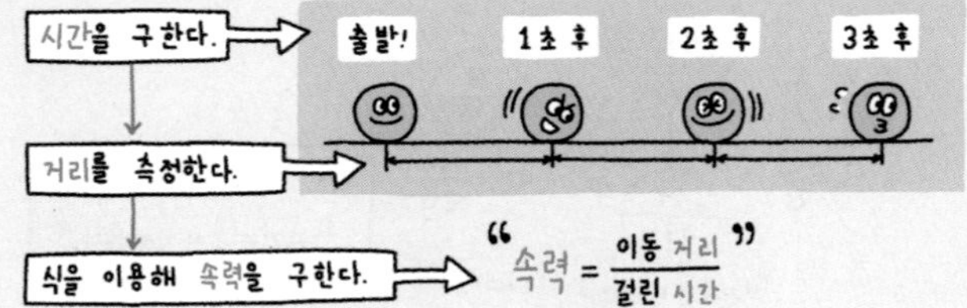

대표 유형 06 등속 운동 그래프

그림은 운동하는 어떤 물체의 시간에 따른 속력 변화를 나타낸 그래프이다.

속력(m/s) 10, 0, 1, 2, 3, 4, 5, 시간(s)

이에 대한 설명으로 옳은 것을 |보기|에서 모두 고른 것은?

보기
ㄱ. 5초 동안 이동 거리는 50 m이다.
ㄴ. 10초일 때 속력은 20 m/s이다.
ㄷ. 시간에 따라 속력이 점점 빨라지는 운동이다.

① ㄱ ② ㄴ ③ ㄷ ④ ㄱ, ㄴ ⑤ ㄴ, ㄷ

답 ①

1 읽기 전략 키워드 → 운동, 시간에 따른 속력 변화

2 해결 전략 등속 운동에서 시간-속력 그래프와 시간-이동 거리 그래프는 꼭 기억하자.

① 그림 분석

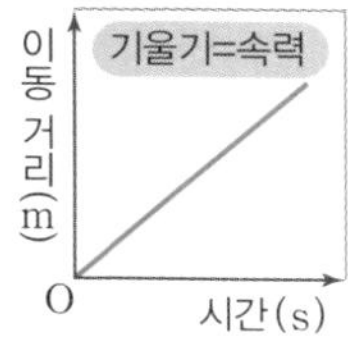

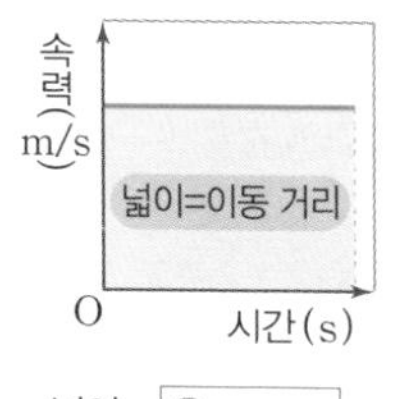

기울기= ❶ 넓이= ❷

② 〈보기〉 분석

ㄱ. 5초 동안 이동 거리 $=10\text{ m/s}\times 5\text{ s}=50\text{ m}$

ㄴ. 10초일 때 속력$=10\text{ m/s}$

ㄷ. 시간에 따라 속력이 변하지 않고 일정하다.

답 ❶ 속력 ❷ 이동 거리

3 암기 전략

등속 운동 그래프

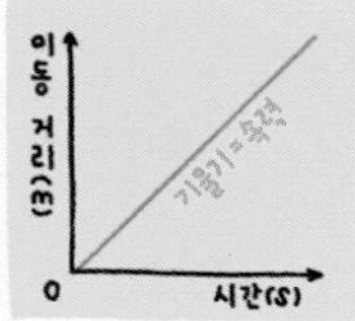

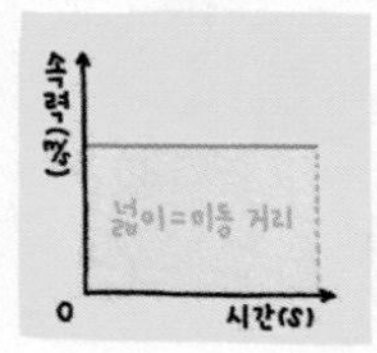

시간-거리 그래프에서 기울기는 속력

시간-속력 그래프에서 그래프 아래 넓이는 이동 거리

대표 유형 07 자유 낙하 운동의 특징

그림은 높은 곳에서 번지 점프를 하는 모습이다.

사람이 낙하하는 동안 이에 대한 설명으로 옳은 것을 | 보기 | 에서 모두 고른 것은? (단, 공기 저항은 무시한다.)

보기
ㄱ. 시간에 관계없이 속력이 일정한 운동이다.
ㄴ. 몸무게가 무거운 사람일수록 더 빨리 떨어진다.
ㄷ. 중력이 물체의 운동 방향과 같은 방향으로 계속 작용한다.

① ㄱ ② ㄴ ③ ㄷ ④ ㄱ, ㄴ ⑤ ㄴ, ㄷ

답 ③

1 읽기 전략 키워드 → 번지 점프, 운동, 몸무게, 중력

2 해결 전략 자유 낙하 운동의 특징을 알아 두자.

- 자유 낙하 운동: 공기 저항이 없을 때 정지해 있던 물체를 놓으면 물체가 중력만 받아 아래로 떨어지면서 매초 속력이 일정하게 ❶ ______ 운동이다.
- 자유 낙하 할 때 무거운 물체에 작용하는 중력의 크기는 가벼운 물체에 작용하는 중력의 크기보다 크다.
- 자유 낙하 할 때 물체에 작용하는 중력의 크기는 물체의 무게와 같다.
- 자유 낙하 할 때 몸무게와 관계없이 ❷ ______ 는 같으므로 몸무게가 무거운 사람과 가벼운 사람은 동시에 떨어진다.

답 ❶ 증가하는 ❷ 속력 변화

3 암기 전략

자유 낙하 운동의 특징

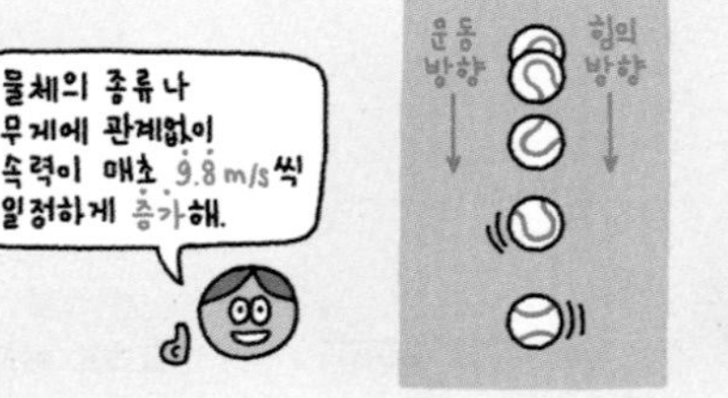

대표 유형 08 질량이 다른 물체의 자유 낙하 운동

그림은 질량 1 kg인 물체 A와 질량 2 kg인 물체 B를 같은 높이에서 동시에 떨어뜨리는 것이다.

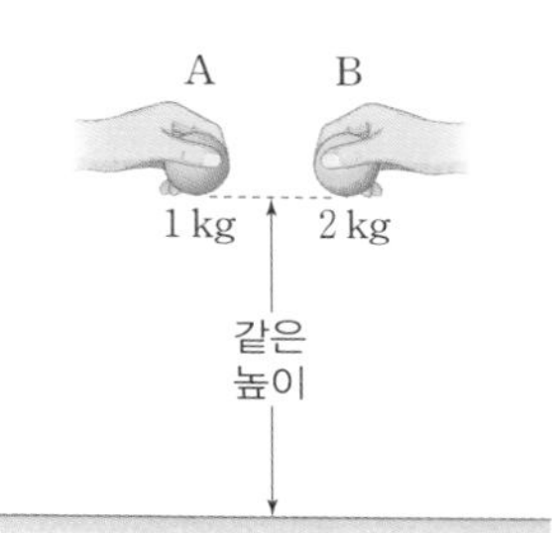

이에 대한 설명으로 옳은 것은? (단, 공기의 저항은 무시한다.)

① A와 B가 받는 힘의 크기는 같다.
② B에 작용하는 힘의 크기는 9.8 N이다.
③ 지구에서는 B가 A보다 먼저 떨어진다.
④ 달에서 A, B는 동시에 바닥에 도달한다.
⑤ B의 속력 변화가 A의 속력 변화보다 크다.

답 ④

1 읽기 전략 키워드 → 질량, 떨어뜨리는 것, 힘의 크기, 속력 변화

2 해결 전략 자유 낙하 운동에서 질량과 속력 변화의 관계를 이해하자.

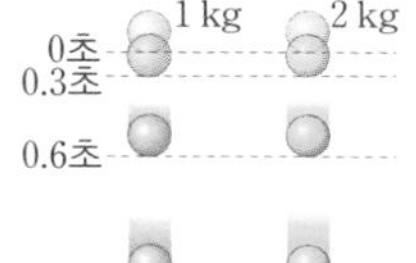

- 물체가 자유 낙하 운동을 할 때 물체의 종류나 크기, ❶ [　　　] 에 관계없이 물체의 속력은 매초 9.8 m/s씩 일정하게 증가한다.
- 같은 높이에서 동시에 자유 낙하 운동을 하는 물체들은 ❷ [　　　] 에 관계없이 지면에 동시에 도달한다.
  → 달에서 A, B는 동시에 바닥에 도달한다.

답 ❶ 질량 ❷ 장소

3 암기 전략

질량이 다른 물체의 낙하 운동

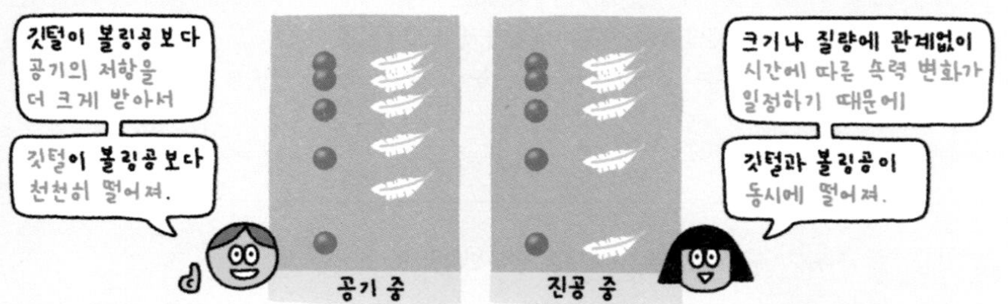

대표 유형 09 질량이 다른 물체의 자유 낙하 운동 실험

다음은 질량이 다른 물체의 자유 낙하 운동을 비교하기 위한 실험이다.

| 실험 과정 |

(가) 그림과 같이 실험 장치를 구성하고 녹화 버튼을 누른 후 줄자 눈금 0에서 질량 50 g의 골프공을 낙하시킨다.

(나) 0.1초 간격으로 골프공의 위치를 찾아 구간 이동 거리와 구간 평균 속력을 표에 적는다.

(다) 골프공 대신 질량 5 g의 탁구공을 이용하여 이 과정을 반복한다.

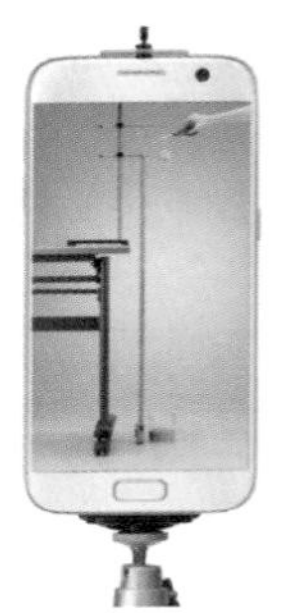

| 실험 결과 |

구분	시간(s)	0～0.1	0.1～0.2	0.2～0.3	0.3～0.4	0.4～0.5
골프공	구간 이동 거리(m)	0.049	0.147	0.245	0.343	0.441
	구간 평균 속력(m/s)	0.49	1.47	2.45	3.43	4.41
탁구공	구간 이동 거리(m)	0.049	0.147	0.245	0.343	0.441
	구간 평균 속력(m/s)	0.49	1.47	2.45	3.43	4.41

이에 대한 설명으로 옳은 것을 | 보기 | 에서 모두 고른 것은?

| 보기 |

ㄱ. 골프공의 1초 동안의 속력 변화량은 9.8 m/s이다.

ㄴ. 탁구공의 1초 동안의 속력 변화량은 0.98 m/s이다.

ㄷ. 자유 낙하 하는 물체의 속력 변화는 질량과 관계없이 일정하다.

① ㄱ ② ㄴ ③ ㄱ, ㄷ ④ ㄴ, ㄷ ⑤ ㄱ, ㄴ, ㄷ

③

키워드 → 질량, 자유 낙하 운동, 속력 변화량, 9.8 m/s

2 해결 전략

① 속력 변화 구하기

구분	시간(s)	0~0.1	0.1~0.2	0.2~0.3	0.3~0.4	0.4~0.5
골프공	구간 이동 거리(m)	0.049	0.147	0.245	0.343	0.441
	구간 평균 속력(m/s)	0.49	1.47	2.45	3.43	4.41
	속력 변화	0.98	0.98	0.98	0.98	
탁구공	구간 이동 거리(m)	0.049	0.147	0.245	0.343	0.441
	구간 평균 속력(m/s)	0.49	1.47	2.45	3.43	4.41
	속력 변화	0.98	0.98	0.98	0.98	

② 표 해석하기

- 구간 속력은 구간 이동 거리를 구간 시간(0.1초)으로 나누어 구하며, 이는 구간별 ❶ [ ] 을 의미한다.
- 속력 변화는 구간 평균 속력의 변화량으로 ❷ [ ] 초 동안의 속력의 변화량이다.
- 시간에 따른 속력 변화는 $\frac{\text{속력 변화량}}{\text{걸린 시간}}=\frac{0.98}{0.1}=9.8$로 질량에 관계없이 일정하다.

답 ❶ 평균 속력 ❷ 0.1

3 암기 전략

골프공과 탁구공의 자유 낙하 운동

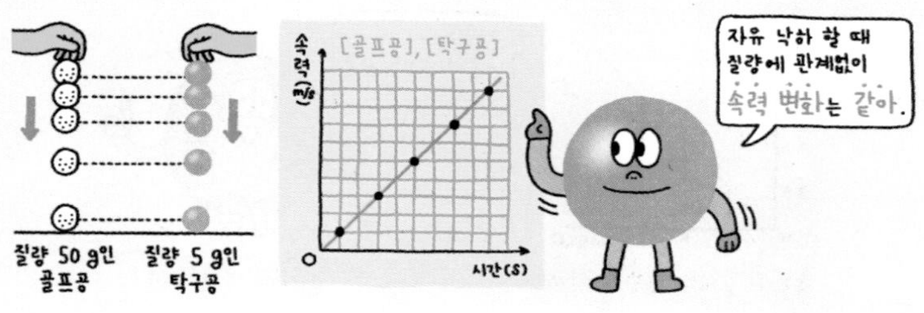

대표 유형 10 자유 낙하 운동의 시간-속력 그래프

그림은 자유 낙하 운동을 하는 물체의 시간에 따른 속력을 나타낸 그래프이다.

이에 대한 설명으로 옳은 것을 |보기|에서 모두 고른 것은?

보기

ㄱ. 물체는 1초에 4.9 m/s씩 속력이 증가한다.

ㄴ. 직선의 기울기는 중력 가속도 상수와 같다.

ㄷ. 4초일 때 물체의 속력은 39.2 m/s이다.

① ㄱ ② ㄴ ③ ㄱ, ㄷ ④ ㄴ, ㄷ ⑤ ㄱ, ㄴ, ㄷ

답 ④

1 읽기 전략 키워드 → 자유 낙하 운동, 속력, 그래프, 중력 가속도 상수

2 해결 전략 자유 낙하 운동에서 시간-속력 그래프를 분석하는 것을 알아 두자.

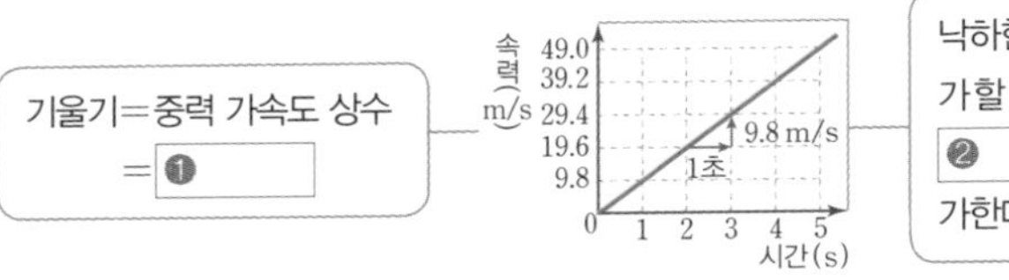

낙하한 시간이 1초 증가할 때마다 속력이 ❷ m/s 씩 증가한다.

답 ❶ 9.8 ❷ 9.8

3 암기 전략

자유 낙하 운동의 시간 - 속력 그래프

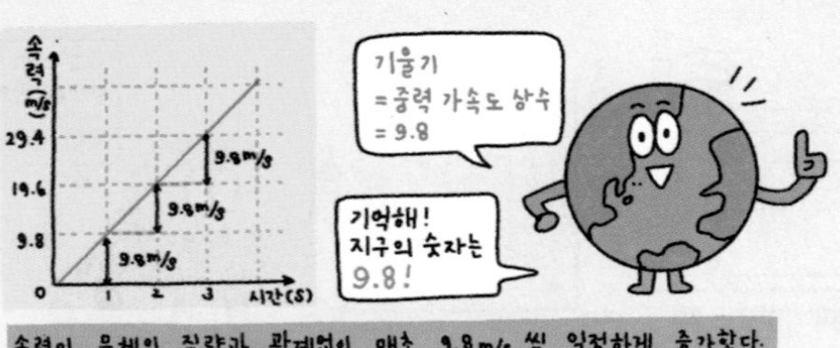

핵심 키워드 과학에서의 일 정의하기

대표 유형 11 일의 양

다음과 같이 세 명의 학생이 자신이 한 일에 대해 말하고 있다.

바닥에 놓인 물체를 10 N의 힘을 주어 힘의 방향으로 2 m 밀었어.

무게 50 N인 물체를 1 m 들어 올린 후 수평 방향으로 2 m 이동했어.

바닥에 놓인 질량 10 kg인 물체를 1 m 높이의 선반 위까지 천천히 들어 올렸어.

한 일의 양을 옳게 비교한 것은?

① 수민 > 상건 > 진희
② 수민 > 진희 > 상건
③ 진희 > 상건 > 수민
④ 상건 > 수민 > 진희
⑤ 상건 > 진희 > 수철

답 ③

1 읽기 전략 키워드 → 한 일, 힘의 방향

2 해결 전략 과학에서 말하는 일의 정의를 알아 두자.

① 과학에서의 일
- 한 일의 양 = 물체에 작용한 ❶ [　　] × 힘의 방향으로 이동한 거리
- 힘의 방향과 이동 방향이 수직이면 한 일은 0이다. - 힘의 방향으로 이동 거리가 0이다.

② 세 사람이 한 일
- 수민이가 한 일: 10 N × 2 m = 20 J
- 상건이가 한 일: (50 N × 1 m) + (0 × 2 m) = 50 J
- 진희가 한 일: ❷ [　　] × 10 N × 1 m = 98 J

답 ❶ 힘 ❷ 9.8

3 암기 전략

일의 양 구하기

처음 위치 힘 나중 위치 힘 이동 거리

대표 유형 12 수평면을 따라 물체에 한 일

그림과 같이 무게가 40 N인 물체를 수평면 위에서 천천히 수평 방향으로 잡아당겼다.

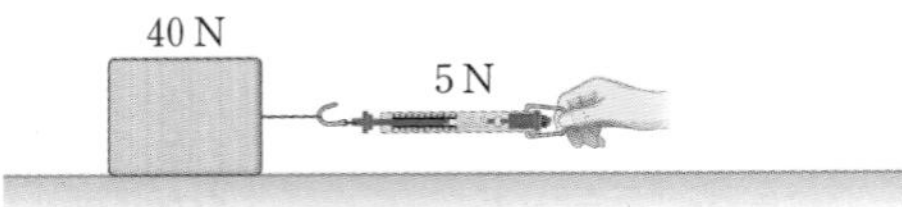

물체를 0.5 m 이동시키는 동안 용수철저울의 눈금이 5 N을 가리켰다면, 이에 대한 설명으로 옳은 것을 |보기|에서 모두 고른 것은?

보기

ㄱ. 물체에 한 일의 양은 20 J이다.
ㄴ. 한 일의 양은 물체를 0.5 m 들어 올리는 일의 양보다 작다.
ㄷ. 물체에 한 일은 물체에 작용한 힘과 힘의 방향으로 이동 거리의 곱으로 구한다.

① ㄱ ② ㄴ ③ ㄱ, ㄷ ④ ㄴ, ㄷ ⑤ ㄱ, ㄴ, ㄷ

답 ④

1 읽기 전략 키워드 → 무게, 수평 방향, 한 일, 들어 올리는 일

2 해결 전략 과학에서 한 일의 양을 구해 보자.

물체를 수평면에서 끄는 일
=작용한 힘×이동 거리, ❶ [ ] N×0.5 m=2.5 J
↓
물체를 들어 올리는 일
=무게×들어 올린 높이, ❷ [ ] N×0.5 m=20 J

답 ❶ 5 ❷ 40

3 암기 전략

수평면에서 한 일

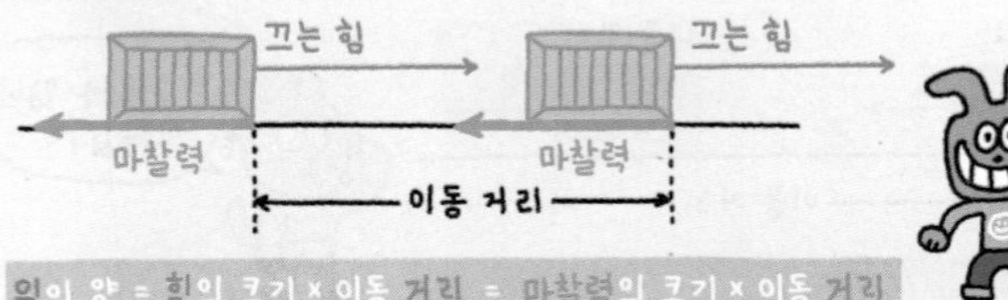

대표 유형 13 중력에 대해 한 일과 중력이 한 일

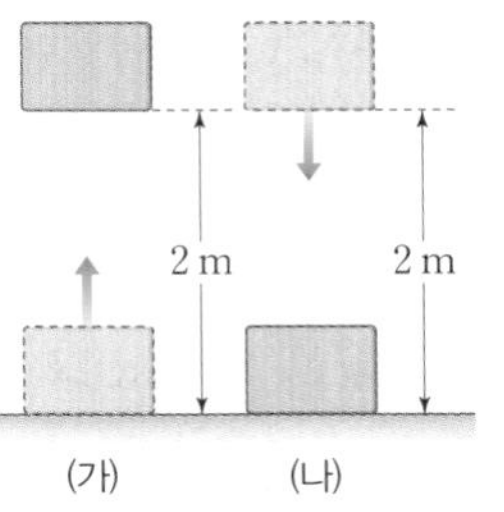

그림 (가)는 질량이 5 kg인 물체를 2 m 높이만큼 들어 올리는 경우이고, (나)는 질량이 5 kg인 물체가 2 m 높이에서 자유 낙하 하는 경우이다.

(가)에서 중력에 대해 물체에 한 일의 양과 (나)에서 중력이 물체에 한 일의 양을 옳게 짝 지은 것은?

	(가)	(나)
①	9.8 J	9.8 J
②	10 J	10 J
③	49 J	49 J
④	98 J	98 J
⑤	196 J	196 J

답 ④

1 읽기 전략 키워드 → 질량, 자유 낙하, 중력, 한 일의 양

2 해결 전략 중력에 대해 한 일과 중력이 한 일의 차이를 알아 두자.

물체를 들어 올리는 일 = ❶ [　　] 에 대해 한 일 = 물체의 무게(9.8 × 질량) × 들어 올린 높이

↓

중력이 물체에 한 일(J) = 9.8 × 질량(kg) × ❷ [　　] (m)

답 ❶ 중력 ❷ 낙하 거리

3 암기 전략

중력이 한 일과 중력에 대해 한 일

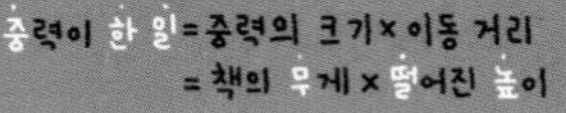

대표 유형 14 과학에서 일이 0인 경우

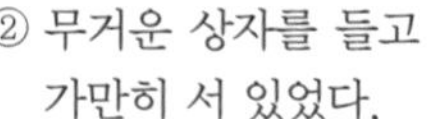

일상생활에서 일을 하는 여러 가지 경우를 그림과 같이 나타내었다.

이 중 과학에서의 일이 0인 경우를 모두 고르면? [정답 2개]

① 바닥의 화분을 선반에 올려놓았다.

② 무거운 상자를 들고 가만히 서 있었다.

③ 교실에 있는 책상을 밀어 이동했다.

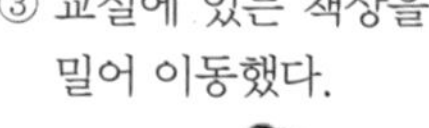

④ 가방을 메고 계단을 따라 올라갔다.

⑤ 창문을 밀었으나 창문이 열리지 않았다.

답 ②, ⑤

1 읽기 전략 키워드 → 일, 일이 0인 경우

2 해결 전략 과학에서 한 일은 어떤 경우인지 알아보자.

① 과학에서 일이 0인 경우
- 작용한 힘이 ❶ [ ].
- 힘의 방향과 이동 방향이 ❷ [ ](힘의 방향으로 이동 거리가 0)

② 선택지 분석
- 힘과 이동 거리가 0이 아닌 경우: ①, ③, ④
- 힘이나 이동 거리가 0인 경우: ②, ⑤

답 ❶ 0 ❷ 수직

3 암기 전략

과학에서의 일

대표 유형 15 일과 에너지의 관계

그림과 같이 질량이 2 kg인 물체를 1 m 높이만큼 천천히 들어 올렸다.

이에 대한 설명으로 옳은 것을 모두 고르면? [정답 2개]

① 물체에 한 일은 9.8 J이다.
② 물체에 작용한 힘은 9.8 N이다.
③ 물체의 에너지는 변하지 않았다.
④ 물체가 떨어지면서 할 수 있는 일의 양은 19.6 J이다.
⑤ 물체에 한 일과 물체가 떨어지면서 할 수 있는 일의 양은 같다.

답 ④, ⑤

1 읽기 전략 키워드 → 한 일, 힘, 에너지

2 해결 전략 일과 에너지는 서로 전환 가능함을 이해하자.

물체를 들어 올리는 힘= ❶ ____ × 질량

물체를 들어 올리는 일
=물체의 무게(9.8 × 질량)×들어 올린 높이
↓
물체를 들어 올리는 일 ❷ ____ 물체가 떨어지면서 할 수 있는 일

답 ❶ 9.8 ❷ =

3 암기 전략

일과 에너지의 관계

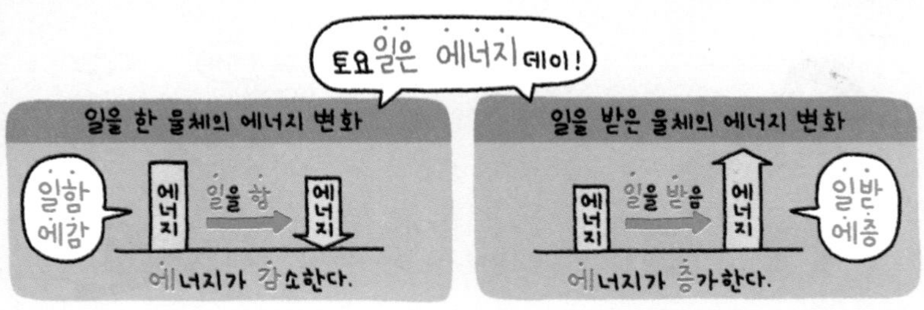

대표 유형 16 중력에 대해 한 일과 위치 에너지

그림과 같이 질량이 50 kg인 역기를 1 m 높이만큼 들어 올렸다. 이처럼 사람이 역기를 들어 올리는 일을 하면 역기는 중력에 의한 위치 에너지를 가진다.

이때 일의 양과 에너지를 각각 구하시오.

(1) 사람이 역기에 한 일의 양: (   )

(2) 역기가 갖는 중력에 의한 위치 에너지: (   )

답 (1) 490 J (2) 490 J

1 읽기 전략 키워드 → 일, 중력에 의한 위치 에너지

2 해결 전략 중력에 대해 한 일은 중력에 의한 위치 에너지로 전환됨을 이해하자.

① 중력에 대해 한 일

사람이 ❶ [   ]에 한 일의 양

↓

9.8×질량(kg)×들어 올린 높이(m)

↓

9.8×50×1=490(J)

② 중력에 의한 위치 에너지

중력에 의한 ❷ [   ]

↓

9.8×질량(kg)×높이(m)

↓

9.8×50×1=490(J)

답 ❶ 역기 ❷ 위치 에너지

3 암기 전략

중력에 의한 위치 에너지

중력에 의한 위치 에너지
= 9.8mh

중력에 대해 한 일
= 무게×높이
= 9.8×질량×높이
= 중력에 의한 위치 에너지

대표 유형 17 위치 에너지와 운동 에너지 그래프

|보기|는 중력에 의한 위치 에너지(E_p)와 질량(m) 및 높이(h) 사이의 관계와 운동 에너지(E_K)와 질량(m) 및 속력(v)의 관계를 나타낸 그래프이다.

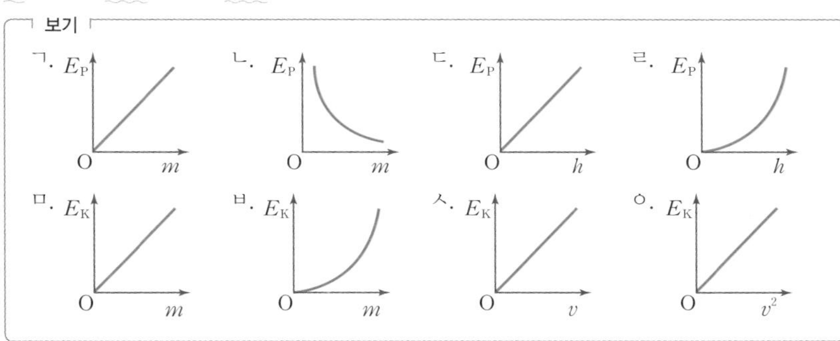

(1) 중력에 의한 위치 에너지(E_P)를 옳게 나타낸 그래프: (　　　　　)

(2) 운동 에너지(E_K)를 옳게 나타낸 그래프: (　　　　　)

답 (1) ㄱ, ㄷ (2) ㅁ, ㅇ

1 읽기 전략 키워드 → 중력에 의한 위치 에너지, 질량, 높이, 운동 에너지, 속력

2 해결 전략 위치 에너지와 운동 에너지를 나타내는 그래프를 알아 두자.

① 위치 에너지와 질량 및 높이 관계
- 위치 에너지 ∝ 질량
- 위치 에너지 ∝ ❶

② 운동 에너지와 질량 및 속력 관계
- 운동 에너지 ∝ 질량
- 운동 에너지 ∝ ❷

답 ❶ 높이 ❷ 속력^2

3 암기 전략

위치 에너지, 운동 에너지 그래프

"위질 높비례!"

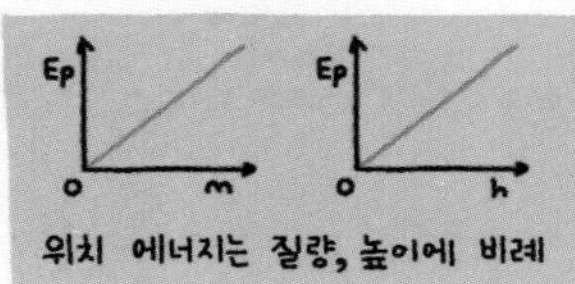

"운질 속제곱비례!"

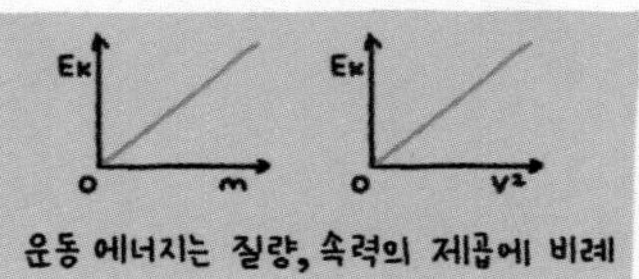

대표 유형 18 위치 에너지의 기준면

그림과 같이 옥상에 질량이 1 kg인 물체가 놓여 있다.

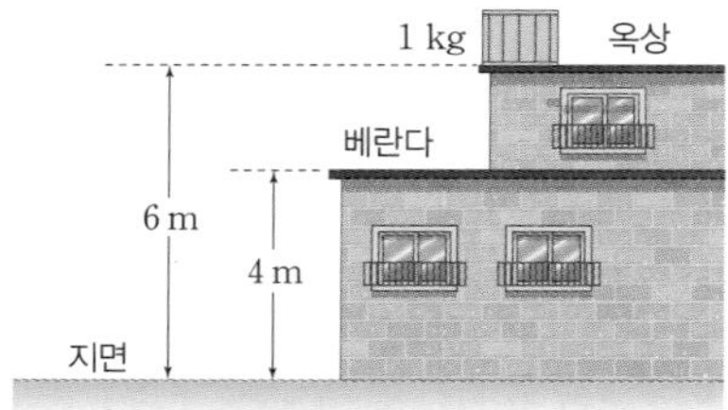

지면과 베란다를 기준면으로 할 때 물체가 가지는 중력에 의한 위치 에너지의 크기를 각각 쓰시오.

(1) 지면 기준: (   )

(2) 베란다 기준: (   )

답 (1) 58.8 J (2) 19.6 J

1 읽기 전략 키워드 → 기준면, 중력에 의한 위치 에너지

2 해결 전략 위치 에너지에서 높이는 기준면에서의 높이임을 알아 두자.

① 중력에 의한 위치 에너지

위치 에너지=9.8×질량(kg)× ❶ ______ 으로부터의 높이(m)

② 위치 에너지의 기준면

- 지면 기준: 높이가 6 m이므로 위치 에너지는 9.8×1×6=58.8 (J)
- 베란다 기준: 높이가 ❷ ______ m이므로 위치 에너지는 9.8×1×2=19.6 (J)

답 ❶ 기준면 ❷ 2

3 암기 전략

위치 에너지의 기준면

대표 유형 19 제동 거리와 운동 에너지

그림은 자동차의 속력과 제동 거리 사이의 관계를 나타낸 것이다. 이때 제동 거리는 자동차가 달리다가 브레이크를 밟고 정지하기 전까지 미끄러진 거리이다.

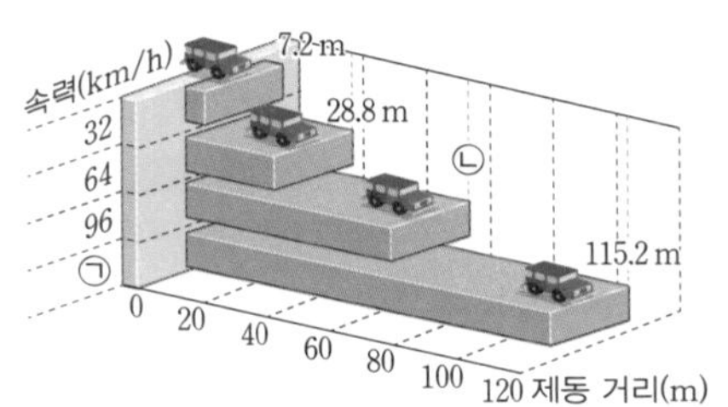

이에 대한 설명으로 옳은 것을 |보기|에서 모두 고른 것은?

보기

ㄱ. 그림에서 ㉠은 128 km/h이다.
ㄴ. 그림에서 ㉡은 64.8 m이다.
ㄷ. 속력이 2배가 되면 제동 거리도 2배로 증가한다.

① ㄱ ② ㄴ ③ ㄷ ④ ㄱ, ㄴ ⑤ ㄱ, ㄴ, ㄷ

답 ④

1 읽기 전략 키워드 → 속력, 제동 거리

2 해결 전략 제동 거리, 운동 에너지, 속력의 제곱의 관계를 이해하자.

제동 거리는 ❶ [ ] 에 비례 → 운동 에너지는 속력의 제곱에 비례 → 제동 거리는 속력의 제곱에 ❷ [ ]

- ㉠은 제동 거리 115.2 m일 때의 속력, $115.2 \div 7.2 = 16$, $32 \times 4 = 128$(km/h)
- ㉡은 속력 96 km/h일 때의 제동 거리, $96 \div 32 = 3$, $7.2 \times 9 = 64.8$(m)

답 ❶ 운동 에너지 ❷ 비례

3 암기 전략 제동 거리

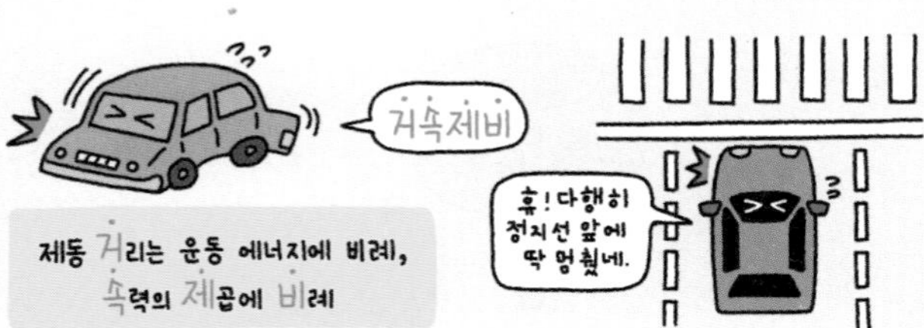

대표 유형 20 중력이 한 일과 운동 에너지

그림과 같이 10 m 높이에서 질량이 0.2 kg인 물체가 자유 낙하하면 물체의 속력이 점점 증가하면서 지면으로 떨어진다.

물체가 5 m 낙하하는 동안 중력이 한 일의 양과 5 m 높이에서 물체의 운동 에너지를 각각 구하시오. (단, 공기 저항은 무시한다.)

(1) 5 m 낙하하는 동안 중력이 한 일의 양: (　　　　　　)

(2) 5 m 높이에서 물체의 운동 에너지: (　　　　　　)

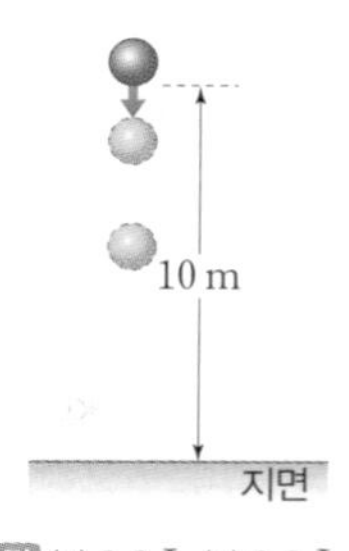

답 (1) 9.8 J (2) 9.8 J

1 읽기 전략 키워드 → 자유 낙하, 중력이 한 일, 운동 에너지

2 해결 전략 중력이 한 일과 운동 에너지의 관계를 이해하자.

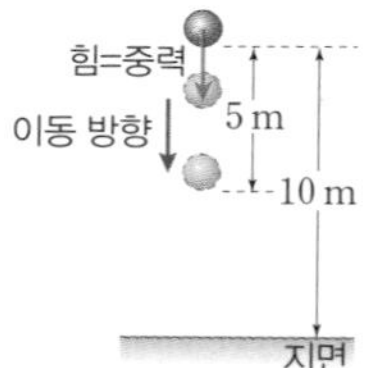

자유 낙하 하는 동안 물체에는 ❶ 　　　 만 작용한다.

↓

중력이 일을 한다.→ 운동 에너지 증가

↓

5 m 높이까지 이동하는 동안 중력이 한 일의 양 ❷ 　　　 5 m 높이에서 물체의 운동 에너지

답 ❶ 중력 ❷ =

3 암기 전략

중력이 한 일과 운동 에너지

운동 에너지(J)
$= \frac{1}{2} \times 질량 \times 속력^2$
$= \frac{1}{2}mv^2$

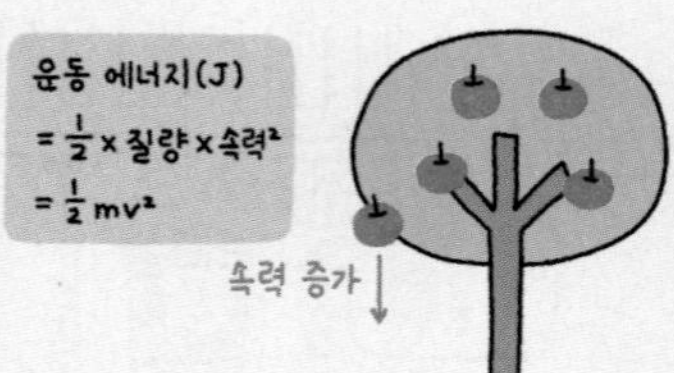

낙하하는 물체에 중력이 한 일
= 운동 에너지 증가량

"낙중력 운증"

대표 유형 21 던져 올린 공의 에너지 변화

그림은 농구공을 수직으로 던져 올렸을 때의 모습을 펼쳐서 나타낸 것이다.

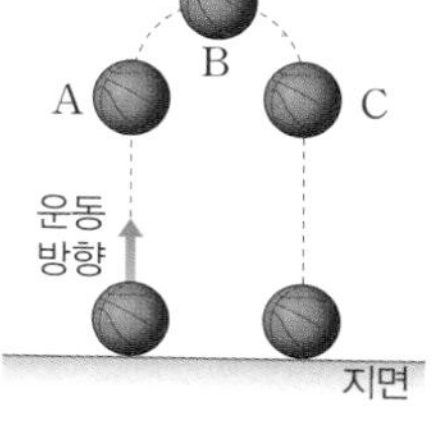

농구공에 중력이 한 일과 에너지에 대한 설명으로 옳은 것을 |보기|에서 모두 고른 것은? (단, 공기 저항은 무시한다.)

보기
ㄱ. A에서 B로 가는 동안 중력에 의한 위치 에너지는 증가한다.
ㄴ. B에서 C로 가는 동안 운동 에너지는 증가한다.
ㄷ. B에서 C로 가는 동안 중력이 일을 한다.

① ㄱ ② ㄷ ③ ㄱ, ㄴ ④ ㄴ, ㄷ ⑤ ㄱ, ㄴ, ㄷ

답 ⑤

1 읽기 전략 키워드 → 중력이 한 일, 에너지, 중력에 의한 위치 에너지, 운동 에너지

2 해결 전략 중력에 대해 한 일과 중력이 한 일에서 일과 에너지 관계를 이해하자.

A에서 B로 가는 동안 중력에 대해 일을 한다. → ❶ ______ 증가

↓

B에서 C로 가는 동안 중력이 일을 한다. → ❷ ______ 증가

답 ❶ 위치 에너지 ❷ 운동 에너지

3 암기 전략

올라갔다가 다시 떨어지는 물체의 에너지 변화

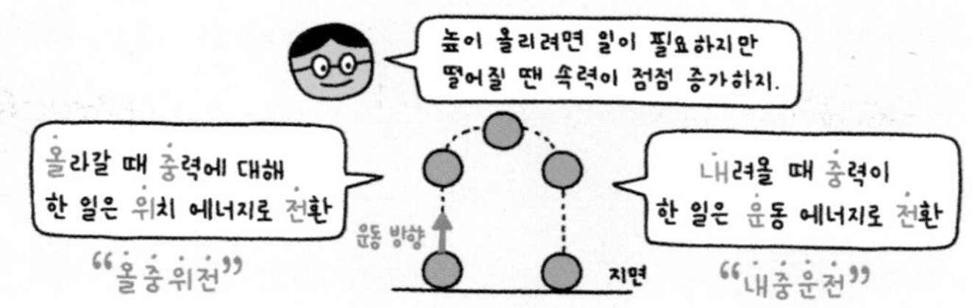

대표 유형 22 눈의 구조와 기능

그림은 사람 눈의 구조를 나타낸 것이다.

A~E의 이름을 쓰고, 눈의 조절 작용에 대한 다음 설명의 ㉠~㉢에 들어갈 알맞은 부위를 그림에서 찾아 기호로 쓰시오.

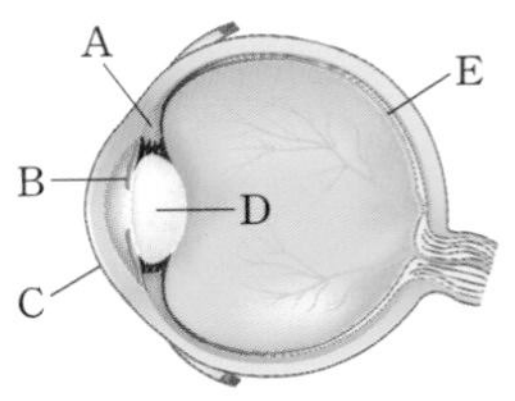

- 밝은 곳에서는 ㉠(   )가 확장되고, 동공이 축소된다.
- 먼 곳을 볼 때는 ㉡(   )가 이완하면서 ㉢(   )가 얇아진다.

답 A: 섬모체, B: 홍채, C: 각막, D: 수정체, E: 망막, ㉠ B, ㉡ A, ㉢ D

1 읽기 전략

① 문제에서 핵심 키워드 찾기

눈의 구조, 눈의 조절

② 눈의 구조에서 각 부위의 이름과 기능 찾기

- 섬모체(A): 수정체의 두께를 조절한다.
- 홍채(B): 눈으로 들어오는 빛의 양을 조절한다.
- 각막(C): 홍채의 바깥을 감싸는 투명한 막이다.
- 수정체(D): 볼록 렌즈와 같이 빛을 굴절시켜 망막에 상이 맺히게 한다.
- 망막(E): 물체의 상이 맺히는 부분이며, 시각 세포가 있어 빛 자극을 받아들인다.

※ A~E에 해당하지 않는 눈의 부위

- 맹점: 시각 세포가 없어 상이 맺혀도 물체를 볼 수 없다.
- 동공: 홍채 사이의 구멍으로, 빛이 들어가는 통로이다.
- 시각 신경: 시각 세포의 자극을 뇌로 전달한다.

눈의 조절

홍채의 작용으로 동공의 크기가 변해 눈으로 들어오는 빛의 양이 조절되고, 물체와의 거리에 따라 수정체의 두께가 변해 망막에 또렷한 상이 맺힌다.

2 해결 전략

① 눈의 구조를 알아 두자.

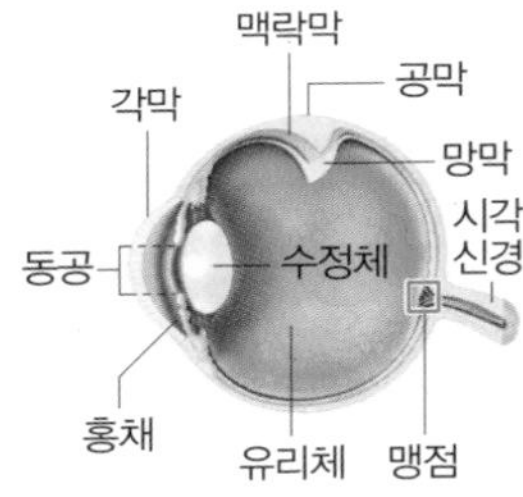

부위	특징
각막	눈의 앞쪽에 있는 투명한 막, 빛을 통과시킴
망막	물체의 ❶ [　　] 이 맺히는 부분으로, 시각 세포가 있어 빛을 자극으로 받아들임
수정체	볼록 렌즈와 같이 빛을 굴절시켜 망막에 물체의 상이 맺히게 함
섬모체	수정체 주위를 둘러싼 부분으로, 수정체의 두께를 조절
홍채	동공 주위를 둘러싼 부분으로, ❷ [　　] 의 크기를 조절

② 눈의 조절 작용이 일어나는 부위와 조절 과정을 생각하자.

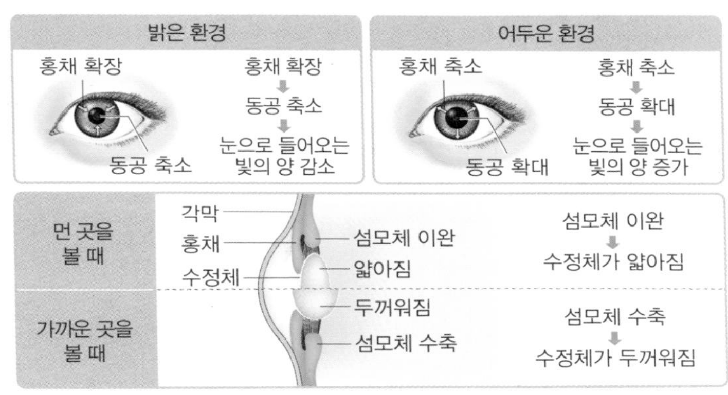

오답 피하는 법

밝거나 어두운 곳에서 빛의 양을 조절하는 부위와 멀고 가까운 것을 볼 때 상이 망막에 맺히도록 하는 눈의 부위를 알고, 각각의 작용을 정확하게 이해해야 함.

- 밝기 조절: 홍채 확장 → 빛의 양 감소, 홍채 축소 → 빛의 양 증가
- 거리 조절: 가까운 곳을 볼 때 → 섬모체 수축, 먼 곳을 볼 때 → 섬모체 이완

답 ❶ 상 ❷ 동공

3 암기 전략

눈의 조절 작용원리

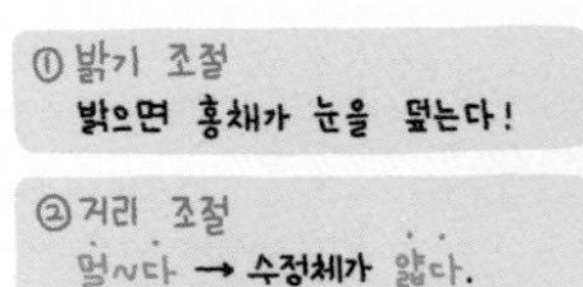

대표 유형 23 맹점 확인 실험

다음은 사람 눈의 구조에 관한 실험이다.

| 과정 |

왼쪽 눈을 감고 오른쪽 눈으로 그림의 로봇을 바라본 후, 눈동자를 움직이지 말고 로봇을 계속 주시하면서 그림을 앞뒤로 서서히 움직일 때 드론의 변화를 관찰한다.

| 결과 |

그림과 눈 사이의 거리를 변화시킬 때 25 cm 정도 떨어진 곳에서 (가) 드론이 시야에서 사라지고 빈 종이만 보였다.

실험 결과를 다음과 같이 설명하고자 할 때, ㉠과 ㉡에 들어갈 알맞은 말을 쓰시오.

(가)와 같은 변화가 나타난 까닭은 드론의 상이 맺힌 곳은 눈의 ㉠(　　　)으로, ㉡(　　　)가 없어서 자극이 시각 신경을 통해 대뇌로 전달될 수 없기 때문이다.

답 ㉠ 맹점, ㉡ 시각 세포

1 읽기 전략

① 문제에서 핵심 키워드 찾기

눈의 구조, 그림과 눈 사이의 거리, 시야에서 사라짐, 상이 맺힌 곳

② 실험 결과 확인하기

- 눈동자를 움직이지 않는 상태에서 한쪽 눈과 그림 사이의 거리를 변화시켰을 때 특정 거리에서 상이 보이지 않는다. → 시각이 성립하지 않는 망막의 특정 부위가 있음을 알 수 있다.
- 드론의 상이 맺힌 부분은 맹점으로, 시각 세포가 없다. → 따라서 시각 신경을 통해 자극이 대뇌로 전달될 수 없다.

망막

빛 자극을 받아 들여 시각 신경으로 전달하는 시각 세포가 있는 부분이다.

맹점

망막에 있는 시각 세포가 빛 자극을 받아들여 시각 신경으로 전달하는데, 맹점은 시각 신경이 지나가는 곳으로 시각 세포가 없는 부분이다.

2 해결 전략 ① 눈의 구조에서 시각의 성립 경로와 맹점을 확인하자.

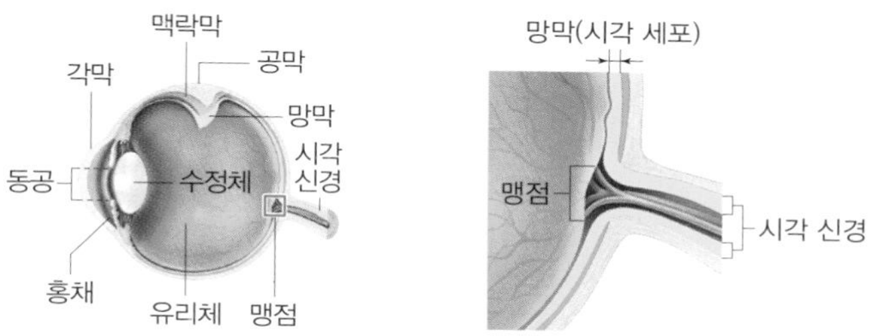

- 시각의 성립 경로: 빛 → 각막 → 수정체 → 유리체 → ❶ ______ (시각 세포) → 시각 신경 → 대뇌

② 맹점의 구조를 알아 두자.

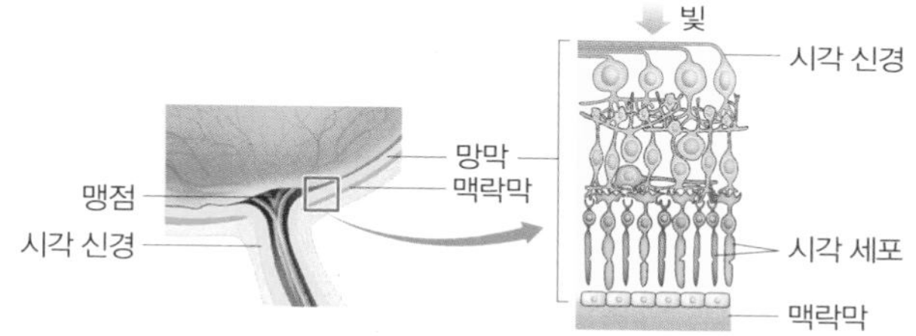

- 맹점은 망막의 중심 아래쪽에 있으며, 양 눈에서 코 쪽에 있다.
- 일상생활에서 맹점의 존재를 인지하지 못하는 까닭은 상이 두 눈의 맹점에 ❷ ______ 에 맺히기 어렵기 때문이다.

오답 피하는 법

- 맹점에 상이 맺히지 않음(×)
- 맹점에 상이 맺혀도 보이지 않음(○)

답 ❶ 망막 ❷ 동시

3 암기 전략

맹점

"맹점은 무시해!!"

맹점에 상이 맺히면
시각 세포가 없으니까(무)
상이 맺혀도 안보이는 것!

대표 유형 24 귀의 구조

그림은 사람 귀의 구조를 나타낸 것이다. A~E는 각각 반고리관, 달팽이관, 전정 기관, 고막, 귓속뼈, 귀인두관 중 하나이다.

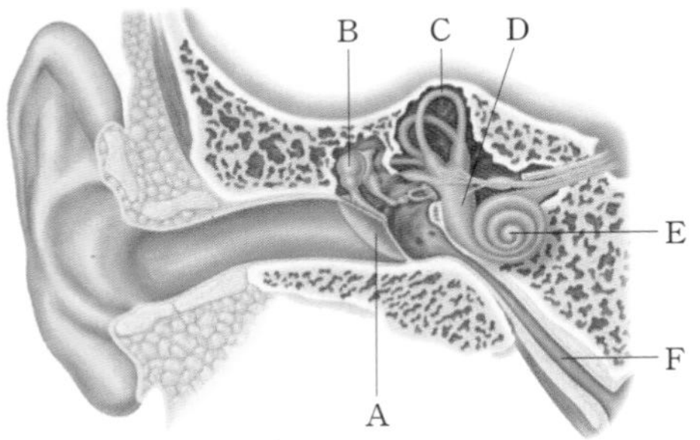

A~E의 이름을 쓰고, 다음 청각 성립 경로에 들어갈 알맞은 부위를 그림에서 찾아 기호로 쓰시오.

> 소리 → 귓바퀴 → 귓구멍 → ㉠(　　) → ㉡(　　) → ㉢(　　)의 청각 세포 → 청각 신경 → 대뇌

답 A: 고막, B: 귓속뼈, C: 반고리관, D: 전정 기관, E: 달팽이관, F: 귀인두관, ㉠ A, ㉡ B, ㉢ E

1 읽기 전략

① 문제에서 핵심 키워드 찾기

반고리관, 달팽이관, 전정 기관, 고막, 귓속뼈, 귀인두관

② 각 부위의 이름과 기능 찾기

- 청각 관련: 고막(A, 소리에 의해 진동하는 얇은 막), 귓속뼈(B, 고막의 진동을 증폭하여 달팽이관으로 전달), 달팽이관(E, 청각 세포가 있어 소리를 자극으로 받아들임)
- 평형 감각 관련: 반고리관(C, 몸이 회전하는 자극을 받아들임), 전정 기관(D, 몸이 기울어지는 자극을 받아들임)
- 압력 조절 관련: 귀인두관(F, 고막 안쪽과 바깥쪽의 압력을 같게 조절)

청각

귀에서 공기의 진동을 자극으로 받아들여 소리로 인식하는 것

청각의 성립 과정

소리 → 귓바퀴 → 귓구멍 → 고막 → 귓속뼈 → 달팽이관의 청각 세포 → 청각 신경 → 대뇌

2 해결 전략 귀의 구조를 확인하자.

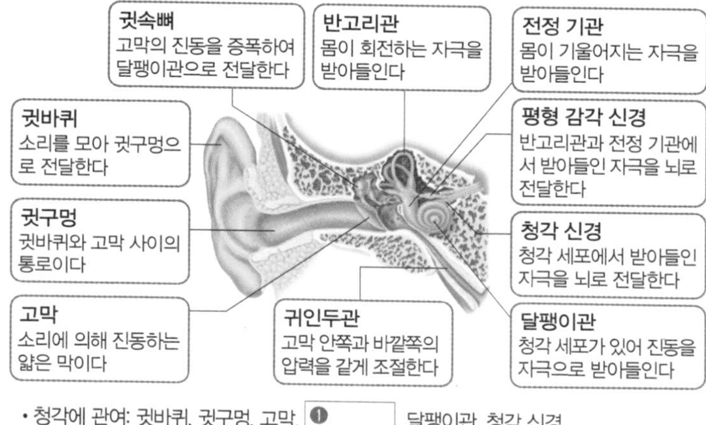

- 청각에 관여: 귓바퀴, 귓구멍, 고막, ❶ ______, 달팽이관, 청각 신경
- 평형 감각에 관여: 반고리관, ❷ ______, 평형 감각 신경
- 압력 조절에 관여: 귀인두관

오답 피하는 법

귀에는 청각에 관여하는 구조 이외에도 평형 감각에 관여하는 구조도 있다.

- 귀 안쪽에는 반고리관-전정 기관-달팽이관이 연결되어 있는데, 이 중 반고리관과 전정 기관은 청각과 상관없이 각각 몸의 회전과 기울어짐을 감지한다.
- 청각 신경은 달팽이관에만 연결되어 있고, 반고리관과 전정 기관에서 받아들인 자극은 평형 감각 신경으로 전달된다.

답 ❶ 귓속뼈 ❷ 전정 기관

3 암기 전략
귀의 구조

귀는 청각 기관이지만
반고리관 전정 기관이 있어
평형 감각도 담당하지!

대표 유형 25 평형 감각

그림은 사람 귀 내부 구조의 일부를 나타낸 것이다.
다음 (가), (나)의 현상과 가장 관련 있는 기관의 기호와 이름을 각각 쓰시오.

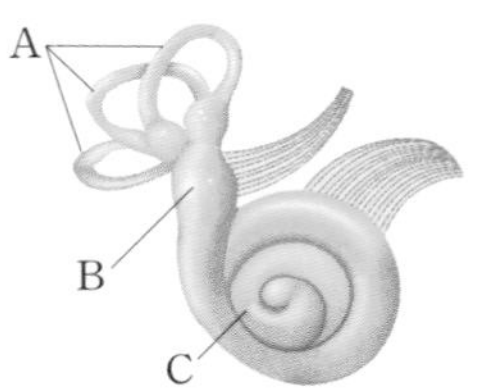

(가) 회전하는 놀이 기구를 타다가 내려도 한동안 어지럽다.
(나) 한쪽 다리로 똑바로 서 있다가 균형을 잃게 되면 팔을 벌려 중심을 잡는다.

답 (가): A, 반고리관, (나): B, 전정 기관

1 읽기 전략 키워드 → 귀 내부 구조, 회전, 균형

2 해결 전략 평형 감각 기관의 구조와 기능을 기억하자.

평형 감각	반고리관 (A)	세 개의 고리가 서로 직각으로 연결되어 있고 림프액이 들어 있어, 몸이 회전하면 림프액이 움직이고 감각 세포를 흥분시켜 몸이 ❶ ______ 하는 것을 감지하게 된다.
	전정 기관 (B)	몸이 기울어짐에 따라 작은 돌이 움직이고, 이것이 감각 세포를 흥분시켜 몸이 ❷ ______ 을 감지하게 된다.
청각	달팽이관 (C)	공기의 ❸ ______ 이 고막, 귓속뼈를 통해 전달되어 청각 세포가 감지하게 된다.

답 ❶ 회전 ❷ 기울어짐 ❸ 진동

3 암기 전략

평형 감각 기관

회전 반고리관 구간을 지나
점점(전정 기관) 기울어진다.
너무 놀라 달팽이관 소리를 낸다.

대표 유형 26 후각

그림은 사람 코의 구조를 나타낸 것이다.

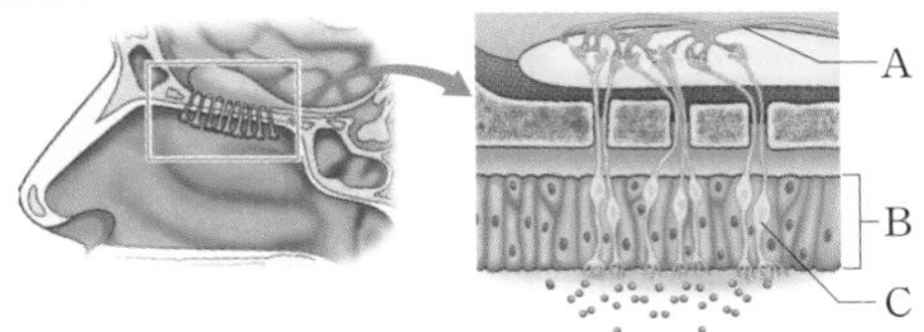

코와 후각에 대한 설명으로 옳지 않은 것은?

① A는 후각 신경으로, 자극을 뇌로 전달한다.
② B는 후각 세포가 분포하는 후각 상피이다.
③ C는 액체 상태의 화학 물질을 자극으로 받아들인다.
④ 후각은 다른 감각에 비해 예민하다.
⑤ 후각은 쉽게 피로해져서 같은 자극이 계속되면 나중에는 잘 느끼지 못한다.

답 ③

1 읽기 전략 키워드 → 코의 구조, 후각 신경, 후각 세포, 후각 상피

2 해결 전략 후각의 특징과 자극의 전달 경로를 알아 두자.

감각 기관	감각(후각)	특징	자극의 전달 정도
코	코에서 ❶ ( ) 상태의 화학 물질을 자극으로 받아들여 여러 가지 냄새를 맡는다.	•가장 예민한 감각 •후각 세포는 쉽게 피로해지므로 같은 냄새를 계속 맡으면 그 냄새를 잘 느끼지 못한다.	기체 상태의 화학 물질 → 후각 상피의 ❷ ( ) → 후각 신경 → 대뇌

답 ❶ 기체 ❷ 후각 세포

3 암기 전략

후각의 특징

코는 최고로 민감해서
눈, 귀, 혀보다 높게 튀어나와 있지!

대표 유형 27 미각

다음은 음식의 맛을 느끼는 데 관여하는 감각에 대해 알아보는 실험이다.

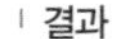

| 과정 |

(가) 두 사람이 짝을 지어 한 사람이 안대로 눈을 가린 상태에서 오렌지주스와 포도주스를 맛보게 한다.

(나) (가)의 상태에서 코를 막고 오렌지주스와 포도주스를 맛보게 한다.

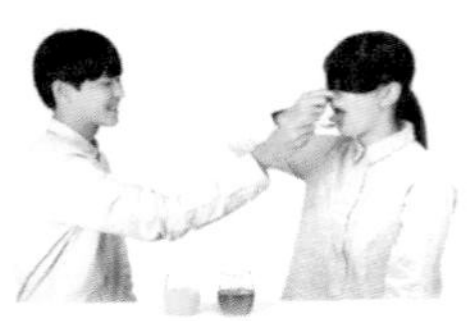

| 결과 |

?

이 실험 과정을 통해 '음식의 맛은 미각과 후각이 함께 작용하여 다양하게 느끼는 것이다.'라는 결론을 내렸다면, 이 실험의 결과를 다음과 같이 나타낼 때 ㉠과 ㉡에 들어갈 알맞은 말을 각각 쓰시오.

과정 (가)에서는 ㉠(　　　　　　　　　　)했으나,
과정 (나)에서는 ㉡(　　　　　　　　　　)했다.

답 ㉠ 두 주스의 맛을 잘 구분, ㉡ 두 주스의 맛을 잘 구분하지 못

1 읽기 전략

① 문제에서 핵심 키워드 찾기
음식의 맛, 눈을 가린 상태, 코를 막고

② 실험 결과 확인하기
음식의 맛은 미각과 후각이 함께 작용함으로써 다양하게 느낄 수 있는 것이라면

- 미각과 후각을 모두 맛을 보는 데 사용할 때는 다양한 주스의 맛을 느낄 수 있다(두 가지 주스의 맛을 구분할 수 있다.)..
- 미각만 맛을 보는 데 사용할 때는 다양한 주스의 맛을 느낄 수 없다(두 가지 주스의 맛을 구분할 수 없다.).

미각

혀에서 액체 상태의 화학 물질을 자극으로 받아들여 맛을 느낀다.

후각과 미각

음식의 맛을 느낄 때 후각과 미각이 상호 작용하여 다양한 맛을 느낀다.

2 해결 전략

① 실험 과정을 알아 두자.

- 실험 재료: 오렌지주스와 포도주스는 공통적으로 단맛과 신맛을 내는 액체
- 과정 (가)와 (나)에서 눈을 가린 까닭: 맛에 대한 실험이므로 시각으로 맛을 구분하지 못하도록 하기 위해서
- 과정 (가): 눈만 가리고 코를 막지 않은 상태 → 미각과 후각이 함께 작용하는 상태에서 음료수를 맛보기
- 과정 (나): 눈을 가리고 코를 막은 상태 → 미각은 작용하지만 후각은 작용하지 못하는 상태에서 음료수를 맛보기

② 제시된 결론에 맞게 실험 결과를 추론하자.

- 과정 (가): 미각과 후각이 함께 작용하므로 오렌지주스와 포도주스가 공통적으로 가진 기본 맛인 단맛, 신맛 이외에도 [❶] 을 통해 특유의 향을 느껴 두 가지 주스의 맛을 구분할 수 있다.
- 과정 (나): 미각은 작용하므로 기본 맛인 단맛과 신맛을 느낄 수 있으나, 이는 오렌지주스와 포도주스가 공통으로 가지는 성질이므로 [❷] 만으로 두 가지 주스를 구분하기 어렵다.

오답 피하는 법

- 후각이 기본 맛을 구분하는 데 관여하는 것이 아니라, 음식물에 포함된 향(기체 상태의 화학 물질에 의해 발생)으로 기본 맛에 더해지는 다양한 맛을 느끼게 해 주는 것이다. 따라서 오렌지주스와 포도주스가 가진 단맛과 신맛 자체를 구분하는 것이 아니다.

답 ❶ 후각 ❷ 미각

3 암기 전략

허를 통해 느끼는 기본 맛

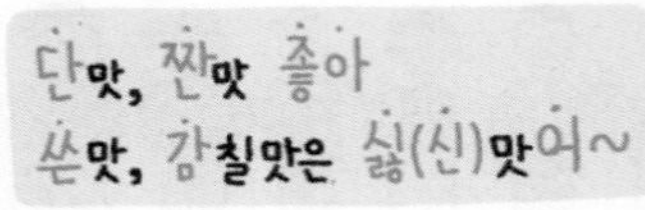

대표 유형 28 피부 감각

다음은 사람 피부 감각의 특징과 피부 감각에 대한 탐구 활동을 나타낸 것이다.

| 피부 감각의 특징 |

(가) 몸의 부위에 따라 감각점의 분포가 다르다.

(나) 피부에서는 촉감, 눌림, 아픔, 따뜻함, 차가움 등 다양한 감각을 느낀다.

(다) 온도가 높아지면 온점이, 온도가 낮아지면 냉점이 자극을 받아들인다.

(라) 일반적으로 피부에 분포하는 감각점의 수는 통점이 촉점보다 많다.

| 탐구 활동 |

이쑤시개 두 개를 몸의 각 부위에 살짝 대었을 때, 두 점으로 느끼는 최소 거리를 조사한 결과는 표와 같다.

부위	손바닥	이마	입술
최소 거리	13 mm	17 mm	6 mm

(가)~(라) 중 탐구 활동과 가장 관련 있는 피부 감각의 특징은?

답 (가)

1 읽기 전략 키워드 → 피부 감각, 감각점, 온점, 냉점, 통점, 촉점

2 해결 전략 감각점의 특징을 분석하자.

- 이쑤시개 간격이 ❶ ______ 부위일수록 감각점이 많이 있어 예민한 부위이다.
- 감각점 중에서 ❷ ______ 이 가장 많아 위험에 빠르게 대처할 수 있다.

답 ❶ 좁은 ❷ 통점

3 암기 전략

피부 감각

손님이 많을수록 피곤해~ 예민해~
(감각점의 수가 많을수록 예민한 부위)

대표 유형 29 뉴런

그림은 뉴런이 연결된 모습을 나타낸 것이고, ㉠~㉢은 뉴런 A~C의 기능을 설명한 것이다.

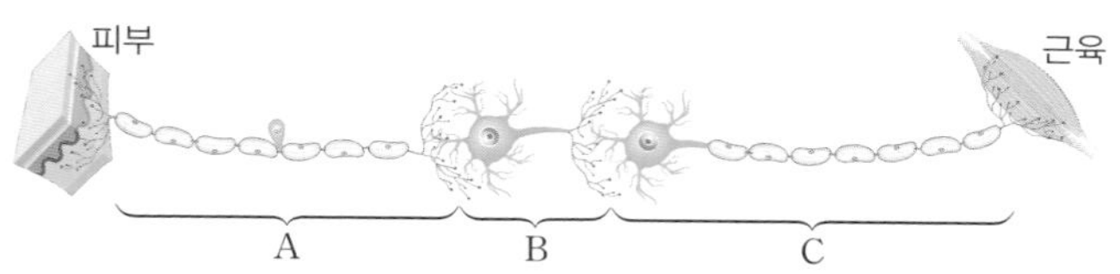

㉠ 중추 신경계를 구성하는 뉴런으로, 자극을 종합하고 판단하여 적절한 명령을 내린다.
㉡ 뇌와 척수 등 중추 신경계의 명령을 반응 기관으로 전달한다.
㉢ 감각 기관에서 받아들인 자극을 뇌와 척수로 전달한다.

A~C의 이름을 쓰고, 각각에 알맞은 기능을 ㉠~㉢에서 골라 연결하시오.

답 A: 감각 뉴런 - ㉢, B: 연합 뉴런 - ㉠, C: 운동 뉴런 - ㉡

1 읽기 전략 키워드 → 뉴런, 중추 신경계, 반응 기관, 감각 기관

2 해결 전략 뉴런의 종류와 기능을 알아 두자.

감각 뉴런(A)	연합 뉴런(B)	운동 뉴런(C)
감각 신경 구성	중추 신경계(뇌, 척수) 구성	운동 신경 구성
감각 기관(피부, 눈, 코, 귀, 혀 등)에서 받아들인 자극을 ❶ ( ) 으로 전달한다.	감각 뉴런을 통해 전달받은 자극을 종합하고 판단하여 적절한 명령을 내린다.	연합 뉴런에서 내린 명령을 ❷ ( ) (팔, 다리 근육 등)으로 전달한다.

답 ❶ 연합 뉴런 ❷ 반응 기관

3 암기 전략

뉴런의 종류와 기능

감각 뉴런은 자극을 받아들임를
연합 뉴런은 중추 신경계 구성
운동 뉴런은 반응 기관으로 명령 전달해~

대표 유형 30　뇌의 구조와 기능

그림은 사람의 중추 신경계 구조를 나타낸 것이다.

A~E에 대한 설명으로 옳지 않은 것은?

① A는 간뇌로, 침 분비나 재채기 등 무조건 반사의 중추이다.
② B는 중간뇌로, 눈의 움직임, 동공과 홍채의 변화를 조절한다.
③ C는 연수로, 호흡 운동과 심장 박동을 조절하여 생명을 유지한다.
④ D는 소뇌로, 몸의 자세를 바로잡거나 균형을 유지한다.
⑤ E는 대뇌로, 감각 기관을 통해 받아들인 정보를 판단하여 적절한 명령을 내린다.

1 읽기 전략

① 문제에서 핵심 키워드 찾기

중추 신경계, 간뇌, 중간뇌, 연수, 소뇌, 대뇌

② 뇌 각 부위의 기능 확인하기

구분	기능
대뇌	고차원적 정신 작용(상상, 학습, 생각 등), 감각 기관을 통해 받아들인 정보를 분석, 통합하여 반응 기관에 적절한 명령을 내림
소뇌	근육 운동 조절, 몸의 자세를 바로잡거나 균형 유지 작용
중간뇌	눈의 운동, 홍채의 확장과 축소 등 눈의 조절 작용
간뇌	체온 조절, 체액의 농도 조절 등 몸의 상태를 일정하게 유지하는 작용
연수	심장 박동, 호흡 운동 등 생명 유지 작용

중추 신경계

자극에 대해 판단하여 적절한 반응을 하도록 명령을 내린다. 뇌와 척수로 구성되며, 뇌는 대뇌, 소뇌, 간뇌, 중간뇌, 연수로 구분한다.

2 해결 전략

① 뇌의 각 부위의 구조를 확인하자.

- 대뇌(E): 뇌의 구조 중 면적이 가장 넓고, 좌우 두 개의 반구로 이루어져 있으며, 표면에 많은 주름이 있다.
- 소뇌(D): 대뇌 아랫부분에 있으며, 대뇌보다 작다. 표면에 주름이 있고, 대뇌와 유사한 구조를 이루고 있다.

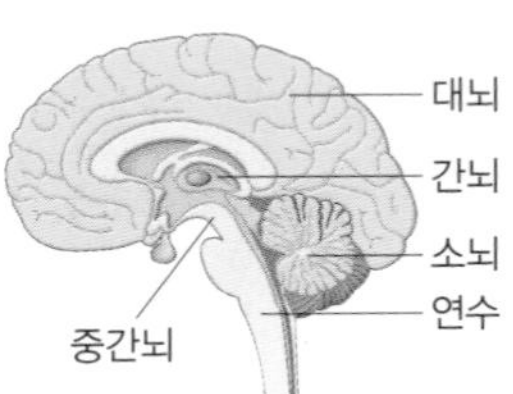

• 간뇌(A): 대뇌의 안쪽에 있고, 아래쪽에 뇌하수체가 연결되어 있다.
• 중간뇌(B): 간뇌의 아래쪽에 있고, 뇌의 중심 부분에 있으며, 면적이 가장 좁다.
• 연수(C): 목의 위쪽 뒷부분, 척수의 바로 윗부분에 있다.

② 뇌의 각 부위의 기능을 확인하자.

• 대뇌: 감각 기관(눈, 코, 혀, 귀, 피부)에서 받아들인 정보를 종합하여 반응 기관에 적절한 명령을 내린다. 고등 정신 작용(기억, 추리, 판단, 감정 등)과 ❶ [　　] 인 반응의 중추이다.
• 소뇌: 근육 운동을 조절하고, 몸의 자세와 균형을 유지한다.
• 간뇌: 몸의 상태를 일정하게 유지한다(혈당량 조절, 체온 조절, 체액의 농도 유지).
• 중간뇌: 눈의 운동, 홍채의 확장과 축소(동공 반사) 작용의 중추이다.
• 연수: 심장 박동, 소화 운동, 호흡 운동 등 생명 유지의 중추적 역할을 하며, 무조건 반사(하품, 재채기, 침 분비 등)의 중추이다.

오답 피하는 법

• 고등 정신 작용뿐만 아니라 모든 의식적 반응의 중추는 대뇌이다.
• 무조건 반사의 중추는 척수만이 아니다.
→ 척수 이외에도 ❷ [　　], 연수가 무조건 반사의 중추에 포함된다.
• 간뇌와 중간뇌 중 간뇌가 중간뇌보다 위쪽에 있다.
• 연수는 대뇌, 간뇌, 중간뇌, 소뇌와 같이 '뇌'라는 단어가 들어가지 않지만 뇌에 포함되며, 연수 아래쪽이 척수이다.

답 ❶ 의식적 ❷ 중간뇌

3 암기 전략
뇌의 기능

연수의 심장 박동 호흡 운동
소뇌의 균형 감각
중간뇌 동공 변화 지역
간뇌 식 체온 조절(험)

대표 유형 31 자극과 반응의 경로

다음은 자극에 대한 반응을 알아보는 실험이다.

| 과정 |

(가) 두 사람이 짝을 지어 한 명은 자를 잡을 준비를 하고, 다른 한 명은 그 앞에서 자를 떨어뜨릴 준비를 한다.

(나) 자를 잡고 있는 사람이 예고 없이 자를 떨어뜨리면 앉아 있는 사람은 자를 재빨리 잡아 엄지손가락 위치의 눈금을 읽는다.

(다) 이 과정을 5회 반복하여 자가 떨어진 거리의 평균값을 구한다.

| 결과 |

구분	1회	2회	3회	4회	5회	평균
자가 떨어진 거리(cm)	8	10	9	8	8	8.6

이에 대한 설명으로 옳은 것을 | 보기 | 에서 모두 고른 것은?

| 보기 |

ㄱ. 자가 떨어진 거리가 짧을수록 반응 시간이 짧다.

ㄴ. 떨어지는 자를 잡는 것은 의식적으로 일어나는 반응이다.

ㄷ. 떨어지는 자를 잡는 과정의 반응 경로는 빛 자극 → 망막의 시각 세포 → 시각 신경 → 대뇌 → 척수 → 운동 신경 → 손의 근육이다.

① ㄱ ② ㄴ ③ ㄱ, ㄷ ④ ㄴ, ㄷ ⑤ ㄱ, ㄴ, ㄷ

답 ⑤

1 읽기 전략

① 문제에서 핵심 키워드 찾기

자극에 대한 반응, 자가 떨어진 거리, 반응 시간, 의식적, 반응 경로

② 자극의 반응 경로 이해하기

- 떨어지는 자를 눈으로 보고 잡는 반응이므로 대뇌의 판단 과정을 거치며, 대뇌의 명령은 척수와 운동 신경을 거쳐 손의 근육에 전달된다.
- 자극이 신경계를 거쳐 반응으로 나타나기까지 여러 부위를 거치므로 어느 정도의 시간이 필요하다.

의식적인 반응

대뇌의 판단 과정을 거쳐 자신의 의지에 따라 일어나는 반응

2 해결 전략

① 실험 과정을 이해하자.

- (가): 자를 잡는 사람이 자극을 받아들이면서 반응을 나타내는 것이고, 자를 떨어뜨리는 사람은 자가 떨어지도록 하여 자극을 제공하는 것이다.
- (나): 예고 없이 자를 떨어뜨리고 떨어지는 자를 보고 잡는 것이므로 자극은 눈으로 전달되며, 시각에 대한 실험이다.
- (다): 자가 떨어진 거리가 0 이상의 값으로 나타난다는 것은 반응이 일어나기까지 ❶ ( ) 이 걸린다는 뜻이다.

② 실험 결과를 해석하자.

- 자가 떨어진 거리가 짧을수록 자를 빨리 잡았다는 것이며, 이는 반응 시간이 짧다는 것을 의미한다.
- 자극을 받아들여 반응이 일어나기까지 시간이 걸리는 까닭은 감각 기관에서 받아들인 자극이 신경을 통해 전달되는 데 시간이 걸리기 때문이다.

③ 반응 경로를 확인하자.

- 의식적인 반응이므로 자를 보고 잡는 반응의 중추는 ❷ ( ) 이다.
- 자극에 대한 반응 경로: 빛 자극 → 망막의 시각 세포 → 시각 신경 → 대뇌 → 척수 → 운동 신경 → 손의 근육

오답 피하는 법

- 자가 떨어진 거리는 반응 시간과 관련이 있을 뿐, 그 값이 곧 반응 시간인 것은 아니다.

  → 반응 시간은 자의 자유 낙하 과정에서의 시간을 구한 다음, 자극이 이동한 거리(눈~뇌~손)를 대입하여 구해야 한다.

답 ❶ 시간 ❷ 대뇌

3 암기 전략

자극에 대한 반응 시간

대표 유형 32 의식적인 반응과 무조건 반사

다음 (가)와 (나)는 일상생활에서 경험할 수 있는 반응을, 그림은 (가)와 (나) 반응이 일어날 수 있는 경로를 나타낸 것이다.

(가) 압정이 손끝에 닿자 무의식적으로 손을 뗐다.
(나) 눈을 감고 손으로 더듬어 휴대폰을 잡았다.

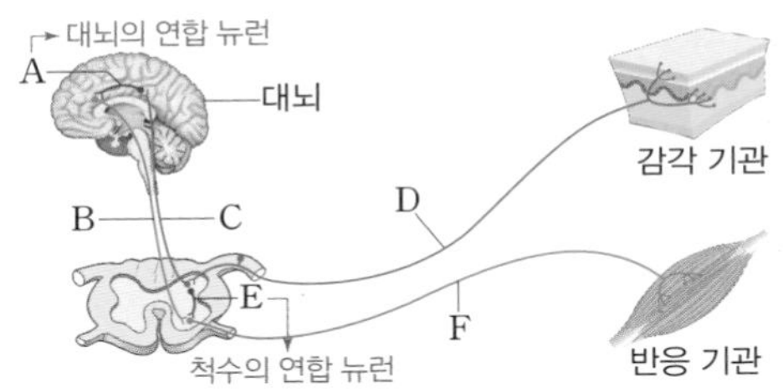

(가)와 (나) 반응의 중추를 각각 쓰고, 각 반응이 일어나는 경로를 기호로 나타내시오.

답 (가) 척수 (나) 대뇌, (가) D → E → F (나) D → C → A → B → F

1 읽기 전략 키워드 → 무의식적, 반응의 중추

2 해결 전략 의식적인 반응과 무조건 반사의 반응 경로와 특징을 이해하자.

- (가): ❶ [   ] 로, 대뇌를 거치지 않으므로 반응이 빠르게 일어난다.
- (나): ❷ [   ] 으로, 대뇌의 판단 과정을 거치므로 무조건 반사보다 반응이 느리다.

답 ❶ 무조건 반사 ❷ 의식적인 반응

3 암기 전략

의식적인 반응과 무조건 반사의 반응 중추

대뇌는 의식적 반응의 중추이고, 척수는 무조건 반사의 중추이다.

대표 유형 33 내분비샘

그림은 여자의 몸에서 호르몬을 분비하는 내분비샘을 나타낸 것이다.

각 내분비샘의 이름과 분비되는 호르몬을 짝 지은 것으로 옳지 않은 것은?

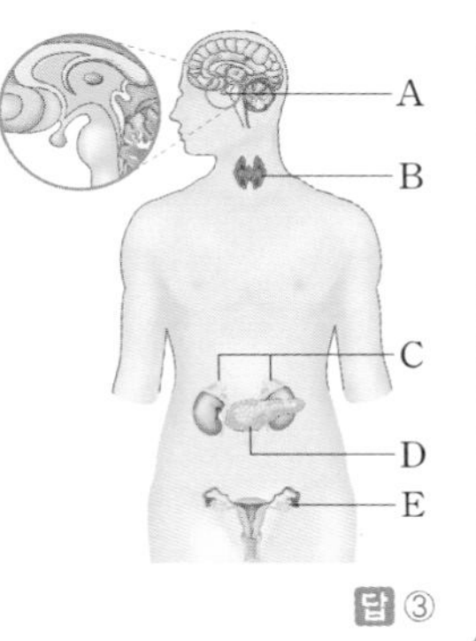

내분비샘	이름	호르몬
① A	뇌하수체	생장 호르몬
② B	갑상샘	티록신
③ C	부신	인슐린
④ D	이자	글루카곤
⑤ E	난소	에스트로젠

답 ③

1 읽기 전략 키워드 → 내분비샘, 뇌하수체, 갑상샘, 부신, 이자, 난소

2 해결 전략 내분비샘에서 분비되는 호르몬의 종류와 기능을 이해하자.

내분비샘	호르몬	기능
뇌하수체	생장 호르몬	생장 촉진, 단백질 합성 촉진
갑상샘	티록신	❶ (세포 호흡) 촉진, 체온 유지
부신	아드레날린	혈압 상승, 심장 박동 및 혈당량 증가
❷	인슐린	혈당량 감소(포도당 → 글리코젠)
	글루카곤	혈당량 증가(글리코젠 → 포도당)
난소	에스트로젠	여성의 2차 성징 발현

답 ❶ 물질대사 ❷ 이자

3 암기 전략

내분비샘과 호르몬

뇌하수체 생장 호르몬남인
부신 아드레날린가
갑상샘 툭티(튀) 록신하여
난소 에(해) 스트로젠한
이자 글루카곤을 인슐린용했다.

대표 유형 34 혈당량 조절

다음은 혈당량이 높을 때 건강한 사람의 몸에서 일어나는 반응을 순서 없이 나타낸 것이다.

(가) 이자에서 ㉠(   )의 분비량이 증가한다.
(나) 간에서 포도당을 ㉡(   )으로 저장하는 과정이 촉진된다.
(다) 간뇌에서 혈당량이 높은 것을 인지한다.
(라) 혈당량이 낮아져 정상 수준에 도달한다.

㉠과 ㉡에 들어갈 알맞은 말을 쓰고, (가)~(라)를 혈당량 조절 과정에 맞게 순서대로 나열하시오.

답 ㉠ 인슐린, ㉡ 글리코젠, 혈당량 조절 과정: (다)－(가)－(나)－(라)

1 읽기 전략

① 문제에서 핵심 키워드 찾기

혈당량이 높을 때, 이자, 혈당량 조절 과정

② 혈당량을 높여야 하는 상황인지, 낮춰야 하는 상황인지 파악하기

- 혈당량이 높을 때: 혈당량을 낮추는 조절(혈액의 포도당을 줄이는 조절) 작용이 일어난다.
- 혈당량이 낮을 때: 혈당량을 높이는 조절(혈액의 포도당을 증가시키는 조절) 작용이 일어난다.

③ 혈당량을 낮추는 호르몬과 그 작용 파악하기

혈당량이 높을 때이므로 혈당량을 낮추는 조절이 일어나며, 호르몬 중 이자에서 분비되는 인슐린의 작용으로 혈액의 포도당을 글리코젠으로 전환하여 간에 저장하는 과정이 촉진된다.

혈당량 조절

혈액 속에 있는 포도당의 양은 일정하게 유지되는데, 이자에서 분비되는 인슐린과 글루카곤에 의해 조절된다.

2 해결 전략

① 제시된 자료를 순서대로 나열해 보자.

(다) 간뇌에서 혈당량이 높은 것을 인지한다 → (가) 이자에서 인슐린의 분비량이 증가한다 → (나) 간에서 포도당을 글리코젠으로 저장하는 과정이 촉진된다 → (라) 혈당량이 낮아져 정상 수준에 도달한다

② 혈당량 조절 과정을 알아 두자.

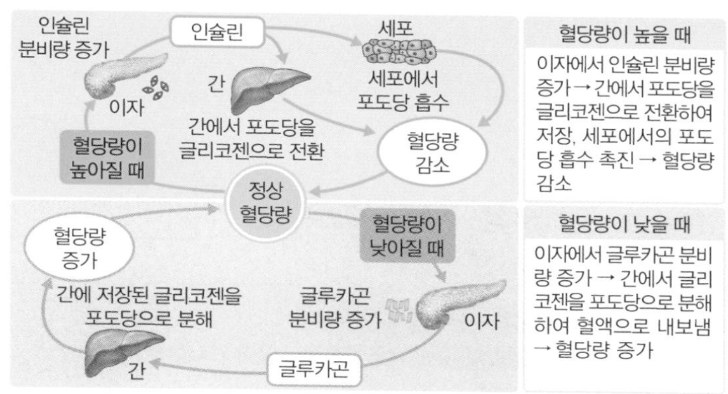

- 혈당량이 높을 때 분비량이 증가하는 호르몬은 ❶ ______ 이다.
- 인슐린의 작용 중 간에서 일어나는 일은 포도당을 ❷ ______ 으로 전환하여 저장하는 것이다.

오답 피하는 법

- 혈당량을 조절하는 호르몬의 기능과 그 호르몬의 분비량이 증가하는 상황을 혼동하면 안 됨.
  - → 인슐린: 혈당량을 낮추는 호르몬으로, 혈당량이 높을 때 분비량이 증가한다.
  - → 글루카곤: 혈당량을 높이는 호르몬으로, 혈당량이 낮을 때 분비량이 증가한다.
- 인슐린과 글루카곤의 작용을 서로 혼동하면 안 됨.

포도당(혈액) —인슐린→ 글리코젠(간에 저장)
글리코젠(간에 저장) —글루카곤→ 포도당(혈액)

답 ❶ 인슐린 ❷ 글리코젠

3 암기 전략
혈당량 조절

대표 유형 35 체온 조절

그림은 어떤 사람이 냉수욕을 하였을 때의 체온 변화를 나타낸 것이고, ㉠~㉣은 우리 몸의 여러 가지 체온 조절 과정을 설명한 것이다.

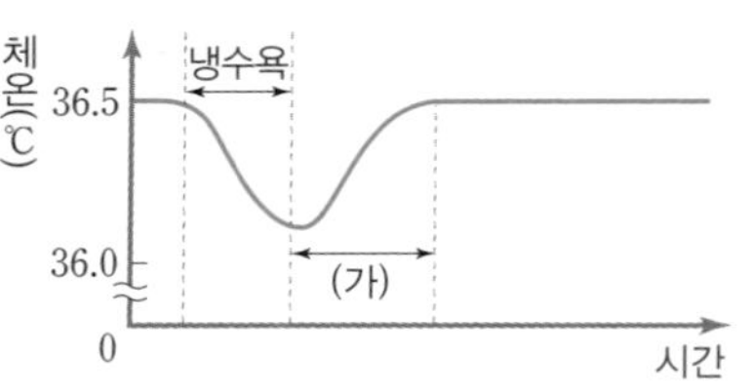

> ㉠ 갑상샘에서 티록신의 분비량이 증가한다.
> ㉡ 뇌하수체에서 갑상샘을 자극하는 호르몬의 분비량이 증가한다.
> ㉢ 땀 분비량이 증가한다.
> ㉣ 피부 근처 혈관이 확장된다.

㉠~㉣ 중 (가) 시기에 나타날 수 있는 조절 과정을 모두 고르시오.

답 ㉠, ㉡

1 읽기 전략

① 문제에서 핵심 키워드 찾기

냉수욕, 체온 조절, 티록신, 갑상샘을 자극하는 호르몬, 땀 분비량, 피부 근처 혈관

② 체온 변화 그래프 확인하기

- 냉수욕을 하는 과정에서 체온이 낮아진다.
- (가): 낮아진 체온을 정상 체온으로 올리는 조절이 일어나고 있는 구간

③ 체온의 조절 방식 이해하기

- 낮아진 체온을 높일 때는 열 발생량을 증가시키고, 열 방출량을 감소시킨다.

티록신

갑상샘에서 분비되는 호르몬으로, 세포 호흡을 촉진하여 열 발생량이 증가하므로 체온이 낮아졌을 때 분비량이 증가한다.

2 해결 전략

① 제시된 그래프를 해석해 보자.

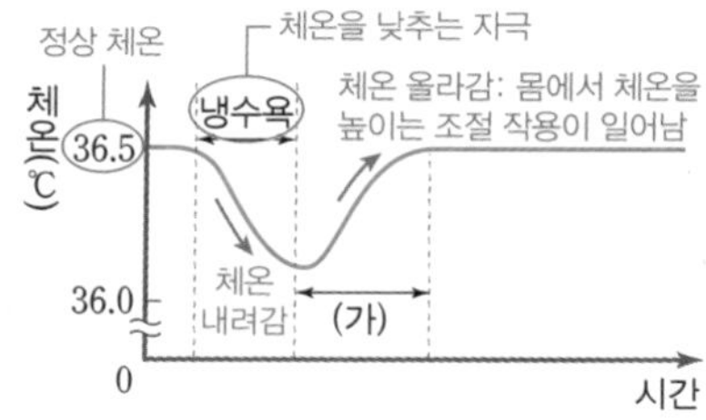

② 제시된 체온 조절 과정을 구분해 보자.

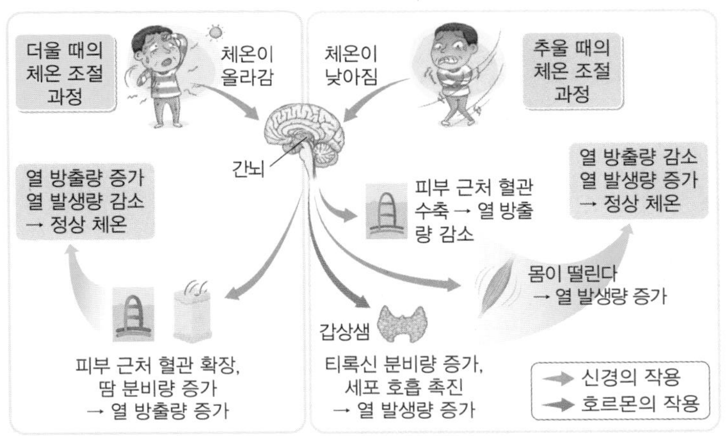

- 더울 때(체온이 높아질 때): 피부 근처에 있는 혈관이 확장되고, 땀 분비량이 증가한다.
- 추울 때(체온이 낮아질 때, (가) 구간): 피부 근처에 있는 혈관이 수축되고, 몸의 근육이 떨린다. 티록신 분비가 증가하여 세포 호흡이 촉진된다.

오답 피하는 법

- 추울 때 피부 근처 혈관이 수축하는 까닭: 열을 포함하고 있는 혈액을 내부로 가두고, 피부 쪽에서 열이 밖으로 빠져 나가는 것을 막아 열 ❶ [ ] 을 줄이는 것이다. 추울 때 손과 발에 동상이 잘 걸리는 까닭은 손과 발 쪽 혈관이 수축하여 열 방출량이 ❷ [ ] 하기 때문이다.

답 ❶ 방출량 ❷ 감소

3 암기 전략

신경에 의한 체온 조절 작용

추울 때 → 움츠리기 **(혈관 수축)**

더울 때 → 펼치기 **(혈관 확장)**

memo

중학 과학 3-1

BOOK 2

기말고사 대비

이 책의 구성과 활용

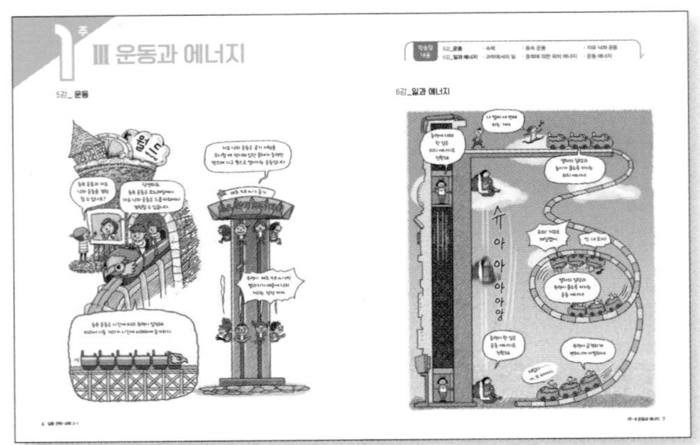

주 도입

이번 주에 배울 내용이 무엇인지 안내하는 부분입니다. 재미있는 개념 삽화를 통해 앞으로 배울 학습 내용을 미리 떠올려 봅니다.

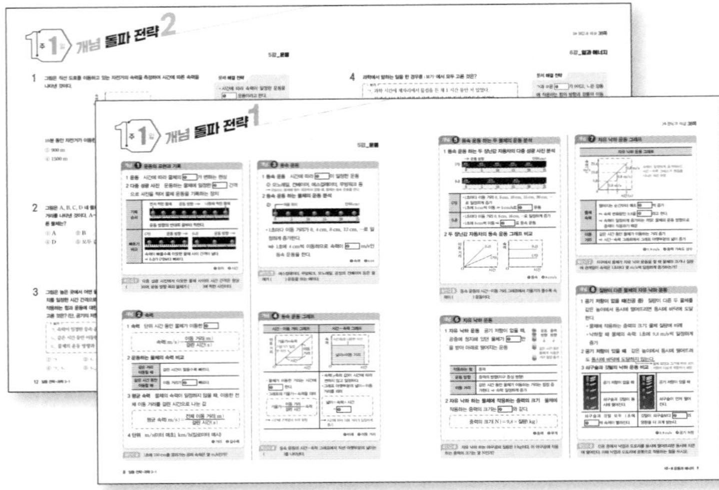

1일 개념 돌파 전략

주제별로 꼭 알아야 하는 핵심 개념을 익히고 문제를 풀며 개념을 잘 이해했는지 확인합니다.

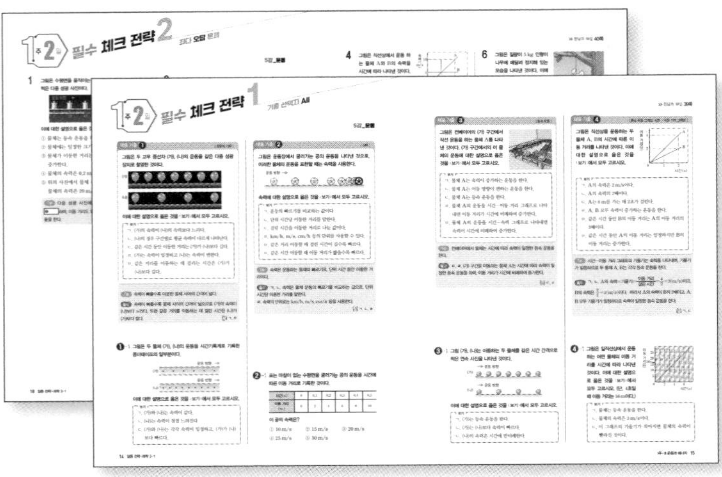

2일, 3일 필수 체크 전략

꼭 알아야 할 대표 기출 유형 문제를 쌍둥이 문제와 함께 풀어 보며 문제에 접근하는 과정과 방법을 체계적으로 연습합니다.

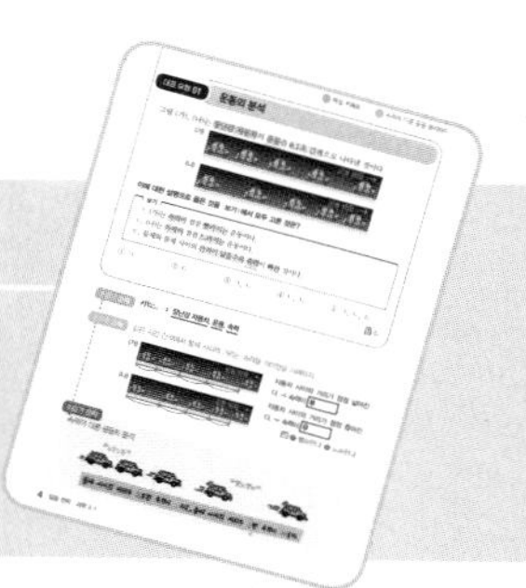

부록 시험에 잘 나오는 **대표 유형 ZIP**

부록을 뜯으면 미니북으로 활용할 수 있습니다. 시험 전에 대표 유형을 확실하게 익혀 보세요.

주 마무리 코너

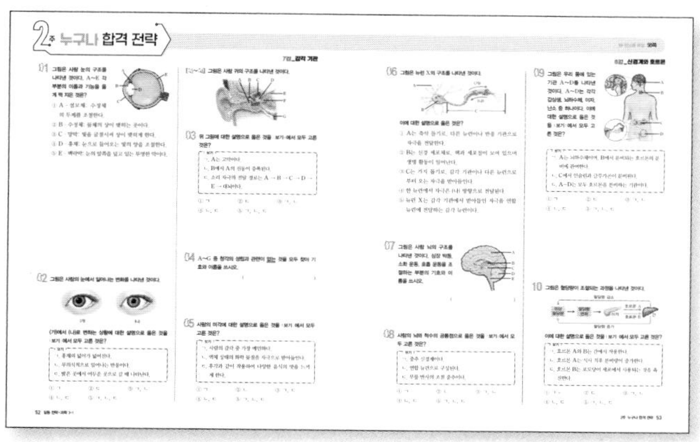

누구나 **합격 전략**

기초 이해력을 점검할 수 있는 종합 문제로 학습 자신감을 가질 수 있습니다.

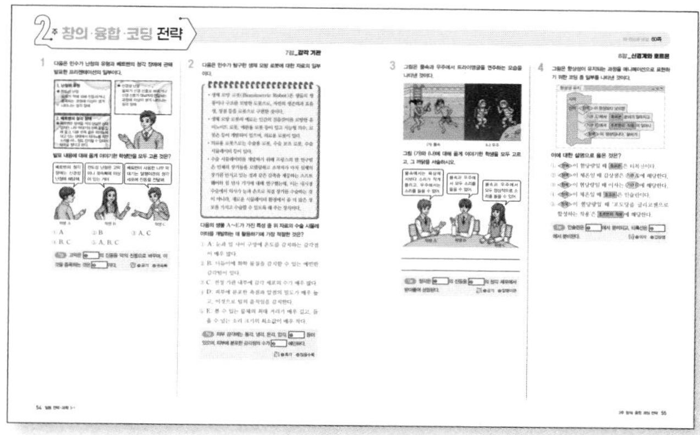

창의·융합·코딩 **전략**

융·복합적 사고력과 문제 해결력을 길러 주는 문제로 구성하였습니다.

기말고사 마무리 코너

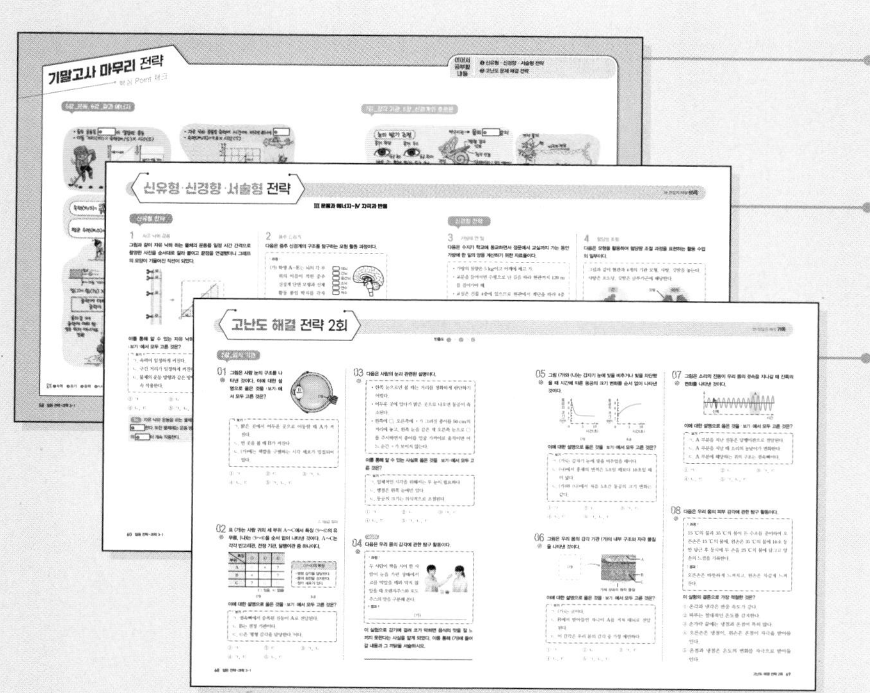

기말고사 마무리 **전략**

학습 내용을 마인드 맵으로 정리하여 앞에서 공부한 개념을 한눈에 파악할 수 있습니다.

신유형·신경향·서술형 **전략**

신유형 · 신경향 · 서술형 문제를 집중적으로 풀며 문제 적응력을 높일 수 있습니다.

고난도 해결 **전략**

실제 시험에 대비할 수 있는 고난도의 실전 문제 2회로 구성하였습니다.

이 책의 **차례** BOOK 2

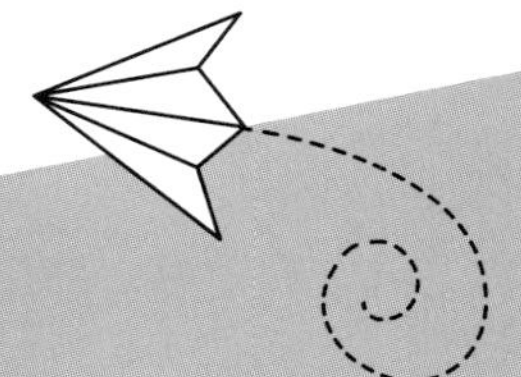

1주

Ⅲ 운동과 에너지

5강_운동

공부할 내용				
	5강_운동	• 속력	• 등속 운동	• 자유 낙하 운동
	6강_일과 에너지	• 과학에서의 일	• 중력에 의한 위치 에너지	• 운동 에너지

6강_일과 에너지

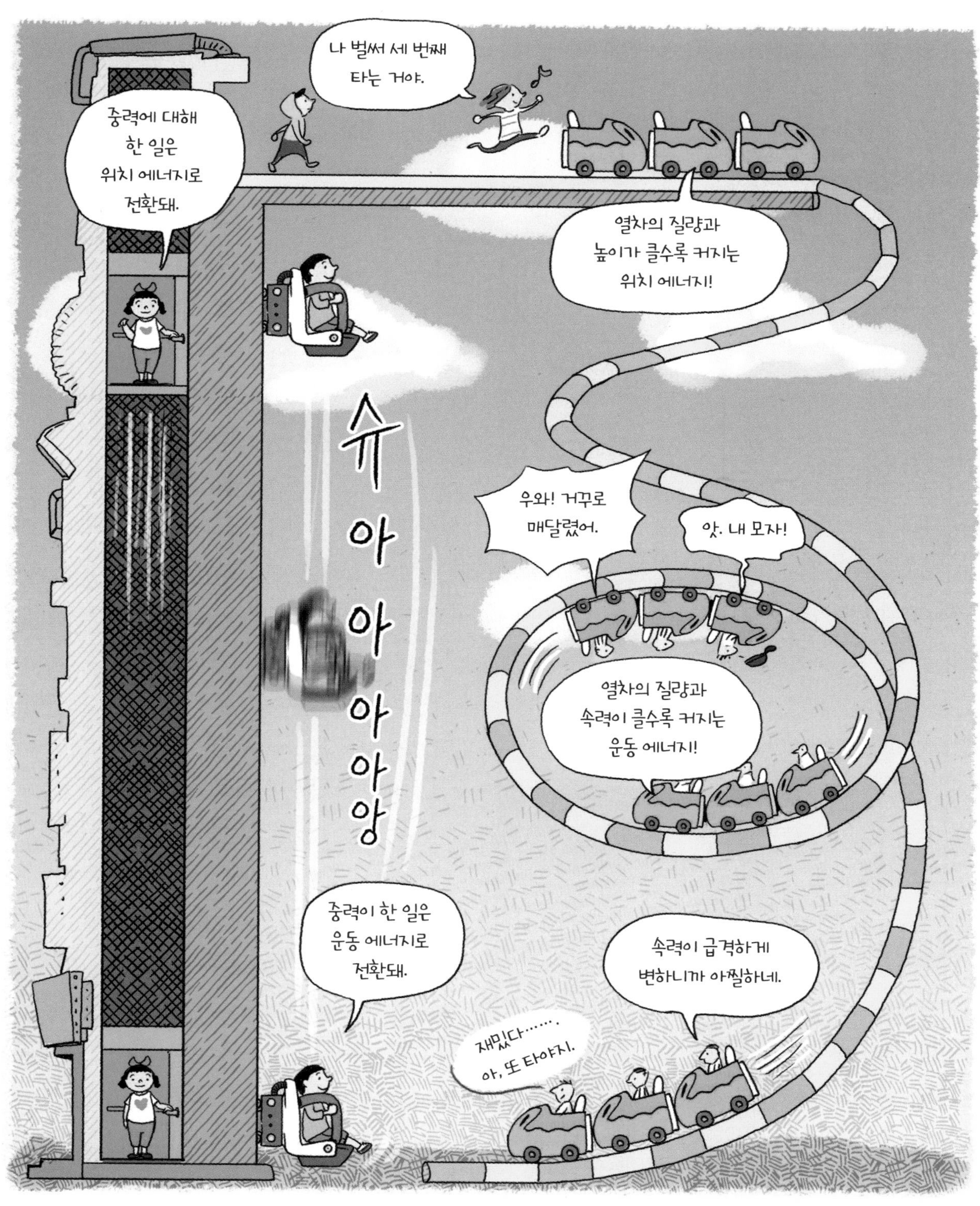

1주 1일 개념 돌파 전략 1

5강_운동

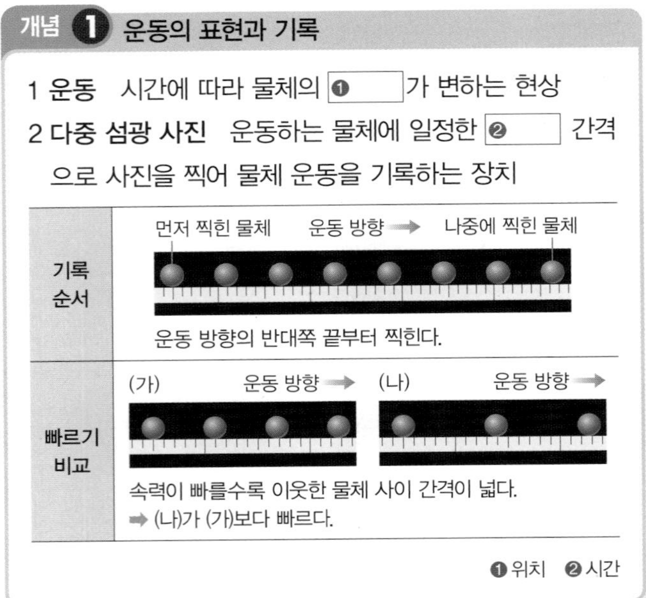

개념 1 운동의 표현과 기록

1 운동 시간에 따라 물체의 ❶ [ ]가 변하는 현상

2 다중 섬광 사진 운동하는 물체에 일정한 ❷ [ ] 간격으로 사진을 찍어 물체 운동을 기록하는 장치

기록 순서	먼저 찍힌 물체 / 운동 방향 → / 나중에 찍힌 물체 운동 방향의 반대쪽 끝부터 찍힌다.
빠르기 비교	(가) 운동 방향 → / (나) 운동 방향 → 속력이 빠를수록 이웃한 물체 사이 간격이 넓다. ➡ (나)가 (가)보다 빠르다.

❶ 위치 ❷ 시간

확인Q 1 다중 섬광 사진에서 이웃한 물체 사이의 시간 간격은 항상 (   )하며, 운동 방향 쪽의 물체가 (   )에 찍힌 사진이다.

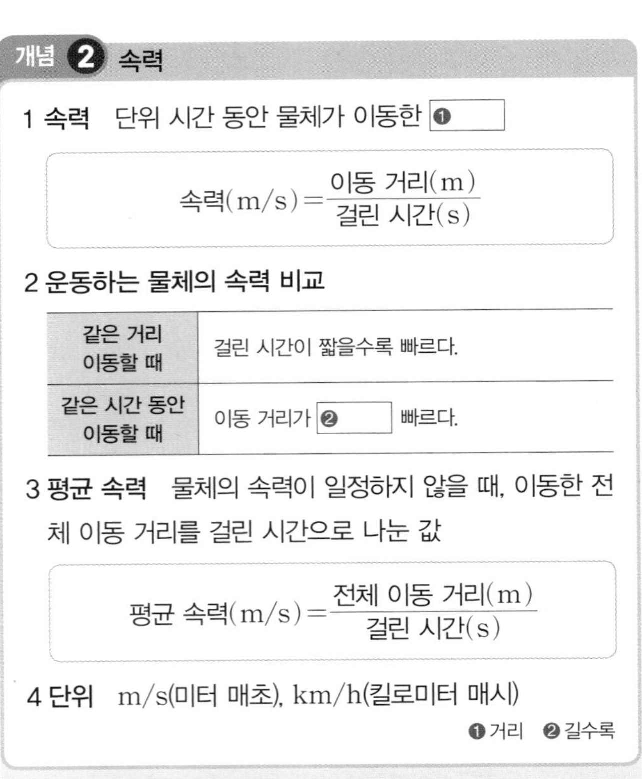

개념 2 속력

1 속력 단위 시간 동안 물체가 이동한 ❶ [ ]

$$\text{속력}(m/s)=\frac{\text{이동 거리}(m)}{\text{걸린 시간}(s)}$$

2 운동하는 물체의 속력 비교

같은 거리 이동할 때	걸린 시간이 짧을수록 빠르다.
같은 시간 동안 이동할 때	이동 거리가 ❷ [ ] 빠르다.

3 평균 속력 물체의 속력이 일정하지 않을 때, 이동한 전체 이동 거리를 걸린 시간으로 나눈 값

$$\text{평균 속력}(m/s)=\frac{\text{전체 이동 거리}(m)}{\text{걸린 시간}(s)}$$

4 단위 m/s(미터 매초), km/h(킬로미터 매시)

❶ 거리 ❷ 길수록

확인Q 2 1초에 150 cm를 굴러가는 공의 속력은 몇 m/s인가?

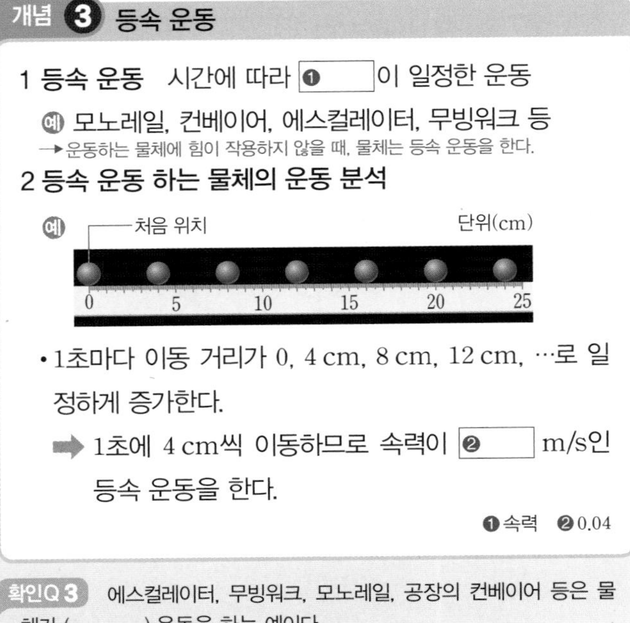

개념 3 등속 운동

1 등속 운동 시간에 따라 ❶ [ ]이 일정한 운동

㉠ 모노레일, 컨베이어, 에스컬레이터, 무빙워크 등
→ 운동하는 물체에 힘이 작용하지 않을 때, 물체는 등속 운동을 한다.

2 등속 운동 하는 물체의 운동 분석

㉠

- 1초마다 이동 거리가 0, 4 cm, 8 cm, 12 cm, …로 일정하게 증가한다.

➡ 1초에 4 cm씩 이동하므로 속력이 ❷ [ ] m/s인 등속 운동을 한다.

❶ 속력 ❷ 0.04

확인Q 3 에스컬레이터, 무빙워크, 모노레일, 공장의 컨베이어 등은 물체가 (   ) 운동을 하는 예이다.

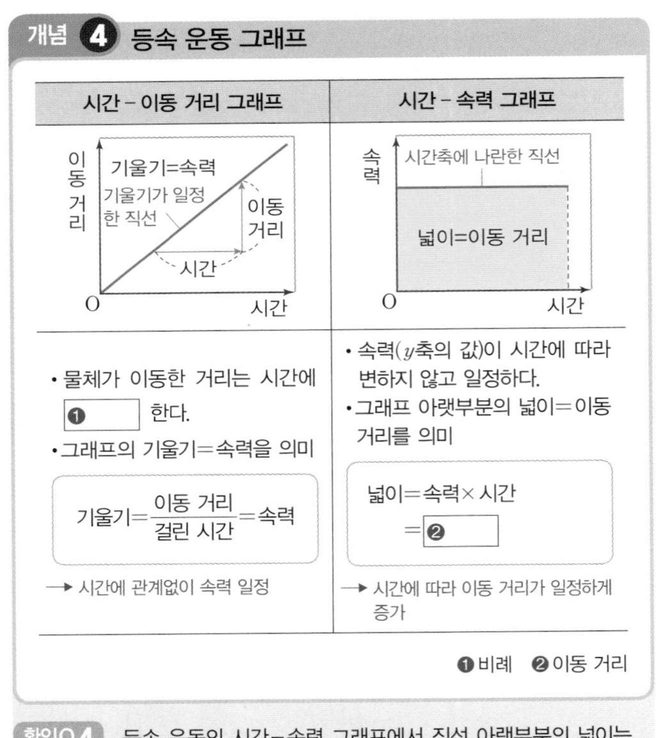

개념 4 등속 운동 그래프

시간 - 이동 거리 그래프	시간 - 속력 그래프
(그래프: 이동 거리, 기울기=속력, 기울기가 일정한 직선, 이동 거리, 시간, O, 시간)	(그래프: 속력, 시간축에 나란한 직선, 넓이=이동 거리, O, 시간)
• 물체가 이동한 거리는 시간에 ❶ [ ] 한다. • 그래프의 기울기=속력을 의미 기울기$=\frac{\text{이동 거리}}{\text{걸린 시간}}=$속력 → 시간에 관계없이 속력 일정	• 속력(y축의 값)이 시간에 따라 변하지 않고 일정하다. • 그래프 아랫부분의 넓이=이동 거리를 의미 넓이=속력×시간 =❷ [ ] → 시간에 따라 이동 거리가 일정하게 증가

❶ 비례 ❷ 이동 거리

확인Q 4 등속 운동의 시간-속력 그래프에서 직선 아랫부분의 넓이는 (   )를 나타낸다.

개념 5 등속 운동 하는 두 물체의 운동 분석

1 등속 운동 하는 두 장난감 자동차의 다중 섬광 사진 분석

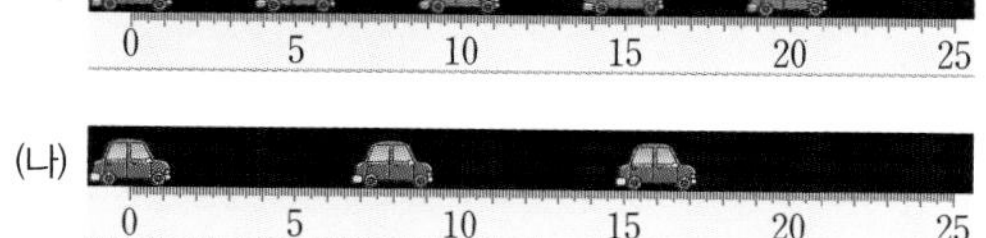

(가)	•1초마다 이동 거리 0, 5 cm, 10 cm, 15 cm, 20 cm, … 로 일정하게 증가 •1초에 5 cm씩 이동 ➡ 5 cm/s로 ❶ ______ 운동
(나)	•1초마다 이동 거리 0, 8 cm, 16 cm, …로 일정하게 증가 •1초에 8 cm씩 이동 ➡ ❷ ______ 로 등속 운동

2 두 장난감 자동차의 등속 운동 그래프 비교

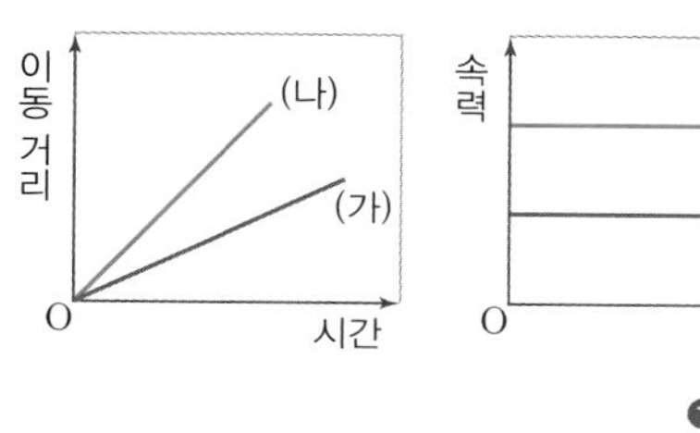

❶등속 ❷8 cm/s

확인Q 5 등속 운동의 시간-이동 거리 그래프에서 기울기가 클수록 속력이 (   ) 운동이다.

개념 6 자유 낙하 운동

1 자유 낙하 운동
공기 저항이 없을 때, 공중에 정지해 있던 물체가 ❶ ______ 만을 받아 아래로 떨어지는 운동

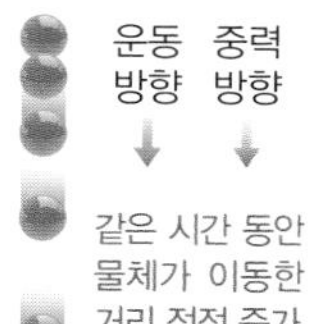

작용하는 힘	중력
운동 방향	중력의 방향(지구 중심 방향)
이동 거리	같은 시간 동안 물체가 이동하는 거리는 점점 증가한다. ➡ 속력: 일정하게 증가

2 자유 낙하 하는 물체에 작용하는 중력의 크기
물체에 작용하는 중력의 크기는 ❷ ______ 와 같다.

$$\text{중력의 크기(N)} = 9.8 \times \text{질량(kg)}$$

❶중력 ❷무게

확인Q 6 자유 낙하 하는 야구공의 질량은 5 kg이다. 이 야구공에 작용하는 중력의 크기는 몇 N인가?

개념 7 자유 낙하 운동 그래프

자유 낙하 운동 그래프

속력(m/s): 29.4, 19.6, 9.8, 0 / 시간(s): 1, 2, 3

각 구간 9.8 m/s 증가

속력이 일정하게 증가하므로 시간-속력 그래프가 원점을 지나는 직선 모양

물체 속력	떨어지는 순간부터 매초 ❶ ______ 씩 증가 ➡ 속력 변화량인 9.8을 ❷ ______ 라고 한다. ➡ 속력이 일정하게 증가하는 까닭: 물체의 운동 방향으로 중력이 작용하기 때문
이동 거리	같은 시간 동안 물체가 이동하는 거리 증가 ➡ 시간-속력 그래프에서 그래프 아랫부분의 넓이 증가

❶9.8 m/s ❷중력 가속도 상수

확인Q 7 지구에서 물체가 자유 낙하 운동을 할 때 물체의 크기나 질량에 관계없이 속력은 1초마다 몇 m/s씩 일정하게 증가하는가?

개념 8 질량이 다른 물체의 자유 낙하 운동

1 공기 저항이 없을 때(진공 중)
질량이 다른 두 물체를 같은 높이에서 동시에 떨어뜨리면 동시에 바닥에 도달한다.

- 물체에 작용하는 중력의 크기: 물체 질량에 비례
- 낙하할 때 물체의 속력: 1초에 9.8 m/s씩 일정하게 증가

2 공기 저항이 있을 때
같은 높이에서 동시에 떨어뜨려도 동시에 바닥에 도달하지 않는다. → 물체 모양과 크기에 따라 공기 저항이 다르게 작용하기 때문

3 쇠구슬과 깃털의 낙하 운동 비교

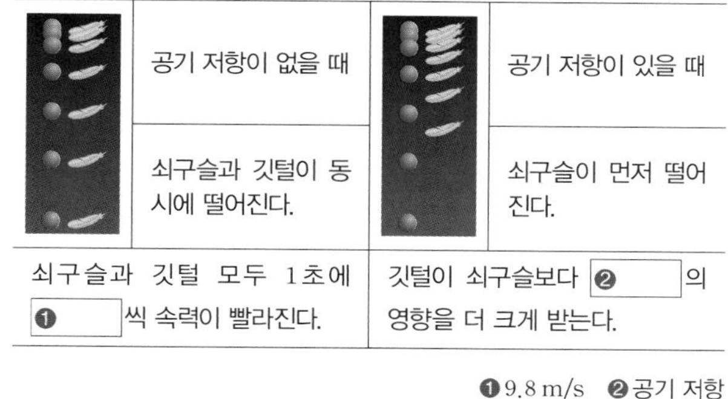

공기 저항이 없을 때	공기 저항이 있을 때
쇠구슬과 깃털이 동시에 떨어진다.	쇠구슬이 먼저 떨어진다.
쇠구슬과 깃털 모두 1초에 ❶ ______ 씩 속력이 빨라진다.	깃털이 쇠구슬보다 ❷ ______ 의 영향을 더 크게 받는다.

❶9.8 m/s ❷공기 저항

확인Q 8 진공 중에서 낙엽과 도토리를 동시에 떨어뜨리면 동시에 지면에 떨어진다. 이때 낙엽과 도토리에 공통으로 작용하는 힘을 쓰시오.

개념 1 과학에서의 일

1 과학에서의 일 물체에 힘이 작용하여 ❶ ☐의 방향으로 물체가 이동했을 때의 일

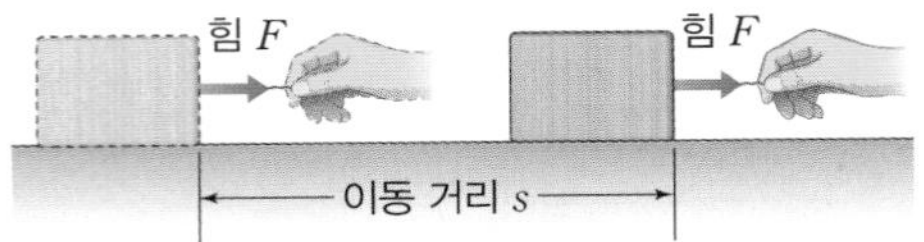

2 일의 양 물체에 작용한 힘의 크기(F)와 물체가 힘의 방향으로 이동한 거리(s)의 곱, 단위는 J(줄)을 사용

> 일의 양(J)=힘(N)×이동 거리(m)
> $W=Fs$

• 1 J: 물체에 ❷ ☐ N의 힘을 작용하여 물체가 힘의 방향으로 1 m 이동했을 때 한 일의 양

❶힘 ❷1

확인Q 1 일의 양은 작용한 (힘, 질량)과 힘의 방향으로 이동한 거리에 비례하고 단위로는 (N, J)을 사용한다.

개념 2 한 일이 0인 경우

1 이동 거리가 0인 경우 물체에 힘을 작용하였으나 물체의 이동 거리가 0일 때 한 일은 0이다.

2 힘이 0인 경우 마찰이 없는 곳에서 물체가 ❶ ☐ 운동을 할 때는 힘이 작용하지 않으므로 한 일은 0이다.

3 힘의 방향과 이동 방향이 수직인 경우 물체가 힘의 방향으로 이동한 거리가 ❷ ☐이므로 한 일은 0이다.

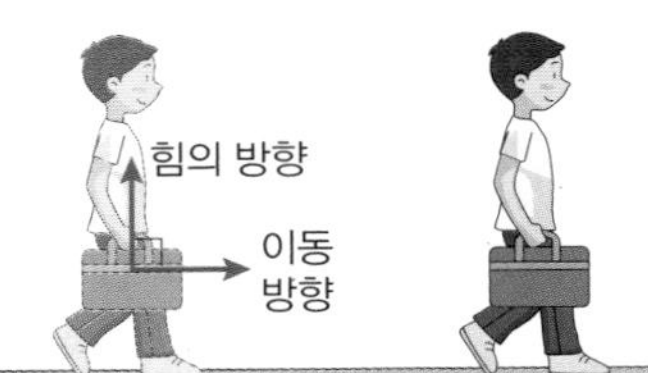

❶등속 직선 ❷0

확인Q 2 그림과 같이 철수는 100 N의 힘으로 가구를 밀었으나 꼼짝하지 않았다. 철수가 한 일의 양은 얼마인지 쓰시오.

개념 3 중력이 한 일과 중력에 대하여 한 일

1 중력이 한 일 물체가 떨어질 때는 ❶ ☐이 물체에 일을 한다.

> 중력이 한 일의 양=중력의 크기(무게)× 떨어진 높이

2 중력에 대해 한 일 물체를 들어 올릴 때는 ❷ ☐에 대해 일을 한다.

> 중력에 대해 한 일의 양=물체의 무게×들어 올린 높이

❶중력 ❷중력

확인Q 3 질량이 2 kg인 물체를 지면과 수직으로 5 m 높이까지 들어 올렸다. 물체에 작용한 힘 F(N)와 한 일의 양 W(J)를 각각 구하시오.

개념 4 일과 에너지

1 에너지 일을 할 수 있는 능력, 단위로는 일과 같은 ❶ ☐을 사용한다.

2 일과 에너지의 전환 물체에 일을 해 주면 물체가 에너지를 갖고, 물체가 가진 에너지는 ❷ ☐로 전환된다.

일 → 물체의 에너지	물체의 에너지 → 일
외부에서 물체에 일을 해 주면 물체의 에너지가 증가	외부에 일을 하는 물체는 에너지가 감소
물체에 일을 함 / 물체의 에너지 증가함	물체의 에너지 감소함 / 일을 함

❶J ❷일

확인Q 4 일과 에너지에 대한 설명으로 옳은 것은 ○, 옳지 않은 것은 ×를 쓰시오.

(1) 에너지의 단위로 쓰는 J은 N·m와 같다. ( )
(2) 물체를 들어 올릴 때 한 일은 물체의 에너지로 전환된다. ( )
(3) 물체가 외부에 일을 하면 물체의 에너지는 증가한다. ( )

개념 5 중력에 의한 위치 에너지

1 중력에 의한 위치 에너지 기준면보다 높은 곳에 있는 물체가 가지는 에너지

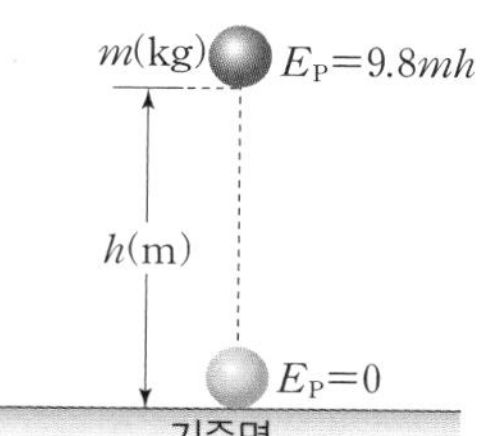

- 위치 에너지의 크기: 질량 m(kg)인 물체가 기준면으로부터 높이 h(m)에 있을 때

위치 에너지(J) = 9.8 × 질량(kg) × 높이(m)

2 중력에 의한 위치 에너지와 질량, 높이의 관계

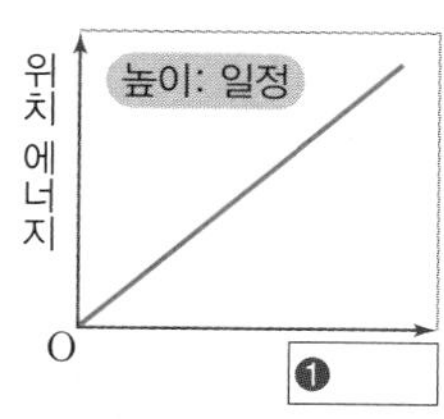

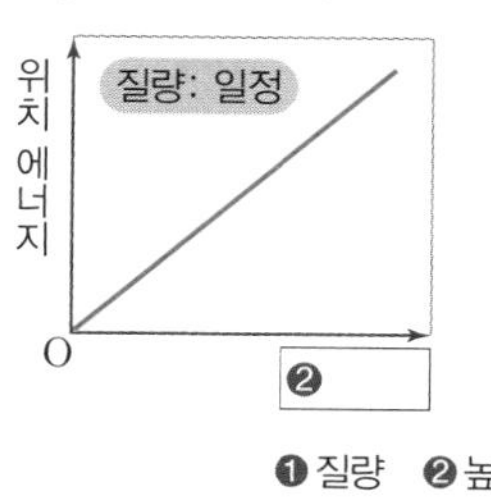

❶ 질량 ❷ 높이

확인Q 5 질량이 20 kg인 상자를 바닥으로부터 2 m 높이의 선반 위에 올려놓았다. 이때 상자가 가지는 위치 에너지는 몇 J인가?

개념 6 중력에 의한 위치 에너지와 일의 관계

- **중력에 의한 위치 에너지와 일** 마찰을 무시할 때 높이 h에서 ❶ ______에 의한 위치 에너지 = 물체를 기준면에서 높이 h까지 들어 올리는 데 한 일 = 높이 h에 있던 물체가 ❷ ______까지 낙하하면서 할 수 있는 일

일 → 위치 에너지	위치 에너지 → 일
중력에 대해 한 일 = 추의 무게 × 높이 = 9.8 mh = 중력에 의한 위치 에너지	추의 중력에 의한 위치 에너지 감소량 = 말뚝을 박는 일 = 마찰력 × 말뚝이 박히는 깊이 → 9.8 $mh = Fs$

❶ 중력 ❷ 기준면

확인Q 6 질량이 3 kg인 추를 높이 1 m까지 들어 올렸다가 떨어뜨렸더니 말뚝이 10 cm 깊이로 박혔다. 같은 질량의 추를 높이 2 m에서 떨어뜨리면 말뚝은 몇 cm 박히는지 쓰시오.

개념 7 운동 에너지

1 운동 에너지 운동하는 물체가 가지고 있는 에너지

- 운동 에너지의 크기: 질량이 m(kg)인 물체가 속력 v(m/s)로 운동하고 있을 때

$$\text{운동 에너지(J)} = \frac{1}{2} \times \text{질량(kg)} \times (\text{속력(m/s)})^2$$

2 운동 에너지와 질량 및 속력 관계

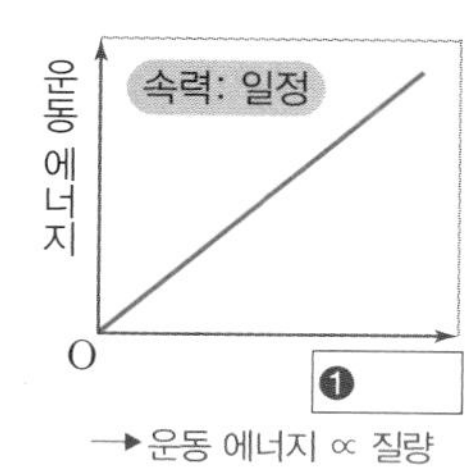

→ 운동 에너지 ∝ 질량

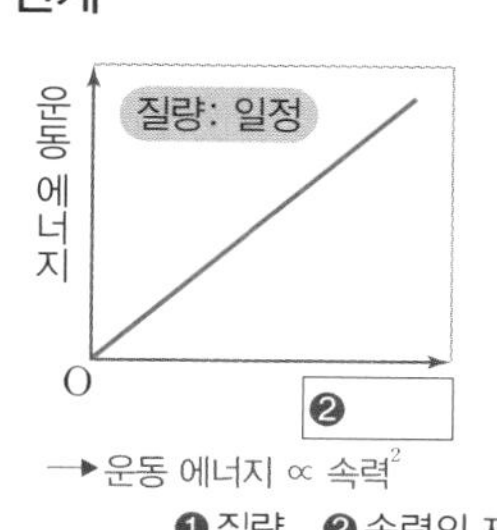

→ 운동 에너지 ∝ 속력^2

❶ 질량 ❷ 속력의 제곱

확인Q 7 질량이 2 kg인 물체 A는 4 m/s의 속력으로, 질량이 1 kg인 물체 B는 2 m/s의 속력으로 운동하고 있을 때, 물체 A의 운동 에너지는 B의 몇 배인지 쓰시오.

개념 8 중력이 한 일과 운동 에너지

1 일과 운동 에너지

일 → 운동 에너지	운동 에너지 → 일
$v_{처음}$, $v_{나중}$, 미는 힘(F), s, 마찰이 없는 면	v, 정지, 마찰력(F), s, 마찰이 있는 면
수레의 운동 에너지 증가량 = 수레에 해 준 일	수레의 운동 에너지 감소량 = 수레가 나무 도막에 한 일

2 중력과 위치 에너지 및 운동 에너지의 관계 물체를 들어 올릴 때는 중력에 의한 위치 에너지가 ❶ ______, 물체가 자유 낙하할 때는 ❷ ______ 에너지가 증가

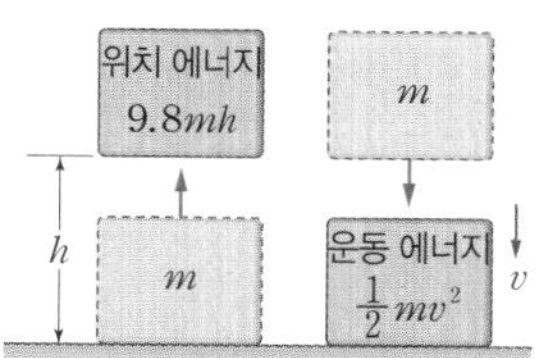

❶ 증가 ❷ 운동

확인Q 8 마찰이 없는 수평면에서 질량이 1 kg인 물체에 수평 방향으로 100 J의 일을 해 주었더니 물체가 4 m 이동하였다. 이때 증가한 물체의 운동 에너지는 몇 J인가?

1 그림은 직선 도로를 이동하고 있는 자전거의 속력을 측정하여 시간에 따른 속력을 나타낸 것이다.

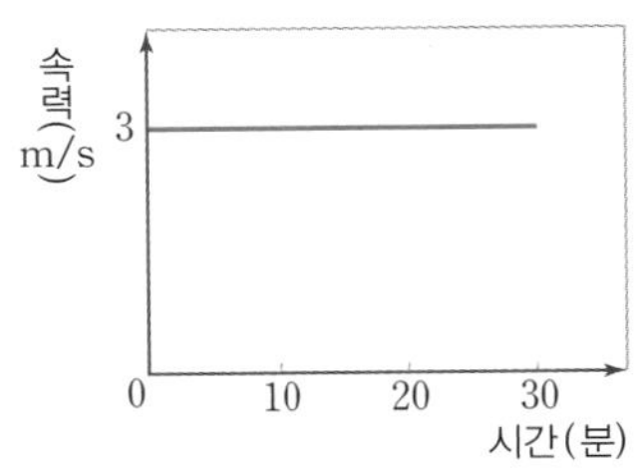

10분 동안 자전거가 이동한 거리는?

① 900 m ② 1000 m ③ 1300 m
④ 1500 m ⑤ 1800 m

문제 해결 전략

• 시간에 따라 속력이 일정한 운동을 ❶ ☐ 운동이라고 한다.

• 등속 운동에서 이동 거리는 ❷ ☐ × 걸린 시간으로 구할 수 있다.

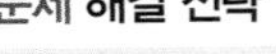

답 ❶ 등속 ❷ 속력

2 그림은 A, B, C, D 네 물체의 시간에 따른 이동 거리를 나타낸 것이다. A~D 중 속력이 가장 빠른 물체는?

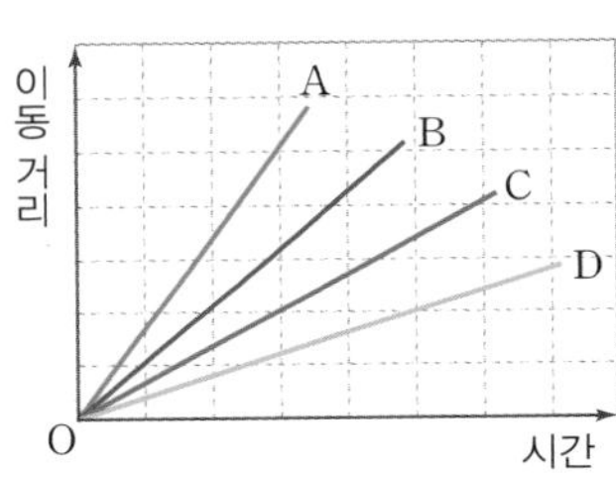

① A ② B ③ C
④ D ⑤ 모두 같다.

문제 해결 전략

시간-이동 거리 그래프에서 직선의 기울기$=\frac{\text{이동 거리}}{\text{걸린 시간}}=$ ❶ ☐ 이다. 따라서 기울기가 크면 속력이 ❷ ☐.

답 ❶ 속력 ❷ 빠르다

3 그림은 높은 곳에서 어떤 물체를 가만히 떨어뜨렸을 때 물체의 위치를 일정한 시간 간격으로 나타낸 것이다. 물체가 떨어지는 동안 작용하는 힘과 운동에 대한 설명으로 옳은 것을 |보기|에서 모두 고른 것은? (단, 공기의 저항은 무시한다.)

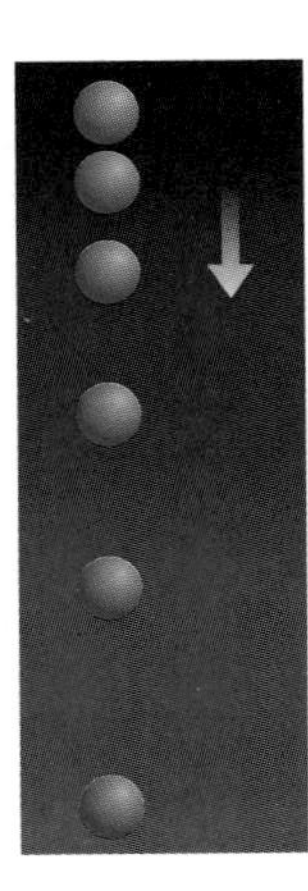

|보기|
ㄱ. 속력이 일정한 등속 운동이다.
ㄴ. 같은 시간 동안 이동한 거리는 일정하다.
ㄷ. 물체의 운동 방향과 같은 방향으로 힘이 작용한다.

① ㄱ ② ㄴ ③ ㄷ
④ ㄱ, ㄴ ⑤ ㄴ, ㄷ

문제 해결 전략

공기 저항을 무시할 때 높은 곳에서 떨어뜨린 물체는 자유 낙하 운동을 하며 이때의 속력 변화는 질량과 관계없이 ❶ ☐ 하다. 자유 낙하 하는 물체에 작용하는 힘은 ❷ ☐ 이며, 운동 방향과 중력의 방향은 같다.

답 ❶ 일정 ❷ 중력

4 과학에서 말하는 일을 한 경우를 | 보기 | 에서 모두 고른 것은?

보기
ㄱ. 과학 시간에 제자리에서 물컵을 든 채 1 시간 동안 서 있었다.
ㄴ. 무게가 100 N인 깡통이 실에 매달려 6분 동안 원운동을 하였다.
ㄷ. 과학실 탁자를 밀어서 수평 방향으로 2 m만큼 옮겼다.
ㄹ. 쓰러지려는 가로수를 500 N의 힘으로 지지하고 서 있었다.
ㅁ. 무게가 98 N인 책상을 위층으로 옮겼다.

① ㄱ, ㄹ ② ㄷ, ㅁ ③ ㄱ, ㄴ, ㄷ
④ ㄴ, ㄷ, ㄹ ⑤ ㄷ, ㄹ, ㅁ

문제 해결 전략

ㄱ과 ㄹ은 ❶ [ ]가 0이고, ㄴ은 깡통에 작용하는 힘의 방향과 깡통의 이동 방향이 ❷ [ ]이므로 한 일의 양이 0이다.

답 ❶ 이동 거리 ❷ 수직

5 그림과 같이 질량이 5 kg인 물체가 옥상에 놓여 있다. 이 물체의 중력에 의한 위치 에너지에 대한 설명으로 옳은 것을 | 보기 | 에서 모두 고르시오.

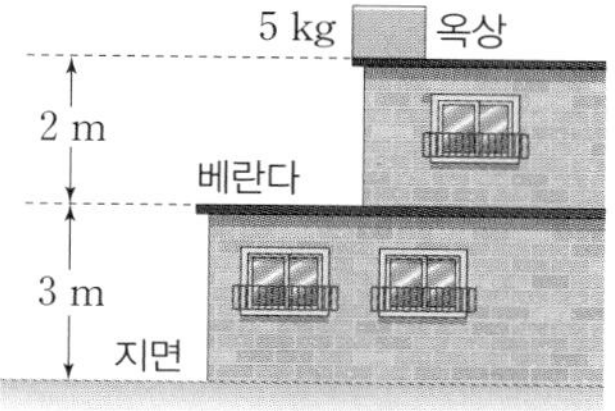

보기
ㄱ. 베란다를 기준면으로 할 때 중력에 의한 위치 에너지는 98 J이다.
ㄴ. 지면을 기준면으로 할 때 중력에 의한 위치 에너지는 196 J이다.
ㄷ. 옥상을 기준면으로 할 때 중력에 의한 위치 에너지는 245 J이다.
ㄹ. 옥상에 있는 물체를 베란다로 내려놓으면 중력에 의한 위치 에너지는 98 J 감소한다.

문제 해결 전략

중력이 작용하는 공간에서 ❶ [ ]으로부터 높은 곳에 있는 물체는 에너지를 갖는다. 이때의 에너지를 중력에 의한 ❷ [ ] 에너지라고 하며, 질량과 ❸ [ ]에 비례한다.

답 ❶ 기준면 ❷ 위치 ❸ 높이

6 그림과 같은 실험 장치에서 수레의 질량과 속력을 달리하면서 자와 충돌시켰을 때 밀려 들어간 자의 이동 거리는 표와 같았다.

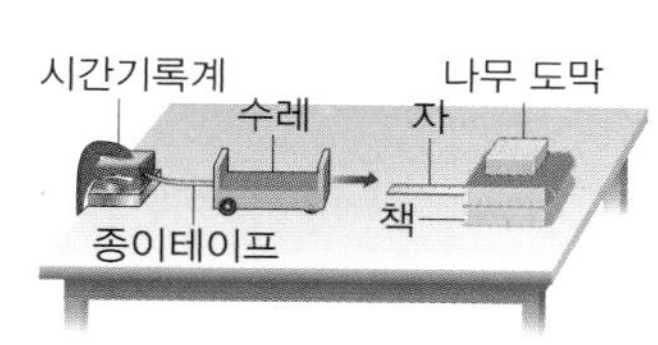

실험	수레의 질량	수레의 속력	자의 이동 거리
A	2 kg	2 m/s	2 cm
B	4 kg	2 m/s	4 cm
C	2 kg	4 m/s	(가)
D	4 kg	(나)	16 cm

표의 (가)와 (나)에 들어갈 값을 순서대로 옳게 짝 지은 것은?

① 2 cm, 2 m/s ② 4 cm, 4 m/s ③ 4 cm, 8 m/s
④ 8 cm, 2 m/s ⑤ 8 cm, 4 m/s

문제 해결 전략

운동하는 수레가 자에 충돌하면 수레의 ❶ [ ] 에너지는 자를 밀어내는 일로 전환된다. 수레의 ❷ [ ]이 2배, 3배, …로 커지면 자가 밀려나는 거리도 2배, 3배, …로 증가하고 ❸ [ ]이 2배, 3배, …로 커지면 자가 밀려나는 거리는 4배, 9배, …로 증가한다.

답 ❶ 운동 ❷ 질량 ❸ 속력

대표 기출 1 | 운동의 기록 |

그림은 두 고무 풍선차 (가), (나)의 운동을 같은 다중 섬광 장치로 촬영한 것이다.

이에 대한 설명으로 옳은 것을 | 보기 | 에서 모두 고르시오.

보기
ㄱ. (가)의 속력이 (나)의 속력보다 느리다.
ㄴ. (나)의 경우 구간별로 평균 속력이 다르게 나타난다.
ㄷ. 같은 시간 동안 이동한 거리는 (가)가 (나)보다 길다.
ㄹ. (가)는 속력이 일정하고 (나)는 속력이 변한다.
ㅁ. 같은 거리를 이동하는 데 걸리는 시간은 (가)가 (나)보다 길다.

Tip 속력이 빠를수록 이웃한 물체 사이의 간격이 넓다.

풀이 속력이 빠를수록 물체 사이의 간격이 넓으므로 (가)의 속력이 (나)보다 느리다. 또한 같은 거리를 이동하는 데 걸린 시간은 (나)가 (가)보다 짧다.

답 ㄱ, ㅁ

1-1 그림은 두 물체 (가), (나)의 운동을 시간기록계로 기록한 종이테이프의 일부분이다.

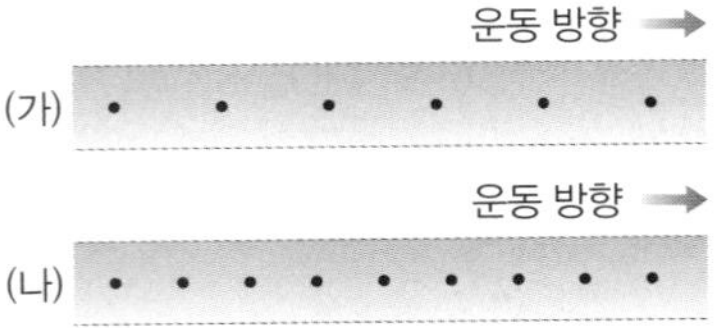

이에 대한 설명으로 옳은 것을 | 보기 | 에서 모두 고르시오.

보기
ㄱ. (가)와 (나)는 속력이 같다.
ㄴ. (나)는 속력이 점점 느려진다
ㄷ. (가)와 (나)는 각각 속력이 일정하고, (가)가 (나)보다 빠르다.

대표 기출 2 | 속력 |

그림은 운동장에서 굴러가는 공의 운동을 나타낸 것으로, 이러한 물체의 운동을 표현할 때는 속력을 사용한다.

운동 방향 →

속력에 대한 설명으로 옳은 것을 | 보기 | 에서 모두 고르시오.

보기
ㄱ. 운동의 빠르기를 비교하는 값이다
ㄴ. 단위 시간당 이동한 거리를 말한다.
ㄷ. 걸린 시간을 이동한 거리로 나눈 값이다.
ㄹ. km/h, m/s, cm/h 등의 단위를 사용할 수 있다.
ㅁ. 같은 거리 이동할 때 걸린 시간이 길수록 빠르다.
ㅂ. 같은 시간 이동할 때 이동 거리가 짧을수록 빠르다.

Tip 속력은 운동하는 물체의 빠르기로, 단위 시간 동안 이동한 거리이다.

풀이 ㄱ, ㄴ. 속력은 물체 운동의 빠르기를 비교하는 값으로, 단위 시간당 이동한 거리를 말한다.
ㄹ. 속력의 단위로는 km/h, m/s, cm/h 등을 사용한다.

답 ㄱ, ㄴ, ㄹ

2-1 표는 마찰이 없는 수평면을 굴러가는 공의 운동을 시간에 따른 이동 거리로 기록한 것이다.

시간(s)	0	0.1	0.2	0.3	0.4	0.5
이동 거리(m)	0	2	4	6	8	10

이 공의 속력은?

① 10 m/s ② 15 m/s ③ 20 m/s
④ 25 m/s ⑤ 30 m/s

대표 기출 3 | 등속 운동 |

그림은 컨베이어의 (가) 구간에서 직선 운동을 하는 물체 A를 나타낸 것이다. (가) 구간에서의 이 물체의 운동에 대한 설명으로 옳은 것을 | 보기 |에서 모두 고르시오.

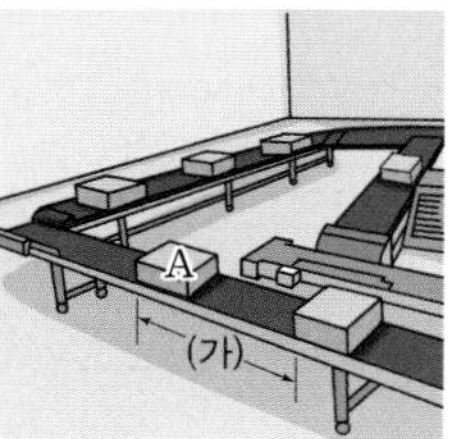

보기
ㄱ. 물체 A는 속력이 증가하는 운동을 한다.
ㄴ. 물체 A는 이동 방향이 변하는 운동을 한다.
ㄷ. 물체 A는 등속 운동을 한다.
ㄹ. 물체 A의 운동을 시간-이동 거리 그래프로 나타내면 이동 거리가 시간에 비례하여 증가한다.
ㅁ. 물체 A의 운동을 시간-속력 그래프로 나타내면 속력이 시간에 비례하여 증가한다.

Tip 컨베이어에서 물체는 시간에 따라 속력이 일정한 등속 운동을 한다.

풀이 ㄷ, ㄹ. (가) 구간을 이동하는 물체 A는 시간에 따라 속력이 일정한 등속 운동을 하며, 이동 거리가 시간에 비례하여 증가한다.

답 ㄷ, ㄹ

대표 기출 4 | 등속 운동 그래프: 시간 – 이동 거리 그래프 |

그림은 직선상을 운동하는 두 물체 A, B의 시간에 따른 이동 거리를 나타낸 것이다. 이에 대한 설명으로 옳은 것을 | 보기 |에서 모두 고르시오.

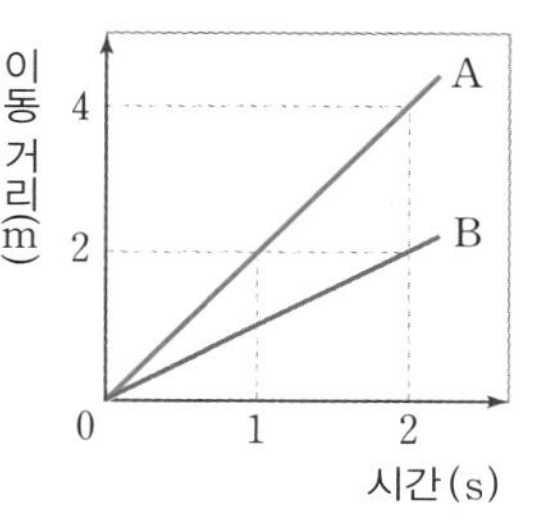

보기
ㄱ. A의 속력은 2 m/s이다.
ㄴ. A의 속력이 B의 속력의 2배이다.
ㄷ. A는 8 m를 가는 데 2초가 걸린다.
ㄹ. A, B 모두 속력이 증가하는 운동을 한다.
ㅁ. 같은 시간 동안 B의 이동 거리는 A의 이동 거리의 3배이다.
ㅂ. 같은 시간 동안 A의 이동 거리는 일정하지만 B의 이동 거리는 증가한다.

Tip 시간-이동 거리 그래프의 기울기는 속력을 나타내며, 기울기가 일정하므로 두 물체 A, B는 각각 등속 운동을 한다.

풀이 ㄱ, ㄴ. A의 속력=기울기=$\frac{\text{이동 거리}}{\text{걸린 시간}}=\frac{4}{2}=2$(m/s)이고, B의 속력은 $\frac{2}{2}=1$(m/s)이다. 따라서 A의 속력이 B의 2배이고, A, B 모두 기울기가 일정하므로 속력이 일정한 등속 운동을 한다.

답 ㄱ, ㄴ

3-1 그림 (가), (나)는 이동하는 두 물체를 같은 시간 간격으로 찍은 연속 사진을 나타낸 것이다.

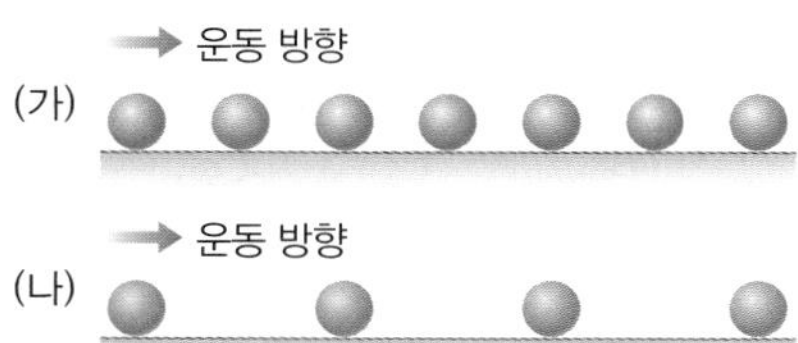

이에 대한 설명으로 옳은 것을 | 보기 |에서 모두 고르시오.

보기
ㄱ. (가)는 등속 운동을 한다.
ㄴ. (가)는 (나)보다 속력이 빠르다.
ㄷ. (나)의 속력은 시간에 반비례한다.

4-1 그림은 일직선상에서 운동하는 어떤 물체의 이동 거리를 시간에 따라 나타낸 것이다. 이에 대한 설명으로 옳은 것을 | 보기 |에서 모두 고르시오. (단, 4초일 때 이동 거리는 16 m이다.)

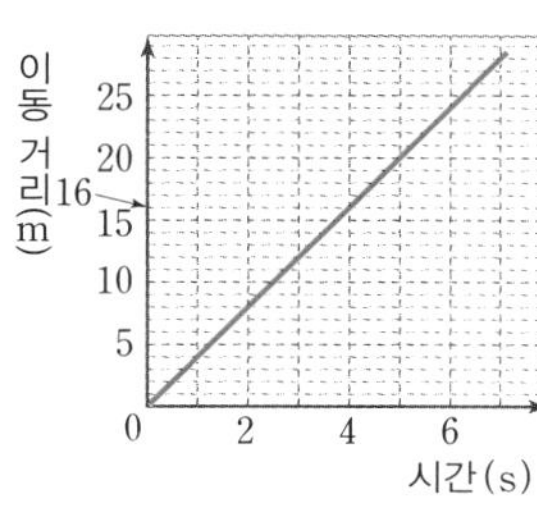

보기
ㄱ. 물체는 등속 운동을 한다.
ㄴ. 물체의 속력은 3 m/s이다.
ㄷ. 이 그래프의 기울기가 작아지면 물체의 속력이 빨라진 것이다.

대표 기출 5 | 등속 운동 그래프: 시간 – 속력 그래프 |

그림은 두 물체 A, B의 운동을 시간에 따른 속력 그래프로 나타낸 것이다. 이에 대한 설명으로 옳은 것을 |보기|에서 모두 고르시오.

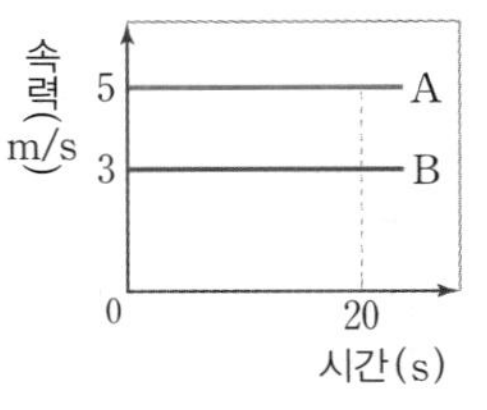

보기
ㄱ. 두 물체는 속력이 점점 느려지는 운동을 한다.
ㄴ. 물체 A, B의 각각의 속력 변화는 0이다.
ㄷ. 물체 A는 20초 동안 10 m를 이동한다.
ㄹ. 물체 B는 10초 동안 60 m를 이동한다.
ㅁ. 0~10초 동안 물체 A가 물체 B보다 20 m 더 이동한다.
ㅂ. 그래프의 직선 아랫부분의 넓이는 걸린 시간을 나타낸다.

Tip 시간–속력 그래프에서 직선 아랫부분의 넓이는 이동 거리를 나타낸다.

풀이 ㄴ. 속력이 일정하므로 속력 변화는 없다.
ㅁ. 0~10초 동안 물체 A는 $5\times10=50$(m), 물체 B는 $3\times10=30$(m)를 이동하므로 A가 B보다 20 m 더 이동한다.

답 ㄴ, ㅁ

5-1 그림은 수평면에서 운동하는 물체를 0.1초 간격으로 찍은 사진이다. 이 물체의 시간과 속력의 관계를 나타낸 그래프로 옳은 것을 |보기|에서 고르시오.

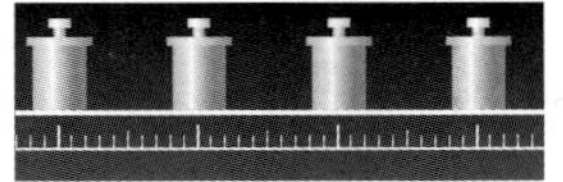

보기

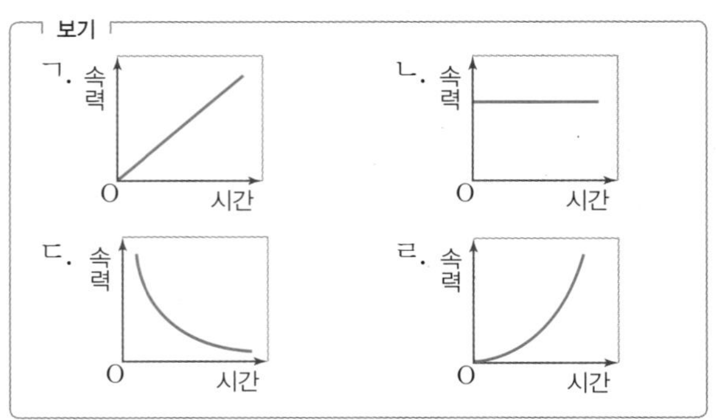

대표 기출 6 | 자유 낙하 운동 |

그림은 떨어지는 공의 운동을 0.1초 간격으로 촬영하여 공의 위치를 나타낸 것이다. 이에 대한 설명으로 옳은 것을 모두 고르면? (단, 공기 저항은 무시한다.) [정답 2개]

① 공은 등속 운동을 한다.
② 공의 속력이 매초 9.8 m/s씩 증가한다.
③ 공에 작용하는 힘은 0이다.
④ 공에는 중력이 작용하고 있다.
⑤ 공의 이동 거리는 일정하다.
⑥ 같은 시간 동안 공이 이동하는 거리는 점점 감소한다.
⑦ 공에 작용하는 중력의 크기는 공의 무게보다 작다.

Tip 공은 자유 낙하 운동을 한다.

풀이 ②, ④ 공에는 중력이 작용하여 지구 중심 방향으로 속력이 증가하는 운동을 한다.
⑥ 같은 시간 동안 공이 이동하는 거리는 점점 증가한다.

답 ②, ④

6-1 그림은 공중에서 가만히 놓은 물체의 운동을 일정한 시간 간격으로 촬영한 모습을 나타낸 것이다.

이에 대한 설명으로 옳은 것을 |보기|에서 모두 고르시오. (단, 공기 저항은 무시한다.)

보기
ㄱ. 물체는 등속 운동을 한다.
ㄴ. 물체의 속력은 일정하게 증가한다.
ㄷ. 물체의 운동 방향과 반대 방향으로 중력이 작용한다.

대표 기출 7 | 자유 낙하 운동 그래프 |

그림은 자유 낙하 운동을 하는 물체의 속력을 시간에 따라 나타낸 것이다. 이에 대한 설명으로 옳은 것을 | 보기 | 에서 모두 고르시오.

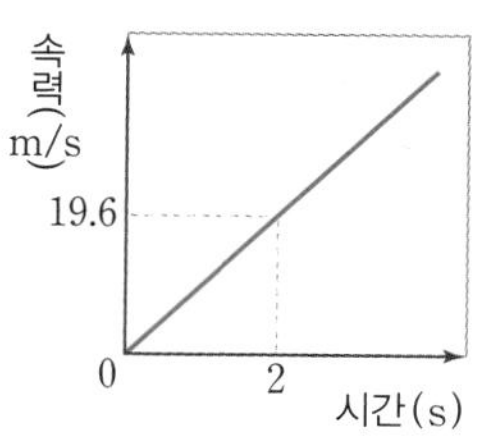

보기
ㄱ. 물체에 작용하는 힘은 중력 뿐이다.
ㄴ. 속력이 1초에 9.8 m/s씩 빨라진다.
ㄷ. 속력이 시간에 반비례하여 감소한다.
ㄹ. 3초일 때 이 물체의 속력은 39 m/s이다
ㅁ. 운동 방향과 같은 방향으로 마찰력이 작용한다.
ㅂ. 운동 방향과 같은 방향으로 작용하는 중력의 크기가 점점 커진다.

Tip 자유 낙하 운동 하는 물체의 속력은 매초 9.8 m/s씩 일정하게 증가한다.

풀이 ㄱ. 정지해 있던 물체가 중력만을 받아 떨어지는 운동을 자유 낙하 운동이라고 한다.
ㄴ, ㄹ. 자유 낙하 운동을 하는 물체의 속력은 1초마다 9.8 m/s씩 일정하게 증가한다. 따라서 3초일 때 속력$=9.8\times3=29.4$(m/s)이다.

답 ㄱ, ㄴ

7-1 자유 낙하 운동을 하는 물체의 시간에 따른 속력을 나타내는 그래프로 옳은 것을 | 보기 | 에서 고르시오.

보기

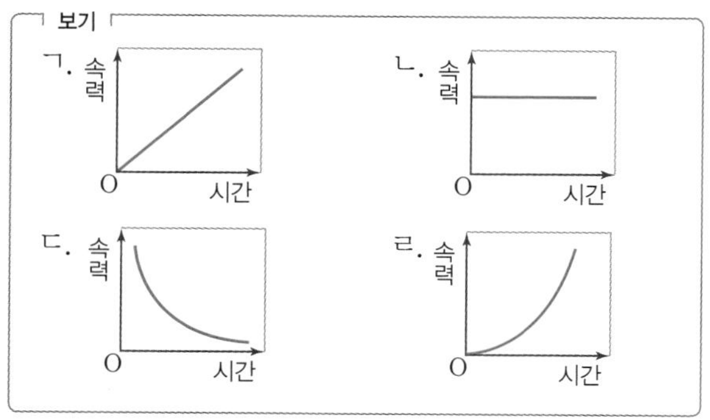

대표 기출 8 | 질량이 다른 물체의 자유 낙하 운동 |

그림은 쇠구슬과 깃털이 각각 다른 공간에서 떨어지는 모습을 나타낸 것이다. 이에 대한 설명으로 옳은 것을 | 보기 | 에서 모두 고르시오.

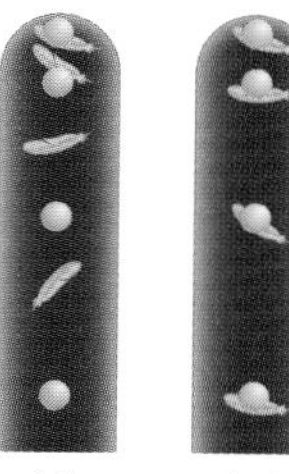
(가) (나)

보기
ㄱ. (가)는 공기 중, (나)는 진공 중이다.
ㄴ. (가)에서는 중력만 작용한다.
ㄷ. (가)에서 깃털이 쇠구슬보다 공기 저항의 영향을 더 크게 받는다.
ㄹ. (나)에서는 아무런 힘도 작용하지 않는다.
ㅁ. (가), (나) 모두 중력이 운동 방향과 같은 방향으로 작용한다.
ㅂ. (가)에서는 힘이 작용하지 않고 (나)에서는 힘이 운동 방향과 같은 방향으로 작용한다.

Tip 공기 저항이 있을 때는 깃털이 쇠구슬보다 공기 저항의 영향을 많이 받아 늦게 떨어진다.

풀이 ㄱ. (가)는 공기 중, (나)는 진공 중에서의 자유 낙하 운동이다.
ㄷ. 공기와 접촉하는 면적이 클수록 공기 저항의 영향을 크게 받으므로 깃털이 쇠구슬보다 천천히 떨어진다.
ㅁ. (가), (나) 모두 중력이 운동 방향과 같은 방향으로 작용한다.

답 ㄱ, ㄷ, ㅁ

8-1 그림 (가)는 공기 중에서, (나)는 진공 상태에서 쇠공과 깃털을 동시에 낙하시켰을 때, 두 물체가 떨어지는 모습을 일정한 시간 간격으로 나타낸 것이다. 이에 대한 설명으로 옳은 것을 | 보기 | 에서 모두 고르시오.

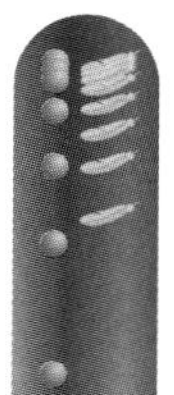
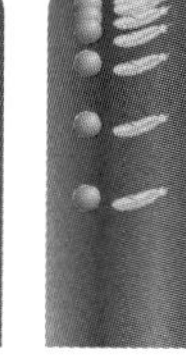
(가) (나)

보기
ㄱ. (가)에서 깃털이 더 느리게 떨어지는 것은 공기의 저항 때문이다.
ㄴ. (나)에서는 중력과 공기 저항이 작용한다.
ㄷ. (나)에서는 질량이 속력의 변화에 영향을 미치지 않는다.

1 그림은 수평면을 움직이는 물체의 운동을 0.1초 간격으로 찍은 다중 섬광 사진이다.

이에 대한 설명으로 옳은 것을 모두 고르면? [정답 2개]

① 물체는 등속 운동을 하고 있다.
② 물체에는 일정한 크기의 힘이 계속 작용한다.
③ 물체가 이동한 거리는 시간에 비례하여 일정하게 증가한다.
④ 물체의 속력은 0.2 m/s이다.
⑤ 위의 사진에서 물체 사이의 시간 간격이 1초이면 물체의 속력은 20 m/s이다.

Tip 다중 섬광 사진에서 물체 사이의 시간 간격은 ❶ ______ 하며, 이동 거리도 일정하므로 이 물체는 ❷ ______ 운동을 한다. 답 ❶ 일정 ❷ 등속

2 그림과 같은 에스컬레이터의 운동을 나타낸 그래프로 옳은 것을 모두 고르면? [정답 2개]

①
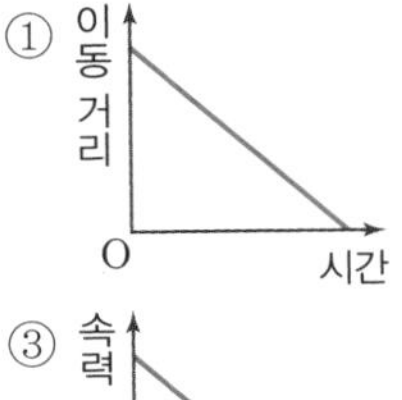

②
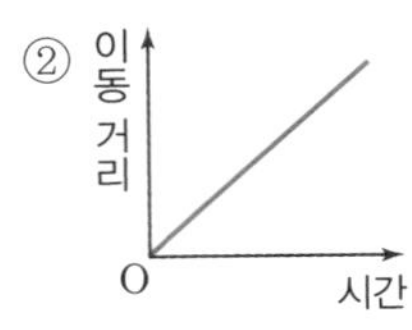

③
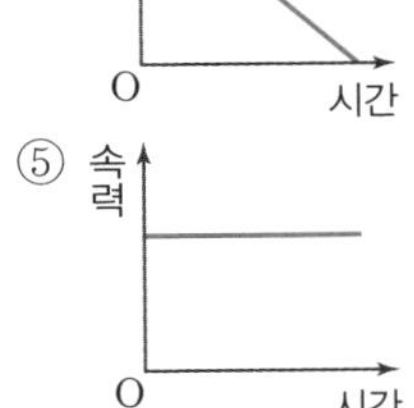

④
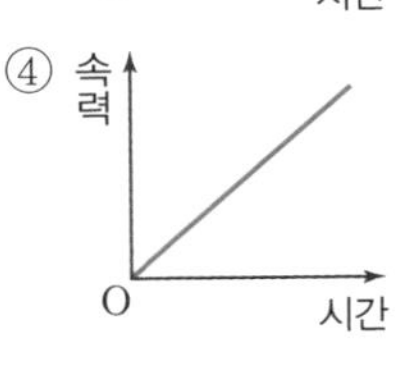

⑤ 속력 / O / 시간

Tip 등속 운동은 물체가 운동할 때 시간에 따라 속력이 변하지 않고 ______ 운동이다. 답 일정한

3 그림은 두 물체 A, B의 시간에 따른 이동 거리를 나타낸 것이다. 이에 대한 설명으로 옳은 것을 |보기|에서 모두 고른 것은?

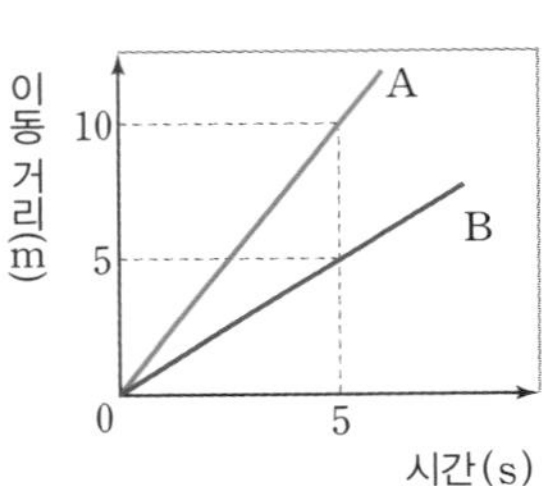

보기
ㄱ. 두 물체는 속력이 일정하게 빨라지는 운동을 한다.
ㄴ. A의 속력은 2 m/s이다.
ㄷ. 두 물체의 속력의 비(A:B)는 2:1이다.
ㄹ. 4초 동안 이동한 거리의 비(A:B)는 1:2이다.

① ㄱ, ㄴ ② ㄴ, ㄷ ③ ㄷ, ㄹ
④ ㄱ, ㄴ, ㄷ ⑤ ㄴ, ㄷ, ㄹ

Tip 시간-이동 거리 그래프에서 직선의 기울기는 ______ 을 나타낸다. 답 속력

4 그림은 직선상에서 운동 하는 물체 A와 B의 속력을 시간에 따라 나타낸 것이다. A, B의 운동에 대한 설명으로 옳은 것을 | 보기 | 에서 모두 고른 것은?

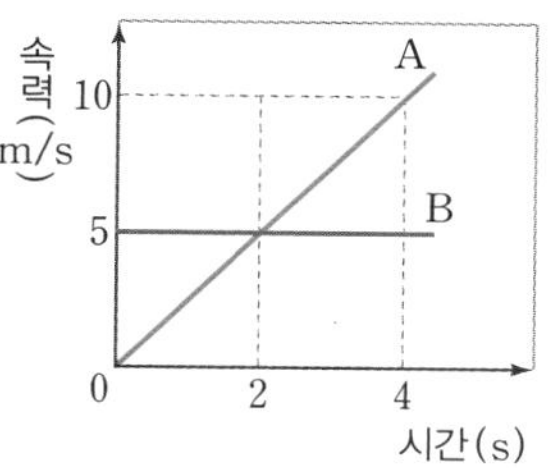

보기
ㄱ. 0초부터 2초까지 이동 거리는 A가 B보다 크다.
ㄴ. 2초일 때 A와 B에 작용한 힘의 크기는 B가 A보다 크다.
ㄷ. 2초부터 4초까지 A에 작용한 힘의 크기는 일정하다.

① ㄴ ② ㄷ ③ ㄱ, ㄴ
④ ㄱ, ㄷ ⑤ ㄴ, ㄷ

Tip 시간-속력 그래프에서 직선 아랫부분의 넓이는 ❶ ☐를 나타내는데, 그래프가 시간축에 평행한 직선 모양이면 ❷ ☐ 운동을 나타낸다. 답 ❶ 이동 거리 ❷ 등속

5 그림은 전철이 A역을 출발하여 B, C역을 거쳐 D역에 도착할 때까지의 속력을 시간에 따라 나타낸 것이다.

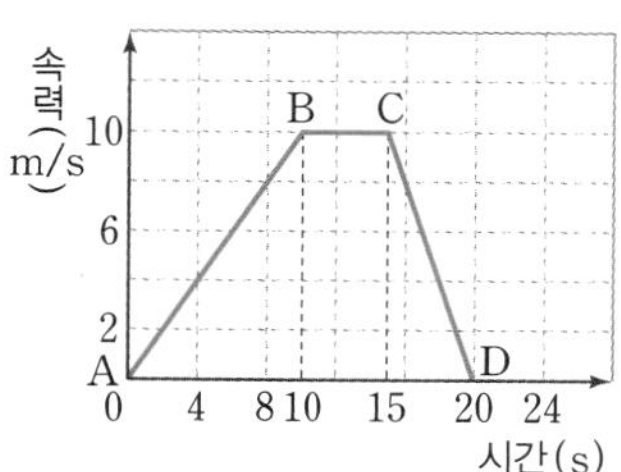

이에 대한 설명으로 옳은 것을 | 보기 | 에서 모두 고른 것은?

보기
ㄱ. CD 구간에서 물체의 속력은 일정하다.
ㄴ. AB 구간과 BC 구간의 이동 거리는 같다.
ㄷ. 20초 때 전철은 정지하였다.

① ㄱ ② ㄴ ③ ㄷ
④ ㄱ, ㄷ ⑤ ㄴ, ㄷ

Tip 등속 운동의 시간-속력 그래프에서 속력은 시간에 따라 변하지 않고 ☐ 하다. 답 일정

6 그림은 질량이 5 kg 인형이 나무에 매달려 정지해 있는 모습을 나타낸 것이다. 이에 대한 설명으로 옳은 것을 | 보기 | 에서 모두 고른 것은? (단, 공기 저항은 무시한다.)

보기
ㄱ. 인형에 작용하는 중력은 0이다.
ㄴ. 실이 인형을 당기는 힘보다 지구가 인형을 당기는 힘의 크기가 크다.
ㄷ. 실을 끊으면 인형의 속력은 일정하게 빨라진다.

① ㄱ ② ㄴ ③ ㄷ
④ ㄱ, ㄷ ⑤ ㄴ, ㄷ

Tip 매달려 있던 물체가 떨어질 때 운동 방향과 같은 방향으로 ❶ ☐ 이 작용하여 물체의 속력이 일정하게 ❷ ☐ 운동을 한다. 답 ❶ 중력 ❷ 빨라지는

7 그림은 진공 또는 공기 중에서 깃털과 쇠구슬을 동시에 떨어뜨렸을 때의 낙하 모습을 순서 없이 나타낸 것이다. 이에 대한 설명으로 옳은 것은?

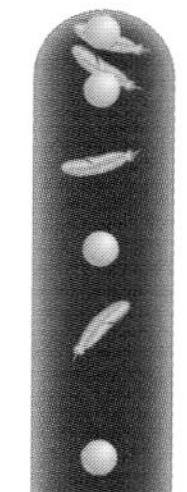
(가)

(나)

① (가), (나) 모두 질량이 큰 물체일수록 항상 먼저 떨어진다.
② (나)에서는 두 물체에 아무런 힘도 작용하지 않는다.
③ (나)에서 낙하 속력은 물체의 질량에 비례한다.
④ (가)는 진공 중, (나)는 공기 중에서 낙하하는 것이다.
⑤ 공기의 저항이 없다면 물체는 (나)와 같이 질량이나 모양에 관계없이 동시에 떨어진다.

Tip 자유 낙하 운동은 물체가 ❶ ☐ 을 받아 연직 아래로 떨어지는 운동으로, 진공 중에서 동시에 떨어뜨린 모든 물체는 지면에 ❷ ☐ 떨어진다. 답 ❶ 중력 ❷ 동시에

대표 기출 1 | 과학에서의 일 |

과학에서의 일에 대한 설명으로 옳은 것을 모두 고르면?

[정답 3개]

① 가방을 30 N의 힘으로 50 cm 들어 올렸을 때 일을 하였다.
② 가방을 메고 수평으로 걸어갈 때, 무거운 가방일수록 중력이 한 일의 양이 많다.
③ 힘을 가해 책장을 밀었으나 책장이 전혀 움직이지 않으면 한 일의 양은 0이다.
④ 마찰이 없는 얼음판 위를 일정한 속력으로 움직이는 썰매가 한 일의 양은 0이다.
⑤ 철봉에 1분 동안 매달렸을 때보다 5분 동안 매달렸을 때 한 일의 양이 더 많다.
⑥ 질량이 1 kg인 물체를 높이 1 m 만큼 들어 올리는 일의 양은 1 J이다.

Tip 과학에서의 일은 물체에 힘이 작용하여 힘의 방향으로 물체가 이동하는 일을 했을 때를 말한다.

풀이 ② 중력의 방향은 지면과 수직, 가방의 이동 방향은 수평 방향이므로 한 일은 0이다.
⑤ 철봉에 매달렸을 때 중력은 작용하지만 이동 거리가 0이므로 한 일의 양은 0이다.
⑥ 일의 양=힘×이동 거리이고 질량 1 kg에 작용하는 중력의 크기=9.8 N이므로, 1 m 들어 올리는 일의 양=9.8 N×1 m=9.8 J이다.

답 ①, ③, ④

1-1 일을 가장 많이 한 경우는? (단, 중력 가속도 상수는 9.8이고, 모든 마찰은 무시한다.)

① 40 N의 힘으로 수레를 20 cm 밀어 줄 때
② 20 N의 힘으로 물체를 2 m 밀고 갈 때
③ 질량이 2 kg인 가방을 3 m 높이로 들어 올릴 때
④ 무게가 100 N인 상자를 들고 수평 방향으로 4 m 이동할 때
⑤ 질량이 3 kg인 의자에 10 N의 힘을 가해 힘의 방향으로 3 m 이동시킬 때

대표 기출 2 | 과학에서의 일 |

진수는 1층에서 3층의 교실까지 화분을 들고 올라가면서 다음과 같은 물리량을 조사하였다.

A. 자신의 몸무게	B. 화분의 무게
C. 이동한 걸음 수	D. 한 계단의 높이
E. 계단의 수	F. 계단의 폭

진수가 화분에 한 일의 양 W를 구하는 식을 옳게 나타낸 것은?

① $W=\text{A}\times\text{C}\times\text{E}$
② $W=\text{B}\times\text{D}\times\text{E}$
③ $W=\text{A}\times\text{C}\times\frac{\text{F}}{\text{E}}$
④ $W=\text{A}\times\text{D}\times\frac{\text{F}}{\text{E}}$
⑤ $W=\text{B}\times\text{D}\times\frac{\text{F}}{\text{E}}$

Tip 일의 양=화분의 무게×화분을 이동한 수직 높이

풀이 진수가 화분에 한 일의 양을 구하기 위해서는 화분의 무게, 화분을 이동한 수직 높이를 알아야 하는데, 이때 화분을 이동한 높이는 한 계단의 높이와 계단의 수를 곱하여 구한다.

답 ②

2-1 그림은 일정한 속력으로 지면에 수직하게 물체를 들어 올릴 때 힘과 들어 올린 높이의 관계를 나타낸 것이다.

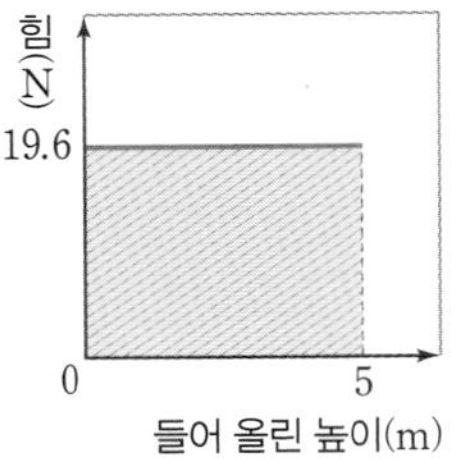

이에 대한 설명으로 옳은 것을 | 보기 |에서 모두 고르시오. (단, 중력 가속도 상수는 9.8이고, 마찰은 무시한다.)

보기

ㄱ. 물체의 질량은 2 kg이다.
ㄴ. 물체에 한 일의 양은 98 J이다.
ㄷ. 빗금 친 넓이는 물체에 한 일의 양을 나타낸다.
ㄹ. 물체를 5 m를 들어 올리는 동안 물체의 운동 에너지는 점점 증가한다.

대표 기출 3

| 일과 에너지 전환 |

그림은 추를 줄에 매달아 들어 올린 후 떨어뜨려 말뚝을 박는 과정을 나타낸 것이다.

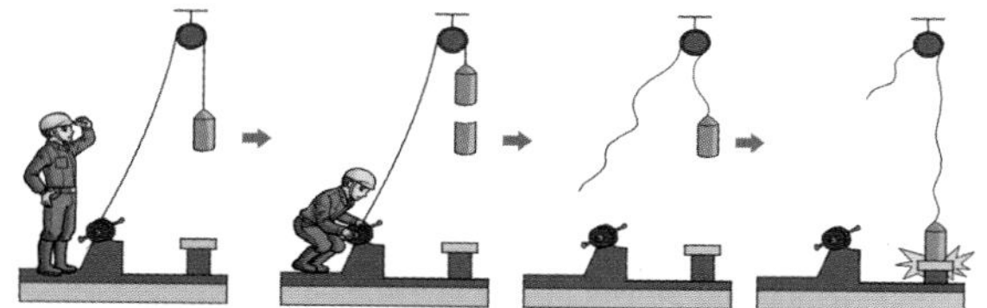

이에 대한 설명으로 옳은 것을 | 보기 |에서 모두 고른 것은?

보기
ㄱ. 떨어지는 추는 말뚝을 박는 일을 한다.
ㄴ. 추를 들어 올리는 동안 중력이 일을 하였다.
ㄷ. 추가 말뚝을 박으면 추의 운동 에너지는 증가한다.
ㄹ. 추가 떨어지는 동안 중력이 한 일만큼 추의 운동 에너지는 증가한다.

① ㄱ, ㄴ ② ㄱ, ㄷ ③ ㄱ, ㄹ
④ ㄴ, ㄷ ⑤ ㄷ, ㄹ

Tip 물체를 들어 올리는 일은 위치 에너지로 전환되고 위치 에너지는 다시 운동 에너지로 전환되어 말뚝을 박는 일을 한다.

풀이 ㄱ. 줄에 매달린 추가 떨어지면서 말뚝을 박는 일을 한다. 물체의 위치 에너지가 클수록 말뚝이 깊게 박힌다. ㄴ. 추를 들어 올리는 동안 줄에 작용하는 힘이 추에 일을 하였다. ㄷ, ㄹ. 추가 떨어지면서 추의 감소한 위치 에너지가 운동 에너지로 바뀌고, 추가 말뚝을 박을 때 추의 운동 에너지가 일로 전환되므로 추가 말뚝을 박으면 추의 운동 에너지는 감소한다.

답 ③

3-1 질량이 2 kg인 상자를 2 m 높이까지 일정한 속력으로 들어 올렸다. 이에 대한 설명으로 옳은 것은? (단, 질량이 1 kg인 물체의 무게는 9.8 N이고, 지면을 기준으로 한다.)

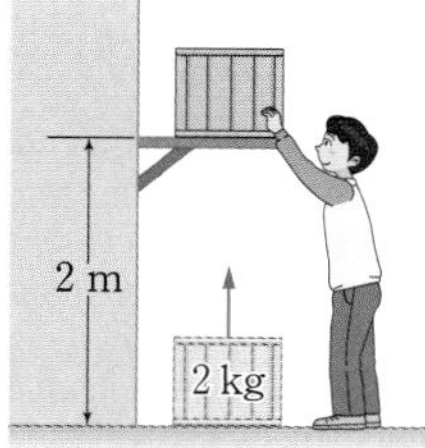

① 상자를 들어 올릴 때 한 일은 2 J이다.
② 중력에 대해 한 일의 양은 9.8 J이다.
③ 지면에서 상자의 위치 에너지는 19.6 J이다.
④ 상자를 들어 올릴 때 필요한 힘은 19.6 N이다.
⑤ 높이 2 m에서 상자의 중력에 의한 위치 에너지는 19.6 J이다.

대표 기출 4

| 일과 에너지 전환 |

그림과 같이 수평면 위에서 질량이 3 kg인 나무 도막을 일정한 속력으로 2 m 당기는 동안 용수철저울의 눈금이 6 N으로 일정하였다.

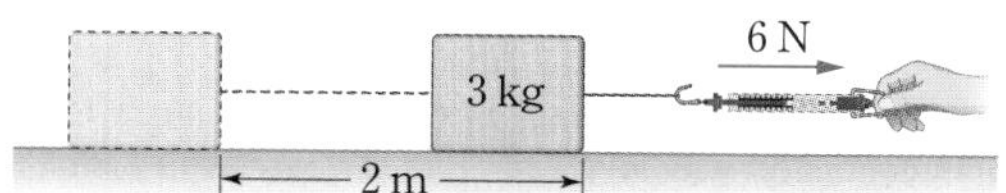

이에 대한 설명으로 옳은 것을 | 보기 |에서 모두 고른 것은?

보기
ㄱ. 중력에 대하여 일을 하였다.
ㄴ. 나무 도막을 당기는 힘의 크기는 6 N이다.
ㄷ. 수평면과 나무 도막 사이의 마찰력의 크기는 6 N이다.
ㄹ. 나무 도막을 2 m 당기는 동안 한 일의 양은 12 J이다.

① ㄱ, ㄴ ② ㄱ, ㄷ ③ ㄴ, ㄹ
④ ㄱ, ㄷ, ㄹ ⑤ ㄴ, ㄷ, ㄹ

Tip 수평 방향으로 물체에 작용한 힘이 한 일=마찰력×이동 거리

풀이 ㄴ, ㄷ. 나무 도막을 당기는 힘의 크기=용수철저울의 눈금=마찰력의 크기=6 N
ㄹ. 2 m 당기는 동안 한 일의 양=6 N×2 m=12 J

답 ⑤

4-1 수평면에서 4 m/s의 속력으로 운동하던 질량이 1 kg인 수레가 나무 도막에 충돌하여 나무 도막을 1 m 밀고 간 후 정지했다. 이때 수레와 바닥 사이의 마찰은 무시한다.

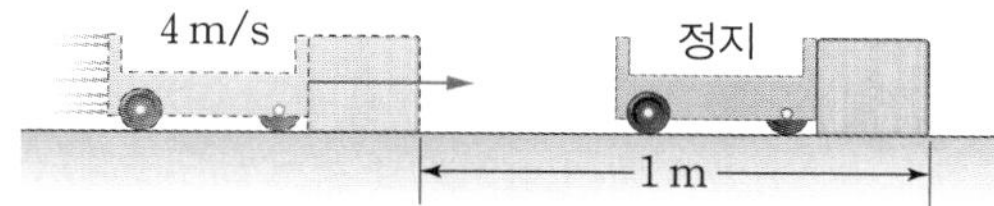

이에 대한 설명 중 옳은 것은?

① 수레의 운동 에너지는 39.2 J이다.
② 수레의 속력을 2배로 하면 나무 도막을 밀고 간 거리는 2 m가 된다.
③ 수레의 질량을 2배로 하면 나무 도막을 밀고 간 거리는 2 m가 된다.
④ 나무 도막과 바닥 사이의 마찰력은 9.8 N이다.
⑤ 수레의 위치 에너지는 수레가 나무 도막에 해 준 일의 양과 같다.

대표 기출 5 | 중력에 의한 위치 에너지 |

그림은 추를 줄에 매달아 들어 올린 후 떨어뜨려 말뚝을 박는 모습을 나타낸 것이다. 공기 저항과 마찰은 무시한다.

이때 일과 에너지 변화에 대한 설명으로 옳은 것은?

① 추에 일을 해도 추의 에너지에는 변화가 없다.
② 추가 한 일의 양과 추의 감소한 에너지는 같다.
③ 추를 들어 올리는 동안 추의 위치 에너지는 감소한다.
④ 추가 떨어지는 동안 추의 운동 에너지는 감소한다.
⑤ 추가 떨어지는 동안 운동 에너지가 위치 에너지로 전환되며 일을 한다.

Tip 추를 들어 올리는 일은 추의 위치 에너지로 전환되고 줄을 놓아 추가 낙하하는 동안 추의 운동 에너지는 증가한다. 증가한 운동 에너지는 말뚝을 박는 일에 쓰인다.

풀이 ① 추를 들어 올리는 동안 한 일은 추의 위치 에너지로 전환되고 추가 낙하하는 동안 운동 에너지로 전환된다.
③ 추의 높이가 점점 높아지므로 위치 에너지는 증가한다.
④ 추가 떨어지는 동안 속력이 일정하게 증가하고 운동 에너지도 속력의 제곱에 비례하므로 증가한다.
④ 추의 위치 에너지가 운동 에너지로 전환되며 운동 에너지가 말뚝을 박는 일을 한다. **답** ②

대표 기출 6 | 중력에 의한 위치 에너지 |

그림은 추를 떨어뜨려 말뚝을 박는 모습을 나타낸 것이다.

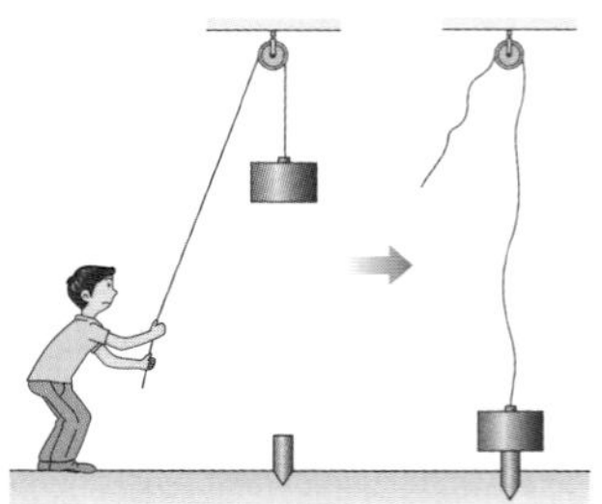

추의 질량과 추가 떨어진 높이가 표와 같을 때, 말뚝이 가장 깊게 박히는 경우는? (단, 말뚝이 박히는 동안 받는 마찰력의 크기는 일정하다.)

구분	A	B	C	D	E
추의 질량(kg)	1	1	2	2	3
추의 떨어진 높이(cm)	50	100	50	100	50

① A ② B ③ C
④ D ⑤ E

Tip 추의 중력에 의한 위치 에너지는 추의 질량과 높이의 곱에 비례한다.

풀이 감소한 위치 에너지는 말뚝을 박는 일을 하게 된다. 위치 에너지$=9.8\times m\times h$이므로 추의 질량과 높이의 곱이 가장 큰 D의 위치 에너지가 가장 크므로 말뚝이 가장 깊게 박히게 된다. **답** ④

5-1 그림 (가)와 같은 위치 에너지 측정 장치에서 추의 질량과 높이를 (나)와 같이 달리하며 추를 떨어뜨렸다.

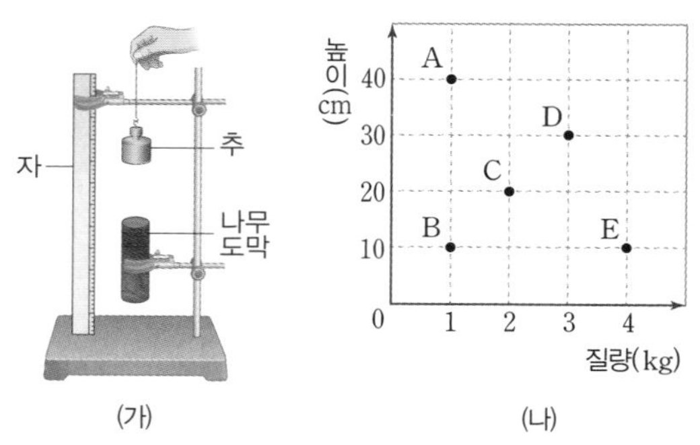

(가) (나)

나무 도막의 이동 거리가 가장 큰 경우는?

① A ② B ③ C ④ D ⑤ E

6-1 그림과 같이 옥상에 질량이 10 kg인 물체가 놓여 있다.

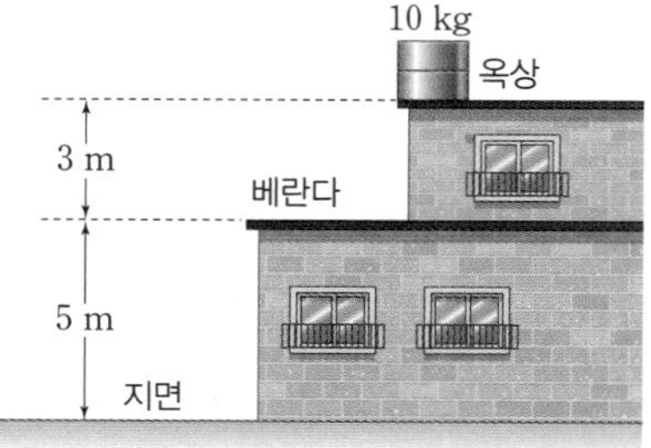

기준면을 (가) 지면으로 할 때와 (나) 베란다로 할 때 물체의 중력에 의한 위치 에너지 비 (가):(나)는?

① 3:5 ② 3:8 ③ 5:3
④ 8:3 ⑤ 8:5

대표 기출 7

| 운동 에너지 |

마찰을 무시할 수 있는 책상 위에 그림과 같이 장치하고, 수레의 질량과 속력을 달리하면서 자와 충돌시켰을 때 자의 이동 거리는 표와 같다.

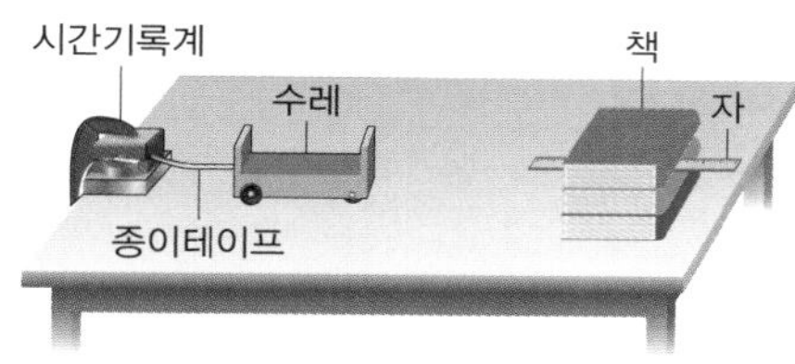

구분	질량	속력(m/s)	자의 이동 거리(cm)
A	1	3	30
B	3	1	(가)

(가)에 들어갈 자의 이동 거리는 얼마인가?

① 10 cm ② 30 cm ③ 60 cm
④ 90 cm ⑤ 120 cm

Tip 수레의 운동 에너지는 자를 밀고 가는 일을 하게 된다. $\frac{1}{2}mv^2=Fs$에서 마찰력 F는 일정하므로 자의 이동 거리 s는 수레의 운동 에너지에 비례한다.

풀이 운동 에너지$=\frac{1}{2}mv^2$이므로 질량이 3배, 속력이 $\frac{1}{3}$배가 되면 운동 에너지는 $3\times\left(\frac{1}{3}\right)^2=\frac{1}{3}$배가 되어 자의 이동 거리도 $\frac{1}{3}$배로 감소하여 10 cm가 된다.

답 ①

대표 기출 8

| 운동 에너지 |

수평면 위에서 일정한 속력으로 운동하던 수레가 나무 도막에 충돌하여 나무 도막을 밀고 간 다음 정지하였다. 표는 수레의 질량과 속력을 달리하였을 때 나무 도막의 이동 거리를 나타낸 것이다.

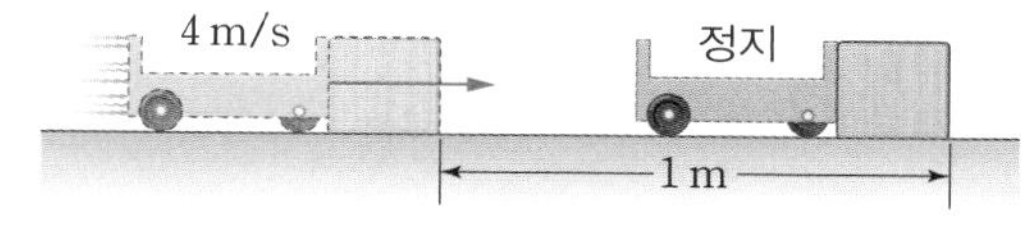

	수레의 질량	수레의 속력	나무 도막의 이동 거리
A	1 kg	2 m/s	3 cm
B	1 kg	4 m/s	12 cm
C	(가)	2 m/s	6 cm
D	2 kg	4 m/s	(나)

(가)와 (나)에 들어갈 값을 순서대로 쓰시오. (단, 공기 저항 및 마찰은 무시한다.)

Tip 운동 에너지는 질량에 비례하고 속력의 제곱에 비례한다. 수레의 운동 에너지는 나무 도막을 밀고 가는 일을 한다.

풀이 운동 에너지$=\frac{1}{2}mv^2$이므로 (가)의 이동 거리는 A와 비교하면 2배 증가하였으므로 수레의 질량은 A보다 2배 큰 2 kg이다. 또 (나)는 B와 비교하면 속력이 같고 질량이 2배이므로 이동 거리도 2배 증가하여 12 cm×2=24 cm 이동하게 된다.

답 (가) 2 kg (나) 24 cm

7-1 그림과 같은 장치에서 질량이 1 kg인 쇠구슬을 속력 측정기로부터 0.5 m 높이에서 가만히 놓았다. 쇠구슬이 0.5 m만큼 낙하하는 A 지점을 지날 때 쇠구슬의 운동 에너지의 크기는 얼마인가? (단, 공기의 저항은 무시한다.)

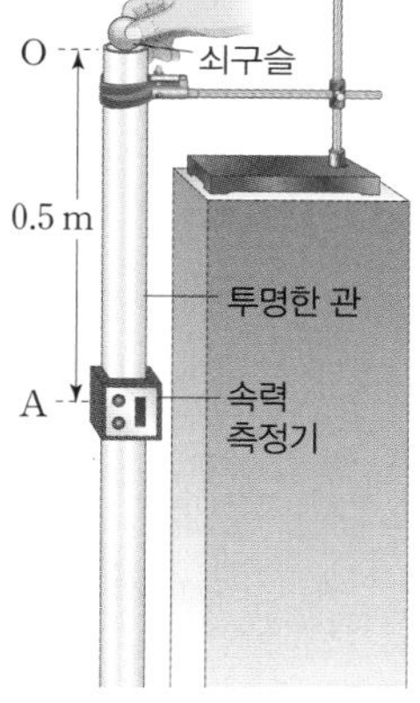

① 0.5 J ② 1 J
③ 4.9 J ④ 9.8 J
⑤ 19.6 J

8-1 그림은 50 km/h의 속력으로 달리던 자동차가 신호등을 보고 브레이크를 밟았더니 20 m 더 이동한 후 정지한 모습을 나타낸 것이다.

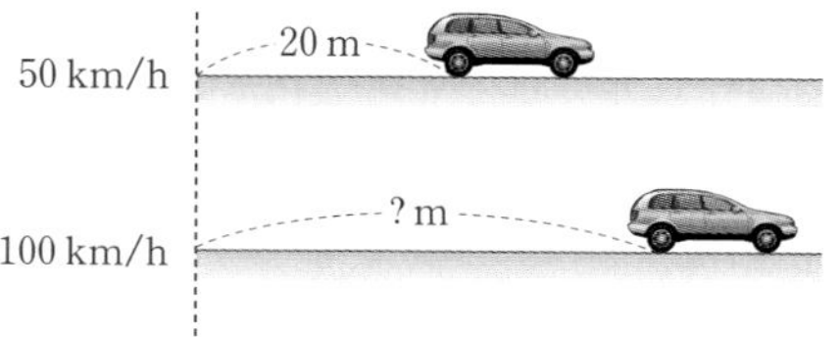

같은 자동차가 100 km/h의 속력으로 달리다가 브레이크를 밟았을 때 정지할 때까지 이동한 거리는 얼마인가?

① 20 m ② 40 m ③ 60 m
④ 80 m ⑤ 120 m

1주 3일 필수 체크 전략 2 최다 오답 문제

1 과학에서 의미하는 일을 한 경우가 아닌 것은?

① 상자를 들고 1층에서 3층까지 올라갔다.
② 역도 선수가 100 kg의 역기를 들어 올리고 3초 동안 서 있었다.
③ 마트에서 짐이 실린 카트를 밀면서 앞으로 걸어갔다.
④ 마찰이 없는 빙판에서 아이스 퍽이 등속 직선 운동을 하였다.
⑤ 무거운 가방을 메고 제자리에서 앉았다 일어서기를 10회 반복했다.

Tip 과학에서 일은 힘이 작용하여 ❶ ___의 방향으로 물체가 이동하는 경우이다. 일의 양=힘× ❷ ___

답 ❶ 힘 ❷ 이동 거리

2 그림과 같이 무게가 10 N인 물체를 A에서 B까지 크기가 F_1인 힘으로 끌어당긴 다음 크기가 F_2인 힘으로 C까지 들어 올렸고 A에서 C까지 물체를 이동할 때 한 일이 38 J이었다.

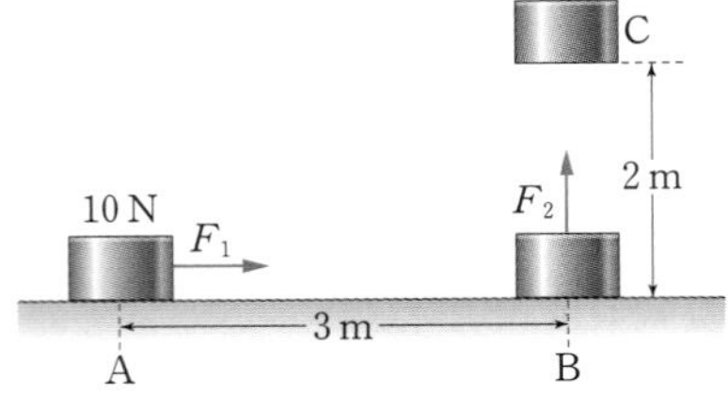

물체가 A에서 B까지 이동하는 데 필요한 힘의 크기 F_1은 얼마인가?

① 3 N ② 6 N ③ 10 N
④ 18 N ⑤ 25 N

Tip 수평 방향으로 물체를 이동할 때에는 ❶ ___에 대하여 일을 한 것이며, 연직 방향으로 물체를 이동할 때에는 ❷ ___에 대하여 일을 한 것이다.

답 ❶ 마찰력 ❷ 중력

3 표는 높은 곳에서 추를 떨어뜨려 나무 도막을 밀어내는 실험에서 추의 질량 및 낙하 높이에 따른 나무 도막의 이동 거리를 나타낸 것이다. 추에 작용하는 마찰은 무시한다.

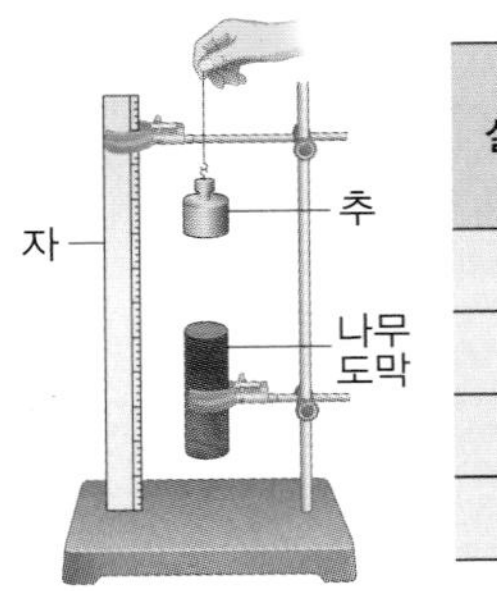

실험	추의 질량	추의 낙하 높이	나무 도막의 이동 거리
A	1 kg	10 cm	10 cm
B	1 kg	20 cm	20 cm
C	2 kg	10 cm	20 cm
D	2 kg	30 cm	(가)

이 실험에 대한 설명으로 옳지 않은 것은?

① 표에서 (가)는 60 cm이다.
② 추의 위치 에너지는 추의 질량에 비례한다.
③ 추의 위치 에너지는 추의 높이에 비례한다.
④ 실험에서 나무 도막이 받는 마찰력은 19.6 N이다.
⑤ 실험 B와 C에서 추가 한 일의 양은 같다.

Tip 질량이 일정할 때 위치 에너지는 ❶ ___에 비례한다. 질량이 1 kg인 물체가 기준면으로부터 높이 1 m에 있을 때 위치 에너지는 ❷ ___이다.

답 ❶ 높이 ❷ 9.8 J

4 A에서 쇠구슬을 가만히 놓았더니 빗면을 내려와 수평면에 정지해 있던 나무 도막을 20 cm 밀고 간 후 멈추었다.

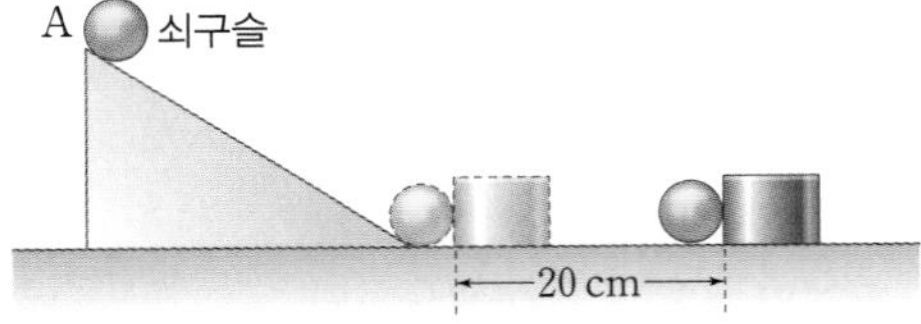

나무 도막과 바닥 사이의 마찰력이 3 N이면 A에서 쇠구슬의 위치 에너지는? (단, 빗면에서의 마찰은 무시한다.)

① 2 J ② 4 J ③ 6 J
④ 60 J ⑤ 600 J

Tip 쇠구슬의 위치 에너지는 나무 도막과 바닥 사이의 ❶ ___에 대해 한 일로 전환된다. 위치 에너지=마찰력에 대해 한 일=마찰력× ❷ ___

답 ❶ 마찰력 ❷ 이동 거리

5 그림은 같은 종류의 추를 떨어뜨려 위치 에너지에 영향을 주는 요인을 알아보기 위한 실험을 나타낸 것이다.

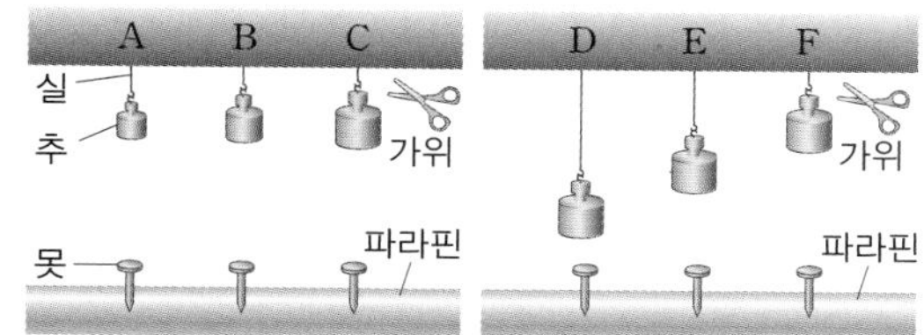

이에 대한 설명으로 옳지 않은 것은? (단, 추 C, D, E, F의 질량은 같고, 공기 저항은 무시한다.)

① 위치 에너지가 가장 큰 추는 C와 F이다.
② A, B, C는 물체의 질량과 위치 에너지의 크기를 알아보기 위한 실험이다.
③ 추 A와 C의 무게의 비가 1 : 3이면 위치 에너지는 C가 A보다 3배 크다.
④ D, E, F는 물체의 높이와 위치 에너지의 크기를 알아보기 위한 실험이다.
⑤ 못이 박히는 깊이를 비교하면 A>B>C이고, D>E>F이다.

Tip 일정한 높이에 있는 물체의 위치 에너지는 ❶ ☐에 비례하고, 질량이 일정한 경우 위치 에너지는 기준면으로부터의 ❷ ☐에 비례한다. 답 ❶ 질량 ❷ 높이

6 그림은 A에서 가만히 놓은 물체가 3초 동안 낙하하면서 B, C, D를 지날 때 낙하 거리를 일정한 시간 간격으로 나타낸 것이다. 이에 대한 설명으로 옳은 것을 |보기|에서 모두 고르시오. (단, 공기 저항은 무시하며, 중력 가속도 상수는 9.8이다.)

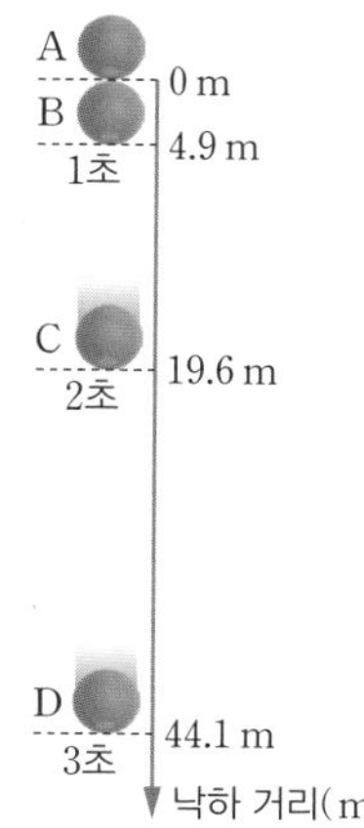

|보기|
ㄱ. B에서의 속력은 4.9 m/s이다.
ㄴ. C에서의 운동 에너지는 B에서의 4배이다.
ㄷ. A에서부터 D까지 낙하하는 동안 물체의 평균 속력은 14.7 m/s이다.

Tip 자유 낙하 하는 물체의 ❶ ☐은 1초가 지날 때마다 ❷ ☐ m/s씩 빨라진다. 답 ❶ 속력 ❷ 9.8

7 여러 가지 상황에서 (1) 물체의 운동 에너지, (2) 중력에 의한 위치 에너지를 각각 처음의 4배로 만들려고 한다. 그 방법 옳게 짝 지은 것을 |보기|에서 모두 고르시오.

|보기|
ㄱ. (1)－물체의 무게를 2배 증가한다.
ㄴ. (2)－물체의 질량을 16배, 높이를 $\frac{1}{2}$배 증가한다.
ㄷ. (2)－물체의 질량을 8배, 속력을 $\frac{1}{2}$배 증가한다.
ㄹ. (1)－일정한 속력으로 운동하는 물체의 속력만 2배 증가한다.
ㅁ. (2)－높은 곳에 있는 물체의 질량을 2배, 높이를 2배 증가한다.

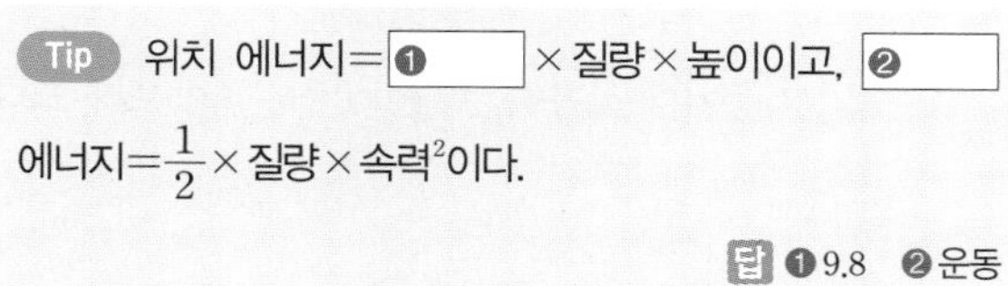
Tip 위치 에너지=❶ ☐ × 질량 × 높이이고, ❷ ☐ 에너지=$\frac{1}{2}$ × 질량 × 속력^{2}이다.

답 ❶ 9.8 ❷ 운동

01 그림은 수평면에서 운동하는 물체를 일정한 시간 간격으로 나타낸 것이다.

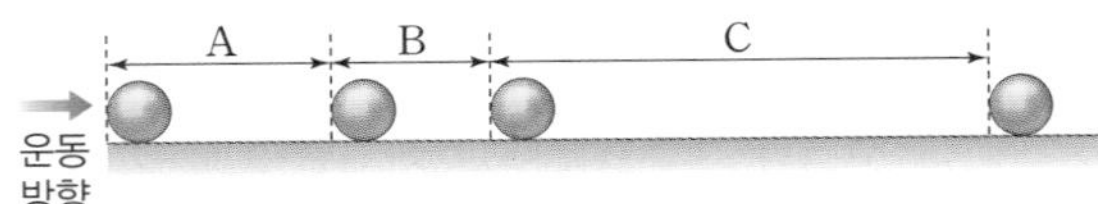

이 물체의 운동에 대한 설명으로 옳은 것을 | 보기 | 에서 모두 고른 것은?

보기
ㄱ. 이동 거리는 C 구간이 가장 크다.
ㄴ. 속력은 B 구간에서 가장 빠르다.
ㄷ. 물체는 속력이 일정한 운동을 한다.

① ㄱ ② ㄴ ③ ㄱ, ㄷ
④ ㄴ, ㄷ ⑤ ㄱ, ㄴ, ㄷ

02 그림 (가), (나)는 오른쪽으로 운동하는 두 장난감 자동차의 위치를 1초 간격으로 나타낸 것이다.

(가)

(나)

이에 대한 설명으로 옳은 것을 | 보기 | 에서 모두 고른 것은?

보기
ㄱ. (가), (나) 모두 속력이 일정한 운동이다.
ㄴ. 속력이 (나)가 (가)보다 빠르다.
ㄷ. 자동차에 작용하는 힘이 (나)가 (가)보다 크다.

① ㄱ ② ㄷ ③ ㄱ, ㄴ
④ ㄴ, ㄷ ⑤ ㄱ, ㄴ, ㄷ

03 그림은 물체 A와 B의 이동 거리를 시간에 따라 나타낸 것으로 0초일 때 A와 B는 같은 위치에 있다. 이에 대한 설명으로 옳은 것은?

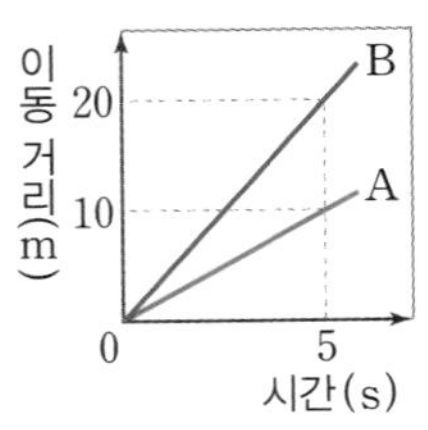

① 5초일 때 B의 속력은 A의 2배이다.
② 10초일 때 B의 속력은 A의 4배이다.
③ 5초 동안 A, B가 이동한 거리는 같다.
④ B는 속력이 점점 증가하는 운동을 한다.
⑤ A는 B보다 속력이 증가하는 정도가 느리다.

04 그림은 질량이 21 g인 고무공과 질량이 3 g인 탁구공을 2.5 m 높이에서 동시에 떨어뜨리는 모습을 나타낸 것이다. 탁구공이 지면에 도달하는 순간 속력이 7 m/s라면 고무공이 지면에 도달하는 순간의 속력은? (단, 공기 저항은 무시한다.)

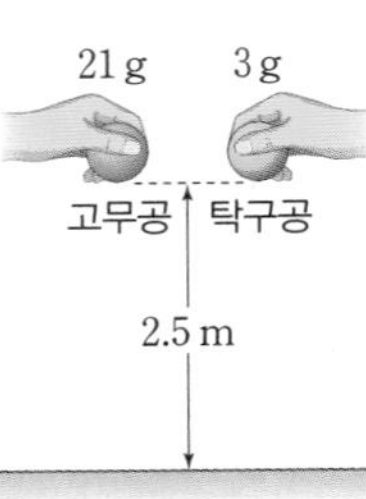

① 1 m/s ② 3.5 m/s ③ 7 m/s
④ 10.5 m/s ⑤ 49 m/s

05 그림과 같이 질량이 1 kg, 2 kg, 3 kg인 세 물체 A, B, C에 작용하는 중력의 크기가 각각 9.8 N, 19.6 N, 29.4 N이다.

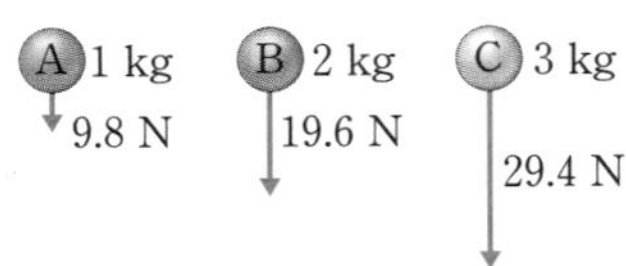

이 세 물체를 같은 높이에서 동시에 낙하시켰을 때 속력 변화의 비(A:B:C)를 구하시오. (단, 공기 저항은 무시한다.)

( )

06 그림과 같이 철호, 진주, 영수 세 사람이 자신이 한 일을 말하고 있다.

세 사람이 한 일의 양을 옳게 비교한 것은?

① 철호 > 영수 > 진주
② 철호 > 진주 > 영수
③ 영수 > 철호 > 진주
④ 영수 > 진주 > 철호
⑤ 철호 > 진주 = 영수

07 그림과 같이 지면에 놓인 물체를 1.5 m 높이만큼 들어 올리는 동안 58.8 J의 일을 하였다.

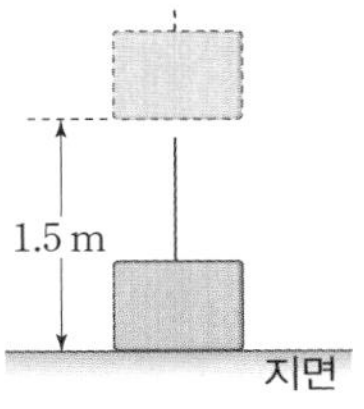

이 물체에 작용하는 중력의 크기는 얼마인가?

① 1.5 N
② 4 N
③ 9.8 N
④ 39.2 N
⑤ 49 N

08 정지해 있는 장난감 자동차를 일정한 크기의 힘으로 밀어 주었더니 속력이 2 m/s가 되었다. 같은 조건에서 힘의 크기와 밀어 준 거리를 모두 2배로 하였을 때 이 자동차의 속력은 얼마인지 구하시오.

( )

09 그림과 같이 옥상에 질량이 1 kg인 물체가 놓여 있다.

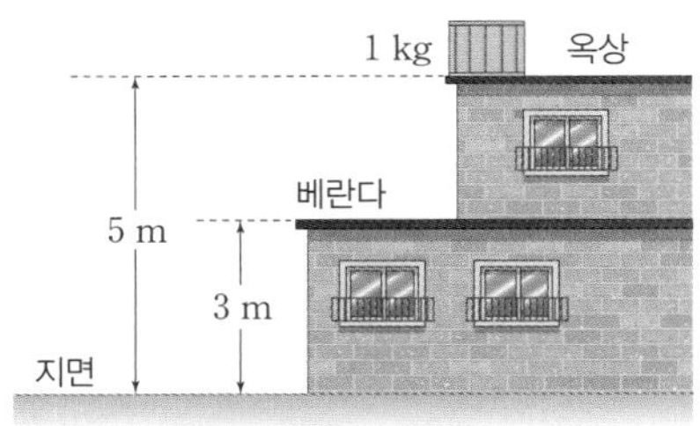

(A) 지면을 기준면으로 한 물체의 위치 에너지와 (B) 베란다를 기준면으로 한 물체의 위치 에너지의 비 (A) : (B)는?

① 1 : 1
② 2 : 3
③ 3 : 2
④ 5 : 2
⑤ 5 : 3

10 다음과 같이 질량과 높이가 다른 물체 A, B, C, D를 떨어뜨렸을 때 지면에 도달하는 순간의 운동 에너지를 비교하려고 한다.

- A: 질량 1 kg, 높이 10 m
- B: 질량 3 kg, 높이 5 m
- C: 질량 4 kg, 높이 5 m
- D: 질량 3 kg, 높이 10 m

물체가 지면에 도달하는 순간 A~D의 운동 에너지의 크기를 옳게 비교한 것은? (단, 공기 저항은 무시한다.)

① A = B = C = D
② A > B > C > D
③ A = D < B = C
④ C > B = D > A
⑤ D > C > B > A

1 그림은 시간기록계를 이용하여 어떤 물체의 운동을 기록한 종이테이프를 일정한 타점 간격으로 잘라 붙인 것이다.

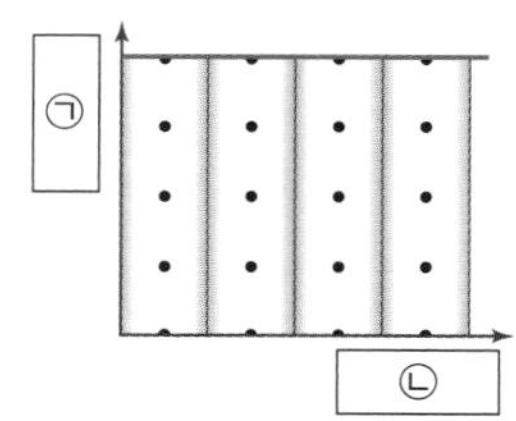

㉠과 ㉡에 알맞은 물리량과 이러한 운동의 예를 옳게 짝지은 것은?

	㉠	㉡	운동의 예
①	속력	시간	무빙워크의 운동
②	속력	시간	빗면을 굴러내려오는 공의 운동
③	속력 변화	시간	무빙워크의 운동
④	속력 변화	시간	빗면을 굴러내려오는 공의 운동
⑤	이동 거리	시간	무빙워크의 운동

Tip 종이테이프를 일정한 간격으로 자르면 자른 길이는 일정한 타점이 찍히는 데 걸린 시간 동안의 ❶ ☐ 를 나타내므로 ❷ ☐ 을 의미한다.

답 ❶ 이동 거리 ❷ 속력

2 그림은 높은 곳에서 가만히 떨어뜨린 공의 모습을 나타낸 다중 섬광 사진이다. 이 운동의 특징에 대해 옳게 설명하는 학생을 모두 고르시오. (단, 공기의 저항은 무시한다.)

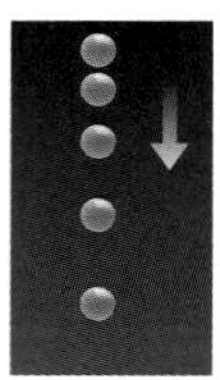

( )

Tip 자유 낙하 운동은 ❶ ☐ 만을 받아 떨어지는 운동이며 운동 방향으로 힘이 계속 작용하므로 속력이 일정하게 ❷ ☐ 한다.

답 ❶ 중력 ❷ 증가

3 그림은 지구에서 자유 낙하 하는 공을 1초 간격으로 6초 동안 찍은 다중 섬광 사진을 대략적으로 나타낸 것이다. 이 공의 자유 낙하 운동을 달에서 1초 간격으로 6초 동안 촬영한다면 옳은 것은? (단, 공기의 저항은 무시한다.)

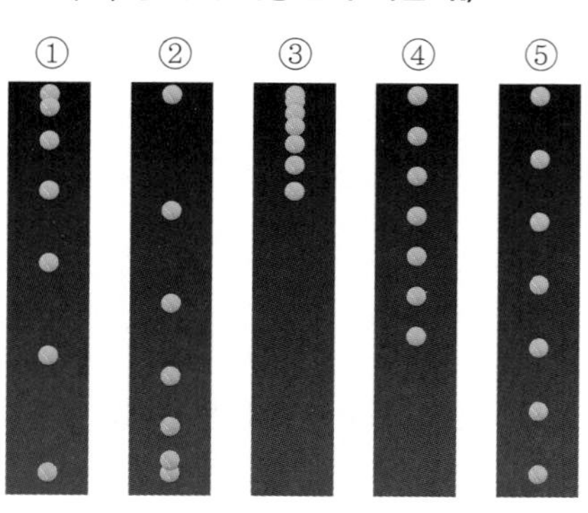

Tip 자유 낙하 운동은 운동 방향과 ❶ ☐ 방향으로 ❷ ☐ 을 받는 운동이다.

답 ❶ 같은 ❷ 중력

>> 정답과 해설 47쪽

4 그림과 같이 질량이 1 kg과 2 kg인 물체를 가벼운 실로 연결해서 같은 높이에서 동시에 떨어뜨리는 실험을 하였다.

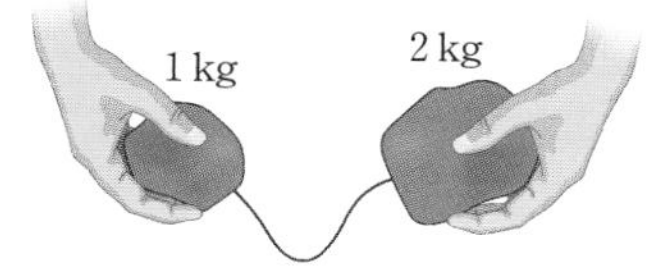

이 실험의 결과를 옳게 예상한 학생은? (단, 실의 질량 및 공기의 저항은 무시한다.)

① 수연: 1 kg인 물체가 먼저 떨어지고 다음으로 2 kg인 물체가 떨어질 거야.
② 연정: 2 kg인 물체가 먼저 떨어지고 다음으로 1 kg인 물체가 떨어질 거야.
③ 양주: 실로 연결된 전체 질량이 3 kg이므로 2 kg인 물체보다 더 빠르게 떨어질 거야.
④ 병철: 낙하하는 물체의 속력 변화는 질량에 관계없으므로 두 물체는 동시에 떨어질 거야.
⑤ 수진: 2 kg인 물체는 1 kg인 물체와 실로 연결되지 않았을 때보다 더 느리게 떨어질 거야.

Tip 같은 높이에서 동시에 자유 낙하 운동을 하는 물체는 ❶ [ ] 에 관계없이 지면에 ❷ [ ] 에 도달한다.

답 ❶ 질량 ❷ 동시

5 그림은 고속도로에서 두 지점 A, B를 통과할 때까지 걸린 시간을 측정하여 과속 여부를 판단하는 구간 단속을 나타낸 것이다. 어떤 자동차가 구간 단속 시작점인 A 지점을 통과한 때가 오후 3시 정각이고, B 지점을 통과한 때가 오후 3시 10분이다. (단, 단속 구간 거리는 20 km이고, 고속도로의 제한 속력은 100 km/h이다.)

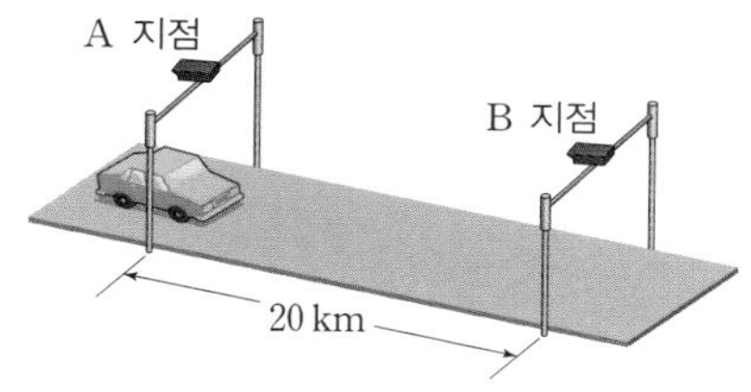

(1) 자동차가 구간 단속에 과속인지 과속이 아닌지 풀이와 함께 서술하시오.

(2) 과속에 걸리지 않고 B 지점을 통과하는 최고 속력을 쓰고 B 지점을 통과한 가장 빠른 시각을 풀이와 함께 구하시오.

Tip 속력은 이동 거리가 일정할 때 걸린 ❶ [ ] 이 짧을수록 빠르다. 과속 구간에서 과속에 걸리지 않기 위한 최대 속력은 ❷ [ ] 속력이다.

답 ❶ 시간 ❷ 제한

6 그림은 물체에 한 일의 양을 구하는 과정을 나타낸 것이다.

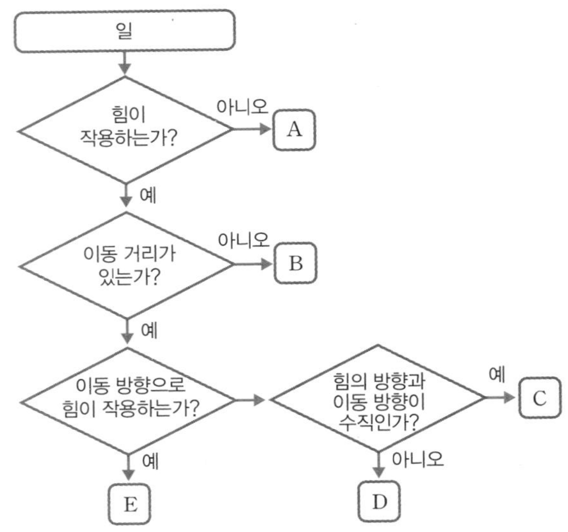

(1) E에서 물체에 한 일의 양을 구하는 식을 쓰시오.

(2) A, B에 공통으로 들어갈 알맞은 값을 쓰시오.

(3) C 값을 쓰고, 그 까닭을 서술하시오.

Tip 일의 양은 힘과 이동 거리의 ❶ ☐ 으로 구한다. 힘의 방향과 이동 방향이 수직인 경우 힘의 방향으로 이동 거리는 ❷ ☐ 이다.

답 ❶곱 ❷0

7 그림과 같이 지게차를 이용하여 1개의 무게가 100 N인 벽돌 2000개를 바닥에서 높이 2 m인 선반에 올려놓으려고 한다. 표는 이때 이용할 지게차를 고르기 위해 조사한 지게차의 성능이다.

지게차 성능 비교

지게차	A	B
1초 동안 할 수 있는 일의 양	25000 J	50000 J
한 번에 실을 수 있는 벽돌의 수	2000개	2000개

가장 빠르게 벽돌을 올리고자 할 때, 이용할 지게차와 이때 걸리는 시간을 옳게 짝 지은 것은? (단, 벽돌을 지게차에 싣고 내리는 시간은 제외한다.)

	지게차	걸리는 시간		지게차	걸리는 시간
①	A	8초	②	B	8초
③	A	16초	④	B	16초
⑤	A	20초			

Tip 한 일의 양이 ❶ ☐ 할 때, 일을 하는 데 걸리는 ❷ ☐ 이 짧을수록 성능이 좋다.

답 ❶일정 ❷시간

8 **그림과 같이 빗면의 길이가 다른 널빤지 A~C를 이용하여 높이가 일정한 트럭에 이삿짐을 옮겨 실으려고 한다.**

(1) 마찰을 무시할 때, 가장 작은 힘으로 이삿짐을 실으려면 널빤지 A~C 중 어느 빗면을 이용해야 하는지 쓰시오.

( )

(2) (1)과 같이 답한 까닭을 '일의 양'과 '이동 거리'를 모두 포함하여 서술하시오.

Tip 과학에서 한 일은 힘을 가해 ❶ ___ 의 방향으로 물체가 이동했을 때를 말한다. 중력에 대해 한 일의 양=물체의 무게×들어 올린 ❷ ___ 이다.

답 ❶ 힘 ❷ 높이

9 **다음은 질량이 다른 수레가 한 일의 양을 알아보기 위한 실험이다.**

| 실험 과정 |

긴 막대로 질량이 300 g, 600 g, 900 g인 세 수레를 동시에 밀었을 때 나무 도막의 이동 거리를 측정하였다.

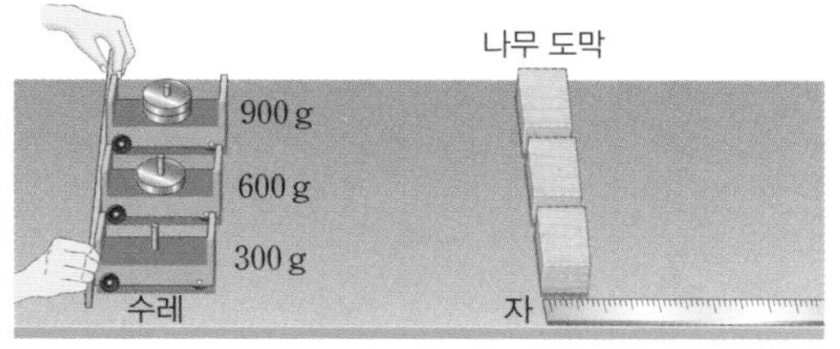

| 실험 결과 |

수레의 질량(g)	300	600	900
나무 도막의 이동 거리(cm)	4	8	12

(1) 이 실험에서 한 일과 에너지의 관계를 나타낸 것이다. 빈칸에 알맞은 말을 쓰시오.

막대로 수레를 밀고 가는 일 → 수레의 ( ) 에너지 → 나무 도막을 이동하는 일

(2) 실험 결과로부터 수레의 질량과 나무 도막의 이동 거리 관계를 서술하시오.

(3) 위 실험 결과로부터 알 수 있는 사실을 다음 용어를 모두 포함하여 서술하시오.

운동 에너지 속력 질량

Tip 운동 에너지를 가진 물체는 다른 물체에 ❶ ___ 을 한다. 속력이 일정할 때 물체의 운동 에너지는 질량에 ❷ ___ 한다.

답 ❶ 일 ❷ 비례

2주 Ⅳ 자극과 반응

7강_감각 기관

8강_신경계와 호르몬

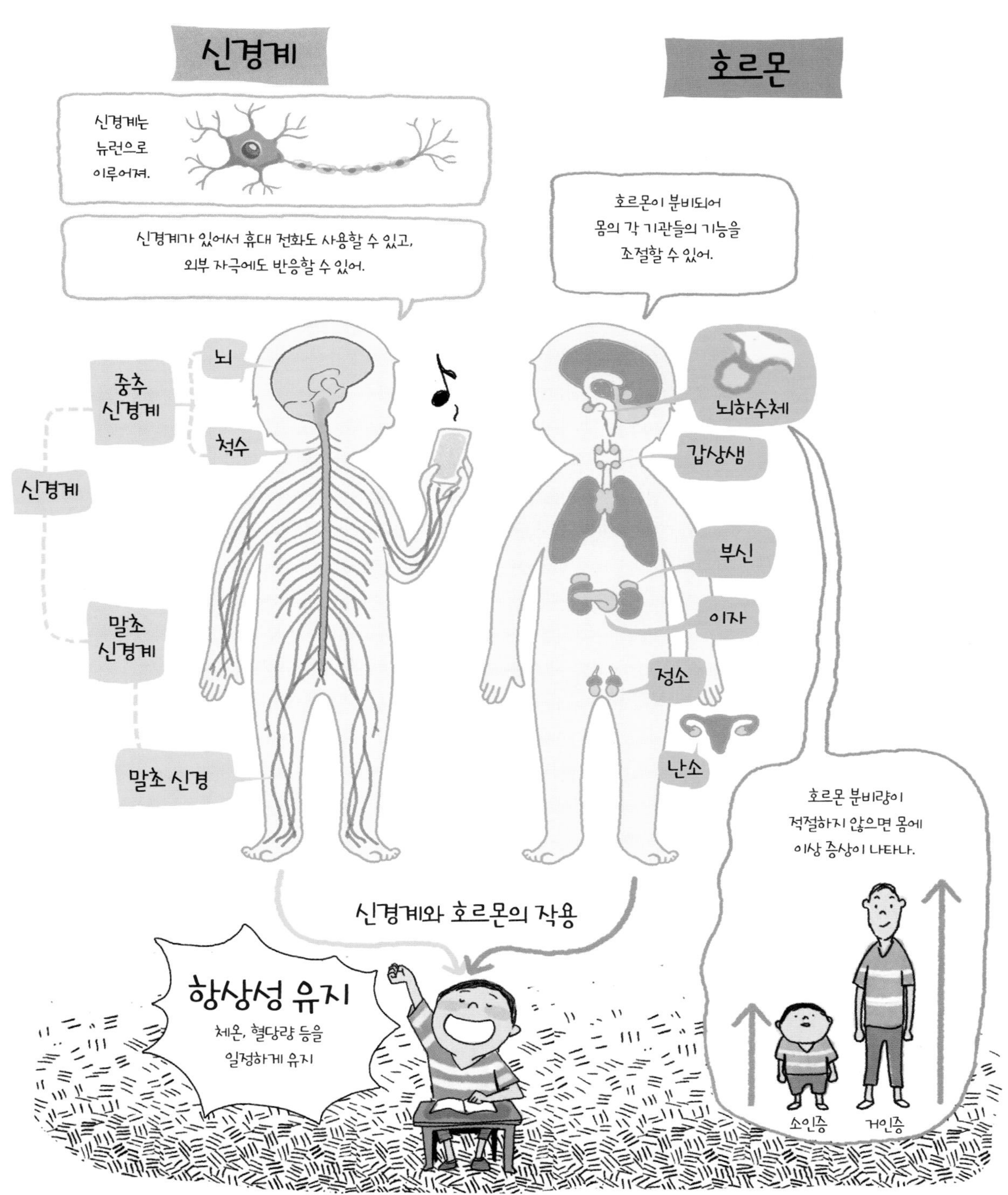

신경계
신경계는 뉴런으로 이루어져.
신경계가 있어서 휴대 전화도 사용할 수 있고, 외부 자극에도 반응할 수 있어.
신경계
중추 신경계
뇌
척수
말초 신경계
말초 신경
호르몬
호르몬이 분비되어 몸의 각 기관들의 기능을 조절할 수 있어.
뇌하수체
갑상샘
부신
이자
정소
난소
호르몬 분비량이 적절하지 않으면 몸에 이상 증상이 나타나.
소인증
거인증
신경계와 호르몬의 작용
항상성 유지
체온, 혈당량 등을 일정하게 유지

2주 1일 개념 돌파 전략 1

개념 ❶ 눈(시각)

1 **시각** 눈에서 ❶ [ ] 을 자극으로 받아들여 물체의 모양과 크기, 색깔 등을 느끼는 감각

2 **눈의 구조**

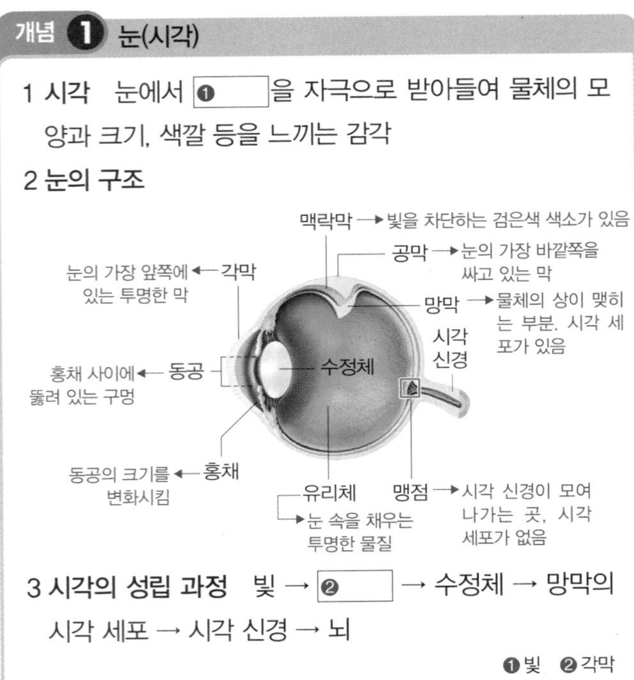

3 **시각의 성립 과정** 빛 → ❷ [ ] → 수정체 → 망막의 시각 세포 → 시각 신경 → 뇌

❶ 빛 ❷ 각막

확인Q 1 망막은 물체의 상이 맺히는 부분이며, ( )가 있어 빛 자극을 받아들인다.

개념 ❷ 빛의 양에 따른 눈의 조절 작용

1 **밝기 조절** 홍채의 넓이 변화로 ❶ [ ] 의 크기가 변해 눈으로 들어오는 빛의 양이 조절된다.

2 **조절 원리**

밝은 곳	어두운 곳
홍채 확장 → 동공 축소 → 눈으로 들어오는 빛의 양 ❷ [ ]	홍채 축소 → 동공 확대 → 눈으로 들어오는 빛의 양 ❸ [ ]
홍채 확장 / 동공 축소	홍채 축소 / 동공 확대

❶ 동공 ❷ 감소 ❸ 증가

확인Q 2 동공의 크기를 조절하여 눈으로 들어오는 빛의 양을 조절하는 구조는 (수정체, 홍채)이다.

개념 ❸ 원근에 따른 눈의 조절 작용

1 **원근 조절** 물체와의 거리에 따라 ❶ [ ] 의 두께가 변해 망막에 정확하게 상이 맺히도록 한다.

2 **조절 원리**

가까운 곳을 볼 때	먼 곳을 볼 때
❷ [ ] 가 수축 → 수정체가 두꺼워짐	❸ [ ] 가 이완 → 수정체가 얇아짐

가까운 곳을 볼 때: 섬모체 수축 → 수정체 두꺼워짐

먼 곳을 볼 때: 섬모체 이완 → 수정체 얇아짐

❶ 수정체 ❷ 섬모체 ❸ 섬모체

확인Q 3 물체와 상 사이의 거리가 멀어지면 섬모체가 ㉠(수축, 이완)하고 수정체가 ㉡(두꺼워진다, 얇아진다).

개념 ❹ 귀(청각)

1 **청각** 귀에서 공기의 ❶ [ ] 을 자극으로 받아들여 소리로 인식하는 감각

2 **귀의 구조**

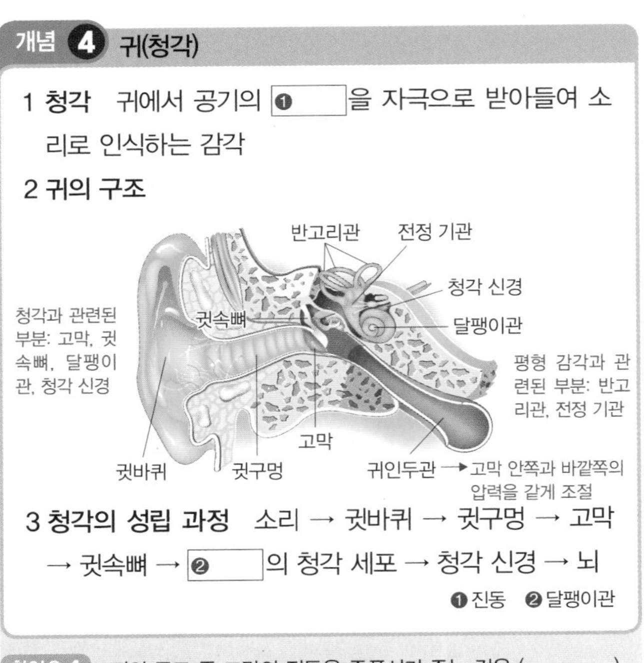

3 **청각의 성립 과정** 소리 → 귓바퀴 → 귓구멍 → 고막 → 귓속뼈 → ❷ [ ] 의 청각 세포 → 청각 신경 → 뇌

❶ 진동 ❷ 달팽이관

확인Q 4 귀의 구조 중 고막의 진동을 증폭시켜 주는 것은 ( ) 이다.

개념 5 평형 감각

1 평형 감각 눈으로 보지 않아도 몸이 회전하거나 기울어지는 것을 느끼는 감각

2 평형 감각 기관 반고리관에서는 몸의 ❶ [ ] 상태를, 전정 기관에서는 몸의 ❷ [ ]을 감지하며, 평형 감각 신경을 통해 뇌로 전달된다.

세 개의 고리가 직각으로 연결되어 있고 림프액으로 차 있음 ← 반고리관
평형 감각 신경
청각 신경
달팽이관 → 청각 세포가 있음
전정 기관 → 몸이 기울어지면서 석회질의 작은 돌이 움직이며 감각 세포를 자극함

❶ 회전 ❷ 기울어짐

확인Q 5 회전하는 놀이 기구를 탈 때 몸이 회전하는 것을 느끼는 것은 (반고리관, 전정 기관)에 의해 나타난다.

개념 6 코(후각)

1 후각 공기 중에 있는 ❶ [ ] 상태의 화학 물질을 자극으로 받아들여 냄새를 느끼는 감각

2 코의 구조

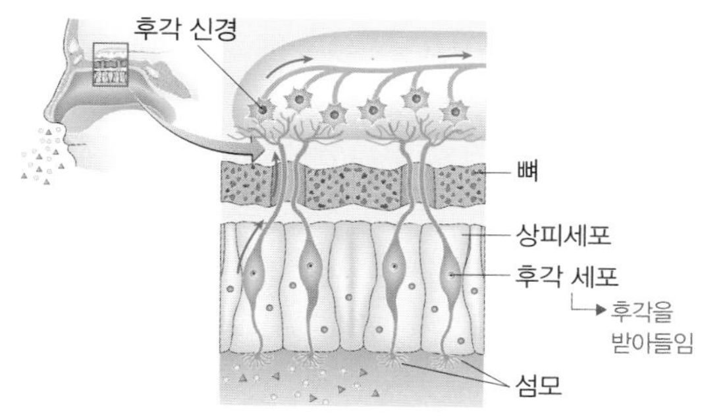

3 후각의 성립 과정 기체 상태의 화학 물질 → ❷ [ ] → 후각 신경 → 뇌

❶ 기체 ❷ 후각 세포

확인Q 6 후각 세포는 쉽게 피로해져서 같은 ( )를 오래 느끼지 못한다.

개념 7 혀(미각)

1 미각 ❶ [ ] 상태의 화학 물질을 자극으로 받아들여 맛을 느끼는 감각

2 혀의 구조

미각을 받아들임
맛세포
미각 신경
돌기
맛봉오리

3 미각의 성립 과정 액체 상태의 화학 물질 → 맛봉오리의 ❷ [ ] → 미각 신경 → 뇌

❶ 액체 ❷ 맛세포

확인Q 7 혀에서 느낄 수 있는 기본 맛에는 단맛, 짠맛, 신맛, ( ), 감칠맛이 있다.

개념 8 피부(피부 감각)

1 피부 감각 피부에서 접촉, 압력, 온도 변화 등의 자극을 받아들여 느끼는 감각. 감각점으로 ❶ [ ], 압점, 촉점, 냉점, 온점이 있다. → 감각점은 특히 손 끝이나 입술, 목 등에 많다

2 피부의 구조

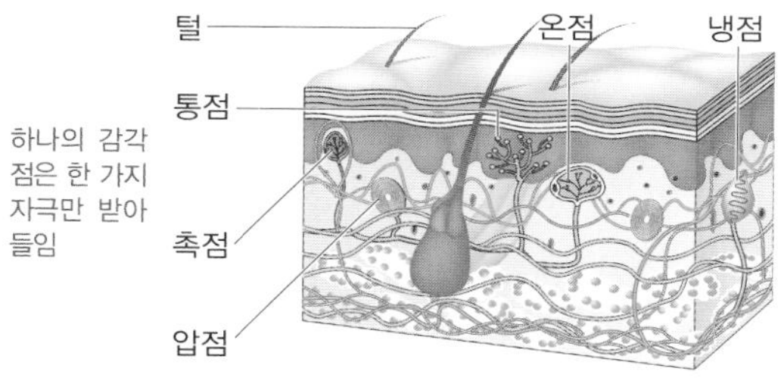

3 피부 감각의 성립 과정 피부 자극 → 피부 ❷ [ ] → 피부 감각 신경 → 뇌

❶ 통점 ❷ 감각점

확인Q 8 피부의 감각점 중 가장 많이 분포하고 있는 것은 ( )이다.

개념 1 뉴런

1 뉴런 신경계를 구성하는 신경 세포로, 가지 돌기, ❶ [ ], 축삭 돌기로 이루어진다.

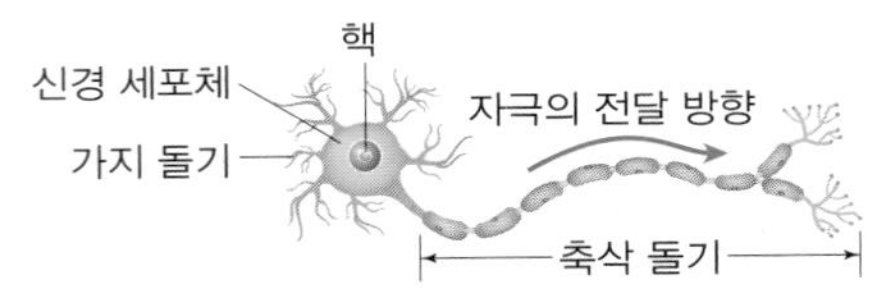

2 뉴런의 구조

가지 돌기	다른 뉴런이나 기관으로부터 자극을 받아들임
신경 세포체	❷ [ ]과 세포질이 모여 있는 부분으로, 생명 활동이 일어남
축삭 돌기	가지 돌기에서 받아들인 자극을 다른 뉴런이나 기관으로 전달

❶신경 세포체 ❷핵

확인Q 1 다음은 한 뉴런에서 자극이 전달되는 방향을 나타낸 것이다. 빈칸에 알맞은 말을 쓰시오.

㉠( ) → 신경 세포체 → ㉡( )

개념 2 뉴런의 종류와 자극의 전달

1 뉴런의 종류와 연결 → 기능에 따라 감각 뉴런, 연합 뉴런, 운동 뉴런으로 구분

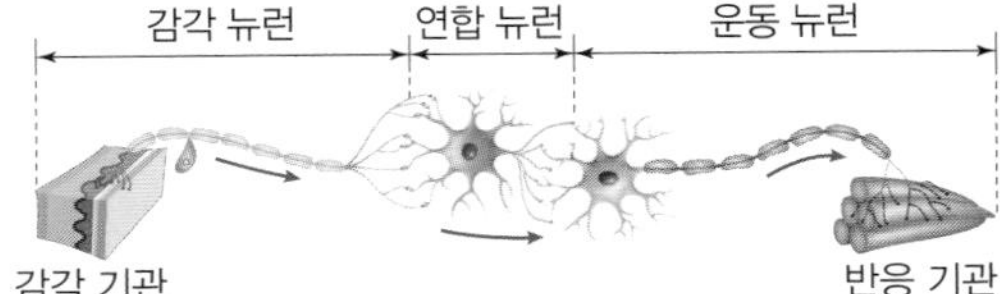

2 뉴런의 종류

감각 뉴런	감각 기관에서 받아들인 자극을 ❶ [ ] 뉴런에 전달 → 감각 뉴런이 모여 감각 신경을 이룸
연합 뉴런	감각 뉴런에서 전달된 자극을 종합, 판단하여 운동 뉴런에 명령을 내림 → 중추 신경계를 이룸
운동 뉴런	연합 뉴런의 명령을 ❷ [ ]에 전달

→ 운동 뉴런이 모여 운동 신경을 이룸

❶연합 ❷반응 기관

확인Q 2 다음은 자극이 전달되어 반응하기까지의 과정을 나타낸 것이다. 빈칸에 알맞은 말을 쓰시오.

자극 → 감각 기관 → ㉠( ) → 연합 뉴런 → ㉡( ) → 반응 기관 → 반응

개념 3 신경계

1 신경계의 구성 → 중추 신경계+말초 신경계

- 신경계
  - 중추 신경계
    - 뇌: 자극에 대해 판단하여 적절한 ❶ [ ]을 하도록 명령을 내린다. 대뇌, 간뇌, 중간뇌, 소뇌, 연수로 구성
    - 척수: 뇌와 말초 신경 사이에 신호를 전달하는 통로
  - 말초 신경계
    - 온몸에 그물처럼 퍼져 있어 몸의 각 부분과 중추 신경계를 연결하며, 감각 신경과 ❷ [ ] 신경으로 구성

❶반응 ❷운동

확인Q 3 말초 신경계는 체성 신경계와 ㉠( ) 신경계로 구분되며, ㉡( ) 신경계는 다시 교감 신경과 부교감 신경으로 구분된다.

개념 4 중추 신경계

1 중추 신경계 뇌와 ❶ [ ]로 구성되며, 자극에 대해 판단하여 적절한 반응을 하도록 명령을 내린다.

2 뇌 → 많은 연합 신경이 밀집하여 분포함

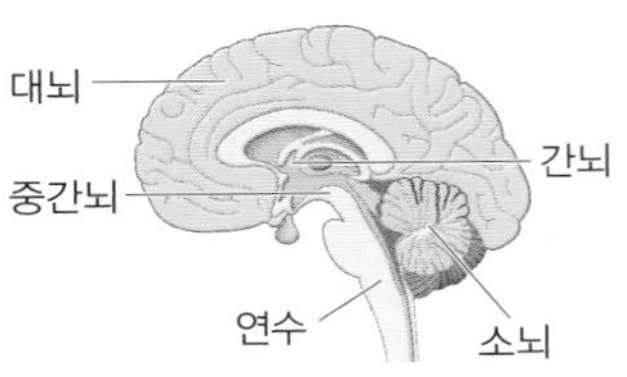

- 대뇌: 감각 기관에서 받아들인 자극을 종합, 분석, 통합하여 적절한 반응을 하도록 통제한다.
- 소뇌: 근육 운동 조절, 몸의 자세와 균형을 유지한다.
- 간뇌: 체온을 조절하고, 체액의 농도를 유지한다.
- 중간뇌: 눈의 조절과 관련된 작용을 한다.
- 연수: 심장 박동, 소화 운동, 호흡 운동 등을 조절한다.

3 척수 뇌와 ❷ [ ] 신경을 연결하며, 무릎 반사 등 무조건 반사의 중추이다.

❶척수 ❷말초

확인Q 4 뇌에서 기억, 추리, 판단, 감정 등 고등 정신 작용을 하며, 정보를 종합하여 운동 기관에 적절한 명령을 내리는 부분을 쓰시오.

( )

개념 5 무조건 반사

1 무조건 반사 ❶ [　　] 가 관여하지 않아 자신의 의지와 관계없이 일어나는 무의식적인 반응

2 무조건 반사의 예 척수, 연수, 중간뇌가 중추

척수	❷ [　　] 반사, 뜨거운 것을 만졌을 때 급히 손을 떼는 행동 등
연수	재채기, 하품, 침 분비, 딸꾹질 등
중간뇌	눈 깜박임, 동공의 크기 조절(동공 반사)

3 무조건 반사의 반응 경로 자극 → 감각 기관 → 감각 신경 → 척수(연수, 중간뇌) → 운동 신경 → 반응 기관 → 반응 → 대뇌의 판단 과정을 거치지 않으므로 의식적인 반응보다 반응이 빠르다.

❶ 대뇌 ❷ 무릎

확인Q 5 눈앞에 갑자기 공이 날아오는 순간 저절로 눈을 감는 반응의 중추는 (　　　　)이다.

개념 6 호르몬과 신경에 의한 자극 전달

1 호르몬과 신경의 작용 호르몬과 신경이 함께 작용하여 항상성을 유지하며, 호르몬과 신경은 전달 속도, 작용 범위, 효과의 지속성 등에 차이가 있다.

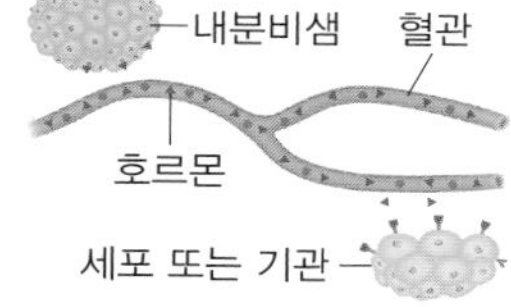

▲ 호르몬의 작용

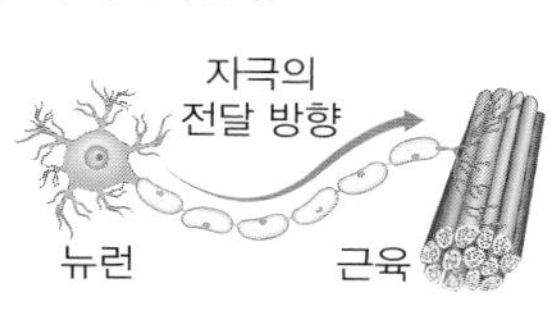

▲ 신경의 작용

2 호르몬과 신경의 작용 비교

구분	전달 방법	전달 속도	작용 범위	효과
호르몬	❶ [　　]	느리다	넓다	지속적
신경	❷ [　　]	빠르다	좁다	일시적

❶ 혈액 ❷ 뉴런

확인Q 6 신경과 비교했을 때 호르몬의 작용으로 옳은 것을 모두 골라 기호를 쓰시오.

ㄱ. 작용 범위가 좁다.　　ㄴ. 효과가 지속적이다.
ㄷ. 전달 속도가 빠르다.　　ㄹ. 혈액을 통해 이동한다.

개념 7 호르몬과 항상성

1 항상성 안팎의 환경이 변해도 몸속 상태를 항상 일정하게 유지하려는 성질 → 예 체온, 체내 수분량, 혈당량 유지

2 호르몬 ❶ [　　] 에서 분비되어 특정 세포나 기관으로 신호를 전달하여 몸의 기능을 조절하는 화학 물질

3 호르몬의 특징

- 내분비샘에서 혈액으로 분비된다. → 내분비샘: 뇌하수체, 갑상샘, 부신, 이자, 생식샘 등
- 혈액을 따라 이동하며, 호르몬의 종류에 따라 작용하는 특정 세포나 기관이 정해져 있다.
- ❷ [　　] 양으로 몸의 기능을 조절하며, 분비량이 너무 많거나 적으면 몸에 이상이 나타난다.

❶ 내분비샘 ❷ 적은

확인Q 7 호르몬은 ㉠(많은, 적은) 양으로 효과를 나타내며, 생성되는 장소와 작용하는 장소가 ㉡(같다, 다르다).

개념 8 혈당량 유지

- **혈당량 조절** (→ 혈액 100 mL 속에 들어 있는 포도당의 양(mg)) 이자에서 인슐린과 글루카곤을 분비하여 혈당량을 일정하게 조절한다. → 작용 기관: 간

식사 → 혈당량 증가 → 이자 → ❶ [　　] 분비 → 체세포 포도당 사용 / 간: 포도당 → 글리코젠 → 혈당량 감소 → 혈당량 유지
운동 → 혈당량 감소 → 이자 → ❷ [　　] 분비 → 간: 글리코젠 → 포도당 → 혈당량 증가 → 혈당량 유지

(1) 혈당량이 높을 때: ❶ [　　] 분비
(2) 혈당량이 낮을 때: ❷ [　　] 분비

❶ 인슐린 ❷ 글루카곤

확인Q 8 다음 빈칸에 알맞은 말을 쓰시오.

이자에서 분비되는 인슐린과 글루카곤이 작용하는 기관은 (　　　　)이다.

2주 1일 개념 돌파 전략 2

1 그림은 사람 눈의 구조를 나타낸 것이다. A~E에 대한 설명으로 옳지 않은 것은?

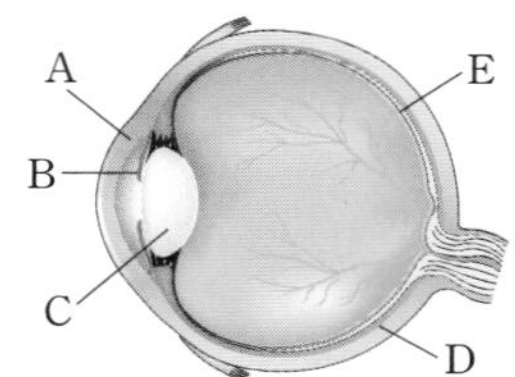

① A – 눈의 가장 바깥을 감싸는 막이다.
② B – 수정체의 두께를 조절한다.
③ C – 빛을 굴절시켜 망막에 상이 맺히게 한다.
④ D – 검은색 색소가 있어 눈 속을 어둡게 한다.
⑤ E – 물체의 상이 맺히는 부분이다.

문제 해결 전략

홍채는 ❶ ___ 의 크기를 조절하여 눈으로 들어오는 ❷ ___ 의 양을 조절한다.

답 ❶ 동공 ❷ 빛

2 그림은 사람 귀의 구조를 나타낸 것이다. 다음 설명에 해당하는 기관의 기호와 이름을 옳게 짝 지은 것은?

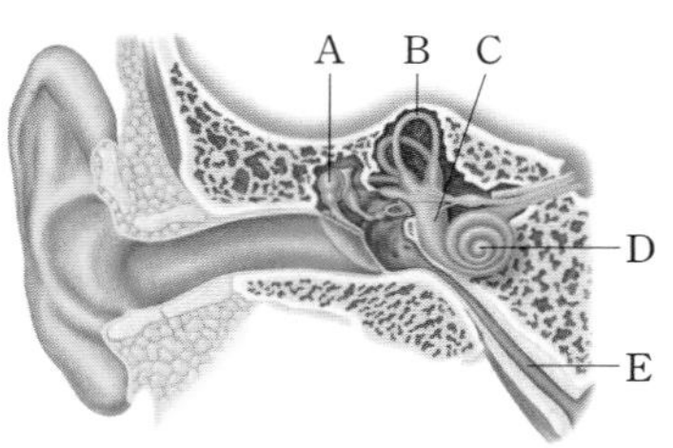

- 눈으로 보지 않아도 몸이 기울어지는 것을 느끼는 감각
- 좁은 평균대 위에서 몸이 기울어지는 것을 느끼는 감각

① A, 귓속뼈 ② B, 반고리관 ③ C, 전정 기관
④ D, 달팽이관 ⑤ E, 귀인두관

문제 해결 전략

전정 기관에서는 몸이 기울어지면서 석회질의 작은 ❶ ___ 이 움직이고, 이것이 ❷ ___ 를 흥분시켜 몸이 기울어짐을 감지한다.

답 ❶ 돌 ❷ 감각 세포

3 사람의 미각에 대한 설명으로 옳지 않은 것은?

① 혀의 맛봉오리에 있는 맛세포에서 맛을 느낀다.
② 기본 맛으로 단맛, 짠맛, 신맛, 쓴맛, 매운맛이 있다.
③ 혀를 통해 액체 상태의 화학 물질을 자극으로 받아들인다.
④ 혀의 부위에 따라 각각의 맛을 느끼는 정도는 다를 수 있다.
⑤ 음식의 맛은 미각과 후각이 함께 작용하여 다양하게 느낀다.

문제 해결 전략

매운맛과 떫은맛은 혀에서 느끼는 기본 맛이 아니라 입속 피부의 ❶ ___ 과 ❷ ___ 에서 자극을 받아들이는 피부 감각이다.

답 ❶ 통점 ❷ 압점

4 그림은 세 종류의 뉴런이 연결된 모습을 나타낸 것이다.

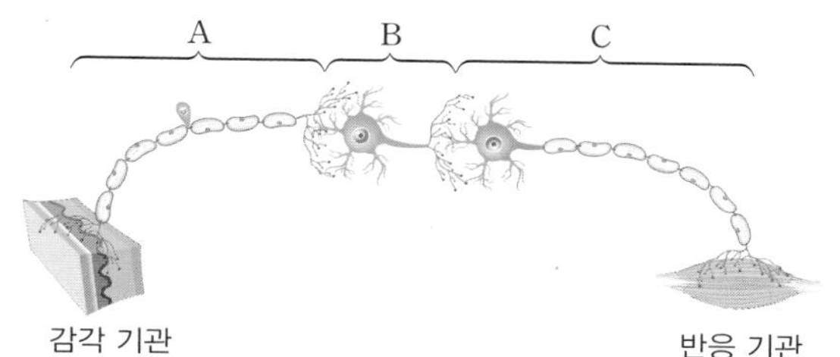

다음 설명에 해당하는 뉴런의 기호를 옳게 짝 지은 것은?

> ㉠ 연합 뉴런의 명령을 반응 기관으로 전달한다.
> ㉡ 자극을 종합 · 판단하여 운동 뉴런으로 명령을 내린다.
> ㉢ 감각 기관에서 받아들인 자극을 연합 뉴런으로 전달한다.

① A－㉠, B－㉡, C－㉢　② A－㉠, B－㉢, C－㉡
③ A－㉡, B－㉠, C－㉢　④ A－㉢, B－㉠, C－㉡
⑤ A－㉢, B－㉡, C－㉠

문제 해결 전략

감각 뉴런은 감각 신경을, 연합 뉴런은 ❶ [　　]를, 운동 뉴런은 ❷ [　　]을 구성한다.

답 ❶ 중추 신경계 ❷운동 신경

5 그림은 사람 뇌의 구조를 나타낸 것이다. 다음 설명에 해당하는 부분의 기호와 이름을 쓰시오.

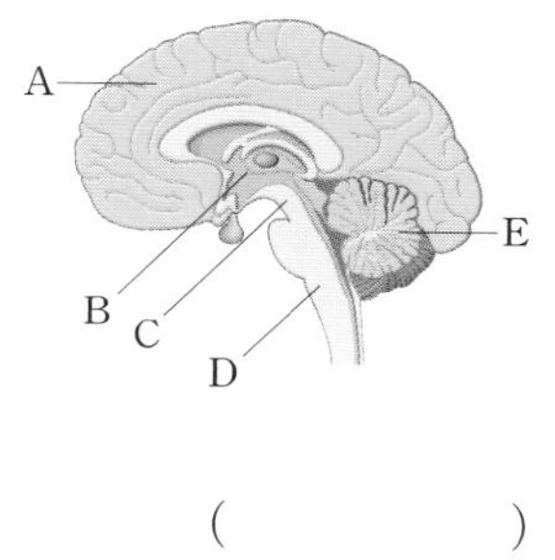

(1) 체온과 체액의 농도 유지 (　　　　)
(2) 근육 운동을 조절하고 몸의 균형 유지 (　　　　)
(3) 눈의 움직임, 동공과 홍채의 크기 조절 (　　　　)
(4) 심장 박동, 소화액 분비, 호흡 운동 조절 (　　　　)
(5) 기억, 추리, 감정 등 고등 정신 활동의 중추 (　　　　)

문제 해결 전략

중추 신경계는 ❶ [　　]와 척수로 구성되며, 자극에 대해 판단하여 적절한 ❷ [　　]을 하도록 명령을 내린다.

답 ❶ 뇌 ❷반응

6 그림은 사람의 내분비샘을 나타낸 것이다. 각 내분비샘과 여기에서 분비되는 호르몬을 짝 지은 것으로 옳지 <u>않은</u> 것은?

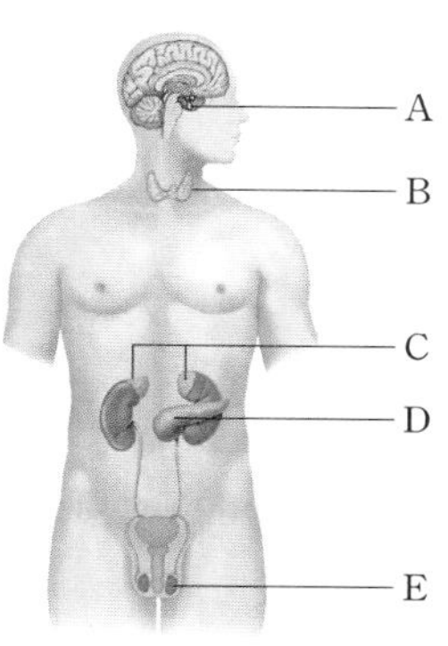

① A － 뇌하수체, 생장 호르몬 분비
② B － 갑상샘, 티록신 분비
③ C － 부신, 아드레날린 분비
④ D － 이자, 글루카곤 분비
⑤ E － 정소, 에스트로젠 분비

문제 해결 전략

내분비샘은 ❶ [　　]을 분비하는 곳으로, 분비관이 없어 ❷ [　　]으로 직접 분비한다.

답 ❶ 호르몬 ❷혈액

대표 기출 1 | 눈의 구조 |

그림은 사람 눈의 구조를 나타낸 것이다. 이에 대한 설명으로 옳은 것을 | 보기 | 에서 모두 고르시오.

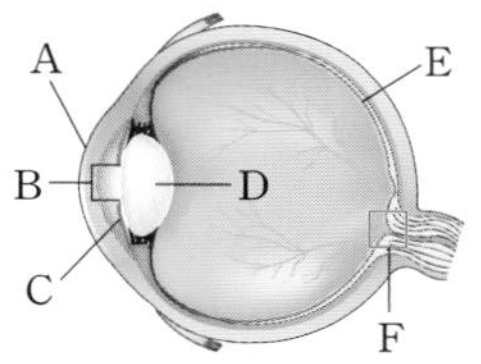

보기
ㄱ. A는 눈 전체를 감싸는 얇고 투명한 막이다.
ㄴ. B는 빛이 들어가는 통로이다.
ㄷ. C는 눈으로 들어오는 빛의 양을 조절한다.
ㄹ. D는 볼록 렌즈와 같이 빛을 굴절시켜 망막에 상이 맺히게 한다.
ㅁ. E는 시각 세포가 있어 빛 자극을 감지하며 물체의 상이 맺힌다.
ㅂ. F는 시각 세포가 밀집해 있어 상이 가장 뚜렷하게 맺힌다.

Tip A는 각막, B는 동공, C는 홍채, D는 수정체, E는 망막, F는 맹점을 나타낸 것이다.

풀이 ㄱ. 각막은 공막이 변한 것으로, 눈의 가장 앞쪽에 있는 투명한 막이다.
ㅂ. 맹점은 시각 신경이 모여 나가는 곳으로, 시각 세포가 없어 상이 맺혀도 물체를 볼 수 없다.

답 ㄴ, ㄷ, ㄹ, ㅁ

대표 기출 2 | 눈의 밝기 조절 |

그림은 동공의 크기 변화를 나타낸 것이다.

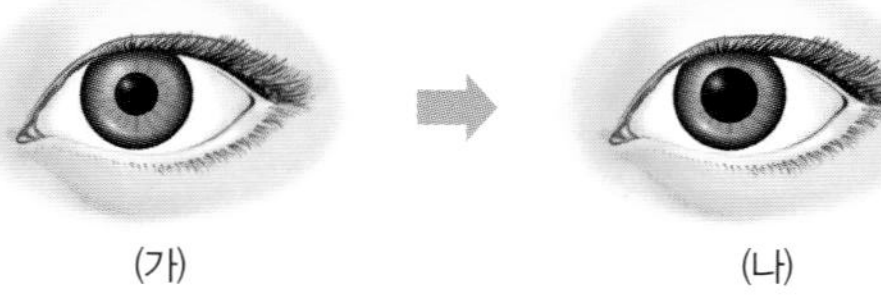

동공의 크기가 (가)에서 (나)로 변하는 상황으로 옳은 것을 모두 고르면? [정답 3개]

① 밝은 곳에서 어두운 곳으로 간다.
② 어두운 곳에서 밝은 곳으로 간다.
③ 눈으로 들어오는 빛의 양이 많아진다.
④ 눈으로 들어오는 빛의 양이 적어진다.
⑤ 홍채가 축소되어 동공의 크기가 커졌다.
⑥ 홍채가 확장되어 동공의 크기가 커졌다.

Tip (가)는 동공이 축소되어 눈으로 들어오는 빛의 양이 적어지며, (나)는 동공이 확대되어 눈으로 들어오는 빛의 양이 많아진다.

풀이 밝은 곳에서 어두운 곳으로 들어가면 홍채가 축소되고 동공의 크기가 커지면서 눈으로 들어오는 빛의 양이 많아진다.

답 ①, ③, ⑤

1-1 왼쪽 눈을 감고 오른쪽 눈으로 그림의 자동차에 초점을 맞추고, 책과 눈 사이의 거리를 서서히 가까이하면 어느 지점에서 비행기가 보이지 않는다.

이러한 현상과 관련된 눈의 구조는?

① 각막 ② 홍채
③ 망막 ④ 맹점
⑤ 수정체

2-1 그림은 어두운 영화관 안에 있다가 밝은 바깥으로 나왔을 때 눈의 변화를 나타낸 것이다.

다음은 그림에서 나타나는 눈의 변화를 설명한 것이다. 빈칸에 알맞은 말을 쓰시오.

어두운 곳에 있다가 밝은 곳으로 나오면 동공을 둘러싸고 있는 ㉠(   )의 면적이 ㉡(   ) 되면서 동공의 크기가 작아져 눈으로 들어오는 빛의 양이 줄어든다.

대표 기출 3

| 눈의 거리 조절 |

그림은 눈의 조절 작용 중 거리 조절을 나타낸 것이다.

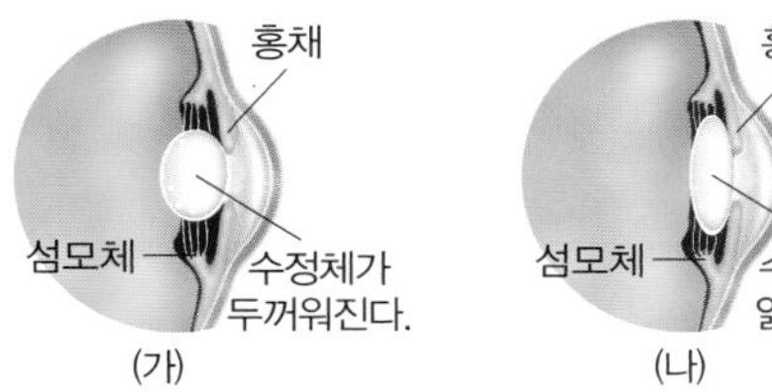

이에 대한 설명으로 옳은 것을 | 보기 | 에서 모두 고르시오.

보기
ㄱ. 섬모체가 수축하면 수정체가 두꺼워진다.
ㄴ. 수정체는 볼록 렌즈와 같이 빛을 굴절시킨다.
ㄷ. 수정체의 두께 조절로 망막에 또렷한 상이 맺힌다.
ㄹ. 홍채와 섬모체의 작용으로 수정체의 두께가 조절된다.
ㅁ. (가)는 밝은 곳에서, (나)는 어두운 곳에서의 눈의 변화이다.
ㅂ. (가)는 먼 곳을 볼 때, (나)는 가까운 곳을 볼 때의 눈의 변화이다.

Tip 눈의 거리 조절은 수정체의 두께 조절로 이루어진다.

풀이 ㄹ. 섬모체가 수축하면 수정체가 두꺼워지고, 섬모체가 이완하면 수정체가 얇아진다.
ㅁ, ㅂ. (가)는 가까운 곳을 볼 때, (나)는 먼 곳을 볼 때의 눈의 변화이다.

답 ㄱ, ㄴ, ㄷ

대표 기출 4

| 청각, 평형 감각 |

그림은 사람 귀의 구조를 나타낸 것이다.

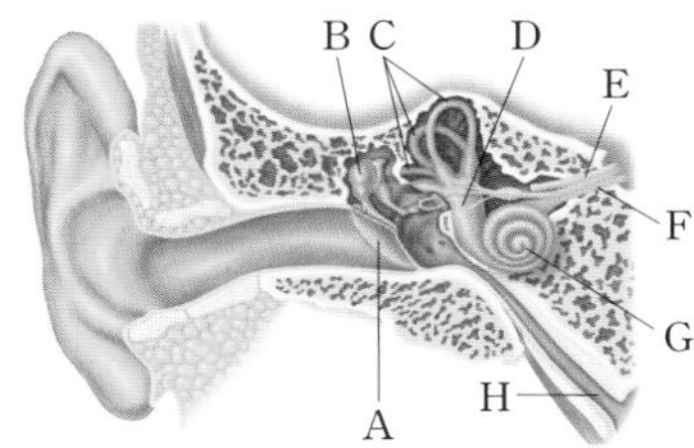

이에 대한 설명으로 옳은 것을 모두 고르면? [정답 3개]

① 소리가 전달되는 경로는 A → B → C → D → G 이다.
② B는 고막의 진동을 증폭하는 역할을 한다.
③ C에는 청각 세포가 있어 공기의 진동을 자극으로 감지한다.
④ D는 청각 신경과 연결되어 있어 자극을 대뇌로 전달한다.
⑤ 소리를 듣는 것과 관계없는 기관은 C, D, E, H 이다.
⑥ H는 고막 안쪽과 바깥쪽의 압력을 같게 조절한다.

Tip A는 고막, B는 귓속뼈, C는 반고리관, D는 전정 기관, E는 평형 감각 신경, F는 청각 신경, G는 달팽이관, H는 귀인두관을 나타낸 것이다.

풀이 ① 소리는 A → B → G → F의 경로로 전달된다.
③, ④ C는 몸의 회전을, D는 몸의 기울어짐을 감지한다.

답 ②, ⑤, ⑥

3-1 그림은 눈의 이상을 나타낸 것이다. 이에 대한 설명으로 옳은 것을 | 보기 | 에서 모두 고르시오.

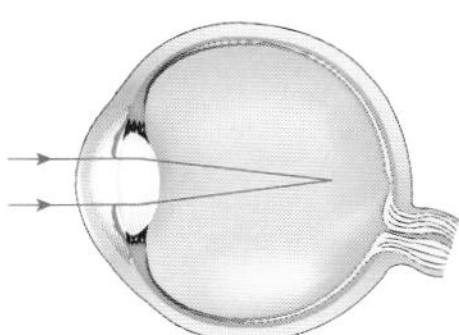

보기
ㄱ. 근시를 나타낸 것이다.
ㄴ. 볼록 렌즈로 교정한다.
ㄷ. 가까운 곳의 물체는 잘 보이고, 먼 곳의 물체는 잘 보이지 않는다.

4-1 귀의 구조 중 다음 설명과 관련된 것은?

> 높은 산 위에 올라갈 때나 열차를 타고 터널 안에 들어갈 때 귀가 먹먹해지는 증상이 나타날 수 있다. 이때 침을 삼키거나 하품을 하면 귀가 먹먹해지는 증상이 사라진다.

① 귓속뼈 ② 반고리관
③ 전정 기관 ④ 달팽이관
⑤ 귀인두관

대표 기출 5 | 평형 감각 |

그림은 사람의 평형 감각 기관을 나타낸 것이다.

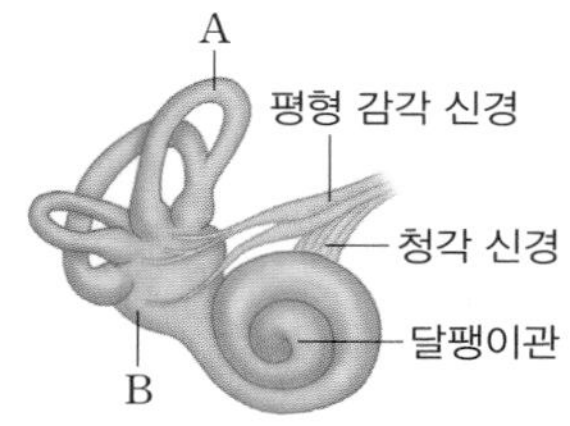

이에 대한 설명으로 옳은 것을 모두 고르면? [정답 2개]

① A는 세 개의 고리가 직각으로 연결되어 있고, 몸의 기울어짐을 감지한다.
② B는 몸이 회전하는 것을 감지한다.
③ A와 B는 소리의 진동도 함께 감지한다.
④ A와 B는 소리를 듣는 것과 직접적인 관련이 없다.
⑤ A와 B에서는 눈으로 보지 않아도 몸이 회전하거나 기울어지는 것을 감지할 수 있다.
⑥ 돌부리에 걸려 넘어질 때 몸의 기울어짐은 A에서 감지한다.

Tip A는 반고리관, B는 전정 기관을 나타낸 것이다.

풀이 ①, ②, ⑥ 반고리관은 몸의 회전을, 전정 기관은 몸의 기울어짐을 감지한다.
③ 반고리관과 전정 기관에서 느끼는 감각은 청각과 관계없다.

답 ④, ⑤

대표 기출 6 | 후각 |

그림은 후각과 관련된 사람 코의 구조를 나타낸 것이다.

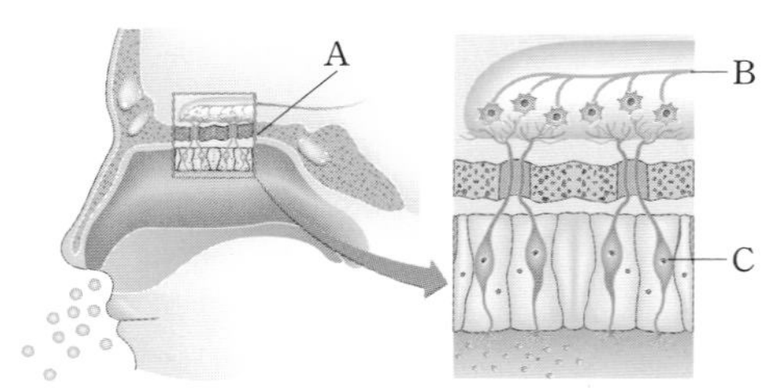

이에 대한 설명으로 옳은 것을 | 보기 |에서 모두 고르시오.

보기
ㄱ. A에 후각 세포가 분포하여 냄새를 느낀다.
ㄴ. B는 후각 세포로, 기체 상태의 화학 물질을 자극으로 감지한다.
ㄷ. C에서 느끼는 냄새의 종류는 다섯 가지이다.
ㄹ. 후각은 가장 둔한 감각이다.
ㅁ. 후각은 쉽게 피로해지기 때문에 같은 냄새를 오래 맡고 있으면 잘 느끼지 못한다.
ㅂ. 후각의 전달 경로는 기체 상태의 화학 물질 → 후각 세포 → 후각 신경 → 대뇌이다.

Tip A는 후각 상피, B는 후각 신경, C는 후각 세포를 나타낸 것이다.

풀이 ㄴ. B는 후각 신경으로, 후각 세포가 받아들인 자극을 대뇌로 전달한다.
ㄹ. 후각은 가장 예민한 감각이다.

답 ㄱ, ㅁ, ㅂ

5-1 빠르게 회전하는 놀이기구를 타고 내려오면 한참 동안 빙글빙글 도는 것처럼 느껴진다. 귀의 구조 중 이러한 현상과 관련된 것은?

① 고막
② 달팽이관
③ 귀인두관
④ 반고리관
⑤ 전정 기관

6-1 그림은 사람의 후각과 관련된 감각 기관을 나타낸 것이다. 이에 대한 설명으로 옳은 것을 | 보기 |에서 모두 고르시오.

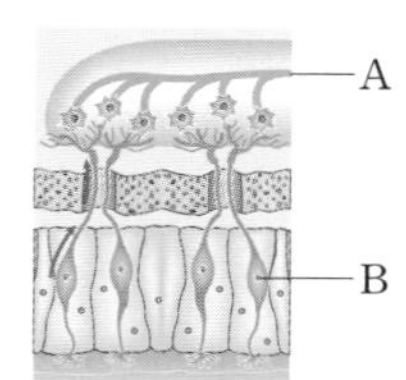

보기
ㄱ. A는 자극을 대뇌로 전달한다.
ㄴ. B는 기체 상태의 화학 물질을 자극으로 받아들인다.
ㄷ. 후각은 매우 예민하며 쉽게 피로해지지 않는다.

대표 기출 7

| 미각 |

그림은 미각과 관련된 사람 혀의 구조를 나타낸 것이다.

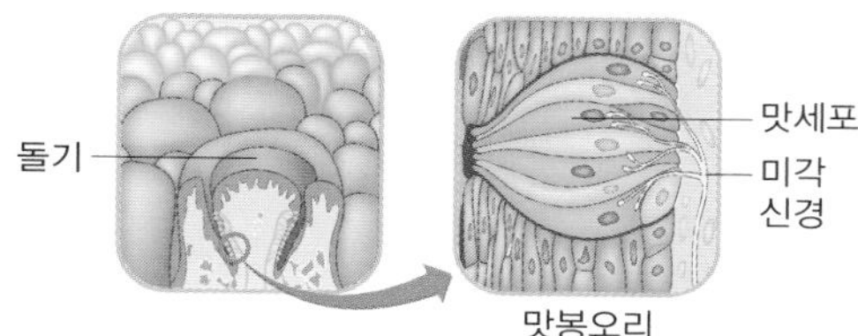

이에 대한 설명으로 옳은 것을 | 보기 | 에서 모두 고르시오.

보기
ㄱ. 우리 몸의 감각 중 가장 쉽게 피로해진다.
ㄴ. 맛세포에서 매운맛과 떫은맛을 감지할 수 있다.
ㄷ. 혀의 부위마다 느낄 수 있는 맛의 종류가 다르다.
ㄹ. 기본 맛으로 단맛, 짠맛, 신맛, 쓴맛, 감칠맛이 있다.
ㅁ. 음식의 맛은 미각과 후각의 복합적인 자극에 의해 결정된다.
ㅂ. 맛세포에서 액체 상태의 화학 물질을 감지하여 미각 신경으로 전달한다.

Tip 혀의 돌기 옆 맛봉오리의 맛세포에서 맛을 느끼며, 액체 상태의 화학 물질을 자극으로 받아들인다.

풀이 ㄱ. 우리 몸의 감각 중 가장 쉽게 피로해지는 것은 후각이다.
ㄴ. 매운맛과 떫은맛은 피부 감각이다.
ㄷ. 혀의 맛봉오리가 분포한 모든 곳에서 기본적인 맛을 느낀다.

답 ㄹ, ㅁ, ㅂ

대표 기출 8

| 피부 감각 |

그림은 사람의 피부 감각 기관을 나타낸 것이다.

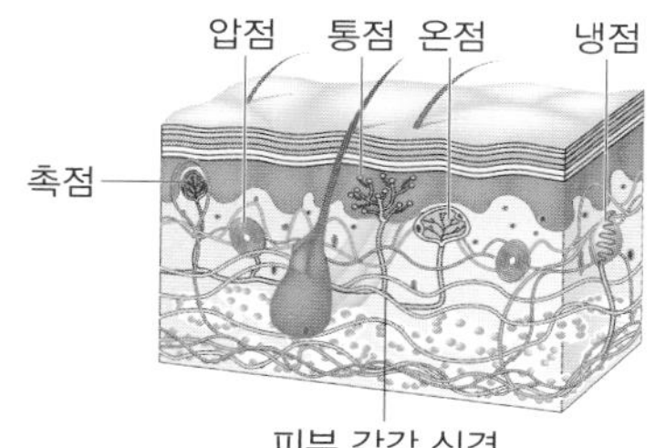

이에 대한 설명으로 옳지 않은 것을 모두 고르면? [정답 2개]

① 감각점은 내장 기관에도 분포한다.
② 한 감각점에서 여러 가지 감각을 감지한다.
③ 몸의 부위에 따라 감각점의 분포가 다르다.
④ 온점과 냉점은 특정 온도가 아닌 온도 변화를 감지한다.
⑤ 감각점의 수는 통점 < 압점 < 촉점 < 냉점 < 온점의 순으로 많아진다.
⑥ 특정 감각점이 많이 분포할수록 그 감각점이 받아들이는 자극에 민감하다.

Tip 피부의 감각점에서 통증, 압력, 접촉, 온도 변화를 감지한다.

풀이 ② 한 감각점에서는 한 가지 감각만 감지한다.
⑤ 감각점의 수는 통점 > 압점 > 촉점 > 냉점 > 온점의 순이며, 통증에 가장 민감하다.

답 ②, ⑤

7-1 다음은 음식 맛을 느끼는 감각에 대한 실험이다.

(가) 눈을 가리고 사과주스와 포도주스를 맛본다.
(나) 눈을 가리고 코를 막은 상태로 사과주스와 포도주스를 맛본다.
(다) (가)에서는 사과주스와 포도주스의 맛을 구분하였으나, (나)에서는 구분할 수 없었다.

이 실험으로 알 수 있는 사실을 | 보기 | 에서 모두 고르시오.

보기
ㄱ. 음식의 맛은 미각만으로 느낀다.
ㄴ. 음식의 맛을 느끼는 데 시각도 영향을 준다.
ㄷ. 음식의 맛은 미각과 후각이 합쳐져서 느낀다.

8-1 다음은 피부 감각점의 분포를 알아보기 위한 실험이다.

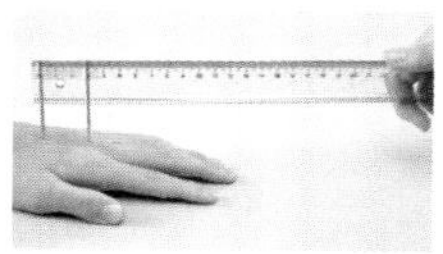

(가) 이쑤시개 두 개를 붙인 자를 손등, 손바닥, 이마 등 몸의 여러 부위에 가볍게 누른다.
(나) 이쑤시개 간격을 조절하며 두 점으로 느껴지는 이쑤시개의 최소 거리를 측정한다.

다음의 빈칸에 들어갈 알맞은 말을 쓰시오.

(1) 감각점이 많이 분포할수록 이쑤시개를 두 개로 느끼는 거리가 (　　　　).
(2) 몸의 부위에 따라 피부에 감각점이 분포하는 정도는 (　　　　).

1 다음과 같은 기능을 하는 눈의 구조를 옳게 짝 지은 것은?

> (가) 시각 세포가 있어 빛 자극을 받아들인다.
> (나) 볼록 렌즈와 같이 빛을 굴절시켜 망막에 상이 맺히게 한다.
> (다) 시각 신경이 모여 나가는 곳으로, 시각 세포가 없어 상이 맺혀도 물체를 볼 수 없다.

	(가)	(나)	(다)
①	각막	홍채	맹점
②	망막	유리체	공막
③	망막	수정체	맹점
④	수정체	망막	공막
⑤	수정체	유리체	각막

Tip 각막은 눈의 ❶ 쪽에 있는 투명한 막으로, ❷ 을 통과시킨다. 답 ❶앞 ❷빛

2 그림은 사람 눈의 구조와 눈의 동공 변화를 나타낸 것이다.

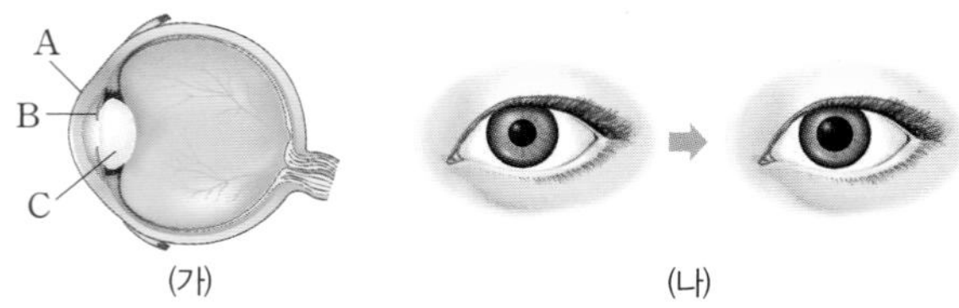

(나)와 같은 변화가 일어나기 위한 주변 환경의 변화와 관련된 눈 구조의 기호와 이름을 옳게 짝 지은 것은?

	주변 환경	기호	이름
①	어두워질 때	A	수정체
②	어두워질 때	B	홍채
③	어두워질 때	C	각막
④	밝아질 때	B	수정체
⑤	밝아질 때	C	홍채

Tip 홍채가 축소되면 동공이 ❶ 되어 눈으로 들어오는 빛의 양이 ❷ 한다. 답 ❶확대 ❷증가

3 그림은 눈의 거리 조절 이상을 나타낸 것이다.

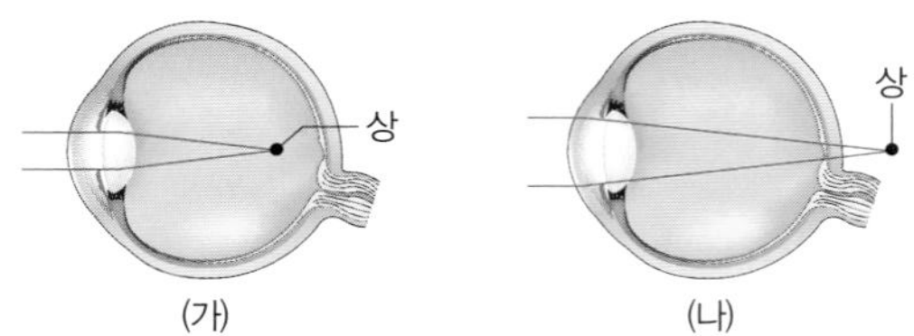

이에 대한 설명으로 옳은 것을 보기 에서 모두 고른 것은?

> 보기
> ㄱ. (가)는 근시, (나)는 원시를 나타낸 것이다.
> ㄴ. (가)는 볼록 렌즈로, (나)는 오목 렌즈로 교정한다.
> ㄷ. (가)는 먼 곳을 볼 때 상이 망막 앞에 맺히는 눈의 이상이다.
> ㄹ. (나)는 가까운 곳의 물체를 볼 때 상이 망막 뒤에 맺히는 눈의 이상이다.

① ㄱ ② ㄱ, ㄷ ③ ㄴ, ㄷ
④ ㄱ, ㄷ, ㄹ ⑤ ㄴ, ㄷ, ㄹ

Tip 섬모체가 ❶ 하면 수정체가 두꺼워지고, 섬모체가 ❷ 하면 수정체가 얇아진다. 답 ❶수축 ❷이완

4 사람의 후각에 대한 설명으로 옳은 것을 보기 에서 모두 고른 것은?

> 보기
> ㄱ. 매우 예민하여 쉽게 피로해진다.
> ㄴ. 후각을 감각하는 중추는 소뇌이다.
> ㄷ. 후각 세포에서 느낄 수 있는 냄새의 종류는 다섯 가지이다.
> ㄹ. 후각 상피는 점액으로 덮여 있어 기체 상태의 화학 물질을 자극으로 받아들인다.

① ㄱ, ㄴ ② ㄱ, ㄹ ③ ㄴ, ㄷ
④ ㄱ, ㄷ, ㄹ ⑤ ㄴ, ㄷ, ㄹ

Tip 후각은 ❶ 상태, 미각은 ❷ 상태의 화학 물질을 자극으로 받아들인다. 답 ❶기체 ❷액체

5 그림은 사람의 내이 구조를 나타낸 것이다. 민수가 체육 시간에 경험한 다음 상황과 관련된 구조를 그림에서 찾아 기호와 이름을 옳게 짝 지은 것은?

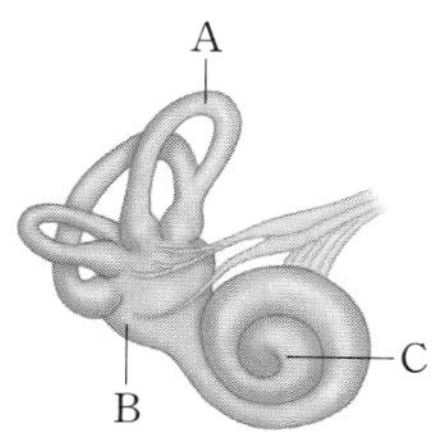

(가) 수업 시작을 알리는 선생님 호각 소리가 들렸다.
(나) 제자리 맴돌기 게임을 마쳐도 한동안 몸이 회전하는 느낌을 받았다.
(다) 한쪽 다리를 들고 균형을 잡을 때 몸이 기울어지는 것을 느껴 다시 중심을 잡았다.

	(가)	(나)	(다)
①	A, 반고리관	B, 달팽이관	C, 전정 기관
②	A, 반고리관	C, 달팽이관	B, 전정 기관
③	B, 반고리관	A, 달팽이관	C, 전정 기관
④	B, 전정 기관	C, 달팽이관	A, 반고리관
⑤	C, 달팽이관	A, 반고리관	B, 전정 기관

Tip 몸의 회전이나 기울어지는 것을 느끼는 감각을 ❶ ☐이라고 하며, 반고리관과 ❷ ☐에서 자극을 감지한다.
답 ❶ 평형 감각 ❷ 전정 기관

6 다음은 사람의 귀 구조와 관련된 현상을 설명한 것이다.

(가) 고막의 진동을 증폭하여 달팽이관으로 전달한다.
(나) 비행기가 이륙할 때 귀가 먹먹해지지만, 하품을 하면 괜찮아진다.
(다) 갑자기 큰 소리를 들은 후 소리가 잘 들리지 않아 진료를 받았더니 이 부분이 손상되었다고 한다.

이와 관련 있는 구조를 옳게 짝 지은 것은?

	(가)	(나)	(다)
①	고막	귀인두관	귓속뼈
②	고막	전정 기관	반고리관
③	귓속뼈	고막	귀인두관
④	귓속뼈	귀인두관	고막
⑤	귀인두관	고막	귓속뼈

Tip 달팽이관에는 ❶ ☐가 있어 소리 자극을 청각 신경을 통해 ❷ ☐로 전달한다.
답 ❶ 청각 세포 ❷ 대뇌

7 감기에 걸려 코가 막히면 음식의 맛도 잘 느끼지 못한다. 이러한 까닭으로 옳은 것은?

① 미각은 쉽게 피로해지기 때문이다.
② 맛봉오리가 마비되어 기능을 하지 못하기 때문이다.
③ 음식의 맛을 느끼는 데 시각도 영향을 주기 때문이다.
④ 액체 상태의 화학 물질이 맛세포로 전해지지 못하기 때문이다.
⑤ 음식의 맛은 후각과 미각이 함께 작용하여 결정되기 때문이다.

Tip 혀에서 느끼는 기본 맛에는 단맛, 짠맛, 신맛, 쓴맛, ❶ ☐의 5가지가 있으며, 맛봉오리의 ❷ ☐에서 맛을 느낀다.
답 ❶ 감칠맛 ❷ 맛세포

2주 3일 필수 체크 전략 1

기출 선택지 All

8강_신경계와 호르몬

대표 기출 1 | 뉴런 |

그림은 신경계를 구성하는 세포를 나타낸 것이다.

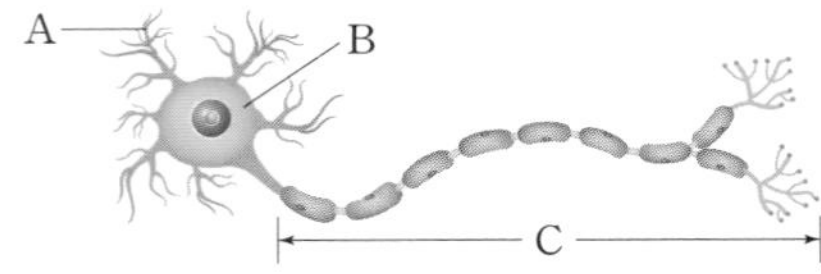

이에 대한 설명으로 옳은 것을 | 보기 | 에서 모두 고르시오.

보기
ㄱ. A는 다른 뉴런이나 반응 기관으로 자극을 전달한다.
ㄴ. B는 핵과 세포질이 있어 생명 활동이 일어난다.
ㄷ. C는 다른 뉴런이나 감각 기관으로부터 자극을 받아들인다.
ㄹ. 신경계를 구성하는 기본 단위이다.
ㅁ. 한 뉴런에서 자극의 이동 방향은 C → B → A이다.
ㅂ. 기능에 따라 감각 뉴런, 운동 뉴런, 연합 뉴런으로 나눌 수 있다.

Tip A는 가지 돌기, B는 신경 세포체, C는 축삭 돌기를 나타낸 것이다.

풀이 ㄱ. A는 다른 뉴런이나 감각 기관으로부터 자극을 받아들인다.
ㄷ. C는 다른 뉴런이나 반응 기관으로 자극을 전달한다.
ㅁ. 한 뉴런에서 자극의 이동 방향은 A → B → C이다.

답 ㄴ, ㄹ, ㅂ

대표 기출 2 | 뉴런의 종류 |

그림은 세 종류의 뉴런이 연결된 모습을 나타낸 것이다.

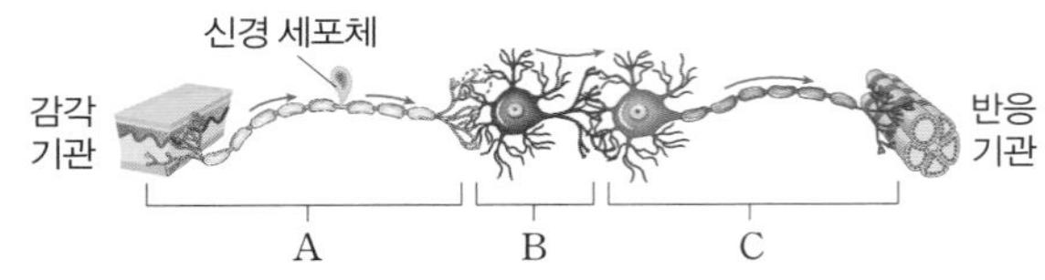

이에 대한 설명으로 옳은 것을 | 보기 | 에서 모두 고르시오.

보기
ㄱ. A는 감각 기관에서 받아들인 자극을 운동 뉴런으로 전달한다.
ㄴ. B는 뇌와 척수에 분포한다.
ㄷ. C는 연합 뉴런의 명령을 반응 기관으로 전달한다.
ㄹ. A, B, C는 중추 신경계를 구성한다.
ㅁ. 자극의 전달 방향은 A → B → C이다.
ㅂ. 신경 세포체에는 핵과 세포질이 있어 생명 활동이 일어난다.

Tip A는 감각 뉴런, B는 연합 뉴런, C는 운동 뉴런을 나타낸 것이다.

풀이 ㄱ. A는 감각 뉴런으로, 감각 기관에서 받아들인 자극을 연합 뉴런으로 전달한다.
ㄹ. B는 연합 뉴런으로, 중추 신경계를 구성한다.

답 ㄴ, ㄷ, ㅁ, ㅂ

1-1 그림은 뉴런의 구조를 나타낸 것이다.

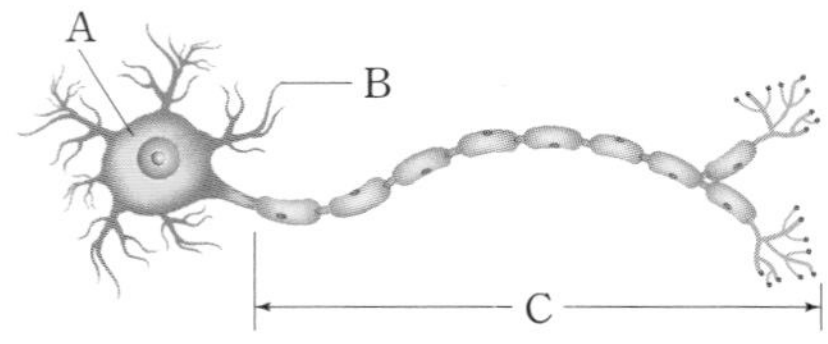

자극을 다른 뉴런이나 반응 기관으로 전달하는 것의 기호와 이름을 옳게 짝 지은 것은?

① A − 가지 돌기
② A − 신경 세포체
③ B − 신경 세포체
④ C − 가지 돌기
⑤ C − 축삭 돌기

2-1 그림은 세 종류의 뉴런이 연결된 모습을 나타낸 것이다.

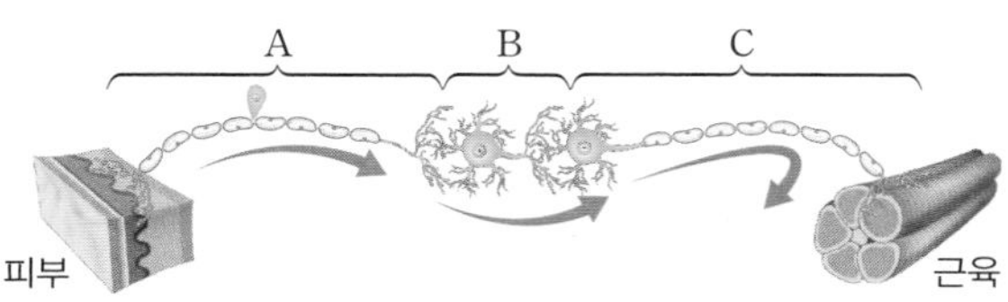

뉴런 B로만 이루어진 것은?

① 감각 신경
② 운동 신경
③ 중추 신경
④ 교감 신경
⑤ 부교감 신경

» 정답과 해설 55쪽

대표 기출 3 | 사람의 신경계 |

그림은 사람의 신경계를 나타낸 것이다. 이에 대한 설명으로 옳지 않은 것을 모두 고르면? [정답 2개]

A

B

① 신경계는 뇌와 척수를 중심으로 감각 기관과 운동 기관이 연결되어 있다.
② A는 뇌와 척수로 구성된다.
③ A는 자극에 대해 판단하여 적절한 반응을 하도록 명령한다.
④ A는 감각 신경과 운동 신경으로 이루어진다.
⑤ B는 온몸에 그물처럼 퍼져 있으며, 대뇌와 직접 연결되어 있다.
⑥ B는 내장 기관에도 연결되어 있어 심장 박동, 호흡 운동 등을 자율적으로 조절한다.

Tip A는 뇌와 척수로 이루어진 중추 신경계이고, B는 중추 신경계에서 뻗어 나와 몸의 각 부분과 연결되는 말초 신경계이다.

풀이 ④ 말초 신경계는 감각 신경과 운동 신경으로 구성되어 있다. ⑤ 말초 신경계는 중추 신경계인 뇌, 척수와 몸의 각 부분을 연결한다.

답 ④, ⑤

3-1 **사람의 신경계에 대한 설명으로 옳은 것을 | 보기 |에서 모두 고르시오.**

| 보기 |
ㄱ. 중추 신경계는 자극에 대해 판단하고 필요한 명령을 내린다.
ㄴ. 말초 신경계는 감각 신경과 운동 신경으로 이루어지며, 몸의 각 부분과 중추 신경계를 연결한다.
ㄷ. 자율 신경계를 이루는 교감 신경과 부교감 신경은 내장 기관에 분포하며 대뇌의 명령을 받아 서로 반대되는 작용을 한다.

대표 기출 4 | 중추 신경계 |

그림은 사람의 중추 신경계인 뇌와 척수를 나타낸 것이다. 이에 대한 설명으로 옳은 것을 | 보기 |에서 모두 고르시오.

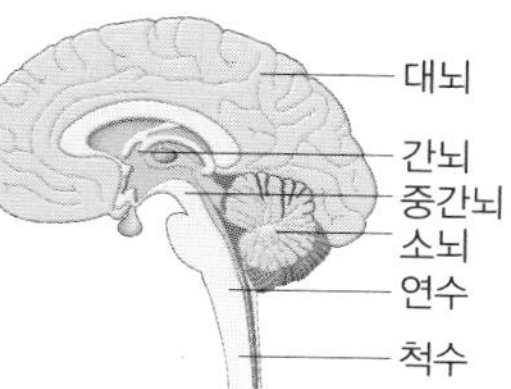

| 보기 |
ㄱ. 대뇌는 좌우 반구로 나누어지고 표면에 주름이 많이 잡혀 있다.
ㄴ. 소뇌는 체온, 혈당량 등 우리 몸의 상태를 일정하게 유지한다.
ㄷ. 간뇌는 눈의 운동, 홍채의 수축과 이완을 조절한다.
ㄹ. 중간뇌는 몸의 근육 운동과 몸의 자세와 균형을 조절한다.
ㅁ. 연수는 심장 박동, 호흡 운동을 조절하고, 무조건 반사의 중추이다.
ㅂ. 척수는 뇌와 몸 각 부분 사이에 정보를 전달하고, 무조건 반사의 중추이다.

Tip 중추 신경계는 뇌와 척수로 구성되며, 자극에 대해 판단하여 적절한 반응을 하도록 명령을 내린다.

풀이 ㄴ. 간뇌는 체온, 혈당량 등 우리 몸의 상태를 일정하게 유지한다. ㄷ. 중간뇌는 눈의 운동, 홍채의 수축과 이완을 조절한다. ㄹ. 소뇌는 몸의 근육 운동과 몸의 자세와 균형을 조절한다.

답 ㄱ, ㅁ, ㅂ

4-1 **그림은 사람 뇌의 구조를 나타낸 것이다. 다음 작용이 뇌의 어느 부위와 관련된 반응인지 빈칸에 기호와 이름을 쓰시오.**

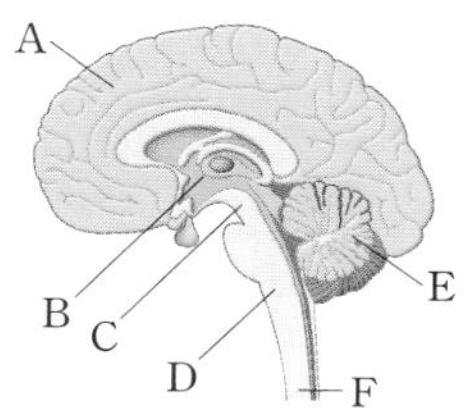

(1) 날씨가 매우 무더워서 땀이 났다. (　　　　　)

(2) 심한 운동을 하면 심장 박동이 빨라진다. (　　　　　)

(3) 어두운 곳에서 밝은 곳으로 나가면 동공의 크기가 작아진다. (　　　　　)

대표 기출 5 | 자극에 대한 반응 |

그림은 자극에 대한 반응 경로를 나타낸 것이다.

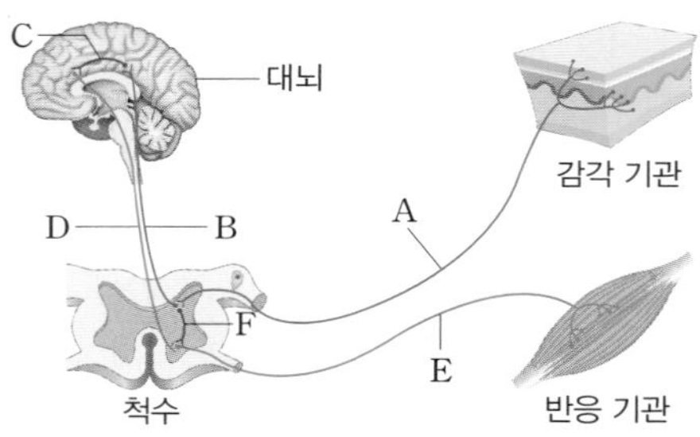

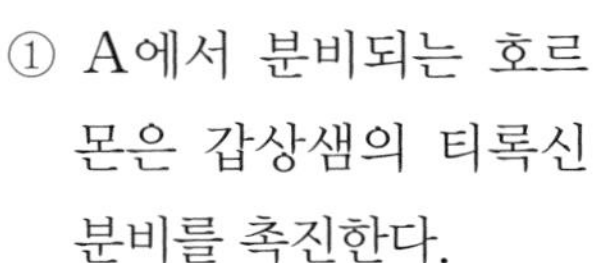

이에 대한 설명으로 옳은 것을 | 보기 |에서 모두 고르시오.

| 보기 |

ㄱ. 무릎 반사의 경로는 A → F → E이다.
ㄴ. 척수는 감각 신경과 운동 신경 사이에 신호를 전달하는 통로가 된다.
ㄷ. 주전자를 들고 컵에 원하는 만큼 물을 따르는 반응 경로는 A → F → E이다.
ㄹ. 신호등이 초록불인 것을 보고 횡단보도를 건너는 반응 경로는 A → B → C → D → E이다.
ㅁ. A → F → E의 경로는 대뇌의 판단을 거치지 않아 갑작스러운 위험에 대처하기 어렵다.

Tip A → B → C → D → E는 의식적인 반응 경로, A → F → E는 무조건 반사의 반응 경로이다.

풀이 ㄷ. 주전자를 들고 컵에 원하는 만큼 물을 따르는 행동은 의식적인 반응이다.
ㅁ. A → F → E의 경로는 반응이 빠르게 일어나 위험에 처했을 때 신속하게 대처하여 우리 몸을 보호한다.

답 ㄱ, ㄴ, ㄹ

대표 기출 6 | 내분비샘과 호르몬 |

그림은 사람의 내분비샘을 나타낸 것이다. 내분비샘에서 분비되는 호르몬에 대한 설명으로 옳지 않은 것을 모두 고르면? [정답 2개]

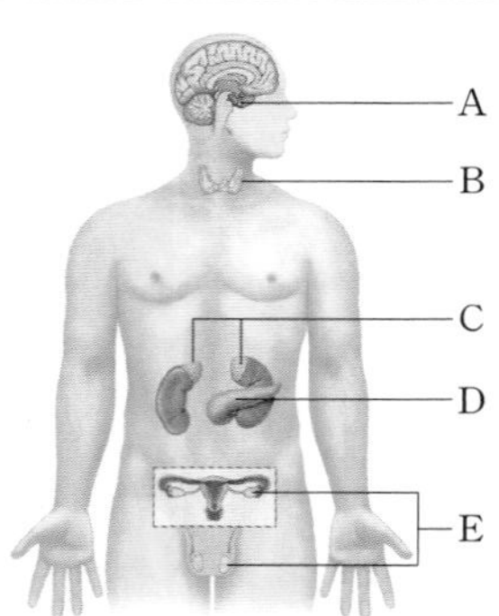

① A에서 분비되는 호르몬은 갑상샘의 티록신 분비를 촉진한다.
② B에서 분비되는 호르몬은 세포 호흡을 촉진한다.
③ C에서는 혈당량을 증가시키거나 감소시키는 호르몬이 모두 분비된다.
④ D는 호르몬을 분비하는 내분비샘이면서 소화액을 분비하는 외분비샘이다.
⑤ D에서 분비되는 호르몬은 혈압 상승, 심장 박동 촉진 및 혈당량 증가에 관여한다.
⑥ E에서 분비되는 호르몬은 여자 또는 남자의 2차 성징을 발현하는 데 관여한다.

Tip A는 뇌하수체, B는 갑상샘, C는 부신, D는 이자, E는 정소와 난소를 나타낸 것이다.

풀이 ③ C에서 분비되는 호르몬인 아드레날린은 혈압 상승, 심장 박동 촉진 및 혈당량 증가에 관여한다.
⑤ D에서는 혈당량을 증가시키는 글루카곤과 혈당량을 감소시키는 인슐린이 모두 분비된다.

답 ③, ⑤

5-1 그림과 같이 고무망치로 무릎뼈 아래를 치면 다리가 저절로 올라간다. 이러한 반응에 대한 설명으로 옳은 것은?

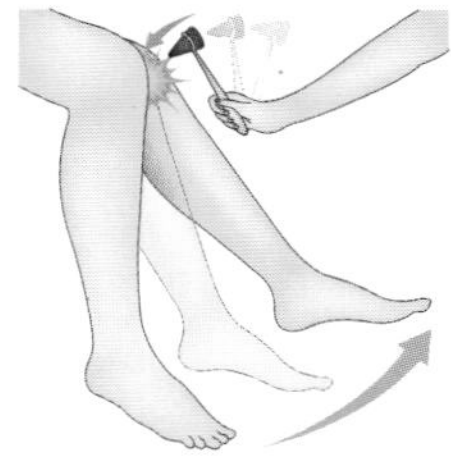

① 의식적인 반응이다.
② 중간뇌가 반응 중추이다.
③ 후천적 경험과 학습에 의해 형성된다.
④ 자극에 대해 대뇌의 판단 과정을 거친다.
⑤ 날카로운 물체에 찔렸을 때 몸을 움츠리는 것과 반응 중추가 같다.

6-1 그림은 사람의 내분비샘을 나타낸 것이다. 다른 내분비샘에 작용해서 그 내분비샘의 호르몬 분비량을 조절하는 내분비샘의 기호와 이름을 옳게 짝 지은 것은?

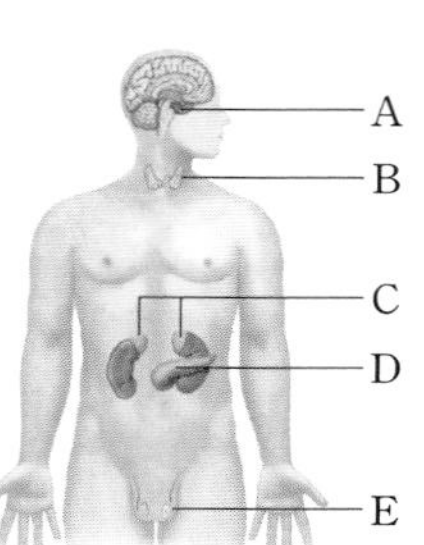

① A – 뇌하수체
② B – 갑상샘
③ C – 부신
④ D – 이자
⑤ E – 정소

대표 기출 7

| 혈당량 조절 |

그림은 이자에서 분비되는 호르몬에 의해 혈당량이 조절되는 과정을 나타낸 것이다.

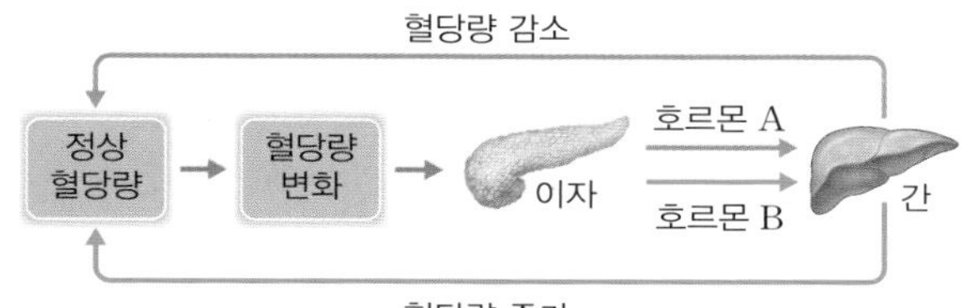

이에 대한 설명으로 옳은 것을 | 보기 | 에서 모두 고르시오.

보기

ㄱ. 호르몬 A와 B는 서로 반대 작용을 한다.
ㄴ. 호르몬 A와 B가 작용하는 기관은 간이다.
ㄷ. 호르몬 B가 부족하면 당뇨병에 걸릴 수 있다.
ㄹ. 호르몬 A는 인슐린, 호르몬 B는 글루카곤이다.
ㅁ. 식사 후 혈당량이 높아지면 호르몬 B의 분비량이 증가한다.
ㅂ. 호르몬 A는 혈당량을 감소시키고, 호르몬 B는 혈당량을 증가시킨다.

Tip 호르몬 A는 인슐린, 호르몬 B는 글루카곤을 나타낸 것이다.

풀이 ㄷ. 호르몬 A는 혈당량을 감소시키므로, 부족하면 당뇨병에 걸릴 수 있다.
ㅁ. 식사 후 혈당량이 높아지면 인슐린이 분비된다.

답 ㄱ, ㄴ, ㄹ, ㅂ

7-1 그림은 혈당량 변화에 따른 호르몬의 농도 변화를 나타낸 것이다.

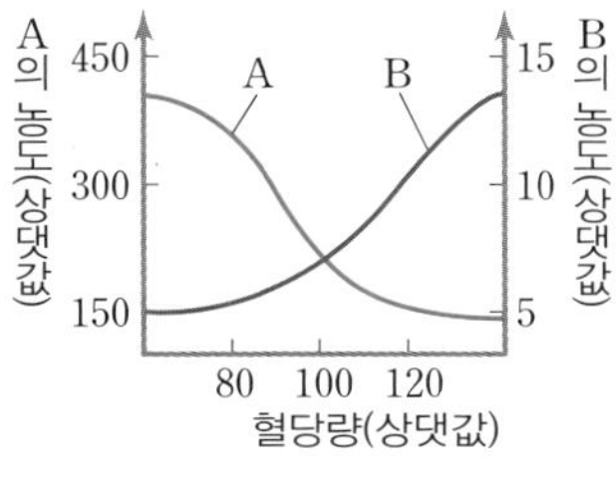

(1) 호르몬 A와 B의 이름을 쓰시오.

- A: (   )
- B: (   )

(2) 운동 후 혈당량이 낮아졌을 때 호르몬 A와 B의 분비량 변화를 쓰시오.

- A: (   )
- B: (   )

대표 기출 8

| 체온 조절 |

그림은 추울 때 신경과 호르몬에 의한 체온 조절 과정을 나타낸 것이다.

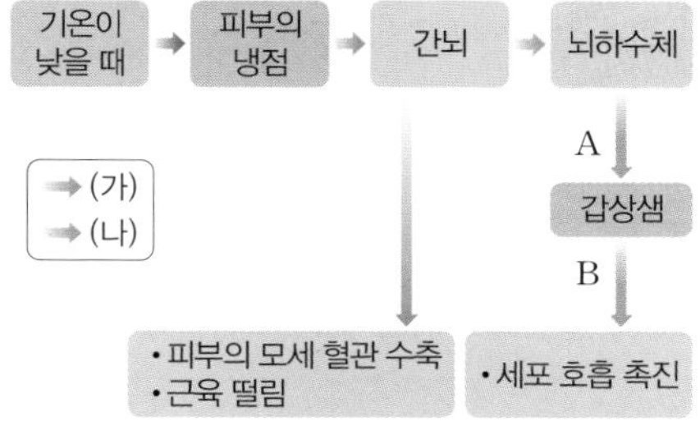

이에 대한 설명으로 옳지 않은 것을 모두 고르면? [정답 2개]

① (가)는 신경에 의한 조절 과정을, (나)는 호르몬에 의한 조절 과정을 나타낸 것이다.
② A는 갑상샘 자극 호르몬, B는 티록신이다.
③ A의 작용으로 티록신의 분비가 증가하여 세포 호흡이 촉진된다.
④ 열 방출량이 증가하고 열 발생량이 감소한다.
⑤ 신경과 호르몬의 작용으로 체온이 일정하게 유지된다.
⑥ 신경계는 반응이 느리게 일어나지만, 호르몬은 반응이 빠르게 일어난다.

Tip (가)는 신경에 의한 조절 과정을, (나)는 호르몬에 의한 조절 과정을 나타낸 것이다. A는 갑상샘 자극 호르몬, B는 티록신이다.

풀이 ④ 추울 때는 열 방출량이 감소하고 열 발생량이 증가한다.
⑥ 신경계는 신속한 신호 전달과 빠른 반응이 일어나게 하며, 호르몬은 느리지만 지속적인 반응이 일어나게 한다.

답 ④, ⑥

8-1 그림은 운동 후 시간 경과에 따른 체온 변화를 나타낸 것이다. A 구간에서 일어나는 현상으로 옳은 것을 | 보기 | 에서 모두 고르시오.

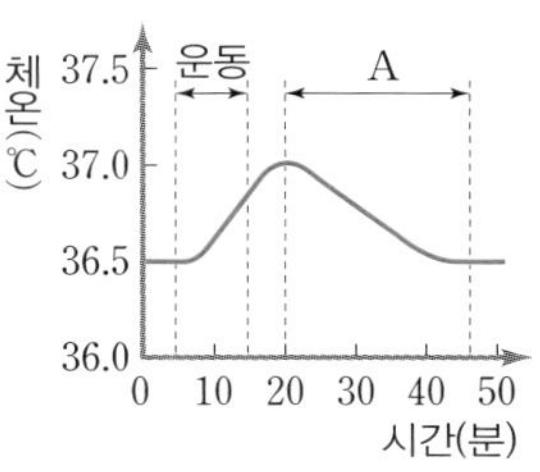

보기

ㄱ. 땀 분비가 증가한다.
ㄴ. 피부의 혈관이 확장된다.
ㄷ. 열 방출량이 감소하고, 열 발생량이 증가한다.

1 그림은 신경계를 구성하는 세포를 나타낸 것이다.

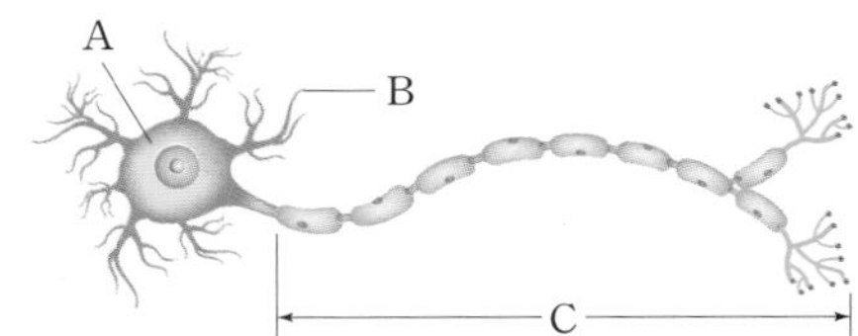

이에 대한 설명으로 옳은 것을 | 보기 |에서 모두 고른 것은?

보기
ㄱ. A는 신경 세포체로, 뉴런의 물질대사에 관여한다.
ㄴ. B는 가지 돌기로, 신경 전달 물질을 합성한다.
ㄷ. C는 축삭 돌기로, 다음 뉴런으로 신호를 전달한다.

① ㄷ ② ㄱ, ㄴ ③ ㄱ, ㄷ
④ ㄴ, ㄷ ⑤ ㄱ, ㄴ, ㄷ

Tip 한 뉴런에서 자극은 ❶ [ ] → 신경 세포체 → ❷ [ ]로 전달된다.
답 ❶ 가지 돌기 ❷ 축삭 돌기

2 다음은 세 종류의 뉴런이 연결된 모습을 나타낸 것이다.

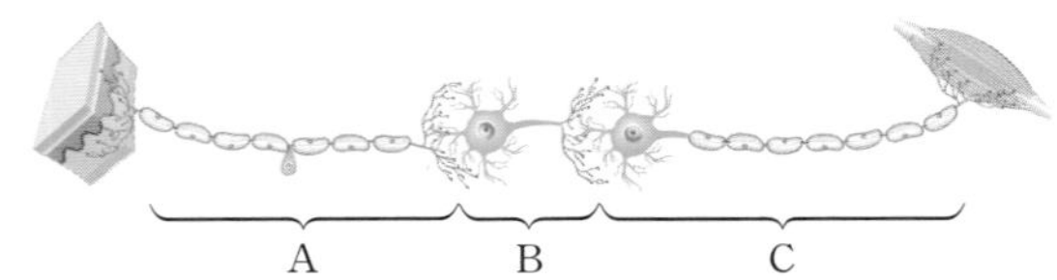

이에 대한 설명으로 옳지 않은 것은?

① A는 운동 뉴런, B는 연합 뉴런, C는 감각 뉴런이다.
② A와 C는 말초 신경계를, B는 중추 신경계를 구성한다.
③ A에는 혀의 미각 신경도 포함된다.
④ B는 자극에 대해 어떻게 반응할지 C에 명령을 내린다.
⑤ C는 중추 신경의 명령을 반응 기관에 전달한다.

Tip 망막, 달팽이관 등에 연결된 뉴런은 [ ] 뉴런에 해당한다.
답 감각

3 다음은 자극에 대한 반응 시간을 측정하는 과정이다.

| 과정 |

(가) A가 자를 떨어뜨리면 B는 눈으로 보며 자를 재빨리 잡는다.
(나) B가 눈을 감은 상태로 A가 '땅' 소리와 함께 자를 떨어뜨리면 B는 소리를 듣고 자를 재빨리 잡는다.

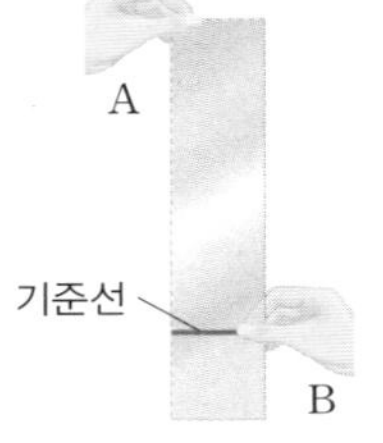

| 자가 떨어진 거리 |

구분	1회	2회	3회	4회	5회	평균
눈으로 보고 잡을 때(cm)	8	10	9	8	8	8.6
소리를 듣고 잡을 때(cm)	25	28	30	28	26	27.4

이를 통해 알 수 있는 것은?

① 자를 잡는 반응의 중추
② 사람에 따른 반응 시간 차이
③ 시각과 청각을 통한 반응 시간 차이
④ 자극이 전달되어 반응이 일어나기까지의 시간
⑤ 뇌의 명령이 반응 기관에 전달되기까지의 시간

Tip 자극의 ❶ [ ]에 따라 반응이 일어나기까지 걸리는 ❷ [ ]이 다르다.
답 ❶ 종류 ❷ 시간

4 다음은 신경에 의한 우리 몸의 조절 작용을 설명한 것이다.

> 교감 신경은 긴장했을 때나 위기 상황에 처했을 때 대처하기 알맞은 상태로 만들고, 부교감 신경은 원래의 안정된 상태로 되돌리는 작용을 한다. 교감 신경에 의해 동공은 ㉠(　　　)되고, 침 분비는 ㉡(　　　)되며, 호흡 운동은 ㉢(　　　)된다.

빈칸에 알맞은 말을 옳게 짝 지은 것은?

	㉠	㉡	㉢
①	축소	촉진	촉진
②	축소	억제	촉진
③	확대	억제	억제
④	확대	촉진	억제
⑤	확대	억제	촉진

Tip 교감 신경과 부교감 신경은 ❶ 내장 기관에 분포하여 서로 ❷ 작용을 나타낸다. 답 ❶같은 ❷반대

5 항상성을 유지하기 위한 호르몬의 작용에 대한 설명으로 옳은 것을 |보기|에서 모두 고른 것은?

보기
ㄱ. 신경에 비해 효과가 지속적이다.
ㄴ. 외분비샘에서 분비되어 혈액을 따라 이동한다.
ㄷ. 분비량이 너무 많거나 적으면 몸에 이상 증상이 나타난다.
ㄹ. 한 종류의 호르몬이 여러 기관에 작용한다.

① ㄱ, ㄴ　② ㄱ, ㄷ　③ ㄴ, ㄷ
④ ㄴ, ㄹ　⑤ ㄷ, ㄹ

Tip 호르몬은 신경에 비해 작용 범위는 ❶ 효과는 ❷ 이다. 답 ❶넓고 ❷지속적

6 그림은 자극에 대한 반응 경로를 나타낸 것이다.

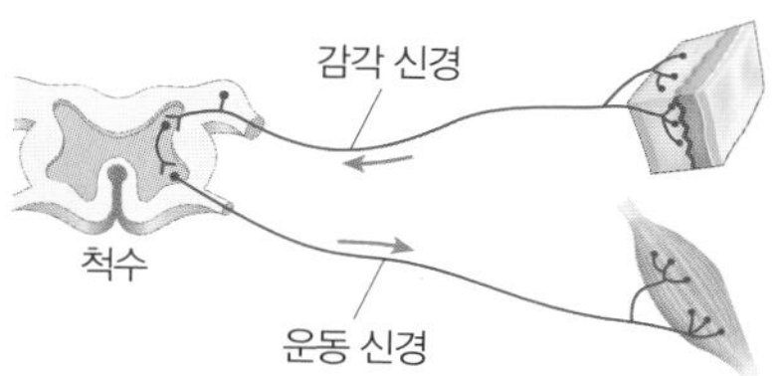

이에 대한 설명으로 옳은 것을 |보기|에서 모두 고른 것은?

보기
ㄱ. 의식적인 반응 경로이다.
ㄴ. 대뇌를 거치지 않아 반응 시간이 짧다.
ㄷ. 하품이나 딸꾹질이 나는 현상과 반응 경로가 같다.
ㄹ. 뾰족한 물체에 찔렸을 때 급히 몸을 움츠리는 것과 같은 반응 경로이다.

① ㄱ　② ㄱ, ㄷ　③ ㄴ, ㄷ
④ ㄴ, ㄹ　⑤ ㄷ, ㄹ

Tip 무조건 반사는 ❶ 가 관여하지 않는 반응으로, 척수, 연수, ❷ 가 중추이다. 답 ❶대뇌 ❷중간뇌

7 그림은 건강한 사람의 혈당량 변화를 나타낸 것이다.

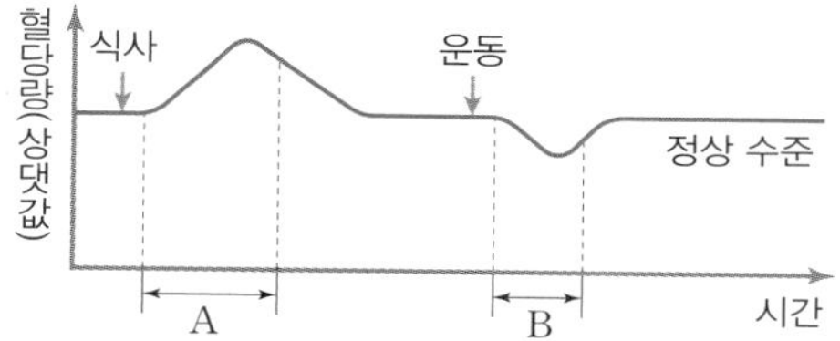

이에 대한 설명으로 옳지 않은 것은?(단, 구간 A와 B에서 분비되는 호르몬은 같은 내분비샘에서 분비된다.)

① A에서는 인슐린, B에서는 글루카곤의 분비량이 증가한다.
② A와 B에서 분비되는 호르몬은 간에 작용한다.
③ A에서 분비량이 증가하는 호르몬이 과다 분비되면 혈당량이 높아져 포도당의 일부가 오줌으로 배설된다.
④ B에서 분비량이 증가하는 호르몬은 글리코젠을 포도당으로 분해한다.
⑤ 글루카곤과 인슐린은 서로 반대되는 작용을 한다.

Tip 혈당량은 ❶ 에서 분비되는 인슐린과 ❷ 에 의해 조절된다. 답 ❶이자 ❷글루카곤

01 그림은 사람 눈의 구조를 나타낸 것이다. A~E 각 부분의 이름과 기능을 옳게 짝 지은 것은?

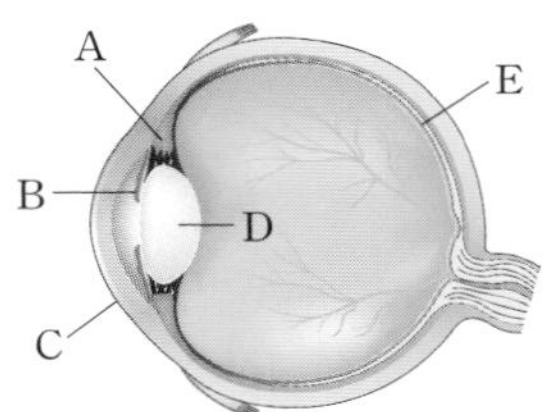

① A – 섬모체: 수정체의 두께를 조절한다.
② B – 수정체: 물체의 상이 맺히는 곳이다.
③ C – 망막: 빛을 굴절시켜 상이 맺히게 한다.
④ D – 홍채: 눈으로 들어오는 빛의 양을 조절한다.
⑤ E – 맥락막: 눈의 앞쪽을 덮고 있는 투명한 막이다.

02 그림은 사람의 눈에서 일어나는 변화를 나타낸 것이다.

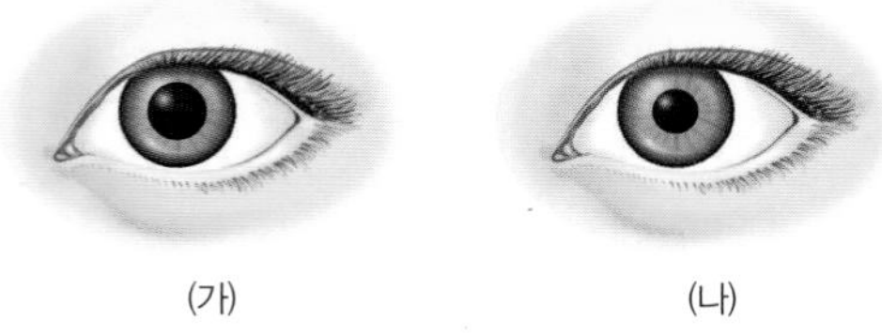
(가) (나)

(가)에서 (나)로 변하는 상황에 대한 설명으로 옳은 것을 | 보기 |에서 모두 고른 것은?

> 보기
> ㄱ. 홍채의 넓이가 넓어진다.
> ㄴ. 무의식적으로 일어나는 반응이다.
> ㄷ. 밝은 곳에서 어두운 곳으로 갈 때 나타난다.

① ㄱ ② ㄷ ③ ㄱ, ㄴ
④ ㄴ, ㄷ ⑤ ㄱ, ㄴ, ㄷ

[03~04] 그림은 사람 귀의 구조를 나타낸 것이다.

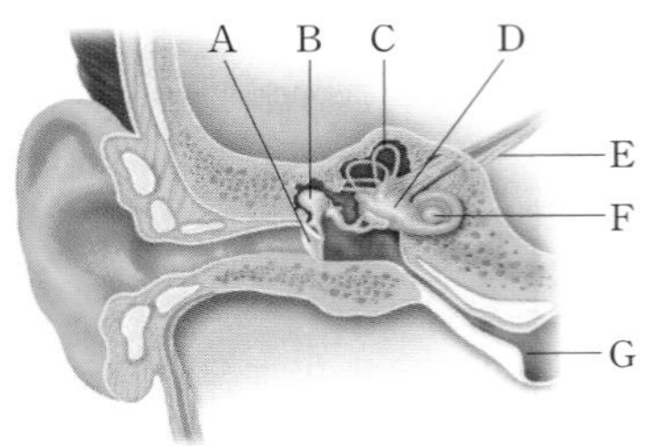

03 위 그림에 대한 설명으로 옳은 것을 | 보기 |에서 모두 고른 것은?

> 보기
> ㄱ. A는 고막이다.
> ㄴ. B에서 A의 진동이 증폭된다.
> ㄷ. 소리 자극의 전달 경로는 A → B → C → D → E → 대뇌이다.

① ㄱ ② ㄷ ③ ㄱ, ㄴ
④ ㄴ, ㄷ ⑤ ㄱ, ㄴ, ㄷ

04 A~G 중 청각의 성립과 관련이 없는 것을 모두 찾아 기호와 이름을 쓰시오.

( )

05 사람의 미각에 대한 설명으로 옳은 것을 | 보기 |에서 모두 고른 것은?

> 보기
> ㄱ. 사람의 감각 중 가장 예민하다.
> ㄴ. 액체 상태의 화학 물질을 자극으로 받아들인다.
> ㄷ. 후각과 같이 작용하여 다양한 음식의 맛을 느끼게 한다.

① ㄱ ② ㄴ ③ ㄱ, ㄷ
④ ㄴ, ㄷ ⑤ ㄱ, ㄴ, ㄷ

06 그림은 뉴런 X의 구조를 나타낸 것이다.

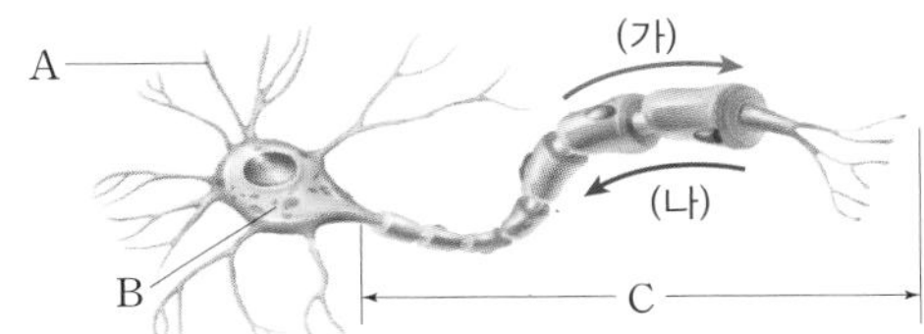

이에 대한 설명으로 옳은 것은?

① A는 축삭 돌기로, 다른 뉴런이나 반응 기관으로 자극을 전달한다.
② B는 신경 세포체로, 핵과 세포질이 모여 있으며 생명 활동이 일어난다.
③ C는 가지 돌기로, 감각 기관이나 다른 뉴런으로부터 오는 자극을 받아들인다.
④ 한 뉴런에서 자극은 (나) 방향으로 전달된다.
⑤ 뉴런 X는 감각 기관에서 받아들인 자극을 연합 뉴런에 전달하는 감각 뉴런이다.

07 그림은 사람 뇌의 구조를 나타낸 것이다. 심장 박동, 소화 운동, 호흡 운동을 조절하는 부분의 기호와 이름을 쓰시오.

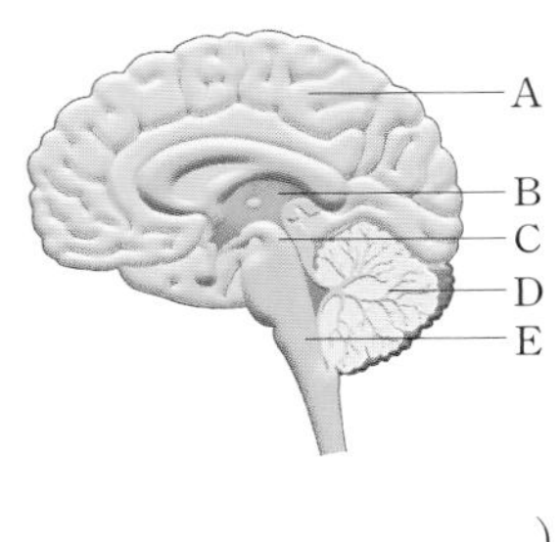

(　　　　　　　　　　　　)

08 사람의 뇌와 척수의 공통점으로 옳은 것을 보기에서 모두 고른 것은?

보기
ㄱ. 중추 신경계이다.
ㄴ. 연합 뉴런으로 구성된다.
ㄷ. 무릎 반사의 조절 중추이다.

① ㄱ　② ㄴ　③ ㄱ, ㄴ　④ ㄴ, ㄷ　⑤ ㄱ, ㄴ, ㄷ

09 그림은 우리 몸에 있는 기관 A~D를 나타낸 것이다. A~D는 각각 갑상샘, 뇌하수체, 이자, 난소 중 하나이다. 이에 대한 설명으로 옳은 것을 보기에서 모두 고른 것은?

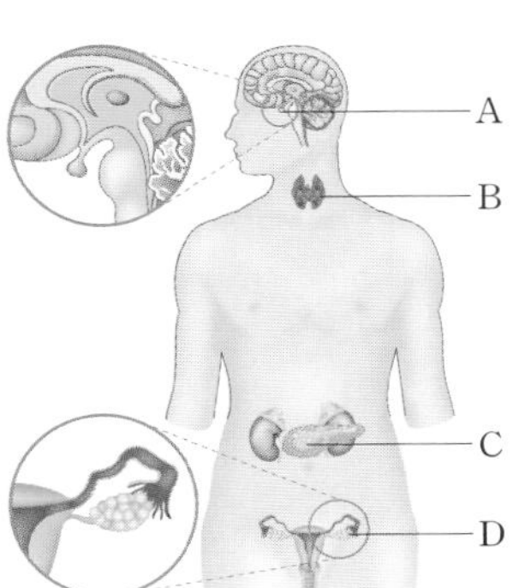

보기
ㄱ. A는 뇌하수체이며, B에서 분비되는 호르몬의 분비에 관여한다.
ㄴ. C에서 인슐린과 글루카곤이 분비된다.
ㄷ. A~D는 모두 호르몬을 분비하는 기관이다.

① ㄱ　② ㄷ　③ ㄱ, ㄴ　④ ㄴ, ㄷ　⑤ ㄱ, ㄴ, ㄷ

10 그림은 혈당량이 조절되는 과정을 나타낸 것이다.

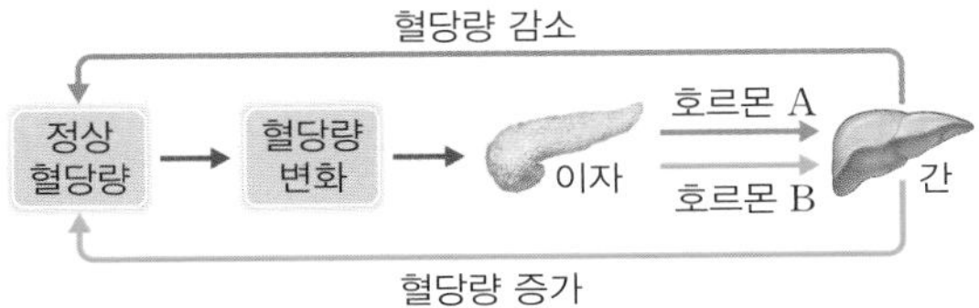

이에 대한 설명으로 옳은 것을 보기에서 모두 고른 것은?

보기
ㄱ. 호르몬 A와 B는 간에서 작용한다.
ㄴ. 호르몬 A는 식사 직후 분비량이 증가한다.
ㄷ. 호르몬 B는 포도당이 세포에서 사용되는 것을 촉진한다.

① ㄱ　② ㄷ　③ ㄱ, ㄴ　④ ㄴ, ㄷ　⑤ ㄱ, ㄴ, ㄷ

1 다음은 민수가 난청의 유형과 베토벤의 청각 장애에 관해 발표한 프리젠테이션의 일부이다.

1. 난청의 유형
◆ 전도성 난청
음파가 막에 의해 진동하거나, 증폭되는 과정에 이상이 생겨 나타나는 청각 장애

◆ 신경성 난청
음파가 신경 신호로 바뀌거나 신경 신호가 대뇌까지 전달되는 과정에 이상이 생겨 나타나는 청각 장애

2. 베토벤의 청각 장애
◆ 베토벤은 청력을 거의 상실한 상태였지만, 나무 막대기의 한쪽 끝을 입에 물고, 다른 한쪽 끝은 피아노에 대고 있는 상태에서 피아노를 치면 소리를 어느 정도 감지할 수 있어서 작곡을 했다고 한다.

발표 내용에 대해 옳게 이야기한 학생만을 모두 고른 것은?

베토벤의 청각 장애는 신경성 난청에 해당해.

전도성 난청은 고막이나 귓속뼈에 이상이 있는 거야.

베토벤이 사용한 나무 막대기는 달팽이관의 청각 세포에 진동을 전달해.

학생 A　　학생 B　　학생 C

① A　② B　③ A, C
④ B, C　⑤ A, B, C

> **Tip** 고막은 ❶ ____의 진동을 막의 진동으로 바꾸며, 이것을 증폭하는 것은 ❷ ____이다.
> 답 ❶공기 ❷귓속뼈

2 다음은 민수가 탐구한 생체 모방 로봇에 대한 자료의 일부이다.

- 생체 모방 로봇(Biomimetric Robot)은 생물의 행동이나 구조를 모방한 로봇으로, 자연의 생존력과 효율성, 장점 등을 로봇으로 구현한 것이다.
- 생체 모방 로봇의 예로는 인간의 걸음걸이를 모방한 휴머노이드 로봇, 애완용 로봇 등이 있고 지능형 의수, 로봇손 등이 개발되어 있으며, 의료용 로봇이 있다.
- 의료용 로봇으로는 수술용 로봇, 수술 보조 로봇, 수술 시뮬레이터 등이 있다.
- 수술 시뮬레이터를 개발하기 위해 프랑스의 한 연구팀은 인체의 장기들을 모델링하고 조작자가 마치 실제의 장기를 만지고 있는 것과 같은 감촉을 제공하는 소프트웨어와 힘 반사 기기에 대해 연구했는데, 이는 내시경 수술에서 의사가 눈과 손으로 직접 장기를 수술하는 것이 아니라, 새로운 시뮬레이터 환경에서 좀 더 많은 정보를 가지고 수술할 수 있도록 해 주는 장치이다.

다음의 생물 A~E가 가진 특성 중 위 자료의 수술 시뮬레이터를 개발하는 데 활용하기에 가장 적절한 것은?

① A: 눈과 입 사이 구멍에 온도를 감지하는 감각점이 매우 많다.
② B: 더듬이에 화학 물질을 감지할 수 있는 예민한 감각털이 있다.
③ C: 전정 기관 내부에 감각 세포의 수가 매우 많다.
④ D: 피부에 분포한 촉점과 압점의 밀도가 매우 높고, 이것으로 털의 움직임을 감지한다.
⑤ E: 볼 수 있는 물체의 최대 거리가 매우 길고, 들을 수 있는 소리 크기의 최소값이 매우 작다.

> **Tip** 피부 감각에는 통각, 냉각, 온각, 압각, ❶ ____ 등이 있으며, 피부에 분포한 감각점의 수가 ❷ ____ 예민하다.
> 답 ❶촉각 ❷많을수록

8강_신경계와 호르몬

3 그림은 물속과 우주에서 트라이앵글을 연주하는 모습을 나타낸 것이다.

(가) 물속　　　　(나) 우주

그림 (가)와 (나)에 대해 옳게 이야기한 학생을 모두 고르고, 그 까닭을 서술하시오.

Tip 청각은 ❶ ___의 진동을 ❷ ___의 청각 세포에서 받아들여 성립된다.
답 ❶ 공기 ❷ 달팽이관

4 그림은 항상성이 유지되는 과정을 애니메이션으로 표현하기 위한 코딩 중 일부를 나타낸 것이다.

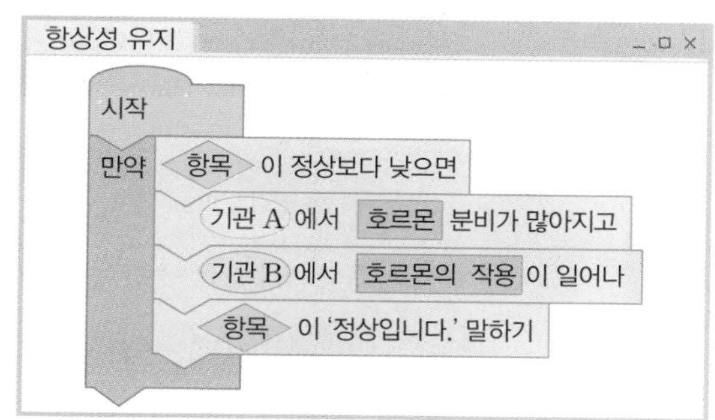

이에 대한 설명으로 옳은 것은?

① 항목 이 혈당량일 때 호르몬 은 티록신이다.
② 항목 이 체온일 때 갑상샘은 기관 A 에 해당한다.
③ 항목 이 혈당량일 때 이자는 기관 B 에 해당한다.
④ 항목 이 체온일 때 호르몬 은 인슐린이다.
⑤ 항목 이 혈당량일 때 '포도당을 글리코젠으로 합성하는 작용'은 호르몬의 작용 에 해당한다.

Tip 인슐린은 ❶ ___에서 분비되고, 티록신은 ❷ ___에서 분비된다.
답 ❶ 이자 ❷ 갑상샘

5 다음은 반응의 종류에 대해 선생님과 학생들이 온라인 수업 중 나눈 대화 내용이다.

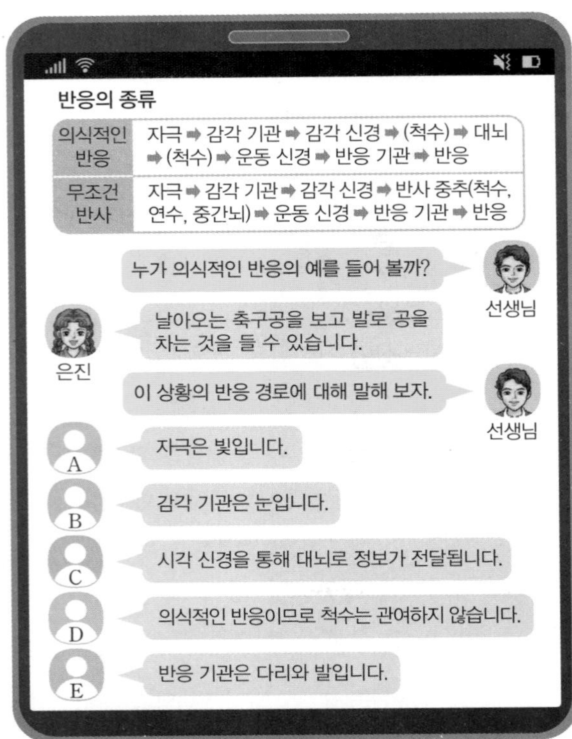

A~E 중에서 이야기한 내용이 옳지 않은 학생은?

① A ② B ③ C
④ D ⑤ E

Tip 의식적인 반응의 중추는 ❶ ____ 이고, ❷ ____ 의 중추는 척수, 연수, 중간뇌이다. 답 ❶대뇌 ❷무조건 반사

6 다음은 A, B 두 사람이 자극의 종류에 따라 반응이 일어나기까지 걸리는 시간을 측정하는 실험 과정이다.

| 과정 |

(가) A는 자를 잡고 있고, B는 기준선에서 손가락을 벌려 자를 잡을 준비를 한다.

(나) A는 말없이 손을 놓아 자를 떨어뜨리고, B는 떨어지는 자를 보고 재빨리 잡는다.

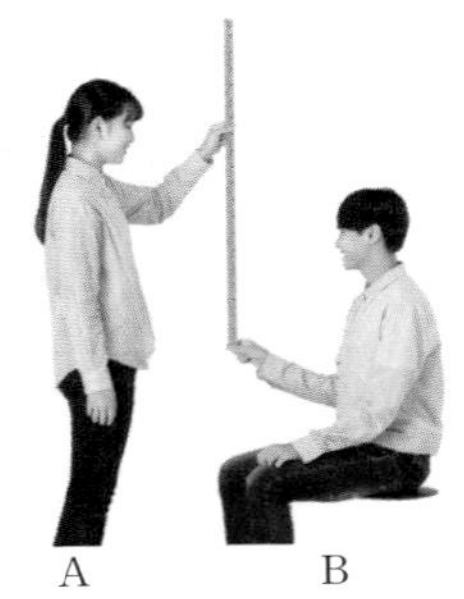

(다) 기준선으로부터 B가 자를 잡은 곳까지의 거리를 측정한다. ㉠이 과정을 5회 반복하여 자를 잡은 곳까지 거리의 평균값을 구한다.

다음을 참고하여 위 실험에서 눈에서 손끝까지 자극의 전달 속도를 구하고, 풀이 과정을 서술하시오.

- ㉠: 20 cm
- 눈에서 손끝까지 자극의 이동 거리: 1.2 m
- 자유 낙하하는 물체의 이동 거리 $= \frac{1}{2} \times$ 중력 가속도 $\times$ 시간^2
- 중력 가속도: 10 m/초^2

Tip 빛, 소리 등의 ❶ ____ 은 눈, 귀 등 감각 기관에서 받아들여 ❷ ____, 척수 등에서 정보를 처리한 후 운동 기관에서 반응이 나타난다. 답 ❶자극 ❷대뇌

7 다음은 호르몬의 특징과 분비 과정을 학습하기 위한 게임 활동이다.

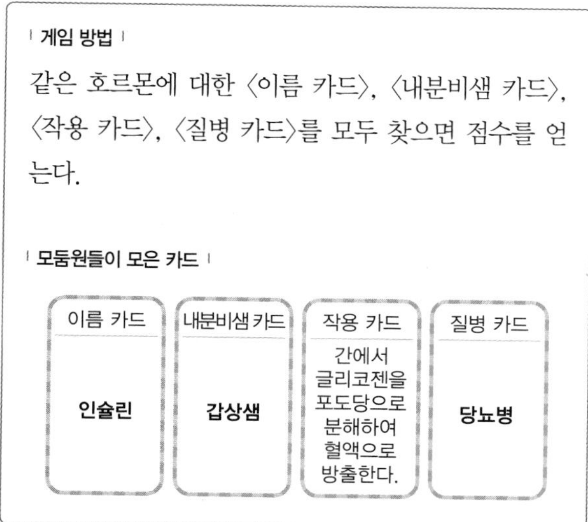

점수를 얻기 위해 모둠원들이 교체해야 할 카드를 보기에서 모두 고른 것은?

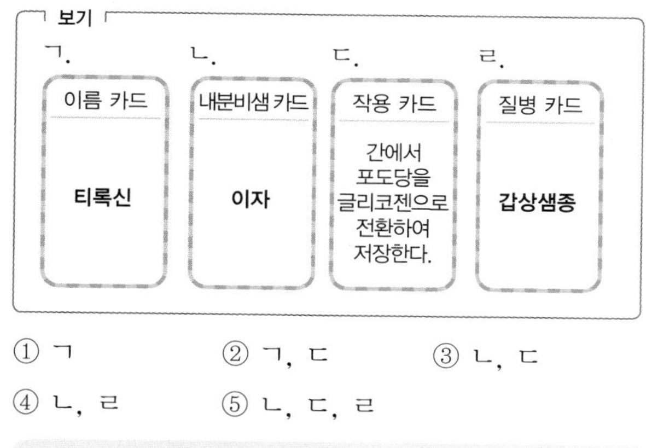

① ㄱ ② ㄱ, ㄷ ③ ㄴ, ㄷ
④ ㄴ, ㄹ ⑤ ㄴ, ㄷ, ㄹ

Tip 인슐린은 ❶ ____ 에서 분비되며, 포도당을 글리코젠으로 전환하여 혈당량을 ❷ ____.

답 ❶ 이자 ❷ 낮춘다

8 자료 (가)는 티록신의 분비량이 조절되는 과정을, (나)는 수조 안의 물이 항상 일정하게 유지될 수 있도록 조절하는 장치를 설명한 것이다.

자료 (가)

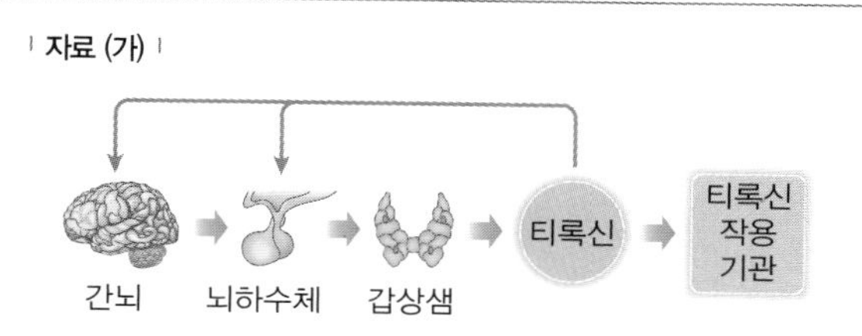

- 혈액 속 티록신 농도가 감소하면 간뇌에서 갑상샘 자극 호르몬 방출 호르몬(TRH) 분비량을 늘려 뇌하수체에서 갑상샘 자극 호르몬(TSH)의 분비가 촉진된다. 그 결과 갑상샘에서의 티록신의 합성과 분비량이 증가한다.
- 혈액 속 티록신 농도가 증가하면 간뇌에서 TRH의 분비량이 줄어 뇌하수체에서 TSH의 분비가 억제되면서 갑상샘에서의 티록신의 합성과 분비량이 감소한다.

자료 (나)

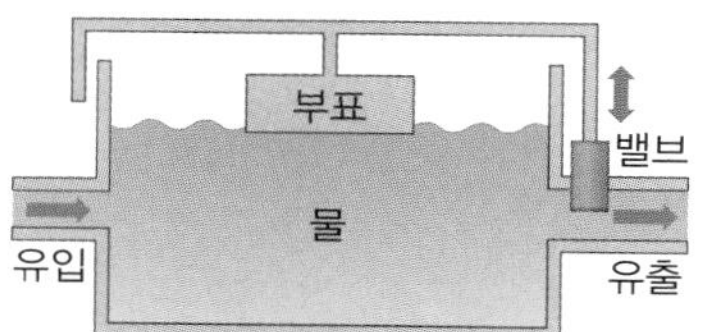

- 수조로 유입되는 물의 양이 많아지면 부표가 떠오르면서 밸브를 열어 유출량을 증가시킨다.
- 수조에서 나가는 물의 유출량이 많아지면 부표가 내려가면서 밸브를 닫아 유출량이 줄어든다.

(가)에서 티록신의 분비 조절 과정을 설명하기 위해 (나)의 장치를 제시한 것이다. (나)에서 수조 속의 물의 양과 부표는 각각 (가)에서 무엇에 해당하는지 쓰시오.

Tip 간뇌는 ❶ ____ 분비량을 조절하는 중추이며, ❷ ____ 에서 분비되는 티록신의 양이 일정하게 유지되도록 조절한다.

답 ❶ 호르몬 ❷ 갑상샘

기말고사 마무리 전략

핵심 Point 체크

5강_운동, 6강_일과 에너지

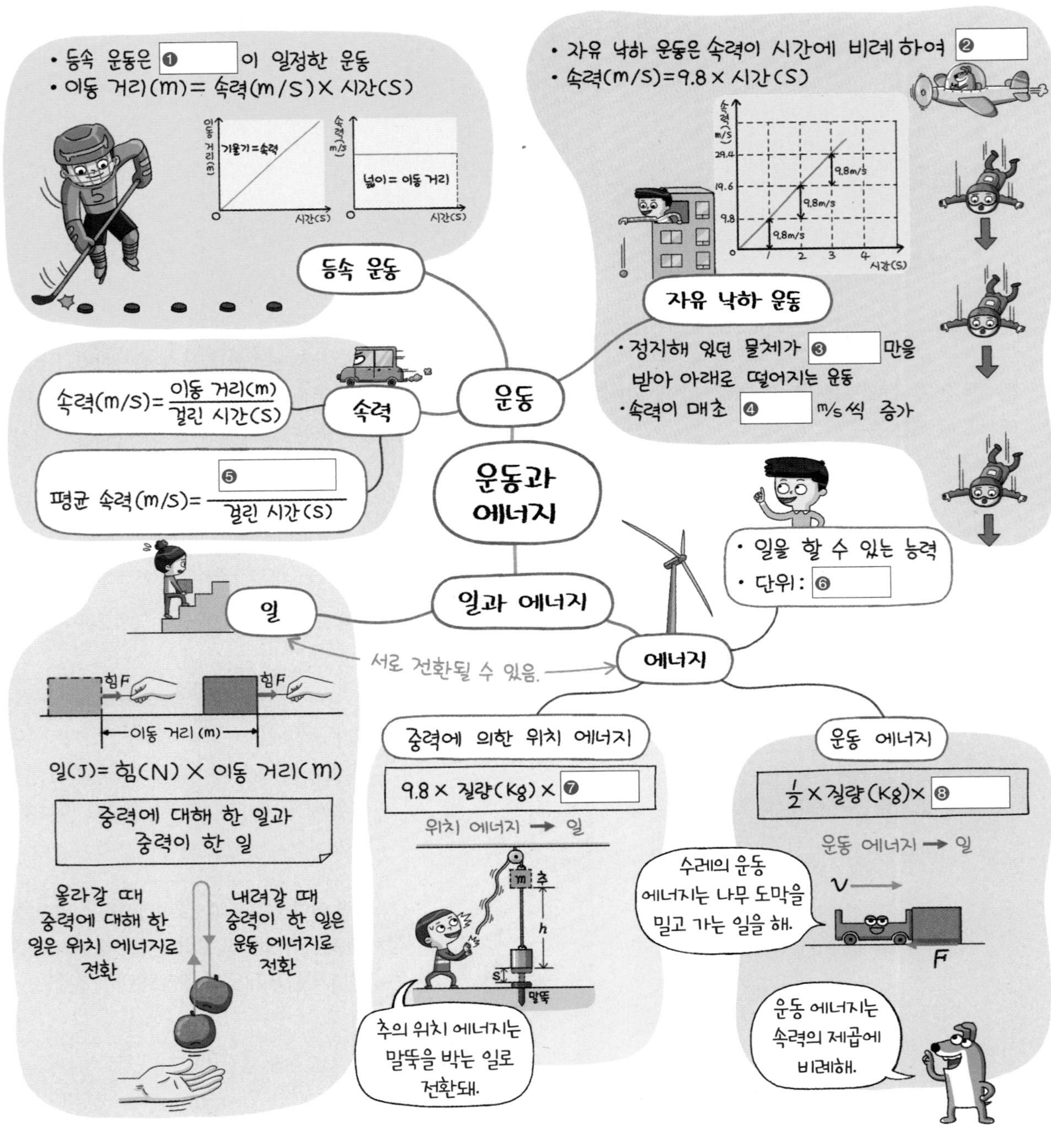

답 ❶ 속력 ❷ 증가 ❸ 중력 ❹ 9.8 ❺ 전체 이동 거리(m) ❻ J ❼ 높이(m) ❽ 속력^2(m/s)^2

이어서 공부할 내용	❶ 신유형 · 신경향 · 서술형 전략 ❷ 고난도 해결 전략

7강_감각 기관, 8강_신경계와 호르몬

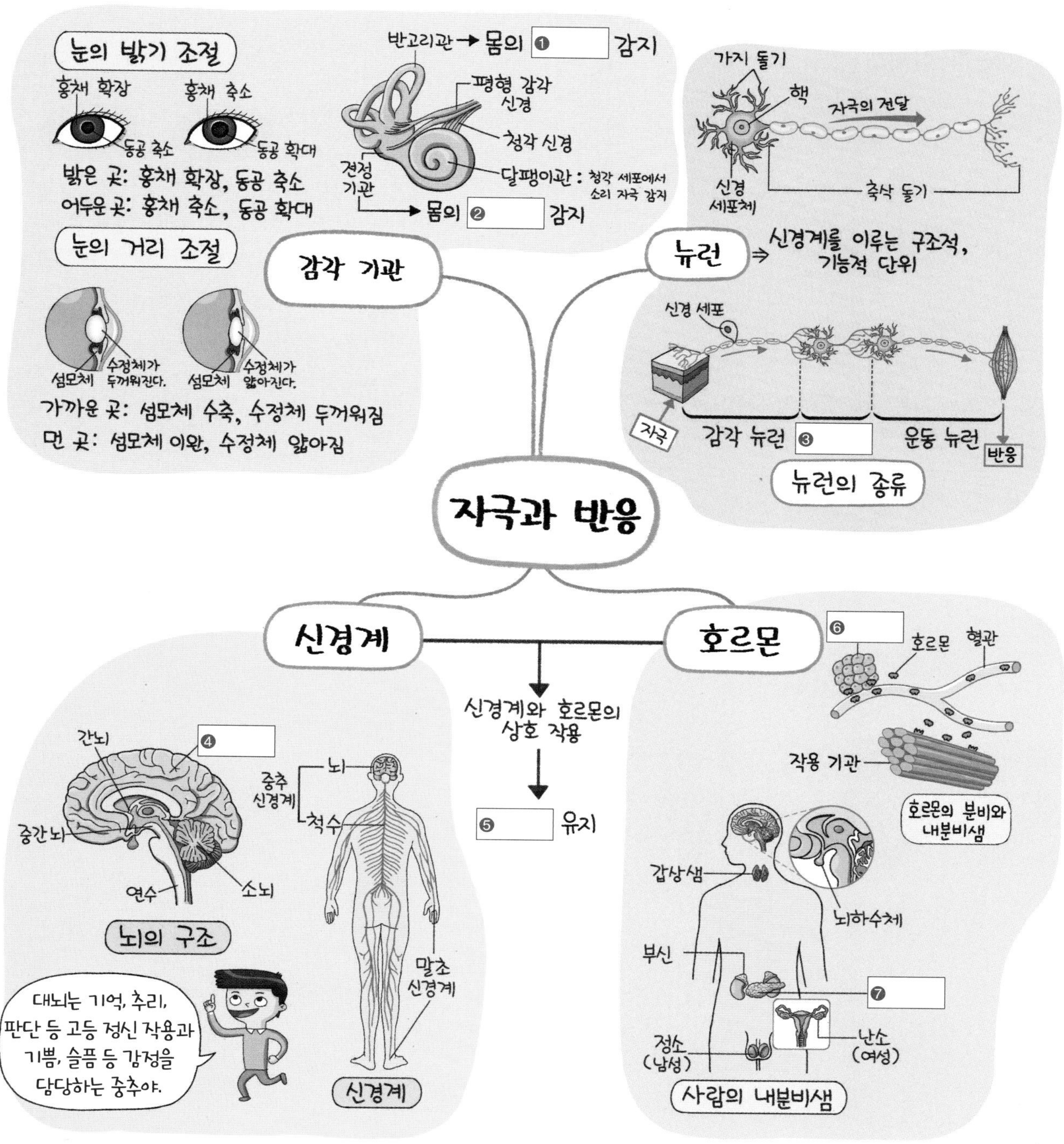

답 ❶ 회전 ❷ 기울어짐 ❸ 연합 뉴런 ❹ 대뇌 ❺ 항상성 ❻ 내분비샘 ❼ 이자

신유형·신경향·서술형 전략

신유형 전략

1 자유 낙하 운동

그림과 같이 자유 낙하 하는 물체의 운동을 일정 시간 간격으로 촬영한 사진을 순서대로 잘라 붙이고 끝점을 연결했더니 그래프의 모양이 기울어진 직선이 되었다.

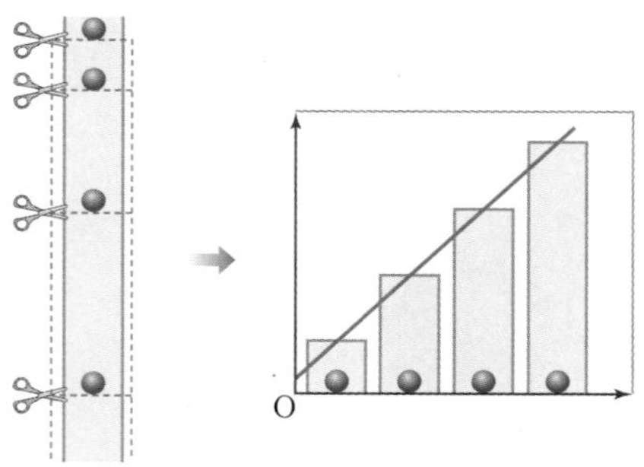

이를 통해 알 수 있는 자유 낙하 운동의 특징으로 옳은 것을 |보기|에서 모두 고른 것은?

| 보기 |
ㄱ. 속력이 일정하게 커진다.
ㄴ. 구간 거리가 일정하게 커진다.
ㄷ. 물체의 운동 방향과 같은 방향으로 일정한 크기의 힘이 계속 작용한다.

① ㄱ ② ㄴ ③ ㄱ, ㄷ
④ ㄴ, ㄷ ⑤ ㄱ, ㄴ, ㄷ

Tip 자유 낙하 운동을 하는 물체의 속력은 시간에 따라 일정하게 ❶ [ ] 한다. 또한 물체에는 운동 방향과 같은 방향으로 일정한 크기의 ❷ [ ] 이 계속 작용한다.

답 ❶증가 ❷중력

2 중추 신경계

다음은 중추 신경계의 구조를 탐구하는 모형 활동 과정이다.

| 과정 |

(가) 학생 A~E는 뇌의 각 부위의 이름이 적힌 중추 신경계 단면 모형과 신체 활동 붙임 딱지를 각자 한 세트씩 준비한다.

대뇌
간뇌
중간뇌
소뇌
연수
척수

▲중추 신경계 단면 모형

체온 조절 | 심장 박동 | 눈조절 | 공부하기 | 균형 잡기

▲신체 활동 붙임 딱지

(나) 신체 활동 붙임 딱지 중 하나를 중추 신경계 단면 모형의 해당 부위 옆에 붙이고 선으로 연결한다. 또한, 해당 뇌 부위와 이름이 적힌 부분에 같은 색깔의 찰흙을 채운다.

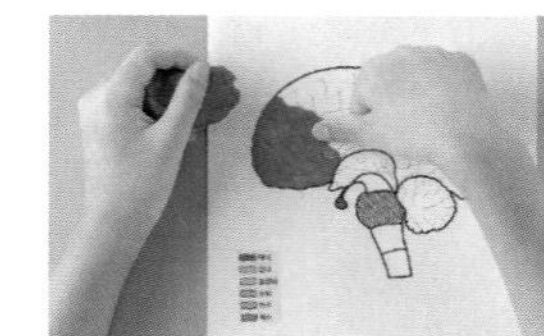

학생 A~E의 활동 결과 신체 활동 붙임 딱지와 뇌의 해당 부위를 잘못 연결한 것은?

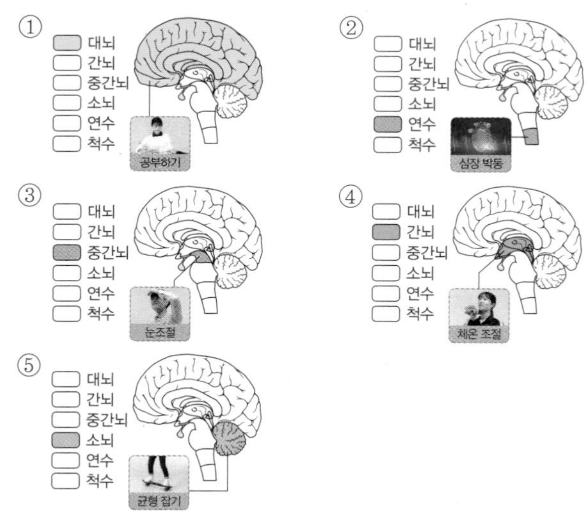

Tip 체온 조절 등 항상성 유지의 중추는 ❶ [ ] 이고, 심장 박동 등 생명 유지의 중추는 ❷ [ ] 이다.

답 ❶간뇌 ❷연수

신경향 전략

3 가방에 한 일

다음은 수지가 학교에 등교하면서 정문에서 교실까지 가는 동안 가방에 한 일의 양을 계산하기 위한 자료들이다.

- 가방의 질량은 5 kg이고 어깨에 메고 가.
- 교문을 들어서면 수평으로 난 길을 따라 현관까지 120 m를 걸어가야 해.
- 교실은 건물 4층에 있으므로 현관에서 계단을 따라 4층 교실까지 올라가.
- 4층까지 올라가는 데 높이가 15 cm이고 폭이 20 cm인 계단을 60개나 올라가야 해.

이에 대한 설명으로 옳은 것을 |보기|에서 모두 고른 것은? (단, 마찰은 무시한다.)

보기
ㄱ. 수지가 가방에 작용한 힘은 49 N이다.
ㄴ. 가방에 작용하는 중력의 크기는 98 N이다.
ㄷ. 교문에서 현관까지 120 m를 가는 동안 수지가 가방에 한 일은 0이다.
ㄹ. 현관에서 4층 교실까지 올라가는 동안 수지가 가방에 한 일의 양은 588 J이다.

① ㄹ ② ㄱ, ㄴ ③ ㄱ, ㄷ
④ ㄱ, ㄷ, ㄹ ⑤ ㄴ, ㄷ, ㄹ

Tip 물체에 작용하는 힘의 방향과 이동 방향이 수직이면 힘의 방향으로 이동 거리가 ❶ 이므로 한 일의 양도 ❷ 이다.

답 ❶ 0 ❷ 0

4 혈당량 조절

다음은 모형을 활용하여 혈당량 조절 과정을 표현하는 활동 수업의 일부이다.

그림과 같이 혈관과 4개의 기관 모형, 사탕, 깃발을 놓는다. 사탕은 포도당, 깃발은 글루카곤에 해당한다.

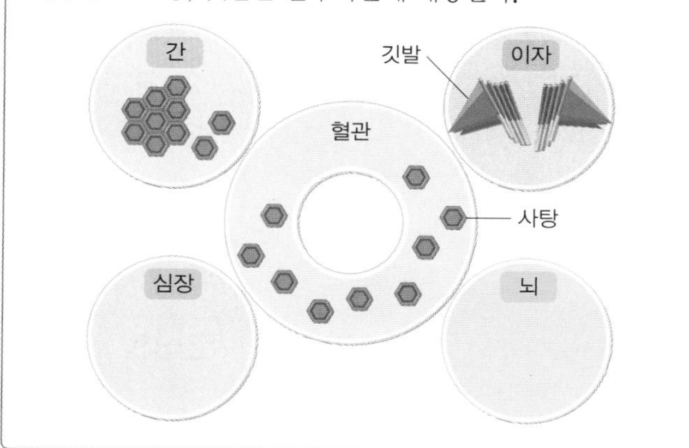

학생 A~E 중 혈당량 증가를 가장 적절하게 표현한 학생은?

① A: 혈관에 있는 사탕을 모두 심장과 뇌로 옮기면 돼.
② B: 혈관 위의 사탕 수가 적어진 만큼 깃발을 간으로 옮기는 것이 좋아.
③ C: 간에 있는 깃발 수만큼 사탕을 간에서 혈관으로 옮겨야 해.
④ D: 혈관에 추가된 사탕 수만큼 이자에 있는 깃발을 간으로 옮길 거야.
⑤ E: 이자에 있는 깃발 수만큼 간에 있는 사탕을 심장과 뇌로 옮기는 것이 맞아.

Tip 혈당량이 낮아지면 이자에서 ❶ 의 분비량이 많아져 간에서 ❷ 이 포도당으로 분해되는 작용이 촉진된다.

답 ❶ 글루카곤 ❷ 글리코젠

서술형 전략

5 운동의 기록과 속력

다음은 어떤 자동차의 과속 구간 단속 지점에서의 운동의 기록과 시간에 따른 속력을 나타낸 그래프이다.

> A점을 80 km/h의 속력으로 통과한 어떤 자동차의 속력이 시간에 따라 일정하게 증가하여 6분 후 120 km/h가 되었다. 그리고 6분 동안 120 km/h의 일정한 속력으로 달린 후, 다시 6분 동안 속력이 시간에 따라 일정하게 감소하여 80 km/h의 속력으로 B점을 통과하였다. 이 도로의 제한 속력은 110 km/h이다.

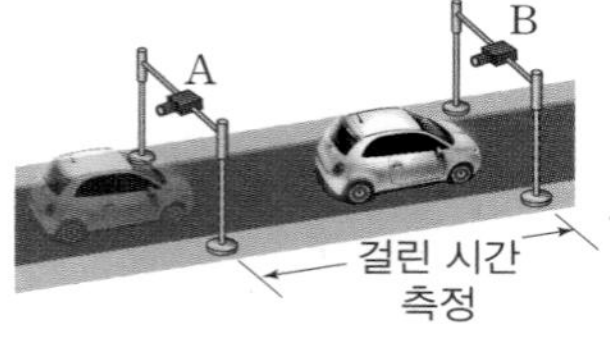

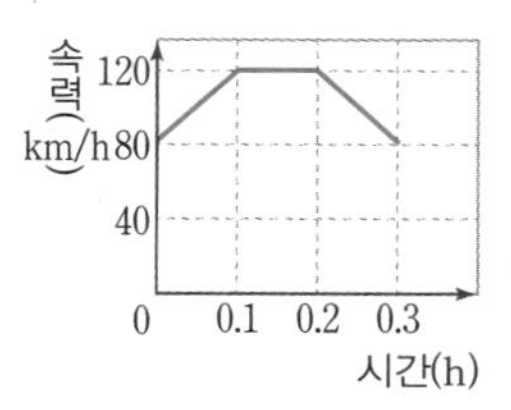

(1) 자동차가 A점에서 B점까지 이동한 거리를 구하고 그 계산 방법을 간단히 서술하시오.

(2) A점에서 B점까지 달리는 자동차의 평균 속력을 구하고, 과속 여부를 서술하시오.

> Tip 물체의 ❶ ☐ 은 전체 이동 거리를 걸린 시간으로 나누어 구한다. 운동을 기록한 시간-속력 그래프의 직선 아랫부분의 넓이는 ❷ ☐ 를 의미한다.
>
> 답 ❶ 평균 속력 ❷ 이동 거리

6 자동차의 운동 에너지와 제동 거리

그림은 어떤 자동차의 속력에 따른 제동 거리를 나타낸 자료이다. 자동차의 제동 거리는 자동차가 달리다가 브레이크를 밟고 정지하기 전까지 미끄러진 거리를 말한다.

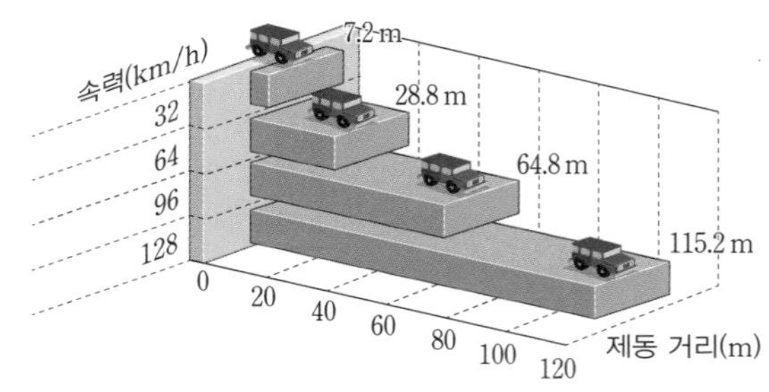

(1) 위의 자료에서 자동차의 제동 거리를 구할 때 일정하다고 가정해야 하는 요소는 무엇인지 쓰시오.

(2) 위 자료를 이용하여 자동차의 속력이 160 km/h일 때 제동 거리를 구하고 그 까닭을 설명하시오.

> Tip 자동차의 제동 거리는 운동 에너지에 ❶ ☐ 하고 운동 에너지는 ❷ ☐ 의 제곱에 비례한다.
>
> 답 ❶ 비례 ❷ 속력

>> 정답과 해설 65쪽

7 피부 감각

다음은 피부에서 감각점의 분포에 대해 알아보는 탐구 활동이다.

| 과정 |

(가) 접착테이프를 이용하여 30 cm 자에 이쑤시개 두 개를 3 cm 간격으로 붙인다.

(나) 두 사람이 짝을 지어 한 명은 눈을 가리게 한 다음, 다른 한 명은 손바닥, 이마, 입술의 순서로 이쑤시개의 뾰족한 끝을 대어 가볍게 누르고 이쑤시개가 몇 개로 느껴지는지 말하게 한다.

(다) 이쑤시개 간격을 좁히면서 과정 (나)를 반복하여 결과를 기록한다. ㉠하나로 느껴지는 이쑤시개의 간격이 몸의 부위에 따라 어떤 차이가 있는지 비교한다.

| 결과 |

부위	손바닥	이마	입술
㉠의 최소 거리	13 mm	17 mm	6 mm

(1) 이쑤시개가 한 개로 느껴지는 까닭을 감각점의 분포와 관련하여 서술하시오.

(2) 실험한 세 부위 중 가장 예민한 부위를 쓰고, 그 까닭을 서술하시오.

Tip 몸의 부위에 따라 ❶ ____ 의 분포가 다르며, 그 수가 ❷ ____ 자극에 더 예민하다.

답 ❶ 감각점 ❷ 많을수록

8 자극과 반응의 경로

그림은 감각 기관에 수용된 자극이 중추 신경계를 거쳐 반응 기관에 전달되는 경로를 나타낸 것이고, ①~③은 실생활 속에서 일어나는 행동의 예이다.

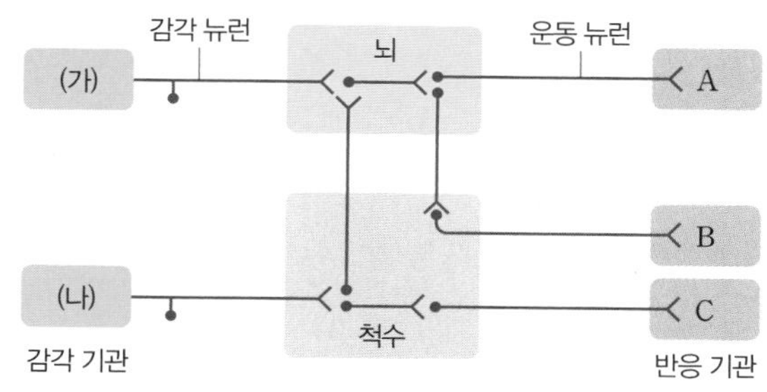

① 정지선을 위반하는 차를 보고 얼굴을 찡그렸다.
② 어두운 방에서 손으로 벽을 더듬어 스위치를 찾았다.
③ 뜨거운 냄비를 잡았다가 자신도 모르게 빨리 손을 뗐다.

(1) ①~③의 행동에 해당하는 자극 전달 경로를 그림에 있는 (가), (나), A, B, C의 기호와 → 를 사용하여 각각 나타내시오.

(2) ①~③의 행동을 반응 중추에 따라 두 가지로 구분하고, 그 까닭을 서술하시오.

Tip 얼굴에 있는 감각 기관에서 받아들인 자극은 ❶ ____ 를 거치지 않고 ❷ ____ 로 전달된다.

답 ❶ 척수 ❷ 대뇌

고난도 해결 전략 1회

빈출도 ● > ● > ●

5강_운동

01 그림은 두 물체 A와 B의 속력을 시간에 따라 나타낸 것이다.

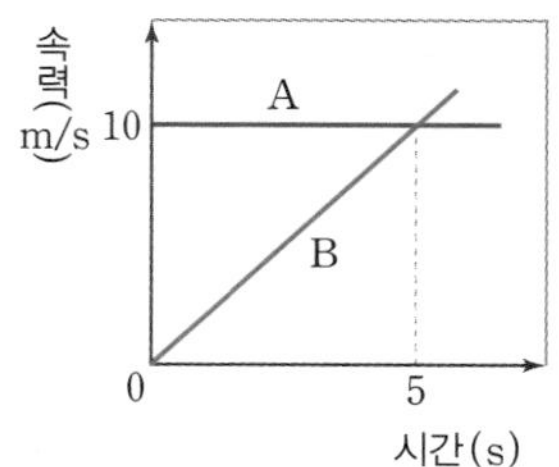

이에 대한 설명으로 옳은 것을 보기에서 모두 고른 것은?

보기
ㄱ. A는 등속 운동을 한다.
ㄴ. B는 속력이 일정하게 증가하는 운동이다.
ㄷ. 5초 동안 이동한 거리는 A가 B의 2배이다.

① ㄱ ② ㄴ ③ ㄱ, ㄷ
④ ㄴ, ㄷ ⑤ ㄱ, ㄴ, ㄷ

02 그림은 A~C 세 사람이 100 m 달리기를 할 때 시간에 따른 이동 거리를 나타낸 것이다.

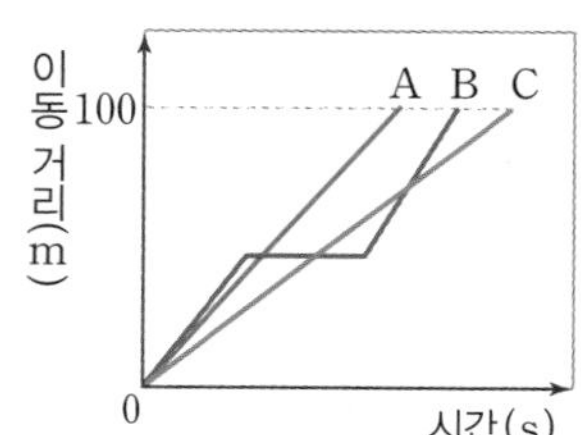

이에 대한 설명으로 옳은 것을 보기에서 모두 고른 것은?

보기
ㄱ. A가 가장 먼저 도착하였다.
ㄴ. B는 달리는 도중에 잠깐 멈추었다.
ㄷ. 평균 속력이 가장 빠른 사람은 C이다.

① ㄱ ② ㄴ ③ ㄷ
④ ㄱ, ㄴ ⑤ ㄱ, ㄴ, ㄷ

03 그림 (가), (나)는 움직이는 두 물체의 운동으로 같은 시간 간격으로 나타낸 것이다.

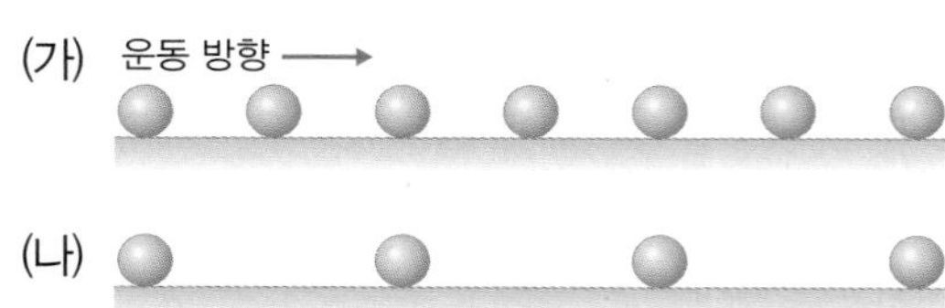

(가), (나) 운동에 대해 학생들이 나눈 대화에서 옳지 않은 설명을 한 학생을 쓰시오.

( )

04 공기의 저항을 무시할 수 있는 달에서 (가)~(라) 물체들을 같은 높이에서 동시에 떨어뜨렸다.

(가) 질량 2 g의 깃털
(나) 질량 45 g의 골프공
(다) 질량 0.5 kg의 쇠구슬
(라) 질량 2 kg의 배구공

이에 대한 설명 중 옳은 것은?

① 가장 큰 힘을 받는 것은 (라)이다.
② 가장 먼저 떨어지는 것은 (라)이다.
③ 가장 나중에 떨어지는 것은 (가)이다.
④ (다)가 떨어진 다음 (나)가 떨어진다.
⑤ 떨어지는 동안 속력 변화는 지구에서와 같다.

1등급 킬러

05 그림은 공중에서 가만히 놓은 질량이 1 kg인 물체의 속력을 시간에 따라 나타낸 것이다. 이에 대한 설명 중 옳지 않은 것은? (단, 공기의 저항은 무시한다.)

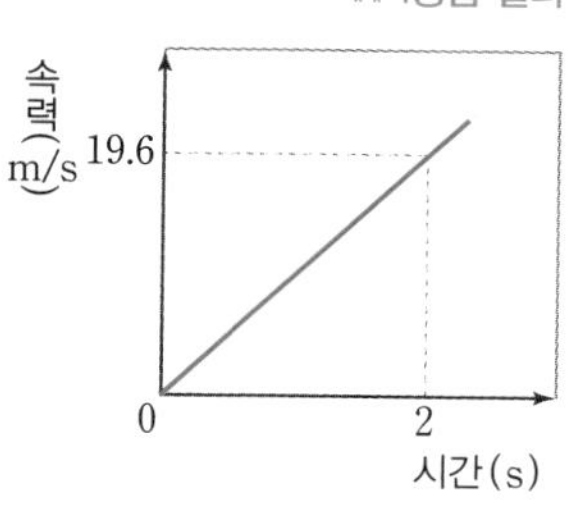

① 중력 가속도 상수는 9.8이다.
② 중력만을 받아 떨어지는 운동이다.
③ 속력이 1초마다 9.8 m/s씩 일정하게 증가한다.
④ 질량이 2 kg이면 1초에 속력이 19.6 m/s씩 증가한다.
⑤ 질량이 1 kg인 물체에 작용하는 중력의 크기는 9.8 N이다.

06 그림과 같이 공이 수평면 위의 A점에서 B점을 지나 빗면 위의 C점에서 멈추었다.

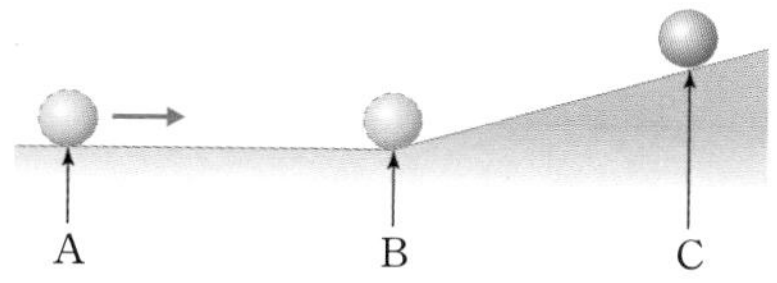

이때 시간에 따른 공의 속력 변화를 옳게 나타낸 것은? (단, 마찰은 무시한다.)

①
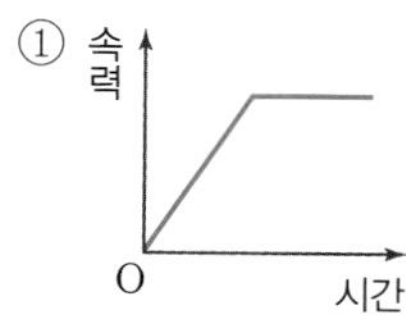

②
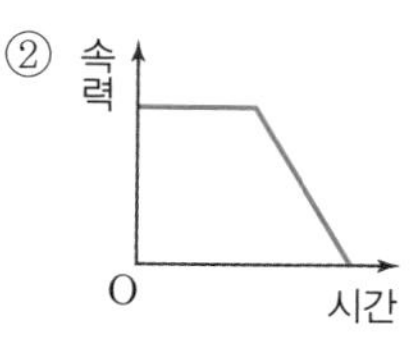

③
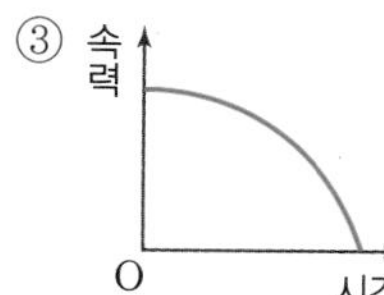

④
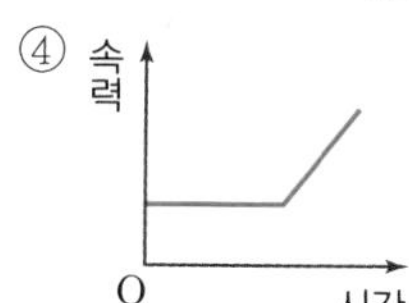

⑤
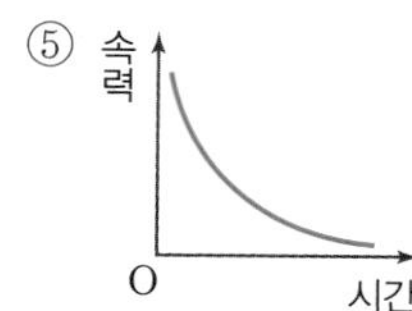

07 그림 (가)는 질량이 2 kg인 물체가 자유 낙하 할 때의 모습을 연속으로 나타낸 것이고, (나)는 이 운동을 시간-속력 그래프로 나타낸 것이다.

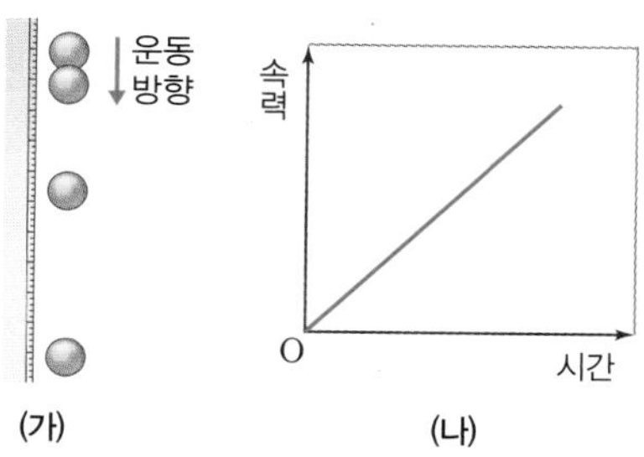

질량이 1 kg인 물체를 같은 높이에서 떨어뜨릴 때의 시간에 따른 속력 변화를 (나) 그래프에 옳게 나타낸 것은?

①
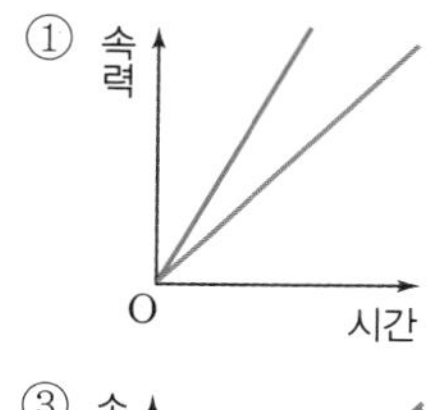

②
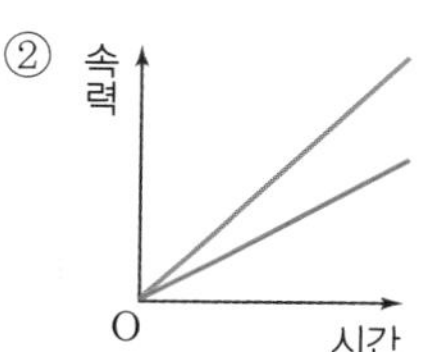

③
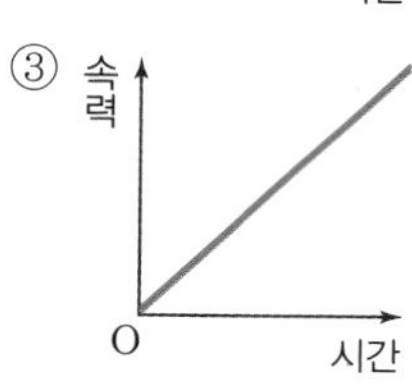

④
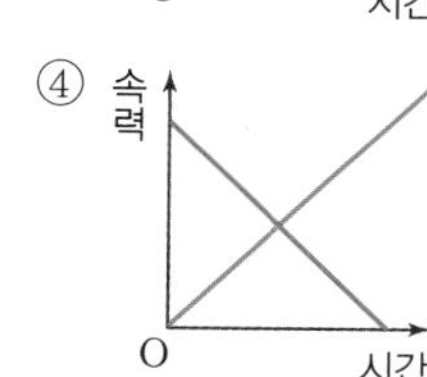

⑤
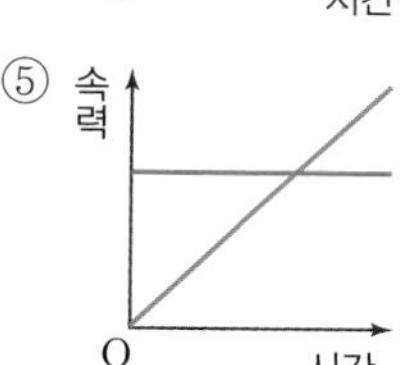

08 (가)~(라)와 같이 질량과 높이를 달리하여 물체를 떨어뜨렸다.

(가) 질량 1 kg인 물체를 10 m 높이에서 떨어뜨렸다.
(나) 질량 2 kg인 물체를 5 m 높이에서 떨어뜨렸다.
(다) 질량 4 kg인 물체를 5 m 높이에서 떨어뜨렸다.
(라) 질량 2 kg인 물체를 10 m 높이에서 떨어뜨렸다.

물체가 지면에 도달하는 순간 속력의 크기를 부등식을 이용하여 비교하시오. (단, 공기의 저항은 무시한다.)

(　　　　　　　　　　)

6강_ 일과 에너지

빈출도 ● > ● > ●

서술형

09 그림 (가)는 사람이 상자를 들고 가만히 서 있는 모습을, (나)는 사람이 컵을 들고 이동하는 모습을 나타낸 것이다.

(가) (나)

(1) (가)와 (나)에서 상자와 컵에 사람이 작용하는 힘의 방향을 각각 화살표로 나타내시오.

(2) (가)와 (나)에서 사람이 상자와 컵에 한 일의 양을 각각 구하고, 그 까닭을 서술하시오.

10 그림과 같이 책상 면에 놓인 무게 20 N의 나무 도막에 용수철저울을 걸고 천천히 끌어당겨 0.5 m 이동하였다. 나무 도막이 이동하는 동안 용수철저울의 눈금이 10 N을 가리켰다.

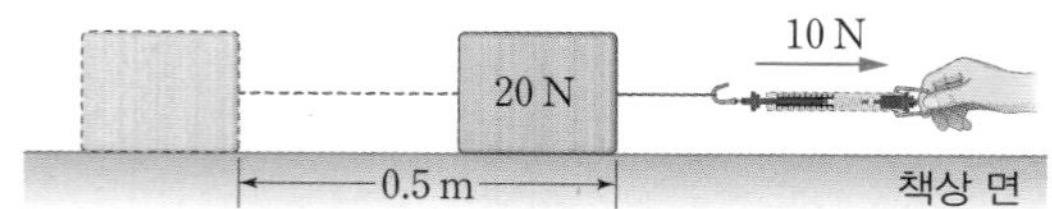

이에 대한 설명으로 옳은 것은?

① 나무 도막에 한 일은 10 J이다.
② 나무 도막이 받는 마찰력의 크기는 20 N이다.
③ 나무 도막에 한 일은 나무 도막을 높이 0.5 m 들어올릴 때 한 일과 같다.
④ 나무 도막에 한 일은 나무 도막이 높이 0.25 m에서 떨어질 때 중력이 한 일과 같다.
⑤ 나무 도막에 한 일은 나무 도막이 0.5 m 높이에서 가지는 중력에 의한 위치 에너지와 같다.

11 그림과 같이 추를 낙하시켜 나무 도막을 밀어내는 실험 장치에서 추의 질량 및 낙하 높이에 따른 나무 도막의 이동 거리를 측정하여 표와 같은 결과를 얻었다.

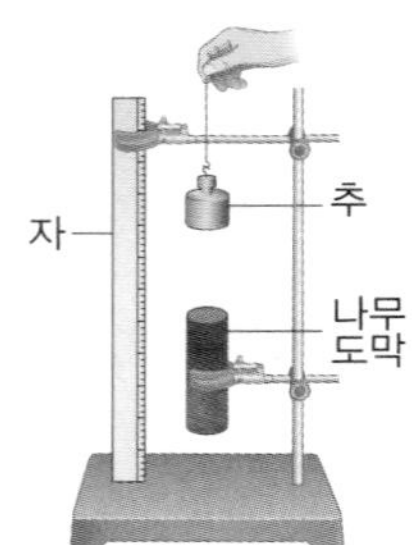

실험	추의 질량	추의 낙하 높이	나무 도막의 이동 거리
A	10 kg	50 cm	5 cm
B	10 kg	100 cm	10 cm
C	20 kg	50 cm	10 cm

이에 대한 설명으로 옳지 않은 것은?

① 추의 위치 에너지는 추의 질량과 낙하 높이에 각각 비례한다.
② 실험 A에서 낙하 전 추의 위치 에너지는 실험 B에서보다 작다.
③ 실험 B와 C에서 낙하 전 추의 위치 에너지는 같다.
④ 실험 A에서 나무 도막이 받는 마찰력은 980 N이다.
⑤ 추의 질량이 20 kg, 낙하 높이가 100 cm일 경우 나무 도막의 이동 거리는 40 cm이다.

∴ 1등급 킬러

12 그림과 같이 지면에 놓인 질량이 4 kg인 물체를 서서히 들어 올렸더니, 지면을 기준으로 물체의 중력에 의한 위치 에너지가 98 J이 되었다. 물체를 다시 떨어뜨리면 지면에 도달하는 순간의 속력은 얼마인가? (단, 공기 저항은 무시하고, 중력 가속도 상수는 9.8이다.)

① 1.4 m/s ② 3.5 m/s ③ 4.9 m/s
④ 7 m/s ⑤ 14 m/s

13 그림 (가)는 마찰이 없는 책상 위에서 수레의 질량과 속력을 달리하여 자와 충돌시키는 실험을 나타낸 것이고, (나)는 질량이 2 kg인 수레를 사용하였을 때, 수레의 운동을 기록한 종이테이프의 일부이다.

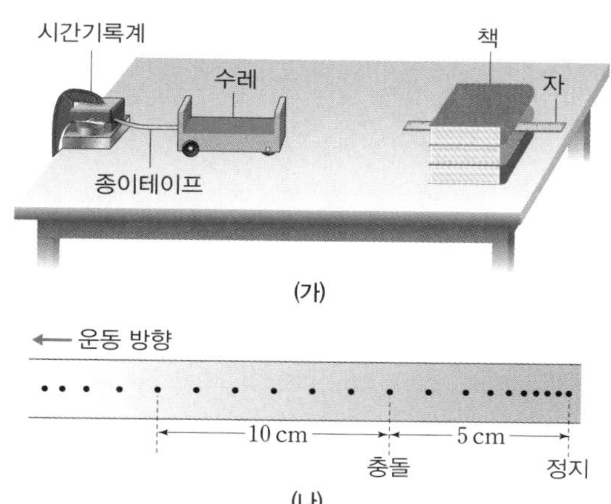

수레가 자에 충돌하여 밀고 갈 때 자에 작용하는 마찰력의 크기는 얼마인가? (단, 시간기록계는 1초에 60타점을 찍는다.)

① 10 N ② 20 N ③ 30 N
④ 40 N ⑤ 50 N

∴ 1등급 킬러

14 그림과 같이 질량이 2 kg인 물체를 4.9 m 높이에서 가만히 놓아 떨어뜨렸다. (단, 공기 저항은 무시하고, 중력 가속도 상수는 9.8이다.)

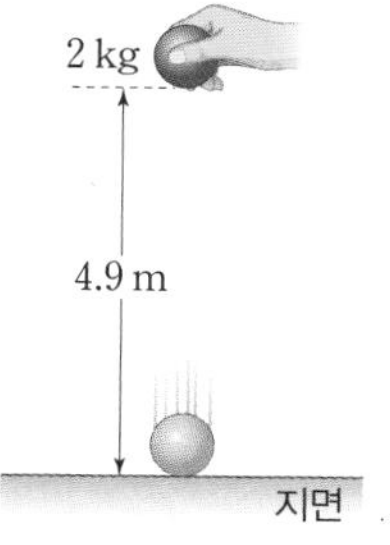

(1) 물체가 지면에 도달하는 순간의 속력을 쓰시오.

( )

(2) (1)에서의 속력을 2배로 하려면 지면으로부터 얼마의 높이에서 물체를 떨어뜨려야 하는지 쓰시오.

( )

∴ 1등급 킬러

15 그림은 지면으로부터 20 m 높이의 A 지점에 정지해 있던 질량이 1 kg인 물체가 자유 낙하 운동을 할 때 높이 5 m 간격으로 위치를 나타낸 것이다.

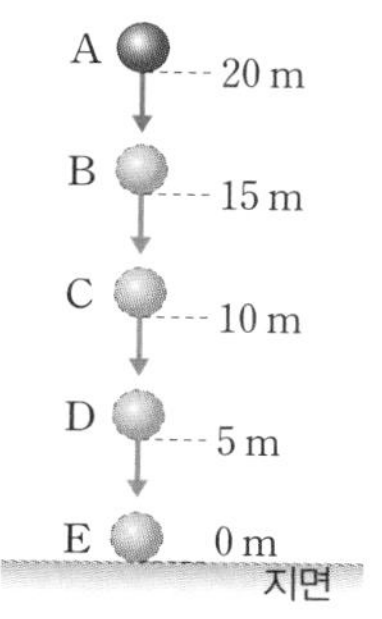

A~E 중 속력이 B 지점에서의 2배인 곳을 쓰시오.

( )

서술형

16 그림과 같이 O 지점으로부터 0.1 m 떨어진 A 지점에 속력 측정기를 설치하고 질량이 0.1 kg인 쇠구슬을 자유 낙하시켰다.

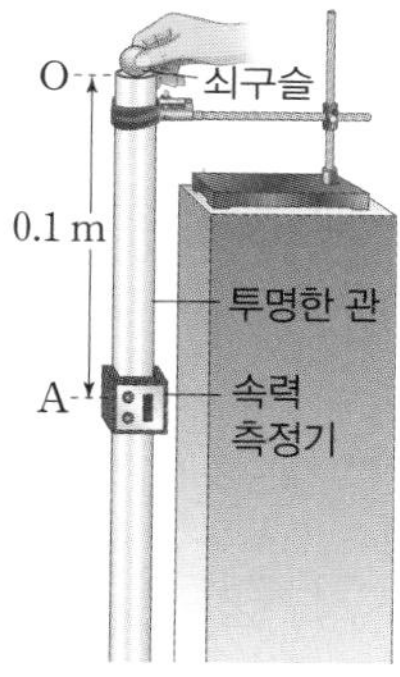

(1) 쇠구슬이 O 지점에서 A 지점까지 0.1 m 떨어졌을 때 중력이 쇠구슬에 한 일은 얼마인지 쓰시오.

( )

(2) 쇠구슬이 A 지점을 지날 때 속력을 구하고 그 풀이 과정을 중력이 한 일과 운동 에너지의 관계로 설명하시오.

고난도 해결 전략 2회

빈출도 ● > ● > ●

7강_감각 기관

01 그림은 사람 눈의 구조를 나타낸 것이다. 이에 대한 설명으로 옳은 것을 | 보기 |에서 모두 고른 것은?

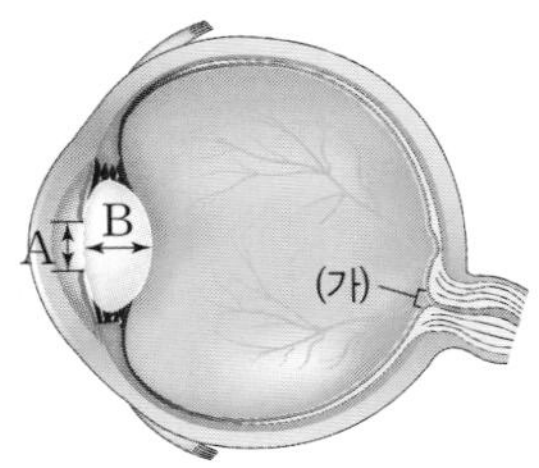

| 보기 |

ㄱ. 밝은 곳에서 어두운 곳으로 이동할 때 A가 커진다.

ㄴ. 먼 곳을 볼 때 B가 커진다.

ㄷ. (가)에는 색깔을 구별하는 시각 세포가 밀집되어 있다.

① ㄱ ② ㄷ ③ ㄱ, ㄴ
④ ㄴ, ㄷ ⑤ ㄱ, ㄴ, ㄷ

∴ 1등급 킬러

02 표 (가)는 사람 귀의 세 부위 A~C에서 특징 ㉠~㉢의 유무를, (나)는 ㉠~㉢을 순서 없이 나타낸 것이다. A~C는 각각 반고리관, 전정 기관, 달팽이관 중 하나이다.

부위 \ 특징	㉠	㉡	㉢
A	○	×	?
B	×	○	?
C	?	○	○

(○: 있음, ×: 없음)

(가)

㉠~㉢의 특징
- 평형 감각을 담당한다.
- 몸의 회전을 감지한다.
- 청각 세포가 있다.

(나)

이에 대한 설명으로 옳은 것을 | 보기 |에서 모두 고른 것은?

| 보기 |

ㄱ. 귓속뼈에서 증폭된 진동이 A로 전달된다.

ㄴ. B는 전정 기관이다.

ㄷ. ㉢은 '평형 감각을 담당한다.'이다.

① ㄱ ② ㄷ ③ ㄱ, ㄴ
④ ㄱ, ㄷ ⑤ ㄴ, ㄷ

03 다음은 사람의 눈과 관련된 설명이다.

- 한쪽 눈으로만 볼 때는 거리를 정확하게 판단하기 어렵다.
- 어두운 곳에 있다가 밝은 곳으로 나오면 동공이 축소된다.
- 왼쪽에 ○, 오른쪽에 ×가 그려진 종이를 50 cm의 거리에 놓고, 왼쪽 눈을 감은 채 오른쪽 눈으로 ○를 주시하면서 종이를 얼굴 가까이로 움직이면 어느 순간 ×가 보이지 않는다.

이를 통해 알 수 있는 사실로 옳은 것을 | 보기 |에서 모두 고른 것은?

| 보기 |

ㄱ. 입체적인 시각을 위해서는 두 눈이 필요하다.

ㄴ. 맹점은 왼쪽 눈에만 있다.

ㄷ. 동공의 크기는 의식적으로 조절된다.

① ㄱ ② ㄴ ③ ㄱ, ㄷ
④ ㄴ, ㄷ ⑤ ㄱ, ㄴ, ㄷ

서술형

04 다음은 우리 몸의 감각에 관한 탐구 활동이다.

| 과정 |

두 사람이 짝을 지어 한 사람이 눈을 가린 상태에서 코를 막았을 때와 막지 않았을 때 오렌지주스와 포도주스의 맛을 구분해 본다.

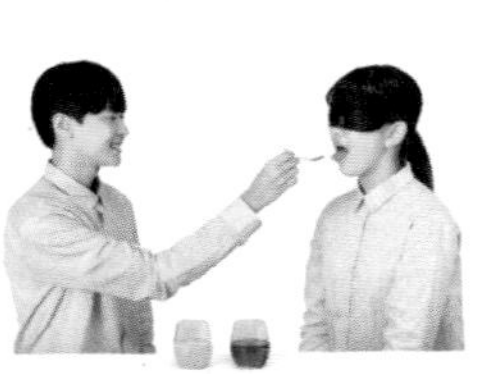

| 결과 |

(가)

이 실험으로 감기에 걸려 코가 막히면 음식의 맛을 잘 느끼지 못한다는 사실을 알게 되었다. 이를 통해 (가)에 들어갈 내용과 그 까닭을 서술하시오.

05 그림 (가)와 (나)는 갑자기 눈에 빛을 비추거나 빛을 차단했을 때 시간에 따른 동공의 크기 변화를 순서 없이 나타낸 것이다.

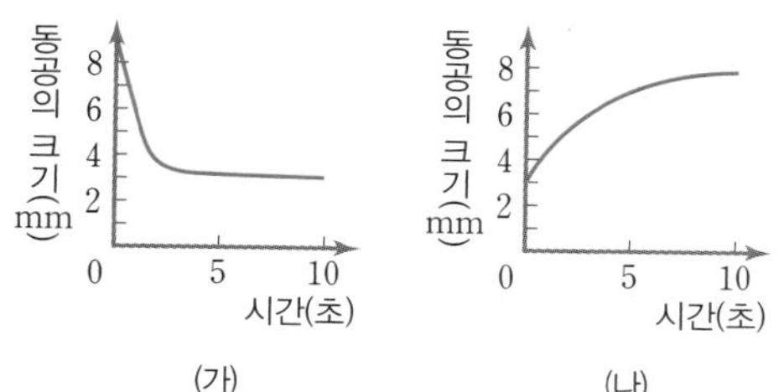

이에 대한 설명으로 옳은 것을 보기에서 모두 고른 것은?

보기
ㄱ. (가)는 갑자기 눈에 빛을 비추었을 때이다.
ㄴ. (나)에서 홍채의 면적은 5초일 때보다 10초일 때 더 넓다.
ㄷ. (가)와 (나)에서 처음 5초간 동공의 크기 변화는 같다.

① ㄱ ② ㄴ ③ ㄱ, ㄷ
④ ㄴ, ㄷ ⑤ ㄱ, ㄴ, ㄷ

06 그림은 우리 몸의 감각 기관 (가)의 내부 구조와 자극 물질을 나타낸 것이다.

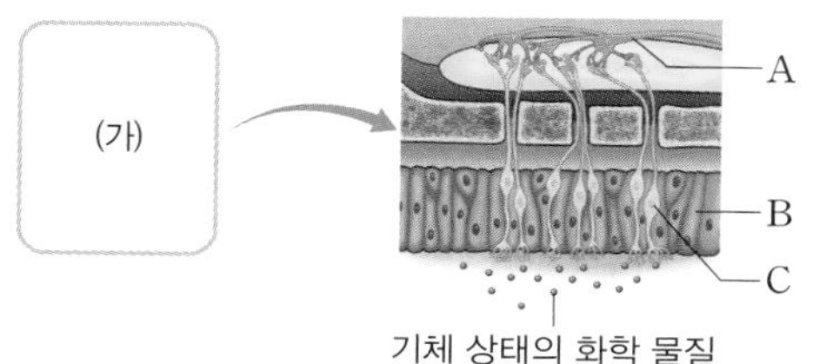

이에 대한 설명으로 옳은 것을 보기에서 모두 고른 것은?

보기
ㄱ. (가)는 코이다.
ㄴ. B에서 받아들인 자극이 A를 거쳐 대뇌로 전달된다.
ㄷ. 이 감각은 우리 몸의 감각 중 가장 예민하다.

① ㄱ ② ㄴ ③ ㄱ, ㄷ
④ ㄴ, ㄷ ⑤ ㄱ, ㄴ, ㄷ

07 그림은 소리의 진동이 우리 몸의 귓속을 지나갈 때 진폭의 변화를 나타낸 것이다.

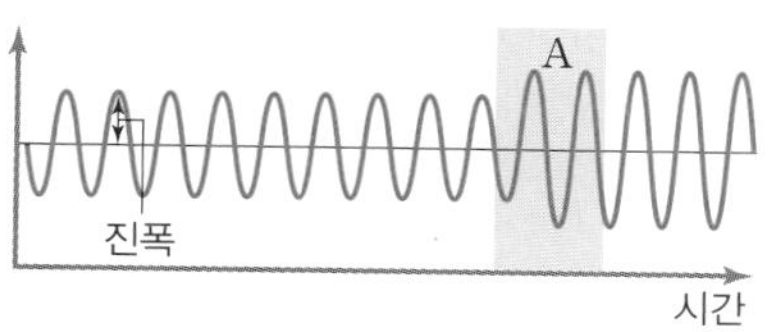

이에 대한 설명으로 옳은 것을 보기에서 모두 고른 것은?

보기
ㄱ. A 부분을 지난 진동은 달팽이관으로 전달된다.
ㄴ. A 부분을 지날 때 소리의 높낮이가 변화한다.
ㄷ. A 부분에 해당하는 귀의 구조는 귓속뼈이다.

① ㄱ ② ㄴ ③ ㄱ, ㄷ
④ ㄴ, ㄷ ⑤ ㄱ, ㄴ, ㄷ

08 다음은 우리 몸의 피부 감각에 관한 탐구 활동이다.

과정
15 ℃의 물과 35 ℃의 물이 든 수조를 준비하여 오른손은 15 ℃의 물에, 왼손은 35 ℃의 물에 10초 동안 담근 후 동시에 두 손을 25 ℃의 물에 담그고 양 손의 느낌을 기록한다.

결과
오른손은 따뜻하게 느껴지고, 왼손은 차갑게 느껴진다.

이 실험의 결론으로 가장 적절한 것은?

① 온각과 냉각은 반응 속도가 같다.
② 피부는 절대적인 온도를 감지한다.
③ 손가락 끝에는 냉점과 온점이 특히 많다.
④ 오른손은 냉점이, 왼손은 온점이 자극을 받아들인다.
⑤ 온점과 냉점은 온도의 변화를 자극으로 받아들인다.

빈출도 

8강_신경계와 호르몬

09 그림은 사람의 신경계를 구분하여 나타낸 것이다. 이에 대한 설명으로 옳은 것을 |보기|에서 모두 고른 것은?

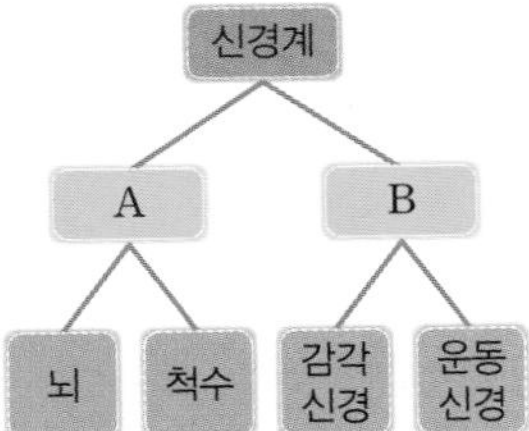

|보기|
ㄱ. A는 중추 신경계이다.
ㄴ. B는 연합 뉴런으로 구성되어 있다.
ㄷ. 자율 신경은 A에 속한 신경이다.

① ㄱ ② ㄷ ③ ㄱ, ㄴ
④ ㄴ, ㄷ ⑤ ㄱ, ㄴ, ㄷ

서술형

10 그림은 무릎 반사가 일어나는 과정에서 자극 전달 경로를 나타낸 것이다.

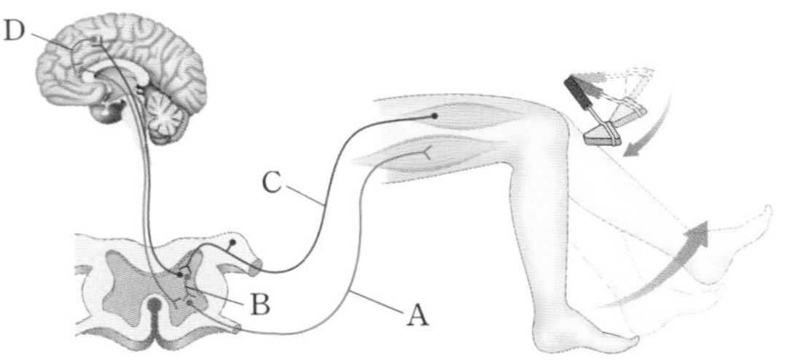

(1) A~D는 각각 감각 신경, 운동 신경, 연합 신경 중 무엇에 해당하는지 쓰시오.

(2) 무릎 반사가 일어나는 과정에 관여하는 신경을 자극 전달 순서대로 쓰시오.

( )

⁂ 1등급 킬러

11 교통사고로 병원에 실려 온 환자의 뇌를 검사한 결과 그림과 같이 뇌의 특정 부위의 기능이 상실되었다는 사실을 알게 되었다. 이 환자에 대한 설명으로 옳은 것을 |보기|에서 모두 고른 것은?

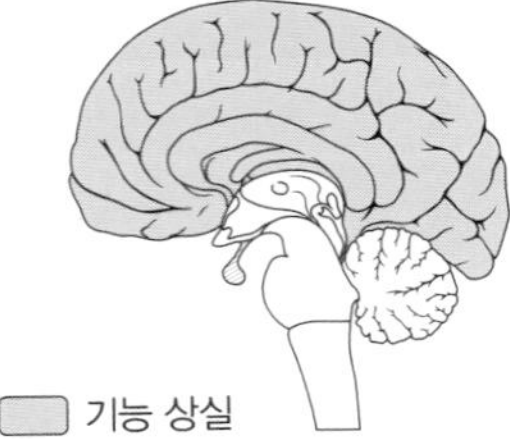

|보기|
ㄱ. 갑상샘 자극 호르몬이 분비되지 않는다.
ㄴ. 눈에 빛을 비추면 동공 반사가 일어난다.
ㄷ. 사물을 볼 수는 있으나 소리를 들을 수는 없다.

① ㄱ ② ㄴ ③ ㄱ, ㄷ
④ ㄴ, ㄷ ⑤ ㄱ, ㄴ, ㄷ

⁂ 1등급 킬러

12 그림은 어떤 동물의 체온 조절 중추에 ㉠ 자극과 ㉡ 자극을 주었을 때 시간에 따른 체온을 나타낸 것이다. ㉠과 ㉡은 고온과 저온을 순서 없이 나타낸 것이다. 이에 대한 설명으로 옳은 것을 |보기|에서 모두 고른 것은?

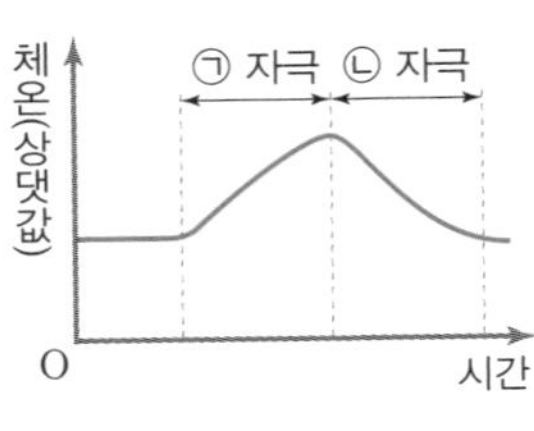

|보기|
ㄱ. ㉠은 저온이다.
ㄴ. 사람의 체온 조절 중추는 연수이다.
ㄷ. 사람의 체온 조절 중추에 ㉡ 자극을 주면 땀 분비가 촉진된다.

① ㄱ ② ㄴ ③ ㄱ, ㄷ
④ ㄴ, ㄷ ⑤ ㄱ, ㄴ, ㄷ

13 다음은 자극에 대한 반응 시간을 알아보기 위한 실험이다.

> (가) 두 사람이 한 조가 되어 한 사람은 위에서 자를 잡고, 다른 사람은 자를 잡을 준비를 한다.
> (나) 자를 잡고 있는 사람은 예고 없이 자를 떨어뜨리고, 다른 사람은 ㉠떨어지는 자를 보고 재빨리 잡는 것을 반복하여 자가 떨어진 위치를 기록한다.

이에 대한 설명으로 옳은 것을 |보기|에서 모두 고른 것은?

> 보기
> ㄱ. ㉠ 반응의 중추는 대뇌이다.
> ㄴ. 자가 떨어진 거리가 길수록 반응 시간이 짧다.
> ㄷ. 자극이 전달되어 반응하기까지의 거리는 자를 잡는 사람의 눈에서 손까지의 최단 거리와 같다.

① ㄱ ② ㄴ ③ ㄱ, ㄷ
④ ㄴ, ㄷ ⑤ ㄱ, ㄴ, ㄷ

14 그림은 더울 때와 추울 때 피부 근처 모세 혈관의 변화를 순서 없이 나타낸 것이다.

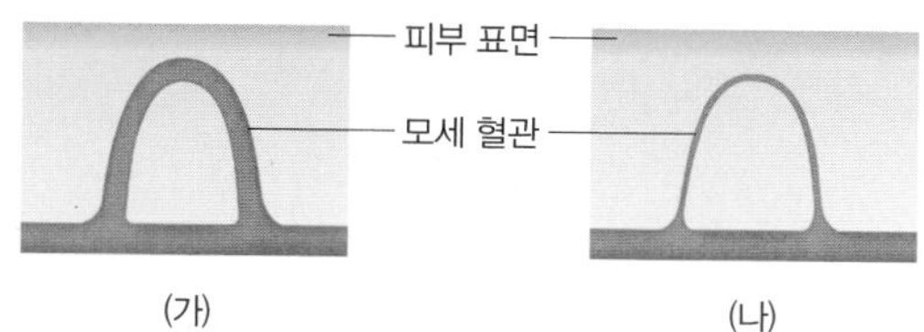

이에 대한 설명으로 옳은 것을 |보기|에서 모두 고른 것은?

> 보기
> ㄱ. (가)와 같은 상태일 때 땀 분비가 증가한다.
> ㄴ. (나)는 피부에서의 열 방출량을 감소시키는 조절 작용이다.
> ㄷ. (가)와 같은 상태일 때 티록신 분비량이 증가하여 열 발생량이 증가한다.

① ㄱ ② ㄷ ③ ㄱ, ㄴ
④ ㄴ, ㄷ ⑤ ㄱ, ㄴ, ㄷ

서술형

15 그림은 건강한 사람의 혈중 포도당 농도에 따른 ㉠과 ㉡의 혈중 농도를 나타낸 것이다. ㉠과 ㉡은 각각 인슐린과 글루카곤 중 하나이다. ㉠과 ㉡이 각각 무엇인지 쓰고, 그렇게 생각한 까닭을 서술하시오.

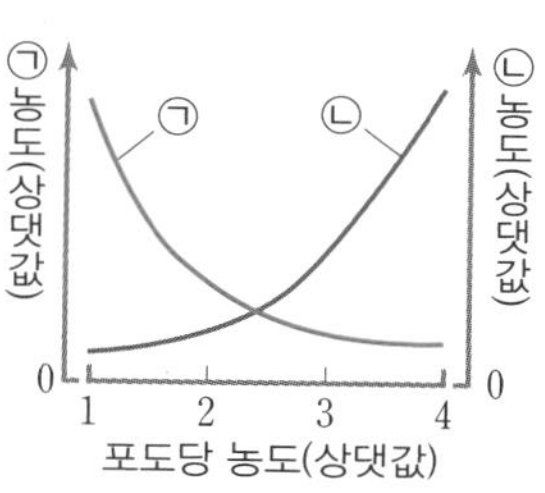

1등급 킬러

16 그림은 건강한 사람과 당뇨병 환자 A가 탄수화물을 섭취한 후 시간에 따른 혈중 인슐린 농도 변화를, 표는 당뇨병 (가)와 (나)의 원인을 나타낸 것이다. A의 당뇨병은 (가)와 (나) 중 하나에 해당한다.

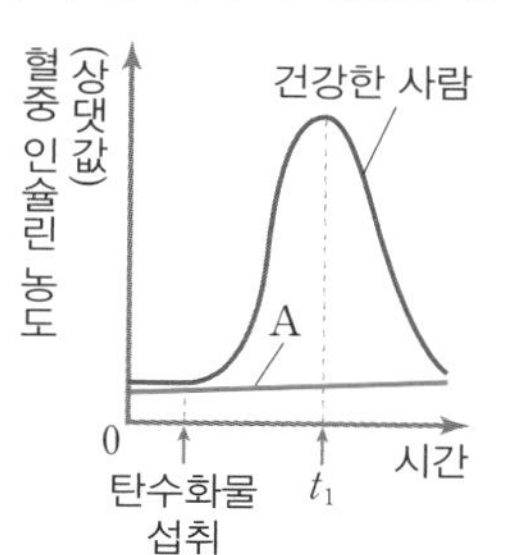

당뇨병	원인
(가)	인슐린이 정상적으로 생성되지 않음
(나)	인슐린은 정상적으로 분비되나 효과를 나타내는 기관에서 반응하지 않음

이에 대한 설명으로 옳은 것을 |보기|에서 모두 고른 것은?

> 보기
> ㄱ. A의 당뇨병은 (가)에 해당한다.
> ㄴ. 인슐린은 글리코젠 합성을 촉진한다.
> ㄷ. t_1일 때 혈중 포도당 농도는 A가 건강한 사람보다 낮다.

① ㄱ ② ㄷ ③ ㄱ, ㄴ
④ ㄴ, ㄷ ⑤ ㄱ, ㄴ, ㄷ

memo

book.chunjae.co.kr

교재 내용 문의 ························ 교재 홈페이지 ▸ 중학 ▸ 교재상담
교재 내용 외 문의 ························ 교재 홈페이지 ▸ 고객센터 ▸ 1:1문의
발간 후 발견되는 오류 ························ 교재 홈페이지 ▸ 중학 ▸ 학습지원 ▸ 학습자료실

일등공략 필승학습!
단기간에 끝장내자!

중학 과학 3-1

BOOK 3

정답과 해설

특목고 대비

일등 전략

천재교육

정답은
이안에
있어!

정답과 해설

정답과 해설 BOOK 1

1주 Ⅰ 화학 반응의 규칙과 에너지 변화

1일 개념 돌파 전략 1 확인Q 8~9쪽

1강_물질의 변화~화학 반응의 법칙(1)

1 ㉠ 물리 ㉡ 화학 2 ㉠ 물리 ㉡ 화학 3 ㉠ 암모니아 ㉡ 2
4 (1) 2 (2) 2 5 1 : 2 : 1 : 2 6 (1) 원자 (2) 보존된다
7 ㉠ 원자 ㉡ 성립한다 8 ㉠ 열린 ㉡ 증가

1 물리 변화는 물질의 상태, 모양, 크기 등 겉모습만 달라지는 변화이고, 화학 변화는 전혀 다른 성질의 새로운 물질로 바뀌는 변화이다.

바로 알기 꽃향기가 주위로 퍼져 나가는 현상은 확산 현상이다. 이 현상은 물질이 변하지 않고 성질이 그대로 유지되는 물리 변화이다. 철못에 녹이 슬어 붉은색으로 변하는 것은 철이 산소와 결합하여 산화 철(Ⅱ)이 되기 때문이다. 이 반응은 철과 산소가 산화 철(Ⅱ)로 바뀌므로 물질의 성질도 변하는 화학 변화이다.

2 원자의 종류와 개수, 물질의 질량은 물리 변화와 화학 변화에서 공통으로 변하지 않는다.

바로 알기 물리 변화는 분자 자체는 변하지 않고 분자의 배열만 달라지므로 물질의 성질이 변하지 않는다. 화학 변화는 분자를 이루는 원자의 배열이 달라지므로 분자의 종류가 달라져 물질의 성질이 변한다.

3 화학 반응식에서 화살표(→) 왼쪽은 반응 물질, 화살표(→) 오른쪽은 생성 물질을 나타낸다. 화학식 앞의 숫자는 계수를 나타낸다.

4 화학 반응식을 만들 때 반응 전후에 원자의 종류와 개수가 같도록 계수를 맞추어야 한다. 단, 계수가 1일 때는 생략한다.

바로 알기 (1) 생성 물질과 반응 물질의 산소 원자는 2개로 같고, 생성 물질의 구리 원자가 2개이므로 반응 물질의 구리 원자는 2개이어야 한다. 따라서 반응 물질의 구리(Cu)의 계수는 2이다.

(2) 반응 물질의 수소 원자가 2개, 염소 원자가 2개이고, 생성 물질의 구성 원자 수도 같아야 하므로, 염화 수소(HCl)의 계수는 2이다.

5 화학 반응식에서 화학식 앞에 적힌 계수비는 반응에 참여하는 반응 물질과 반응 결과 만들어진 생성 물질의 분자 수비를 나타낸다.

6 수소가 산소와 반응하여 수증기가 생성되는 반응과 구리의 연소 반응은 화학 변화이다. 질량 보존 법칙은 물리 변화와 화학 변화에서 모두 성립한다.

7 앙금 생성 반응이나 기체 발생 반응 등의 화학 변화가 일어날 때 원자의 종류와 개수는 달라지지 않고 원자의 배열만 변하기 때문에 질량 보존 법칙이 성립한다.

8 열린 공간에서 강철 솜을 연소시키면 생성된 산화 철(Ⅱ)의 질량이 반응 전 강철 솜의 질량보다 증가하지만, 반응한 산소의 질량까지 모두 고려하면 반응 전후에 물질의 질량은 보존된다. 닫힌 공간에서 일어나는 나무와 강철 솜의 연소 반응에서도 질량 보존 법칙이 성립한다.

1일 개념 돌파 전략 1 확인Q 10~11쪽

2강_화학 반응의 법칙(2)~에너지 출입

1 원자 2 ㉠ 1 : 1 ㉡ 질량비 3 ㉠ 1 : 2 ㉡ 3 : 8 4 부피비
5 분자 6 수증기 7 ㉠ 높아지고 ㉡ 작아진다
8 ㉠ 흡수 ㉡ 낮아

1 물은 수소 원자 2개와 산소 원자 1개가 결합하여 만들어진 분자이므로, 이 분자에서 일정 성분비 법칙이 성립한다. 혼합물은 성분 물질이 섞이는 비율이 일정하지 않으므로 일정 성분비 법칙이 성립하지 않는다.

2 구리의 연소 반응의 화학 반응식은 $2Cu+O_2 \rightarrow 2CuO$이므로, 산화 구리(Ⅱ)를 구성하는 구리와 산소의 원자 수비는 1 : 1이다. 구리와 산소의 질량비는 4 : 1로 일정하다.

3 이산화 탄소를 이루는 탄소와 산소의 원자 수비는 1 : 2이고, 원자의 상대적 질량이 탄소는 12, 산소는 16이므로, 질량비는 탄소:산소$=12:(16\times2)=3:8$이다.

4 온도와 압력이 일정할 때 기체가 반응하여 새로운 기체를 생성할 때 각 기체의 부피 사이에는 간단한 정수비가 성립하는데, 이를 기체 반응 법칙이라고 한다.

5 같은 온도와 압력에서 같은 부피의 풍선 속에 들어 있는 기체의 부피는 같으므로 각 풍선 속에 들어 있는 분자의 개수는 같다.

바로 알기 같은 부피 속에 들어 있는 기체 분자의 개수는 같지만 각 분자를 이루는 원자의 개수가 다르므로 같은 부피에 들어 있는 원자의 개수는 기체의 종류에 따라 다르다.

6 반응 물질이나 생성 물질에 고체나 액체 상태의 물질이 있을 경우 기체 반응 법칙이 성립하지 않는다.

7 연소 반응은 발열 반응이므로, 연소 반응이 일어나면 주위의 온도가 높아지고, 물질이 가진 에너지는 작아진다.

바로 알기 발열 반응은 반응 물질과 생성 물질의 에너지 차이만큼 열로 방출한다.

8 탄산수소 나트륨의 분해 반응은 흡열 반응이므로, 탄산수소 나트륨이 분해될 때에는 주위로부터 열에너지를 흡수하여 주위의 온도가 낮아진다.

바로 알기 흡열 반응은 반응 물질과 생성 물질의 에너지 차이만큼 열이 흡수된다.

1일 개념 돌파 전략 2 12~13쪽

1 ①	2 ⑤	3 ③	4 ③
5 ②	6 ④		

1 화학 변화의 특징

자료 분석 + 마그네슘 리본의 연소 반응

• 마그네슘 리본을 연소시키면 마그네슘이 산소와 빠르게 결합하면서 빛과 열이 발생하고, 산화 마그네슘이 생성된다.

$$2Mg + O_2 \rightarrow 2MgO$$

• 산화 마그네슘은 마그네슘과는 다른 물질로 새로운 성질을 갖는다.
• 마그네슘은 전류가 흐르고, 묽은 염산과 반응하여 기체를 발생시키지만, 산화 마그네슘은 전류가 흐르지 않고, 묽은 염산과 반응하지 않는다.

화학 변화가 일어날 때 원자의 배열, 분자의 종류, 물질의 성질이 달라지지만 원자의 종류와 개수는 변하지 않는다. 마그네슘이 연소 후 생성된 물질(산화 마그네슘)은 마그네슘과는 다른 물질이고, 일반적으로 빛과 열이 발생하는 반응은 화학 변화이다.

바로 알기 마그네슘의 연소는 마그네슘이 산소와 빠르게 결합하여 산화 마그네슘을 생성하는 반응으로, 산화 마그네슘은 마그네슘과 달리 광택이 없고 묽은 염산과 반응하지 않는다.

2 화학 반응식

자료 분석 + 화학 반응식으로 알 수 있는 점

화학 반응식	$2H_2$	+ O_2	→ $2H_2O$
반응 물질과 생성 물질의 종류	반응 물질		생성 물질
	수소	산소	물
분자의 종류와 개수	수소 분자 2개	산소 분자 1개	물 분자 2개
원자의 종류와 개수	수소 원자 4개	산소 원자 2개	수소 원자 4개, 산소 원자 2개
계수비	2	: 1	: 2
분자 수비	2	: 1	: 2

선택지 분석

~~①~~ 반응 전후에 원자의 개수가 변한다. 변하지 않는다.
~~②~~ 반응하는 수소:산소의 분자 수비는 1:1이다. 2:1
~~③~~ 반응 물질은 수증기, 생성 물질은 수소와 산소이다. (→ 수소, 산소 / → 수증기)
~~④~~ 반응 전후에 물질을 이루는 분자의 종류는 변하지 않는다.
→ 수소 분자와 산소 분자는 물 분자로 변하였다.
⑤ 수소 분자 2개와 산소 분자 1개가 반응하면 물 분자 2개가 생성된다.

화학 반응식에서 각 물질의 화학식 앞의 계수는 분자의 개수를 나타내므로 수소 : 산소 : 물의 분자 수비는 2 : 1 : 2이다.

바로 알기 ① 반응 전후에 원자의 개수는 변하지 않는다.
② 수소 분자 2개와 산소 분자 1개가 반응하여 물 분자 2개를 생성하므로 반응하는 수소:산소의 분자 수비는 2 : 1이다.
③ 반응 물질은 수소와 산소이고, 생성 물질은 수증기이다.
④ 화학 반응 전후에 물질을 이루는 원자의 배열이 변하여 분자의 종류가 변한다.

3 화학 반응에서 질량 보존 법칙(기체 발생 반응)

탄산 칼슘과 묽은 염산을 반응시키면 이산화 탄소 기체가 발생한다. 이 반응이 열린 공간에서 일어날 경우 발생한 기체가 공기 중으로 날아가므로 질량이 감소하는 것으로 측정된다. 하지만 제시된 실험에서는 뚜껑을 닫아 기체의 이동을 막은 채 반응시키므로 반응에 관여한 물질이 모두 실험 용기 내부에 남아 있게 되어 질량 측정을 통해 질량이 보존되는 것을 확인할 수 있다.

바로 알기 ㄷ. 화학 반응에서는 질량 보존 법칙이 성립한다. 기체가 발생하는 반응에서도 반응 전후에 원자의 종류와 개수가 변하지 않으므로 질량 보존 법칙이 성립한다.

4 일정 성분비 법칙

자료 분석 + 구리와 산화 구리(Ⅱ)의 질량 관계 그래프

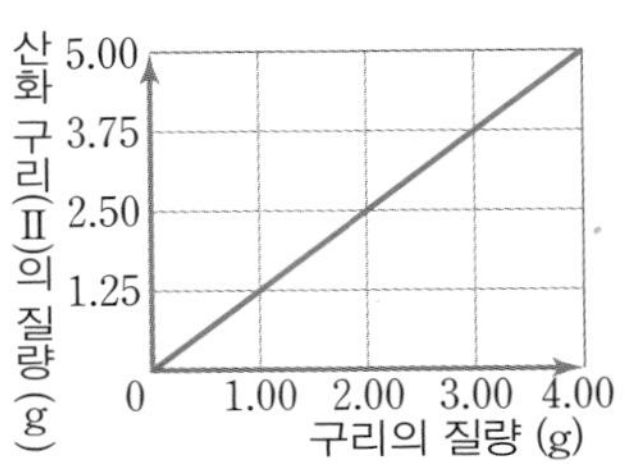

- 구리를 연소시키면 구리와 산소가 결합하여 산화 구리(Ⅱ)를 생성한다.
- 위 그래프에서 구리와 산화 구리(Ⅱ)의 질량비가 4 : 5이고, 반응 물질과 생성 물질의 총 질량은 서로 같으므로 반응 물질 사이의 질량비는 구리 : 산소 = 4 : 1이 된다. 즉, 구리 : 산소 : 산화 구리(Ⅱ) = 4 : 1 : 5가 된다.

선택지 분석

① 구리와 산화 구리(Ⅱ)의 질량비는 4 : 1이다. (→ 산소)
② 구리의 질량에 관계없이 결합하는 산소의 질량은 일정하다. (→ 구리와 산소는 일정한 질량비로 결합한다.)
③ 산화 구리(Ⅱ)를 이루는 성분 원소 사이의 질량비는 일정하다.
④ 구리 3 g이 산소와 완전히 반응할 때 반응하는 산소의 질량은 3.75 g이다. (→ 0.75 g)
⑤ 반응한 구리의 질량이 증가하면 생성된 산화 구리(Ⅱ)의 질량은 감소한다. (→ 증가한다.)

구리의 질량이 증가하면 반응하는 산소의 질량과 생성된 산화 구리(Ⅱ)의 질량도 일정한 비율로 증가한다. 그래프에서 구리와 산화 구리(Ⅱ)의 질량비는 4 : 5이다.

바로 알기 ① 구리와 산소의 질량비는 4 : 1, 구리와 산화 구리(Ⅱ)의 질량비는 4 : 5이다.
② 구리와 결합하는 산소의 질량은 일정하지 않고, 구리와 산소가 일정한 질량비로 결합한다.
④ 구리와 산소가 반응하여 산화 구리(Ⅱ)를 생성하는 반응에서의 질량비가 구리 : 산소 : 산화 구리(Ⅱ) = 4 : 1 : 5이므로, 구리 3 g이 산소와 완전히 반응할 때 생성되는 산화 구리(Ⅱ)의 질량은 3.75 g이고, 이때 반응하는 산소의 질량은 3.75 g − 3 g = 0.75 g이다.
⑤ 반응한 구리의 질량이 증가하면 생성된 산화 구리(Ⅱ)의 질량도 증가하며, 그 질량비는 구리:산화 구리(Ⅱ) = 4 : 5로 일정하다.

5 기체 반응 법칙

기체가 반응하여 기체를 생성하는 반응에서만 관여한 각 물질의 부피 사이에 일정한 정수비가 성립한다. 수소 기체와 산소 기체가 반응하여 수증기가 생성되는 반응에서의 부피비는 수소 : 산소 : 수증기 = 2 : 1 : 2이다. 따라서 수소 40 mL와 산소 40 mL가 완전히 반응하면 수소 40 mL와 산소 20 mL가 반응하여 수증기 40 mL가 생성되고, 산소 20 mL가 남는다.

6 화학 반응에서의 에너지 출입

자료 분석 + 흡열 반응과 발열 반응

흡열 반응	발열 반응
열에너지 흡수	열에너지 방출
• 주위로부터 에너지를 흡수 • 주위는 에너지를 빼앗겨 온도가 내려감 • 에너지를 흡수하므로 생성 물질의 에너지 합은 반응 물질의 에너지 합보다 큼	• 주위로 에너지를 방출 • 주위는 에너지를 흡수하므로 온도가 올라감 • 에너지를 방출하므로 생성 물질의 에너지 합은 반응 물질의 에너지 합보다 작음

선택지 분석

ㄱ. 발열 반응은 열을 주위로 방출하는 반응이다.
ㄴ. 흡열 반응이 일어나면 주위의 온도가 높아진다. (→ 흡열 반응이 일어나면 주위로부터 에너지를 흡수)
ㄷ. 흡열 반응은 생성 물질의 에너지 합이 반응 물질의 에너지 합보다 크다.

발열 반응이 일어나면 주위로 에너지를 방출하여 주위의 온도가 높아지고, 흡열 반응이 일어나면 주위로부터 에너지를 흡수하여 주위의 온도가 낮아진다. 흡열 반응에서는 에너지를 흡수하므로 생성 물질의 에너지 합이 반응 물질의 에너지 합보다 크다. 발열 반응에서는 에너지를 방출하므로 생성 물질의 에너지 합이 반응 물질의 에너지 합보다 작다.

바로 알기 ㄴ. 흡열 반응이 일어나면 주위에서 에너지를 흡수하므로 주위의 온도가 낮아진다.

2일 필수 체크 전략 1 기출 선택지 All 14~17쪽

❶-1 ㄷ, ㄹ	❷-1 ②	❸-1 ④	❹-1 ④
❺-1 ⑤	❻-1 ④	❼-1 ㄱ, ㄴ	❽-1 ㄱ, ㄴ

❶-1 화학 변화에서 변하는 것

마그네슘의 연소는 화학 변화이다. 화학 변화가 일어나면 원자의 배열이 변하므로 물질의 종류와 물질의 성질이 달라진다.

바로 알기 ㄱ, ㄴ. 화학 변화에서 원자의 종류, 원자의 질량, 원자의 수는 변하지 않는다.

❷-1 물의 전기 분해

물의 전기 분해는 화학 변화이다. 화학 변화에서는 원자의 배열이 변하므로 분자의 종류와 물질의 성질이 달라진다. 화학 변화에서 원자의 종류와 개수는 변하지 않는다.

바로 알기 ② 화학 변화에서는 원자의 배열이 변하여 분자의 종류나 물질의 성질이 달라지지만 원자의 종류와 개수는 변하지 않는다.

❸-1 화학 반응식 만들기

자료 분석 + 모형을 보고 화학 반응식 만들기

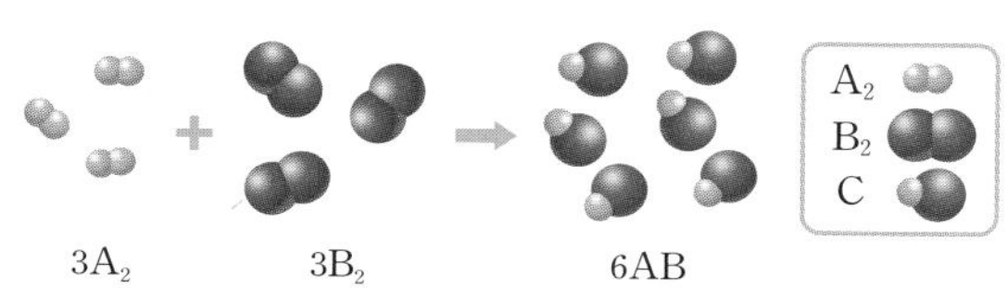

- 모형에서 A 원자는 2개가 결합하여 존재하므로 A 분자는 A_2이고, B 원자는 2개가 결합하여 존재하므로 B 분자는 B_2이다. 따라서 반응 물질은 A_2와 B_2이다.
- 생성 물질 C를 원소 기호로 나타내면 AB이다.
- 이 반응을 나타내면 $3A_2+3B_2 \rightarrow 6AB$인데, 화학 반응식의 계수는 가장 간단한 정수비로 나타내야 하므로, 화학 반응식은 $A_2+B_2 \rightarrow 2AB$이다.

A_2와 B_2가 반응하여 만들어진 생성 물질의 화학식은 C가 아닌 AB이다. A_2 분자 3개와 B_2 분자 3개가 반응하여 AB 분자 6개가 생성되므로, 물질의 분자 수비는 $A_2:B_2:AB=3:3:6=1:1:2$이다. 화학 반응식의 계수비는 물질의 분자 수의 비와 같으므로, 이 반응의 화학 반응식은 $A_2+B_2 \rightarrow 2AB$이다.

❹-1 화학 반응과 화학 반응식

(가) 반응 전 산소 원자 수가 2개이므로 ㉡은 2이고, 반응 후 마그네슘 원자 수가 2개이므로 ㉠은 2이다.

(나) 반응 후 질소 원자 수가 2개, 수소 원자 수가 6개이므로 이와 같아지도록 반응 물질의 계수를 정하면 ㉢은 1이고, ㉣은 3이다.

따라서, ㉠~㉣에 들어갈 화학 반응식의 계수의 합은 $2+2+1+3=8$이다.

❺-1 화학 반응식으로 알 수 있는 것

화학 반응식을 통해 반응 물질과 생성 물질의 종류, 분자 수비, 원자의 종류와 개수 등을 알 수 있다.

바로 알기 ⑤ 화학 반응식을 통해서 반응 물질과 생성 물질의 분자의 크기는 알 수 없다.

❻-1 질량 보존 법칙

자료 분석 + 앙금 생성 반응에서의 질량 보존

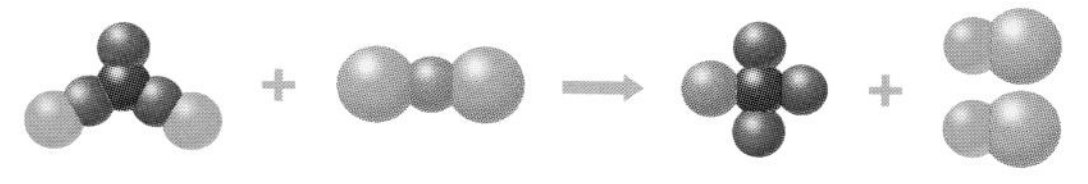

탄산 나트륨 염화 칼슘 탄산 칼슘 염화 나트륨

- 탄산 나트륨 수용액과 염화 칼슘 수용액이 반응하면 탄산 칼슘 앙금이 생성된다.

$$Na_2CO_3 + CaCl_2 \rightarrow CaCO_3(\text{앙금}) + 2NaCl$$

- 반응 물질과 생성 물질의 질량 관계:
  (탄산 나트륨+염화 칼슘)의 질량=(탄산 칼슘+염화 나트륨)의 질량
- 앙금 생성 반응에서도 질량 보존 법칙은 성립한다.

① 앙금의 생성과 관계없이 반응 전후에 원자의 종류와 개수는 일정하게 유지되므로 질량이 변하지 않는다.
② 화학 반응이 일어날 때 원자의 배열은 변한다.
③ 탄산 나트륨 수용액과 염화 칼슘 수용액의 반응에서 화학 반응 전후에 분자의 종류가 변하므로 물질의 성질이 달라진다.
⑤ 화학 반응이 일어날 때 원자는 사라지거나 새로 생기지 않는다.

❼-1 기체 발생 반응에서 질량 보존

자료 분석 + 금속과 산의 반응에서의 질량 보존

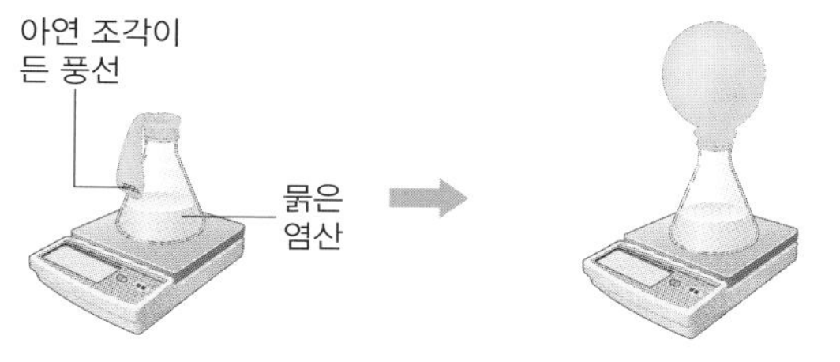

- 고무풍선을 세우면 아연 조각이 아래로 내려와 묽은 염산과 반응하여 수소 기체가 발생한다.
- 수소 기체가 발생하면 고무풍선이 부푼다.
- 고무풍선으로 플라스크의 입구를 막은 상태이므로 이 실험은 닫힌 공간에서 진행한 실험이다.
- 반응 전후에 잰 질량은 변하지 않는다.

선택지 분석

㉠ 고무풍선이 부풀어 오른다. → 발생한 수소 기체 때문
㉡ 반응 전과 후에 물질의 질량은 같게 유지된다. → 닫힌 공간에서 질량 보존
~~㉢~~ 고무풍선에 구멍을 뚫으면 질량이 증가한다.
→ 고무풍선에 구멍을 뚫으면 발생한 수소 기체가 구멍을 통해 빠져나가므로 질량이 감소한다.

고무풍선이 끼워진 삼각 플라스크는 닫힌 공간이므로 기체가 발생하는 반응이 일어나도 질량이 변하지 않는다. 고무풍선에 구멍을 뚫으면 발생한 기체가 공기 중으로 날아가므로 질량이 감소한다.

바로 알기 ㄷ. 고무풍선에 구멍을 뚫으면 질량이 감소한다.

8-1 연소 반응에서 질량 보존

강철 솜이 연소하여 생성된 산화 철(Ⅱ)은 원자의 배열이 달라져 물질의 성질이 다르지만 물질의 총 질량은 변하지 않는다.

바로 알기 ㄷ, ㄹ. 연소 반응이 일어나면 새로운 물질이 생성되므로 원자의 배열이 변하며 물질의 성질이 달라진다.

2일 필수 체크 전략 2 최다 오답 문제 18~19쪽

1 ③ 2 ③ 3 ④ 4 ②
5 ④ 6 ③

1 물리 변화와 화학 변화

자료 분석 + 마그네슘의 물리 변화와 화학 변화

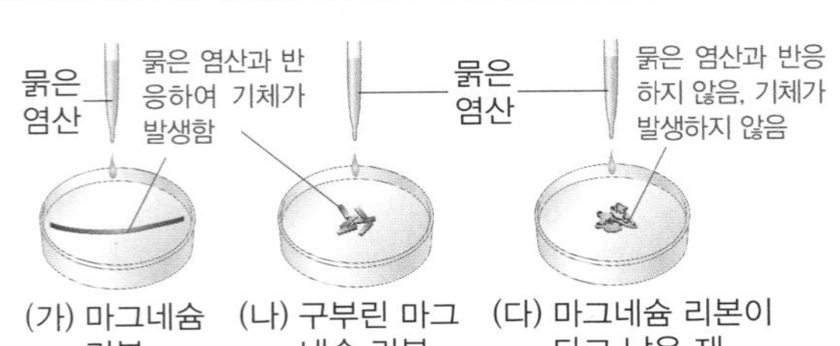

• 물질의 변화

(나)	물체의 모양만 변함 → 물리 변화
(다)	마그네슘이 산소와 결합하여 산화 마그네슘이 됨 → 화학 변화

• 묽은 염산과의 반응

(가), (나)	마그네슘 리본이 묽은 염산과 반응하여 기체가 발생함
(다)	마그네슘 리본을 태운 재는 묽은 염산과 반응하지 않음

선택지 분석

① (나)에서는 수소 기체가 발생한다.
② (다)에서는 수소 기체가 발생하지 않는다.
~~③~~ (가), (나), (다)는 모두 물질의 성질이 같다. → (가)와 (나)는 마그네슘이고, (다)는 산화 마그네슘이다.
④ 마그네슘 리본을 태우면 화학 변화가 일어난다.
⑤ 마그네슘 리본을 구부리면 물리 변화가 일어난다.

(가)는 마그네슘이고, (나)는 마그네슘 리본을 구부려서 물리 변화가 일어난 경우로 본래의 물질인 마그네슘의 성질이 그대로 유지된다. 따라서 (가)와 (나)는 묽은 염산과 반응하여 수소 기체가 발생한다.

(다)는 연소하여 산화 마그네슘이라는 새로운 물질이 생성되므로 마그네슘과는 다른 성질을 가진다. 따라서 (다)는 묽은 염산과 반응하지 않는다.

바로 알기 ③ 마그네슘 리본을 태우면 마그네슘이 공기 중의 산소와 결합하여 산화 마그네슘이 생성되는 화학 변화가 일어난다. 즉, 원자의 배열이 달라져 물질의 종류가 변하므로 물질의 성질이 변한다.

2 화학 반응과 화학 반응식

자료 분석 + 화학 반응식

$$CH_4 + (\text{㉠})O_2 \rightarrow CO_2 + 2H_2O$$

구분	반응 전	반응 후
물질	메테인(CH_4), 산소(O_2)	이산화 탄소(CO_2), 물(H_2O)
원자의 종류와 개수	C: 1개 H: 4개 O: ㉠×2개	C: 1개 H: 2×2=4개 O: 2+2=4개

선택지 분석

㉠ 메테인의 연소 반응이다.
~~㉡~~ 반응 물질은 메테인과 이산화 탄소이고, 생성 물질은 산소와 물이다. (이산화 탄소 → 산소, 산소 → 이산화 탄소)
~~㉢~~ ㉠에 적합한 숫자는 3이다. 2
㉣ 메테인 1분자가 연소하면 생성 물질 3분자가 생성된다.

화학 반응식에서 반응 물질은 화살표 왼쪽에, 생성 물질은 화살표 오른쪽에 쓴다.

바로 알기 ㄴ. 반응 물질은 메테인과 산소이고, 생성 물질은 이산화 탄소와 물이다.

ㄷ. 반응 전과 후에 원자의 종류와 개수가 같아야 하는데, 반응 후 산소(O)의 원자 수 4개이므로 반응 전 산소(O)의 원자 수가 4개가 되려면 ㉠은 숫자 2가 되어야 한다.

3 모형을 보고 화학 반응식 완성하기

자료 분석 + 반응 모형에 맞는 화학 반응식 만들기

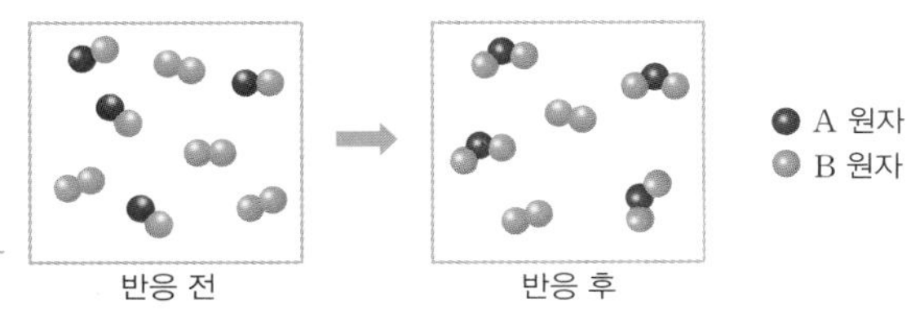

- 제시된 그림에서 반응 전 물질은 AB 분자 4개, B_2 분자 4개이고, 반응 후 물질은 AB_2 분자 4개, B_2 분자 2개이다.
- 반응 물질과 생성 물질 모두에 공통으로 포함된 B_2 분자 2개는 반응에 참여하지 않았다.
- 실제 반응에 참여한 반응 물질은 AB 분자 4개, B_2 분자 2개이고, 생성 물질은 AB_2 분자 4개이다.
- 이를 화학 반응식으로 나타내면 $4AB+2B_2 \rightarrow 4AB_2$이므로, 간단한 정수비로 나타내어 $2AB+B_2 \rightarrow 2AB_2$이다.

선택지 분석

~~①~~ $A_2+2AB=2AB_2$
~~②~~ $2A_2+AB \rightarrow 2AB_2$
~~③~~ $2AB+B_2=2AB_2$ ⟶ 화학 반응식에서 "=" 기호는 사용하지 않는다.
④ $2AB+B_2 \rightarrow 2AB_2$
~~⑤~~ $4AB+4B_2 \rightarrow 4AB_2+2B_2$ ⟶ 반응에 참여하지 않은 물질은 나타내지 않는다.

반응하지 않은 물질은 화학 반응식에 나타내지 않으며, 화학 반응식의 계수비는 가장 간단한 정수비가 되도록 정한다. 이 반응을 화학 반응식으로 나타내면 $2AB+B_2 \rightarrow 2AB$이다.

4 화학 반응식

바로 알기 ㄴ. $N_2+3H_2 \rightarrow 2NH_3$
ㄹ. $2Mg+O_2 \rightarrow 2MgO$
ㅁ. $C_3H_8+5O_2 \rightarrow 3CO_2+4H_2O$

5 연소 반응에서의 질량 보존

자료 분석 + 나무의 연소와 질량 보존

산소 기체는 질량 측정에 포함되지 않았다. → 생성 물질이 모두 고체일 경우 측정에 의한 질량 값 증가의 원인이 될 수 있다.

기체인 수증기와 이산화 탄소는 공기 중으로 날아가므로 질량 측정에 포함되지 않았다. → 측정에 의한 질량 값 감소의 원인이 될 수 있다.

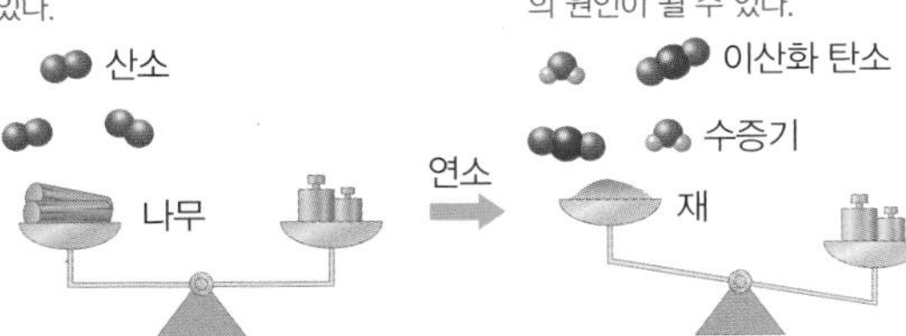

선택지 분석

㉠ 나무의 질량은 재의 질량보다 크다.
㉡ 닫힌 공간에서 연소시키면 저울은 수평을 유지한다.
~~ㄷ~~ 결합한 산소만큼 반응 후에 질량이 증가한다.
⟶ 생성 물질인 이산화 탄소는 공기 중으로 날아간다.

반응 물질의 총 질량과 생성 물질의 총 질량은 같지만 열린 공간에서 질량을 측정한 경우에는 생성 물질의 총 질량이 변하기도 한다. 화학 반응에서 원자의 종류와 개수는 일정하게 보존되므로 반응 물질의 총 질량과 생성 물질의 총 질량은 같다. 그런데, 실험을 열린 공간에서 진행할 경우 반응의 종류에 따라서는 기체 물질이 반응에 참여하거나 생성된 기체 물질이 공기 중으로 날아가게 되어 생성 물질의 질량이 증가하거나 감소할 수 있다. 하지만, 닫힌 공간에서 실험하면 연소 반응과 같이 기체가 관여하는 반응도 질량 보존 법칙이 성립하는 것을 확인할 수 있다.

바로 알기 ㄷ. 나무에 포함되어 있는 탄소와 공기 중의 산소가 결합하면 이산화 탄소 기체가 발생한다. 열린 공간에서는 이 기체가 공기 중으로 날아가기 때문에 재의 질량은 나무의 질량보다 가볍다. 또한 나무에 포함되어 있는 수소와 공기 중의 산소가 결합하면 수증기가 발생한다. 열린 공간에서는 이 기체가 공기 중으로 날아가기 때문에 재의 질량은 나무의 질량보다 가볍다.

6 기체 발생 반응에서의 질량 보존

과산화 수소의 분해 반응에서 이산화 망가니즈는 촉매로 작용한다. 질량 보존 법칙에 의해서 반응 물질의 총 질량과 생성 물질의 총 질량은 같다.

바로 알기 ①, ② 과산화 수소는 물과 산소로 분해되므로 기체 X는 산소이다. 반응 물질의 총 질량과 생성 물질의 총 질량이 같으므로 반응 전 과산화 수소의 질량(17 g)은 반응 후 생성 물질의 질량(9 g+㉠)과 같다. 따라서 기체 X의 질량(㉠)은 17 g−9 g=8 g이다.

④ 이산화 망가니즈는 촉매로 작용하므로 반응 전후에 변화가 없으므로 물질의 성질이 변하지 않는다.

⑤ 열린 공간에서 기체가 발생하는 반응이 일어나는 경우에는 반응 후 발생한 기체가 공기 중으로 날아가기 때문에 반응 전 총 질량보다 반응 후 총 질량이 감소한다. 그러나 날아간 기체의 질량까지 모두 고려하면 반응 전후 물질의 질량은 보존되어 질량 보존 법칙이 성립한다.

3일 필수 체크 전략 1 기출 선택지 All 20~23쪽

❶-1 (가) 30 (나) 15 (다) 7 ❷-1 ④ ❸-1 ㄴ, ㄷ
❹-1 (가) A, 10 (나) 30 (다) 50 ❺-1 ⑤
❻-1 ㄱ, ㄴ ❼-1 ①, ④ ❼-2 ③, ④

❶-1 일정 성분비 법칙

(가)는 볼트(B)와 너트(N)가 개수비 1:1로 결합하여 화합물을 만들고, (나)는 볼트(B)와 너트(N)가 개수비 1:2로 결합하여 화합물을 만들며, (다)는 볼트(B)와 너트(N)가 개수비 1:4로 결합하여 화합물을 만든다.

바로 알기 (가)는 볼트(B)와 너트(N)가 개수비 1:1로 결합하므로 볼트 30개와 너트 30개가 모두 사용되어 화합물 모형을 30개 만들 수 있다.
(나)는 볼트(B)와 너트(N)가 개수비 1:2로 결합하므로 볼트 15개와 너트 30개가 사용되어 화합물 모형을 15개 만들 수 있다. 이때 볼트 15개는 남는다.
(다)는 볼트(B)와 너트(N)가 개수비 1:4로 결합하므로 볼트 7개와 너트 28개가 사용되어 화합물 모형을 7개 만든다. 이때 볼트 23개와 너트 2개가 남는다.

❷-1 금속의 연소 반응에서의 일정 성분비 법칙

자료 분석 + 마그네슘의 연소 반응에서 일정 성분비 법칙

마그네슘의 질량(g)	1.5	3.0	4.5	6.0
산화 마그네슘의 질량(g)	2.5	5.0	7.5	10.0
마그네슘:산화 마그네슘의 질량비	3:5	3:5	3:5	3:5

- 마그네슘을 연소시키면 산소와 반응하여 산화 마그네슘을 생성한다.
- 이 반응에서 마그네슘과 산화 마그네슘의 질량비는 3:5로 일정하다.
- 반응 물질인 마그네슘과 산소의 총 질량은 생성 물질인 산화 마그네슘의 질량과 같으므로, 마그네슘 3 g을 연소시킬 때 반응하는 산소의 질량은 5 g−3 g=2 g이다. 따라서 마그네슘:산소:산화 마그네슘의 질량비는 3:2:5이다.

마그네슘을 연소시키면 산소와 결합하여 산화 마그네슘을 생성한다. 표에서 마그네슘 1.5 g이 연소하여 산화 마그네슘이 2.5 g이 생성되므로 마그네슘과 결합한 산소의 질량은 1 g임을 알 수 있다. 이를 통해 마그네슘:산소:산화 마그네슘의 질량비가 3:2:5임을 알 수 있다. 산화 마그네슘 40 g을 얻기 위해서 필요한 산소의 질량은 2:5=x:40이므로, x=16 g이다.

❸-1 암모니아 분자에서의 일정 성분비 법칙

화합물을 이루는 원소 사이의 질량비는 일정하다. 암모니아 분자는 질소 원자 1개와 수소 원자 3개가 결합하여 생성된 분자이다. 질소 원자 1개의 상대적 질량은 14이고, 수소 원자 1개의 상대적 질량은 1이므로 암모니아를 구성하는 질소와 수소의 질량비는 (14×1):(1×3)=14:3이다. 따라서 질소 56 g을 모두 반응시켜 암모니아를 만들기 위해 필요한 수소의 최소 질량은 14:3=56 g:x이므로, x는 12 g이다.

바로 알기 ㄱ. 암모니아를 구성하는 질소와 수소의 질량비는 14:3이다.

❹-1 기체 반응 법칙

일정한 온도와 압력에서 반응 물질과 생성 물질이 모두 기체인 경우, 각 기체의 부피 사이에는 일정한 정수비가 성립한다. 실험 1에서 기체 A, B, C가 2:1:2의 부피비로 반응하므로 실험 2에서 기체 A는 15 mL×2=30 mL만 반응하고 기체 B 15 mL는 모두 반응하므로 기체 A가 10 mL가 남는다. 실험 3에서는 기체 A 50 mL와 기체 B 25 mL가 반응하여 기체 C 50 mL가 생성된다.

❺-1 기체 반응 법칙이 성립하는 경우

기체 반응 법칙은 반응 물질과 생성 물질이 모두 기체일 때만 성립한다.

❻-1 기체 반응 법칙과 화학 반응식

자료 분석 + 암모니아 생성 반응에서의 기체 반응 법칙

모형	질소	+	수소	→	암모니아
계수비	1	:	3	:	2
부피비	1	:	3	:	2
분자 수비	1	:	3	:	2
원자 수비	1	:	3	:	4

기체의 부피비=기체의 분자 수비=화학 반응식의 계수비≠기체의 질량비

기체 물질의 경우, 온도와 압력이 같으면 기체의 종류에 관계없

이 같은 부피 속에 들어 있는 분자의 개수가 같으므로 '부피비=분자 수비'가 성립한다. 또, 이는 화학 반응식의 계수비와도 같다. 따라서 이 반응의 화학 반응식은 $N_2+3H_2 \rightarrow 2NH_3$이다.

바로 알기 기체 반응 법칙에서 부피비는 질량비, 원자 수비와는 관계가 없다.

7-1 화학 반응에서의 에너지 출입

질산 암모늄이 물에 용해되면 열을 흡수하는 흡열 반응이 일어나므로 주위의 온도가 낮아진다. 휴대용 가스 연료의 연소는 발열 반응이고, 음식을 데울 때는 발열 반응을 이용한다.

바로 알기 ② 질산 암모늄이 물에 용해되는 현상은 흡열 반응이고, 뷰테인 가스의 연소 반응은 발열 반응이므로 열의 출입이 서로 반대이다.

③ 질산 암모늄이 물에 용해되는 반응이 흡열 반응이므로 주위로부터 열에너지를 흡수한다. 따라서 이때 주위의 온도는 낮아진다.

⑤ 불 없이 음식을 데울 때는 에너지의 출입이 연소 반응과 같아야 하므로 발열 반응을 이용해야 한다.

7-2 화학 반응에서의 에너지 출입

자료 분석 + 그래프로 에너지 출입 알아보기

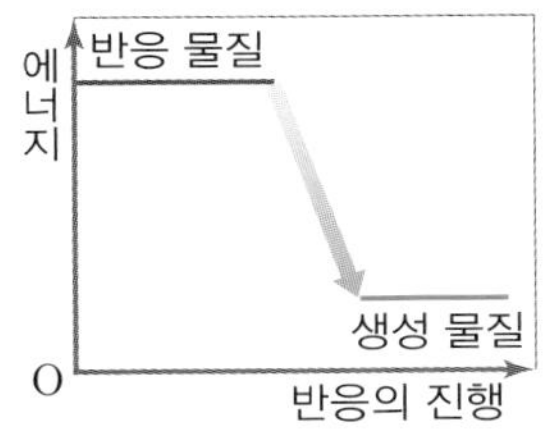

- 그래프에서 생성 물질의 에너지 합이 반응 물질의 에너지 합보다 작으므로 반응 과정에서 주위로 에너지를 방출함을 알 수 있다.
- 따라서 손난로를 이용할 때 일어나는 반응은 발열 반응이다.
- 발열 반응이 일어나면 주위의 온도가 높아진다.

바로 알기 ③ 철가루가 들어 있는 손난로에서 일어나는 반응은 발열 반응으로, 손난로 속 철가루와 공기 중의 산소가 화학 반응하여 산화 철을 생성하는 반응이다. 손난로에 사용하는 소금이나 질석 등은 산소와 반응이 빠르게 일어나도록 돕는 촉매 역할을 한다.

- 손난로에서 일어나는 반응: $4Fe+3O_2 \rightarrow 2Fe_2O_3+$열

④ 이 반응은 발열 반응이고, 광합성은 흡열 반응이므로 에너지의 출입 방향이 서로 반대이다.

3일 필수 체크 전략 2 최다 오답 문제 24~25쪽

1 ④	2 ④	3 ①	4 ②
5 ④	6 ⑤		

1 일정 성분비 법칙과 질량 보존 법칙의 적용

질량 보존 법칙은 물리 변화와 화학 변화에서 모두 성립한다. 일정 성분비 법칙은 화합물에서는 성립하지만 혼합물에서는 성립하지 않는다.

바로 알기 ㄱ. 설탕을 물에 녹여 설탕물을 만든 것은 화학 변화가 아니라 물리 변화의 예이다. 설탕물을 만드는 과정에서 질량 보존 법칙은 성립하지만, 일정 성분비 법칙은 성립하지 않는다.

ㄴ. 질소 기체와 수소 기체를 반응시켜 암모니아를 합성하는 반응은 화학 변화이다. 이 변화는 화학 변화이므로 질량 보존 법칙과 일정 성분비 법칙이 모두 성립한다.

ㄷ. 염화 나트륨 수용액과 질산 은 수용액을 반응시켰더니 염화 은 앙금과 질산 나트륨 수용액이 생성되었다. 앙금 생성 반응은 화학 변화이므로 질량 보존 법칙과 일정 성분비 법칙이 모두 성립한다.

2 금속의 연소 반응에서의 일정 성분비 법칙

자료 분석 + 구리의 연소에서 원소 사이의 질량비

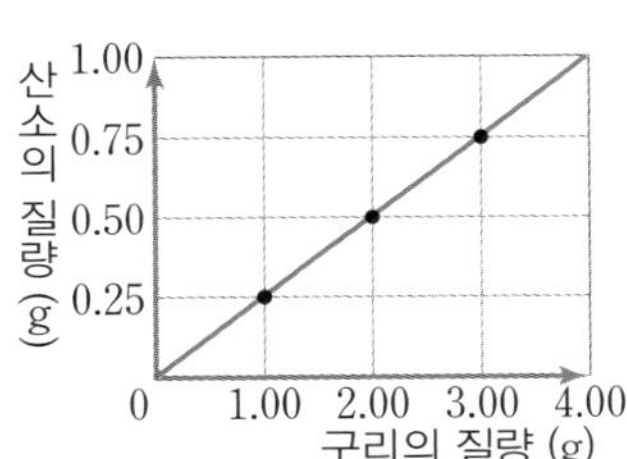

- 산화 구리의 생성: 구리를 연소하면 구리와 산소가 4 : 1의 질량비로 결합하여 산화 구리(Ⅱ)가 된다.

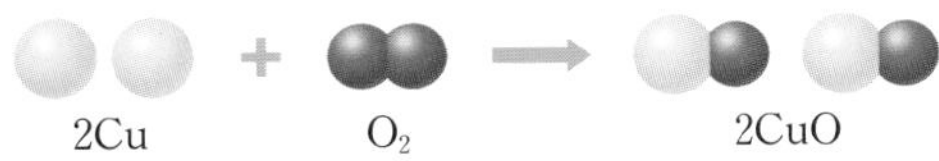

- 반응하는 구리와 산소의 질량비는 4 : 1로 일정하므로 반응하는 구리와 산소, 산화 구리의 질량비는 4 : 1 : 5로 일정하다.

바로 알기 구리의 연소 반응에서 반응 전후 물질 사이의 질량비는 구리 : 산소 : 산화 구리(Ⅱ)=4 : 1 : 5이므로 구리 30 g을 완전 연소시키면 산소 7.5 g이 반응하여 산화 구리(Ⅱ) 37.5 g이 생성되고, 산소 7.5 g이 남는다.

3 앙금 생성 반응에서의 일정 성분비 법칙

자료 분석 + 아이오딘화 납 생성 반응과 일정 성분비 법칙

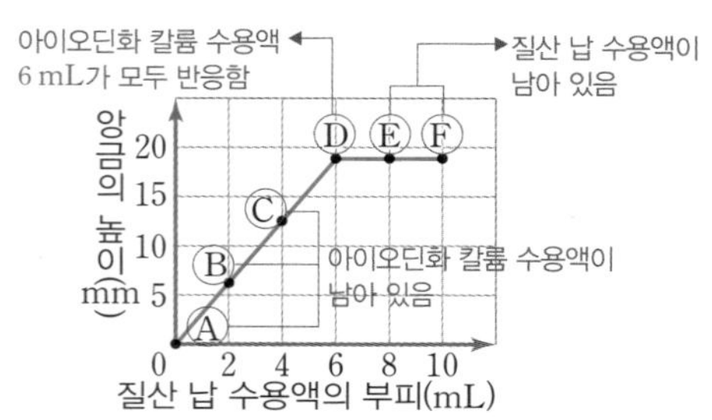

선택지 분석

㉠ 시험관 C에 질산 납 수용액을 더 넣어 주면 앙금이 더 많이 생긴다.
~~ㄴ~~ 시험관 E에 반응하지 않은 아이오딘화 칼륨 수용액이 남아 있다. (→ 질산 납)
~~ㄷ~~ 같은 농도의 질산 납 수용액과 아이오딘화 칼륨 수용액은 2 : 1의 부피비로 반응한다. (→ 1 : 1)

시험관에서 생성된 앙금은 아이오딘화 납이다. 시험관 B~C에는 반응하지 않은 아이오딘화 이온이 남아 있고, 시험관 D에는 반응하지 않은 아이오딘화 이온이 없으며, 시험관 E~F에는 반응하지 않은 납 이온이 남아 있다.

바로 알기 ㄴ. 시험관 D보다 더 많은 질산 납 수용액을 시험관 E에 넣어도 앙금의 높이가 시험관 D와 같은 것을 보면 시험관 E에는 반응하지 않은 아이오딘화 이온이 남아 있지 않음을 알 수 있다.

ㄷ. 그래프를 보면 아이오딘화 칼륨 수용액 6 mL에 질산 납 수용액 6 mL를 넣었을 때 남는 물질 없이 앙금 생성 반응이 완료되는 것을 알 수 있다. 이를 통해 같은 농도의 질산 납 수용액과 아이오딘화 칼륨 수용액은 1 : 1의 부피비로 반응함을 알 수 있다.

4 기체 반응 법칙

자료 분석 + 염화 수소 기체를 생성하는 반응에서의 기체 반응 법칙

모형	수소	+	염소	→	염화 수소
계수비	1	:	1	:	2
부피비	1	:	1	:	2
분자 수비	1	:	1	:	2
원자 수비	1	:	1	:	2

기체의 부피비 = 기체의 분자 수비 = 화학 반응식의 계수비 ≠ 기체의 질량비

선택지 분석

~~ㄱ~~ 수소와 염소는 질량비 1 : 1로 반응한다. (→ 부피비)
㉡ 수소 기체 10 mL와 염소 기체 20 mL가 반응하면 염화 수소 기체 20 mL가 생성된다.
㉢ 화학 반응식은 $H_2 + Cl_2 \rightarrow 2HCl$이다.
㉣ 염소 기체와 염화 수소 기체는 기체 1 부피에 들어 있는 분자 수가 같다.
~~ㅁ~~ 수소 분자 5개가 염소 분자들과 완전히 반응하면 염화 수소 분자 5개가 생성된다. (→ 10개)

일정한 온도와 압력에서 기체가 반응하여 새로운 기체를 생성할 때 각 기체의 부피 사이에는 간단한 정수비가 성립하는데, 이를 기체 반응 법칙이라고 한다. 제시된 반응에 관여한 물질 사이의 부피비는 수소 : 염소 : 염화 수소 = 1 : 1 : 2이므로, 수소 기체 10 mL와 염소 기체 10 mL가 반응하면 염화 수소 기체 20 mL가 생성된다. 기체 사이의 반응에서 부피비는 계수비와 같으므로 화학 반응식은 $H_2 + Cl_2 \rightarrow 2HCl$이다. 또한 같은 온도와 압력에서 기체 사이의 반응에서 같은 부피에 들어 있는 분자 수는 같으므로 기체 1 부피에 들어 있는 분자 수는 모든 기체에서 같다.

바로 알기 ㄱ. 수소와 염소의 부피비는 1 : 1로 반응하지만 질량비는 이와 다르다.

ㅁ. 이 반응에서 수소 : 염소 : 염화 수소의 부피비가 1 : 1 : 2이므로, 수소 분자 5개가 염소 분자들과 완전히 반응하면 염화 수소 분자 10개가 생성된다.

5 기체 반응 법칙과 화학 반응식

자료 분석 + 그래프 해석하기

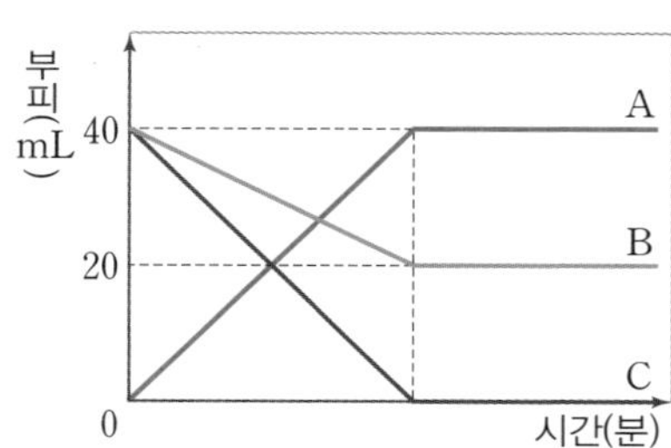

선택지 분석

~~①~~ A는 반응 물질이다. (→ 생성 물질)
~~②~~ C는 생성 물질이다. (→ 반응 물질)
~~③~~ B와 C는 부피비 2 : 1로 반응한다. (→ 1 : 2)
④ 화학 반응식은 B + 2C → 2A이다.
~~⑤~~ 반응이 끝난 후 반응 용기에는 A만 남아 있다. (→ A, B)

B 기체 20 mL와 C 기체 40 mL가 반응하여 C 기체 40 mL가 생성되었으므로 B : C : A의 부피비는 1 : 2 : 2이다. 반응물과 생성물이 모두 기체일 때, 화학 반응식의 계수비는 실제 반응한 반응 물질과 생성 물질 사이의 부피비와 같으므로 화학 반응식은 B + 2C → 2A이다.

바로 알기 ① A는 반응이 일어나면서 부피가 늘어나므로 생성 물질임을 알 수 있다.

② B와 C는 반응이 일어나면서 부피가 줄어들므로 반응 물질임을 알 수 있다.

③ B와 C는 1 : 2의 부피비로 반응한다.

⑤ 반응이 끝난 후 남은 용기에는 A 40 mL와 B 20 mL가 남아 있다.

6 화학 반응에서의 에너지 출입

자료 분석 + 에너지 출입 방향에 따른 화학 반응의 구분

(가)	(나)
메테인의 연소	탄산수소 나트륨의 분해
산과 염기의 반응	식물의 광합성
㉠	㉡

선택지 분석

✕ (가)는 흡열 반응(→ 발열 반응)이고 (나)는 발열 반응(→ 흡열 반응)이다.

ⓛ '산화 칼슘과 물의 반응'은 ㉠에 적당하다.

ⓒ '물의 전기 분해'는 ㉡에 적당하다.

(가)는 발열 반응, (나)는 흡열 반응이므로 (가)는 주위로 에너지를 방출하고, (나)는 주위로부터 에너지를 흡수한다. ㉠의 예로 산화 칼슘과 물의 반응, 호흡, 금속이 녹스는 반응, 금속과 산의 반응, 염기와 물의 반응, 산과 물의 반응 등이 있고, ㉡의 예로 물의 전기 분해, 질산 암모늄의 용해, 냉각 팩, 소금이 얼음물에 녹는 반응, 수산화 나트륨과 염화 암모늄의 반응 등이 있다.

바로 알기 ㄱ. 연소, 산과 염기의 반응은 반응 과정에서 열이 발생하여 주위의 온도가 높아지는 반응으로 대표적인 발열 반응이다. 탄산수소 나트륨의 분해 반응, 빛에너지를 이용하는 광합성은 일상생활에서 쉽게 접할 수 있는 흡열 반응으로 에너지 공급이 없이는 일어나지 않는다.

1주차	누구나 합격 전략		26~27쪽
01 ③	02 ③	03 ⑤	04 2, 1, 2
05 ④	06 ③	07 ②	08 ④
09 ③	10 ㉠ 흡수 ㉡ 차가워		

01 금속의 연소에 의한 화학 변화

물리 변화는 물질의 고유한 성질은 변하지 않으면서 모양이나 크기, 상태 등의 겉모습이 바뀌는 변화이고, 화학 변화는 어떤 물질이 전혀 다른 성질의 새로운 물질로 바뀌는 변화이다. 마그네슘의 연소는 화학 변화이다. 마그네슘이 연소하면 산소와 결합하면서 빛과 열이 발생하고, 산화 마그네슘이라는 새로운 물질이 생성된다.

바로 알기 ㄷ. 마그네슘이 연소하면 원자의 배열이 변해 새로운 물질이 생성되므로 물질의 성질이 변한다.

02 물리 변화와 화학 변화

자료 분석 + 물리 변화와 화학 변화 비교

구분	물리 변화	화학 변화
변하는 것	분자의 배열	원자의 배열, 분자의 종류, 물질의 성질
변하지 않는 것	분자의 종류, 물질의 성질, 원자의 종류, 원자의 개수, 물질의 질량	원자의 종류, 원자의 개수, 물질의 질량

물리 변화는 물질을 이루는 분자는 변하지 않고 분자의 배열만 달라지므로 물질의 성질은 변하지 않는다. 화학 변화는 원자의 배열이 달라져 새로운 물질이 생성되기 때문에 물질의 성질이 변한다.

바로 알기 학생 C. 화학 변화가 일어나도 원자의 종류는 변하지 않는다.

03 화학 반응이 일어나는 예

화학 변화가 일어나 어떤 물질이 전혀 다른 성질의 새로운 물질로 변하는 반응을 화학 반응이라고 한다. 따라서 제시된 보기에서 화학 변화의 예를 찾으면 된다. 철이 녹스는 것은 철과 산소가 결합하여 산화 철이 되는 것이므로 화학 변화이다. 탄산 칼슘이 포함된 달걀 껍데기를 식초에 넣으면 분해되어 이산화 탄소가 발생하므로 화학 변화이다. 석회수에 입김을 불어 넣으면 탄산 칼슘 앙금이 생성되어 석회수가 뿌옇게 흐려지므로 화학 변화이다.

자료 분석 + 물리 변화와 화학 변화의 예

• 물리 변화의 예

모양 변화	•종이를 접음 •컵이 깨짐 등
상태 변화	•물이 끓어 수증기가 됨 •아이스크림이 녹음 등
확산	•물에 잉크가 퍼짐 •집 안에 둔 향수 냄새가 퍼짐 등
용해	•설탕을 물에 넣어 녹임 •따뜻한 우유에 코코아를 녹임 등

• 화학 변화의 예

색깔, 냄새, 맛 등의 변화	•과일이 익음 •김치의 맛이 점점 시어짐 •철이 녹슬어 붉은색으로 변함 등
빛과 열의 발생	•마그네슘이 연소할 때 빛과 열이 발생함 •양초가 빛과 열을 내면서 탐 등
기체 발생	•발포정을 물에 넣으면 기포가 발생함 •물을 전기 분해하면 수소 기체와 산소 기체가 발생함 등
앙금 생성	•수돗물에 질산 은 수용액을 떨어뜨리면 흰색 앙금이 생성됨 •석회수에 입김을 불어 넣으면 뿌옇게 흐려짐 등

선택지 분석

~~ㄱ~~. 물을 가열하면 수증기가 된다. → 물리 변화
ㄴ. 철이 녹슬어 붉은색으로 변한다.
ㄷ. 식초에 달걀 껍데기를 넣으면 기포가 발생한다.
ㄹ. 석회수에 입김을 불어 넣으면 뿌옇게 흐려진다.

바로 알기 ㄱ. 물을 가열하여 수증기가 되는 것은 상태 변화이므로 물리 변화이다.

04 화학 반응식 만들기

화학 반응식을 만들 때 반응 전후에 원자의 종류와 개수가 같도록 계수를 맞추어야 한다. 제시된 반응식에서 반응 물질의 산소 분자의 개수가 1이라서 반응 물질의 산소 원자가 2개가 있다면 생성 물질의 산소 원자도 2개 있어야 하므로 생성 물질의 물의 계수는 2가 된다. 물 앞의 계수가 2라면 생성 물질의 수소 원자는 4개가 되므로 반응 물질의 수소 원자도 4개가 되어야 한다. 따라서, 반응 물질의 수소 원자의 계수는 2가 된다. 즉, 수소 분자 2개와 산소 분자 1개가 반응하면 물 분자 2개가 생성된다.

05 마그네슘의 연소 반응에서의 일정 성분비 법칙

자료 분석 + 마그네슘의 연소에서 원소 사이의 질량비

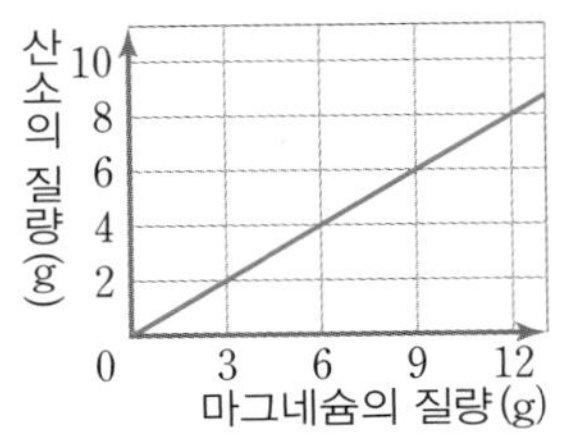

• 그래프에서 마그네슘 3 g이 연소할 때 결합하는 산소의 질량은 2 g이다. 따라서, 마그네슘이 연소할 때 마그네슘과 산소는 3 : 2의 질량비로 결합하여 산화 마그네슘을 생성함을 알 수 있다.
• 질량 보존 법칙에 따라 반응 물질의 총 질량은 생성 물질의 총 질량과 같으므로, 마그네슘 3 g이 산소 2 g과 결합하면 산화 마그네슘 5 g이 생성된다. 따라서, 반응하는 마그네슘과 산소, 산화 마그네슘의 질량비는 3 : 2 : 5로 일정하다.

마그네슘이 산소와 결합하여 산화 마그네슘이 생성될 때 질량비는 3 : 2 : 5이므로 마그네슘 15 g과 결합하는 산소의 질량은 10 g이고, 생성되는 산화 마그네슘의 질량은 15 g + 10 g = 25 g이다.

06 구리의 연소 반응에서의 일정 성분비 법칙

표에서 구리 4 g을 연소할 때 생성된 산화 구리(Ⅱ)의 질량이 5 g이므로 구리와 산화 구리(Ⅱ)의 질량비는 4 : 5이다. 질량 보존 법칙에 따라 반응 물질의 총 질량은 생성 물질의 총 질량과 같으므로 반응한 구리와 산소의 총 질량과 생성된 산화 구리(Ⅱ)의 질량은 같다. 따라서 이때 반응한 산소의 질량은 5 g − 4 g = 1 g이므로 구리가 산소와 결합하여 산화 구리(Ⅱ)가 생성될 때 질량비는 4 : 1 : 5이다.

바로 알기 A. 구리 : 산소 : 산화 구리(Ⅱ)의 질량비가 4 : 1 : 5이므로, 구리 8 g은 산소 2 g과 결합하여 산화 구리(Ⅱ) 10 g이 생성된다.

B. 산화 구리(Ⅱ) 20 g을 얻기 위한 구리의 질량은 4 : 5 = x : 20 g이므로, x = 16 g이다.

07 암모니아 생성 반응에서의 기체 반응 법칙

질소와 수소가 반응해서 암모니아가 생성될 때 부피비는 1 : 3 : 2

이다. 암모니아 생성 반응에서 반응 전과 후에 원자의 개수는 변하지 않는다.

바로 알기 ㄱ. 질소 30 mL와 수소 30 mL를 반응시키면 질소 10 mL와 수소 30 mL가 반응해서 암모니아 20 mL가 생성되고 질소 20 mL가 남는다.

ㄷ. 암모니아 생성 반응에서 반응 전 분자의 개수는 질소 분자 1개와 수소 분자 3개로 총 4개이고, 반응 후 분자의 개수는 암모니아 분자 2개이므로 반응 전과 반응 후에 분자의 총 개수는 변한다.

08 수증기 생성 반응에서의 기체 반응 법칙

수소와 산소가 반응하여 수증기가 생성될 때 부피비는 2 : 1 : 2이므로 수소 20 mL와 산소 20 mL를 반응시키면 수소 20 mL와 산소 10 mL가 반응하여 수증기 20 mL가 생성되고 산소 10 mL가 남는다.

09 발열 반응의 예

화학 반응이 일어날 때 주위로 에너지를 방출하는 반응을 발열 반응이라고 한다. 발열 반응이 일어나면 열에너지를 방출하므로 주위의 온도가 높아진다. 마그네슘 조각이 묽은 염산과 반응하면 수소 기체가 발생하고 열에너지를 방출하며, 메테인과 같은 물질이 연소할 때도 빛과 열에너지를 방출하므로 이 두 반응은 발열 반응이다.

바로 알기 ㄷ. 수산화 바륨과 염화 암모늄이 반응하면 열에너지를 흡수한다.

10 냉찜질 팩에서의 흡열 반응

화학 반응이 일어날 때 주위로부터 에너지를 흡수하는 반응을 흡열 반응이라고 한다. 질산 암모늄이 물에 녹을 때는 주변으로부터 열에너지를 흡수하므로 주위의 온도가 내려간다. 냉찜질 팩은 이러한 원리를 이용한 것이다.

1주차	창의 • 융합 • 코딩 전략		28~31쪽
1 ①	2 ④	3 ③	4 학생 B

5 (1) (나) (2) A 원자: 수소 원자 B 원자: 산소 원자

6 (1) (가) A_2, 10 mL (나) B_2, 10 mL (2) 해설 참조 7 ②

8 ③

1 물질의 변화

자료 분석 + 물리 변화와 화학 변화

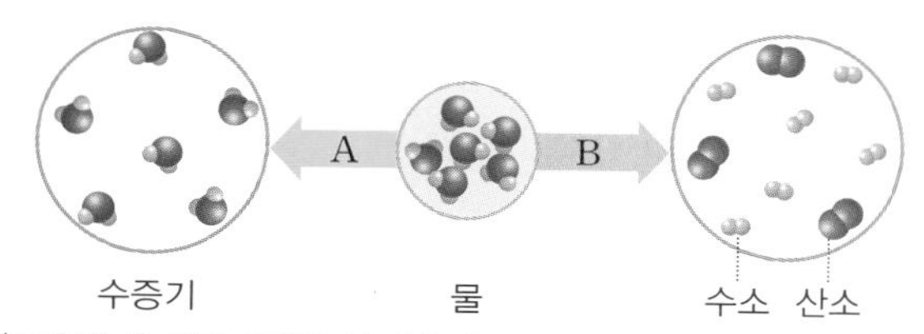

• A(물리 변화): 물의 기화를 나타낸 것으로, 분자 자체는 변하지 않고 분자의 배열만 달라지므로 물질의 성질이 변하지 않는다.
• B(화학 변화): 물의 전기 분해를 나타낸 것으로, 분자를 이루는 원자의 배열이 달라지므로 분자의 종류가 달라져 물질의 성질이 변한다.

물리 변화는 분자의 배열만 달라지고 분자 자체는 변하지 않으므로 물질의 성질이 변하지 않는다. 화학 변화는 원자 배열이 달라져 새로운 분자가 생기므로 물질의 성질이 달라진다.

2 화학 반응과 화학 반응식

메테인의 연소 반응이므로 물질 ㉠의 종류는 산소(O_2)이다. 메테인이 탄소와 수소로 구성되므로 연소 생성물은 이산화 탄소와 물이다. 따라서 물질 ㉡의 종류는 이산화 탄소(CO_2)이다. 반응 전후에 원자의 종류별로 개수가 같도록 계수를 조정하면 ㉠은 $2O_2$, ㉡은 CO_2이다.

3 탄소의 연소 과정

자료 분석 + 탄소의 연소 과정

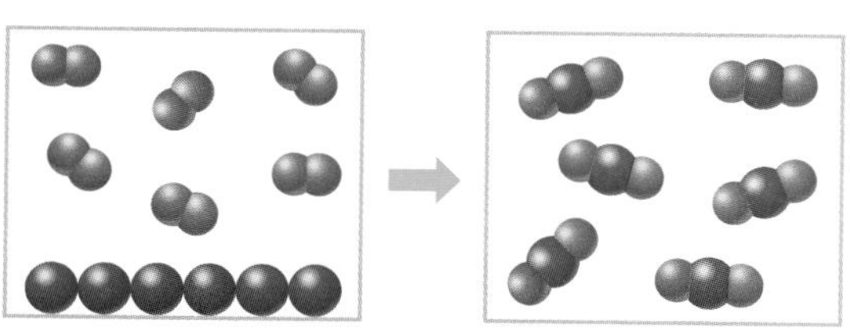

• 모형에서 검은색 입자는 탄소 원자를 나타내고, 빨간색 입자는 산소 원자를 나타낸다.
• 모형을 보면 반응 물질이 탄소(C)와 산소(O_2)임을 알 수 있다.
• 모형을 보면 생성 물질이 탄소 원자 1개와 산소 원자 2개가 결합된 이산화 탄소임을 알 수 있다.

탄소가 산소와 결합하면서 연소하면 이산화 탄소가 생성되면서 빛과 열에너지가 발생한다. 화학 반응이 일어날 때 반응 전과 후에 원자의 종류와 개수는 변하지 않는다.

바로 알기 탄소의 연소 반응의 화학 반응식은 $C+O_2 \rightarrow CO_2$이다.

4 질량 보존 법칙

묽은 염산과 아연이 반응하면 수소 기체가 발생하는데, 이 반응의 화학 반응식은 $Zn+2HCl \rightarrow ZnCl_2+H_2\uparrow$이다. 이 반응에서 수소 기체가 발생하므로 부피가 커져서 고무풍선은 부풀어 오르고, 고무풍선으로 플라스크의 입구를 막은 상태에서 실험을 진행하였으므로 기체가 빠져나가지 못해 반응 후 총 질량은 변하지 않는다.

바로 알기 학생 B. 고무풍선을 터뜨리면 묽은 염산과 아연 조각이 반응하여 발생한 기체가 공기 중으로 빠져나가기 때문에 질량은 감소한다.

5 분자 모형과 일정 성분비 법칙

자료 분석 + 여러 가지 화합물에서 일정 성분비 법칙

구분	모형	개수비	질량비
(가)	H_2O	수소 : 산소=2 : 1	수소 : 산소=1 : 8
(나)	H_2O_2	수소 : 산소=1 : 1	수소 : 산소=1 : 16
(다)	NH_3	수소 : 질소=3 : 1	수소 : 질소=3 : 14
(라)	CO	탄소 : 산소=1 : 1	탄소 : 산소=3 : 4

• 화합물의 성분 원소 사이에는 일정한 질량비가 성립하는데, 이를 일정 성분비 법칙이라고 한다.

(1) (가)~(나)는 모두 두 가지 종류의 원소로 이루어진 분자이다.
(가)는 수소 원자와 산소 원자가 2 : 1의 개수비로 결합한 물 분자로, 질량비는 (2×1) : 16=1 : 8이다.
(나)는 수소 원자와 산소 원자가 1 : 1의 개수비로 결합한 과산화수소 분자로, 질량비는 (2×1) : (2×16)=1 : 16이다.
(다)는 수소 원자와 질소 원자가 3 : 1의 개수비로 결합한 암모니아 분자로, 질량비는 (3×1) : 14=3 : 14이다.
(라)는 탄소 원자와 산소 원자가 1 : 1의 개수비로 결합한 일산화탄소 분자로, 질량비는 12 : 16=3 : 4이다.
따라서 원자의 개수비가 1 : 1이고, 질량비가 1 : 16인 분자는 (나) H_2O_2이다.

(2) (나) H_2O_2에서 A 원자는 수소 원자이고, B 원자는 산소 원자이다.

6 일정 성분비 법칙

(1) 실험 2에서 남은 기체가 없으므로 기체 A_2와 B_2가 반응하여 기체 C가 생성될 때 부피비는 20 : 20 : 40=1 : 1 : 2이다. 따라서 실험 1에서는 A_2가 10 mL 남고, 실험 3에서는 B_2가 10 mL 남는다.

(2) 실험 2에서 반응하지 않고 남은 기체가 없으므로 실험 2로부터 기체 사이의 부피비를 구할 수 있다. 기체 반응 법칙에 의해 일정한 온도와 압력에서 같은 부피에 들어 있는 기체의 분자 수는 기체의 종류에 관계없이 같으므로 기체의 부피비와 분자를 구성하는 원자의 질량으로부터 물질 사이의 질량비도 알 수 있다.

모범 답안 • 기체 반응 법칙이 성립한다. 기체 A_2와 B_2가 반응하여 기체 C가 생성될 때 간단한 정수비가 성립하기 때문이다.
• 일정 성분비 법칙이 성립한다. 반응하는 기체 A_2와 B_2 사이에 일정한 질량비가 성립하기 때문이다.

채점 기준	배점(%)
화학 반응의 법칙 두 가지를 쓰고, 그 까닭을 정확하게 서술한 경우	100
화학 반응의 법칙 한 가지를 쓰고, 그 까닭을 정확하게 서술한 경우	50

7 화학 반응에서의 에너지 출입

(가) 메테인의 연소 반응과 (다) 철이 녹스는 반응은 발열 반응이다. (나) 물의 전기 분해와 (라) 베이킹파우더에 들어 있는 탄산수소 나트륨의 열분해는 흡열 반응이다. 발열 반응이 일어날 때에는 주위로 열에너지를 방출하여 주위의 온도가 높아진다.

8 진한 황산과 물의 반응

산과 물의 반응은 발열 반응이다. 발열 반응이 일어나면 주위의 온도가 높아진다. 산과 염기의 반응도 발열 반응으로 에너지를 방출한다.

바로 알기 발열 반응은 생성 물질의 에너지 합이 반응 물질의 에너지 합보다 작다.

2주 Ⅱ 기권과 날씨

1일 개념 돌파 전략 1 확인Q 34~35쪽

3강_기권의 특징, 구름과 강수

1 대류권, 중간권 2 복사 3 저위도, 고위도 4 ②, ③ 5 높을 6 60 % 7 응결핵 8 구름

1 기권에서 대류권과 중간권은 고도가 높아질수록 기온이 낮아지고, 성층권과 열권은 고도가 높아질수록 기온이 높아진다.

2 지구에 도달하는 태양 복사 에너지양은 태양이 방출하는 전체 에너지양의 약 20억 분의 1에 불과하다.

3 저위도는 에너지가 남고, 고위도는 에너지가 부족하여 대기와 해수가 이동하면서 남는 곳의 에너지를 부족한 곳으로 운반한다.

4 온실 효과를 일으키는 온실 기체의 예로 수증기, 이산화 탄소, 메테인 등이 있다.

5 포화 수증기량은 기온이 높아지면 증가하고, 기온이 내려가면 감소한다.

6 상대 습도(%)$=\dfrac{6\,\text{g/kg}}{10\,\text{g/kg}}\times 100=60\,\%$

7 공기 중의 수증기는 응결핵이 있을 때 더 잘 응결되므로 응결핵이 많을 때 구름이 잘 생성된다.

8 구름 입자의 지름은 0.02 mm 정도이고, 빗방울의 지름은 2 mm 정도이다.

1일 개념 돌파 전략 1 확인Q 36~37쪽

4강_기압, 기단, 전선과 날씨

1 비례 2 비열 3 ③ 4 구름 5 (1) 한랭 전선 (2) 정체 전선 6 시계 반대 7 한랭, 온난 8 ②, ③

1 고도가 높아질수록 공기의 양이 줄어들기 때문에 기압이 낮아진다.

2 비열이 큰 바다가 비열이 작은 육지보다 천천히 가열되고 천천히 식는다.

3 우리나라는 겨울에 한랭 건조한 시베리아 기단의 영향을 받아 춥고 건조한 날씨를 보인다.

4 전선면에서는 구름이 형성되어 전선면을 경계로 비가 오는 지역이 있다.

5 전선의 종류와 기호

한랭 전선	온난 전선	폐색 전선	정체 전선
▲▲▲▲	●●●●	▲●▲●▲●	▼●▼●▼

6 북반구 저기압 중심에서 바람은 시계 반대 방향으로 불어 들어온다.

7 온대 저기압 중심의 남서쪽에는 한랭 전선이 나타나고, 남동쪽에는 온난 전선이 나타난다.

8 한파는 겨울, 꽃샘추위는 봄철 날씨의 특징이다.

1일 개념 돌파 전략 2 38~39쪽

1 ⑤ 2 ③ 3 A: 기온, B: 상대 습도, C: 이슬점
4 ㄱ, ㄹ 5 ①, ④ 6 ③

1 기권의 구조와 특징

⑤ 기권은 높이에 따른 기온 변화를 기준으로 대류권, 성층권, 중간권, 열권으로 구분한다.

바로 알기 ① 오로라는 열권에서 일어나는 현상이다.
② 오존층은 성층권에 분포하며 지구로 들어오는 자외선을 흡수한다.
③ 대류권은 대류 현상이 일어나므로 공기가 위아래로 움직이는 불안정한 층이다.
④ 중간권은 대류 현상이 일어나지만 수증기가 거의 없어서 기상 현상이 발생하지는 않는다.

2 온실 효과

① 지구는 온실 효과로 평균 기온을 높게 유지할 수 있다.
② 달에는 대기가 없으므로 온실 효과 또한 일어나지 않는다.
④ 온실 효과를 일으키는 기체인 온실 기체로는 수증기, 이산화 탄소, 메테인 등이 있다.
⑤ 대기 중 온실 기체의 양이 증가하면 온실 효과가 더 커지고 지구의 평균 기온이 올라가 지구 온난화가 진행된다.

바로 알기 ③ 온실 효과로 지구의 평균 기온이 높게 유지되면서도 지구는 전체적으로 복사 평형 상태에 있다.

3 기온, 상대 습도, 이슬점

자료 분석 + 기온, 상대 습도, 이슬점 그래프

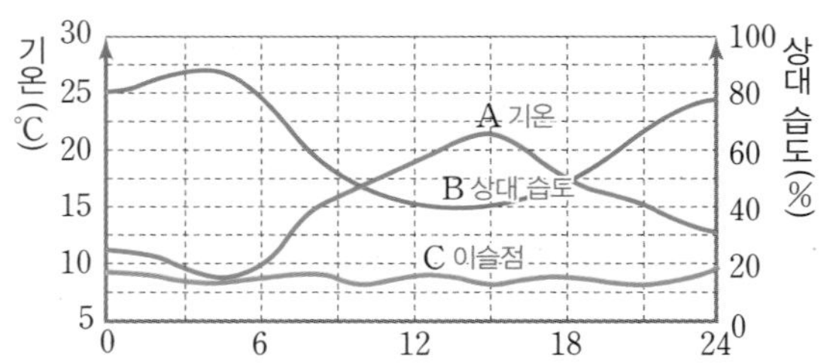

- 맑은 날에는 하루 동안 대기 중 수증기량이 거의 변하지 않는다.
  ➡ 이슬점이 거의 변하지 않는다.
- 기온 변화와 상대 습도 변화는 반대 경향을 보인다.

맑은 날에는 온종일 대기 중에 포함된 수증기량이 거의 변하지 않으므로 이슬점이 거의 일정하다. 이런 날에는 상대 습도와 기온 변화가 대체로 반대의 경향을 보인다.

4 전선

자료 분석 + 온난 전선과 날씨

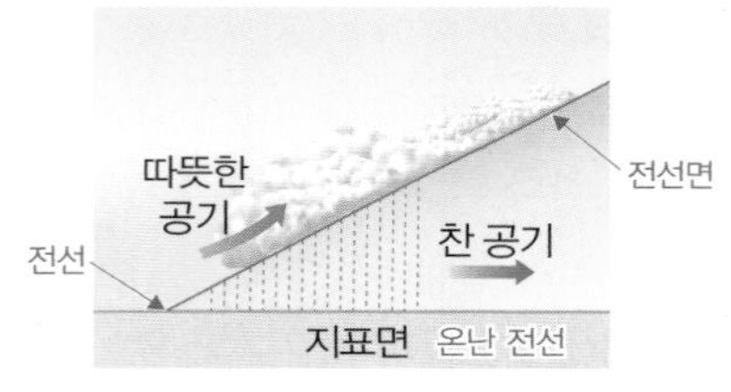

- 따뜻한 기단이 찬 기단 쪽으로 이동하여 따뜻한 기단이 찬 기단 위로 올라가며 만들어진 전선은 온난 전선이다.
- 온난 전선은 전선의 앞쪽에 층운형의 구름이 형성되며, 넓은 지역에 약한 비가 내린다.
- 전선이 통과한 후에는 기온이 상승하며 날씨가 맑아진다.

선택지 분석

ㄱ 온난 전선이다.
ㄴ 전선이 통과한 후 기온이 내려간다. 올라감
ㄷ 전선 뒤쪽의 넓은 공간에서 오랫동안 약한 비가 내린다. 앞쪽
ㄹ 따뜻한 기단이 찬 기단 쪽으로 이동해 생기는 전선이다.

ㄱ, ㄹ. 이 전선은 온난 전선으로, 따뜻한 기단이 찬 기단 쪽으로 이동하여 생성된다.

바로 알기 ㄴ. 온난 전선이 통과한 후에는 기온이 상승하며 날씨가 맑아진다.

ㄷ. 온난 전선은 앞쪽의 넓은 지역에서 오랫동안 약한 비가 내린다.

암기 Tip 전선의 주요 특징

▲▲▲▲
뾰족뾰족 한랭 전선
뒤쪽 좁은 지역 강한 비
통과 후엔 추워요~

●●●●
둥글둥글 온난 전선
앞쪽 넓은 지역 약한 비
통과 후엔 맑고 따뜻~

5 고기압과 저기압

①, ④ 바람은 고기압에서 저기압 방향으로 불며, 고기압의 중심부에는 위에서 아래로 공기가 이동하는 하강 기류가 있어서 날씨가 맑다.

바로 알기 ② 저기압에서는 상승 기류가 있어 구름이 생성되고 날씨가 흐리며, 고기압에서는 하강 기류로 날씨가 맑다.

③ 북반구 저기압 중심에서는 바람이 시계 반대 방향으로 불어 들어온다.

⑤ 저기압 중심에서는 공기가 모여들어 상승 기류를 형성한다.

6 우리나라 계절별 주요 날씨

① 봄에는 이동성 고기압과 온대 저기압이 자주 지나며 날씨 변화가 심하다.

② 한여름에는 북태평양 기단의 영향으로 고온 다습한 날씨가 나타난다.

④ 가을에는 양쯔강 기단의 영향으로 이동성 고기압이 자주 지나가며 날씨가 대체로 맑다.

⑤ 겨울에는 시베리아 기단의 영향으로 북서 계절풍이 불며 한파가 나타난다.

바로 알기 ③ 초여름에 북태평양 기단의 세력이 점차 강해져 북쪽으로 이동하면서 만나는 찬 기단과 장마 전선을 형성한다.

2일 필수 체크 전략 1 기출 선택지 All 40~43쪽

❶-1 ㄱ, ㄷ ❷-1 ③ ❸-1 ㄱ ❹-1 ㄱ, ㄷ
❺-1 ㄱ, ㄷ ❻-1 ㄱ, ㄴ, ㄷ ❼-1 ㄱ, ㄷ ❽-1 ㄱ, ㄷ

❶-1 기권의 구조

자료 분석 + 기권의 층상 구조

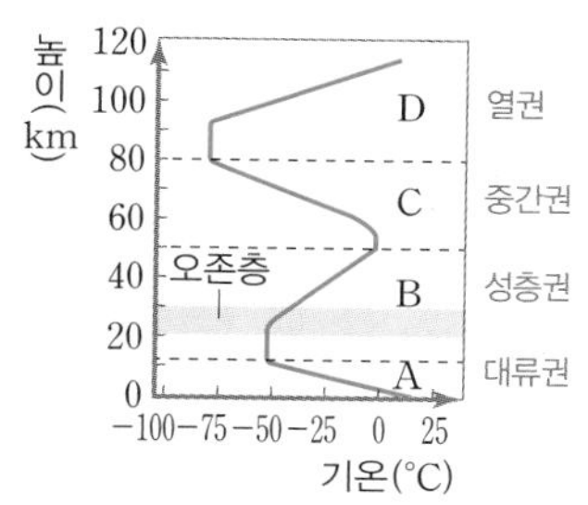

선택지 분석

㉠ A와 C에서는 대류 현상이 일어난다.
~~㉡~~ B의 오존층은 지표의 복사 에너지를 흡수한다. 자외선
㉢ D는 공기가 희박하여 낮과 밤의 기온 차가 크다.

ㄱ. 대류권과 중간권은 위로 올라갈수록 기온이 낮아지는 층으로, 두 층 모두 대류 현상이 있다.
ㄷ. 열권은 공기가 매우 희박하여 낮과 밤의 기온 차(일교차)가 크다.

바로 알기 ㄴ. 성층권의 오존층에서는 태양으로부터의 자외선을 흡수하여 지상의 생명체를 보호한다.

❷-1 복사 평형

자료 분석 + 지구의 복사 평형

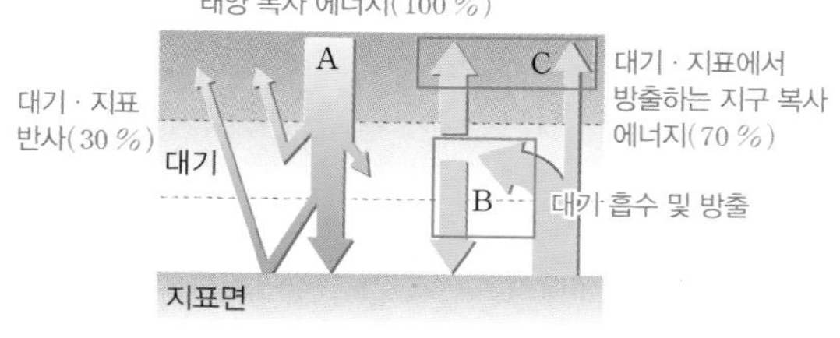

선택지 분석

① A는 지구로 들어오는 전체 태양 복사 에너지양이다.
② B는 온실 효과이다.
~~③~~ C는 A의 양과 같다. 같지 않음
④ 지구의 평균 기온은 일정하게 유지된다.
⑤ 지구는 전체적으로 복사 평형 상태에 있다.

① A는 우주로부터 지구로 들어오는 태양 복사 에너지의 총량이다.
② B는 지표에서 방출된 복사 에너지가 대기에서 흡수되었다가 재방출되는 온실 효과의 과정이다.
④, ⑤ 지구는 지구가 흡수하는 태양 복사 에너지양과 방출하는 지구 복사 에너지의 양이 같아 복사 평형 상태에 있으므로 평균 기온이 일정하게 유지된다.

바로 알기 ③ C는 지구에서 방출하는 지구 복사 에너지의 양(70 %)으로 지표와 대기에서 반사되는 태양 복사 에너지양(30 %)과 합쳐야 전체 태양 복사 에너지양인 A(100 %)와 같아진다.

BOOK 1

❸-1 위도별 에너지 분포

자료 분석 + 위도별 태양 복사 에너지양

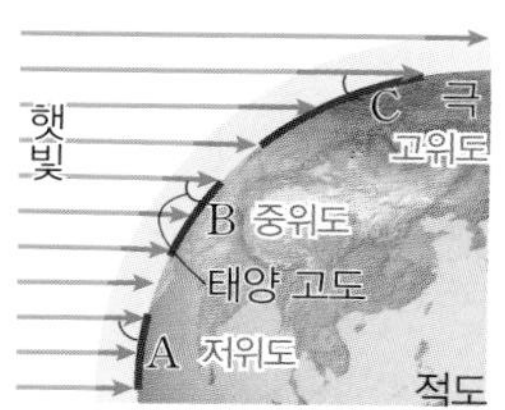

선택지 분석

㉠ 태양의 고도는 A~C 중 A에서 가장 높다.
~~㉡~~ 단위 면적당 도달하는 태양 복사 에너지양은 A~C 중 C에서 가장 크다. A
~~㉢~~ 지구가 방출하는 지구 복사 에너지양은 모든 위도에서 같다. 다름

ㄱ. 지구는 둥근 구의 형태이기 때문에 저위도에서 고위도로 갈수록 태양의 고도가 낮아진다.

바로 알기 ㄴ, ㄷ. 단위 면적당 도달하는 태양 복사 에너지양은 A에서 가장 크며, 따라서 지구가 방출하는 지구 복사 에너지양은 저위도에서 더 많다.

❹-1 온실 효과

자료 분석 + 대기에 의한 온실 효과

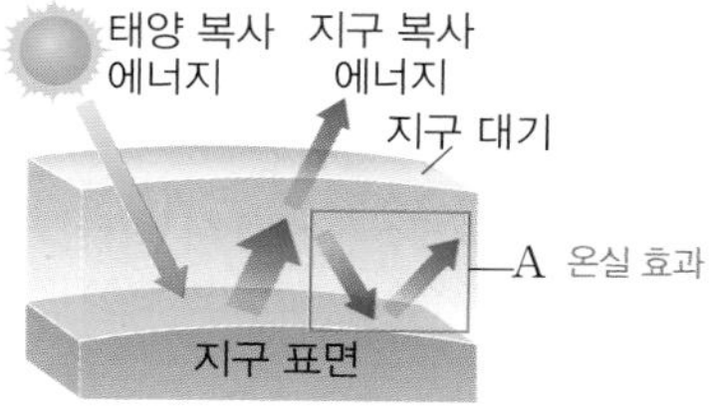

선택지 분석

㉠ A는 온실 효과이다.
~~㉡~~ 지구에 대기가 없다면 평균 기온이 더 높을 것이다. 낮아짐
㉢ 대기 중 온실 기체 농도가 증가하면 지구 평균 기온은 상승한다.

ㄱ, ㄷ. A는 지표면에서 방출하는 복사 에너지를 대기가 흡수하였다가 재방출하는 과정으로 온실 효과에 해당한다. 온실 효과를 일으키는 이산화 탄소 등의 온실 기체 농도가 증가하면 지구의 평균 기온은 상승한다.

바로 알기 ㄴ. 지구에 대기가 없다면 온실 효과가 일어나지 않으므로 평균 기온은 낮아질 것이다.

5-1 포화 수증기량과 이슬점

자료 분석 + 포화 수증기량 곡선

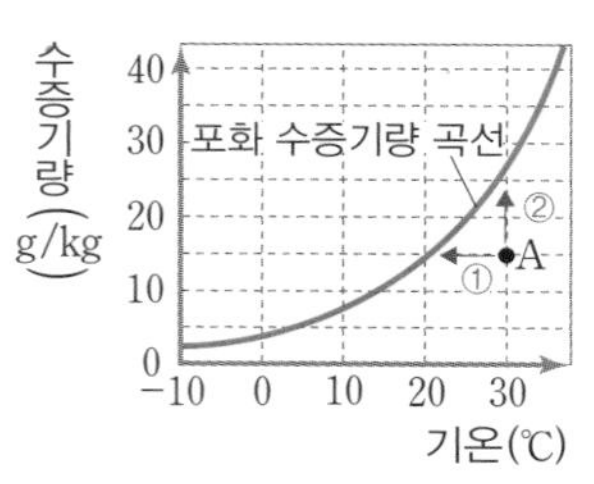

• A 공기가 포화 상태가 되는 경우
① 기온이 낮아진다.
② 수증기가 많아진다.

선택지 분석

㉠ 수증기를 더 공급한다.
~~ㄴ~~ 공기에 압력을 가한다. 공기 온도 높아짐
㉢ 기온을 이슬점까지 낮춘다.

ㄱ, ㄷ. 불포화 상태의 공기를 포화 상태로 만들기 위해서는 수증기를 더 공급하거나 기온을 이슬점까지 낮추는 방법이 있다.

바로 알기 ㄴ. 공기에 압력을 가하면 기온이 올라간다.

6-1 상대 습도

ㄱ, ㄴ, ㄷ. 맑은 날에는 온종일 대기 중에 포함된 수증기량이 거의 변하지 않으므로 이슬점 또한 거의 일정하다. 이런 날에는 상대 습도와 기온 변화가 대체로 반대의 경향을 보인다.

7-1 구름의 생성

선택지 분석

㉠ 공기 덩어리는 상승하면서 부피가 커진다.
~~ㄴ~~ 공기 덩어리가 빠르게 상승하면 층운형 구름이 생성된다. 적운형
㉢ 공기 덩어리 내부의 온도가 이슬점에 도달하면 수증기가 응결한다.

ㄱ. 공기 덩어리는 상승하면서 단열 팽창하여 부피가 커진다.

ㄷ. 공기 덩어리가 단열 팽창하면서 내부의 온도는 낮아지며, 온도가 이슬점에 도달하면 수증기가 응결하여 구름이 만들어지기 시작한다.

바로 알기 ㄴ. 공기 덩어리가 빠르게 상승하면 적운형 구름이 만들어진다.

8-1 강수 과정

선택지 분석

㉠ 주로 중위도나 고위도 지방에서의 강수 과정을 설명한다.
~~ㄴ~~ 물방울들이 서로 병합하여 무거워지면 비로 내리는 과정이다. → 병합설
㉢ 구름 내부의 과냉각 물방울에서 증발한 수증기가 얼음 알갱이에 달라붙는다.

ㄱ, ㄷ. 중위도나 고위도 지방의 강수 과정을 설명하는 것은 빙정설이다. 구름 내부의 과냉각 물방울에서 증발한 수증기가 얼음 알갱이에 달라붙어 얼음 알갱이가 점점 커지면 무거워져서 눈으로 내리는데, 얼음 알갱이가 도중에 녹으면 비가 된다.

바로 알기 ㄴ. 구름 속 물방울들이 서로 병합하는 강수 과정은 주로 열대 지방이나 저위도 지방에서의 병합설에 해당한다.

2일 필수 체크 전략 2 최다 오답 문제 44~45쪽

1 ③	2 ②	3 ④	4 ④
5 ⑤	6 ⑤		

1 복사 평형

자료 분석 + 복사 평형 실험

디지털 온도계 일정 시간이 지나면 컵 안의 온도가 일정하게 유지됨
전등
검은색 알루미늄 컵
30 cm

• 복사 평형: 흡수하는 에너지양=방출하는 에너지양

선택지 분석

①일정 시간 이후에 온도가 일정하게 유지된다.
②지구의 평균 기온이 일정하게 유지되는 이유를 설명할 수 있다.
~~③~~시간이 지나면서 컵이 흡수하는 복사 에너지양이 점차 줄어든다. 변하지 않음
④처음에는 컵이 흡수하는 복사 에너지양이 방출하는 복사 에너지양보다 많다.
⑤전등과 컵 사이의 거리를 가깝게 하면 컵 내부 온도가 더 높아질 수 있다.

① 일정 시간이 지나면 알루미늄 컵이 흡수하는 에너지양과 방출하는 에너지양이 같아지면서 복사 평형에 도달하여 온도가 일정하게 유지된다.

② 지구는 흡수하는 태양 복사 에너지양과 방출하는 지구 복사 에너지양이 같아 복사 평형을 이룬다.

④ 처음에는 컵이 흡수하는 복사 에너지양이 방출하는 복사 에너지양보다 많아 온도가 높아진다.

⑤ 전등과 컵 사이 거리가 가까워지면 알루미늄 컵은 더 높은 온도에서 복사 평형을 이룬다.

바로 알기 ③ 시간이 지나면 알루미늄 컵의 온도가 올라가 흡수하는 복사 에너지양과 방출하는 복사 에너지양이 같아지지만, 흡수하는 복사 에너지양이 변하는 것은 아니다.

2 위도별 에너지 분포

자료 분석 + 위도에 따른 복사 에너지양 분포

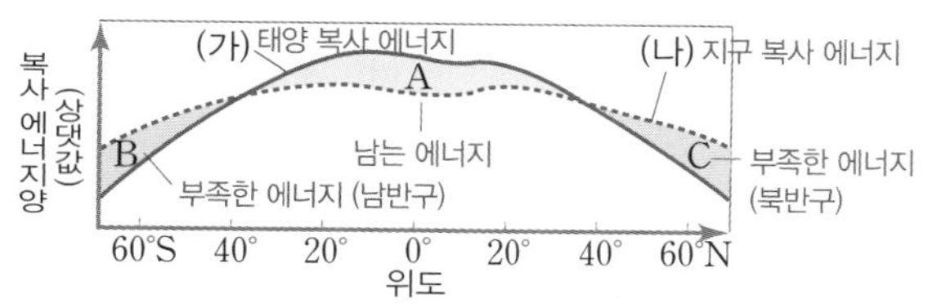

- 지구 전체는 복사 평형을 이루지만 위도별로는 에너지 불균형 상태이다.
- 대기와 해수가 이동하면서 저위도의 남는 에너지가 고위도로 이동하여 위도별 평균 기온이 일정하게 유지된다.

선택지 분석

㉠ (가)는 태양 복사 에너지이다.
~~㉡~~ (나)는 (가)보다 위도에 따른 차이가 크다. 작음
㉢ A는 에너지 과잉으로 남는 에너지의 양이다.
~~㉣~~ B와 C는 대기와 해수에 의해 저위도로 운반된다. 고위도

ㄱ. (가)는 태양 복사 에너지로, 고위도로 갈수록 줄어든다.

ㄷ. 지구는 위도별로 에너지 불균형 상태이며, A는 저위도의 남는 에너지이다.

바로 알기 ㄴ. 지구 복사 에너지는 태양 복사 에너지에 비해 위도별 차이가 크지 않다.

ㄹ. B와 C는 고위도의 부족한 에너지로, 대기와 해수는 저위도의 남는 에너지를 고위도로 운반한다.

3 지구 온난화

자료 분석 + 온실 기체 농도와 지구 평균 기온 변화

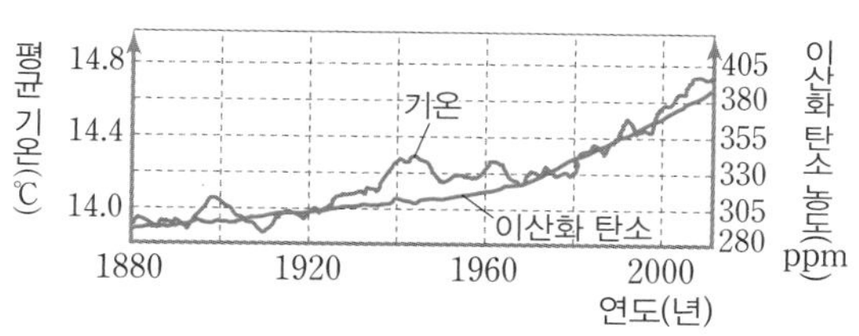

- 이산화 탄소는 지구 대기에서 지구 복사 에너지를 흡수하여 온실 효과를 일으키는 온실 기체이다.
- 1880년 이후 대기 중 이산화 탄소 농도가 증가하면서 온실 효과가 커져 지구의 평균 기온이 지속적으로 상승하였다. ➡ 지구 온난화

선택지 분석

①대기 중 이산화 탄소의 농도가 증가하였다.
②지구 평균 기온이 대체로 상승하는 경향을 보인다.
③이산화 탄소는 지구 대기의 온실 기체이다.
~~④~~ 이 기간에 극지방 빙하 면적이 점차 증가했을 것이다. 감소
⑤대기 중 이산화 탄소 농도 증가는 지구 온난화의 원인이 된다.

①, ②, ③ 이산화 탄소는 지구 대기에서 온실 효과를 일으키는 온실 기체로, 1880년 이후 대기 중의 농도가 증가하면서 지구의 평균 기온이 상승하였다.

⑤ 대기 중 이산화 탄소의 농도가 증가하는 것은 지구 온난화의 주된 원인이다.

바로 알기 ④ 지구 온난화로 인해 극지방의 빙하가 녹으면서 면적이 점차 감소하고 있다.

4 기온, 상대 습도, 이슬점의 관계

자료 분석 + 맑은 날의 기온, 상대 습도, 이슬점의 변화

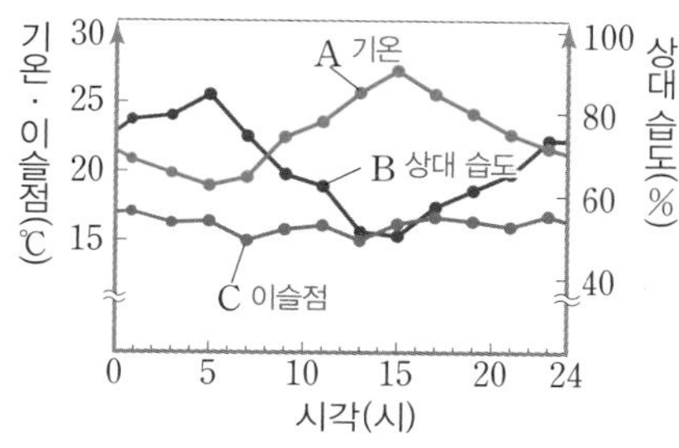

- 맑은 날에는 하루 동안 대기 중 수증기량이 거의 변하지 않는다.
  ➡ 이슬점이 거의 변하지 않는다.
- 기온이 변하면서 상대 습도는 반대 경향을 보인다.

BOOK 1

선택지 분석

㉠ A는 기온이다.
㉡ B는 대체로 A와 반대로 나타난다.
~~㉢~~ C는 상대 습도이다. 이슬점
㉣ 맑은 날은 대기 중 수증기량이 거의 변하지 않는다.

ㄱ. 맑은 날 기온은 새벽녘에 가장 낮고, 오후 2~3시 경 가장 높다.
ㄴ. 맑은 날 상대 습도는 기온과 반대 경향을 보인다.
ㄹ. 맑은 날에는 하루 동안 대기 중의 수증기량이 거의 변하지 않는다.

바로 알기 ㄷ. C는 이슬점으로, 맑은 날에는 대기 중 수증기량이 거의 변하지 않으므로 이슬점이 거의 일정하다.

5 구름의 생성

자료 분석 + 구름 발생 원리

(가) 펌프를 여러 번 눌러 공기를 채운다.

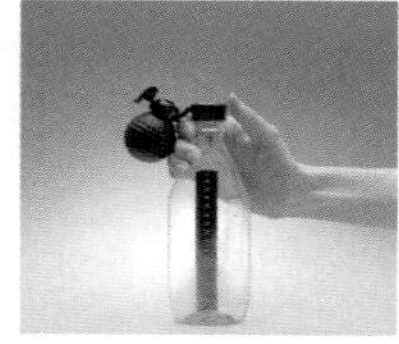
(나) 뚜껑을 연다.

• 공기의 온도 변화 없이 부피 팽창 → 단열 팽창

• 페트병 안에 공기를 채운 후 뚜껑을 열면, 페트병 안의 공기가 단열 팽창한다.
• 공기가 단열 팽창하면 온도가 내려가고, 공기의 온도가 이슬점에 도달하면 수증기가 응결하여 페트병 내부가 뿌옇게 흐려진다.

선택지 분석

① (가)에서 페트병 내부 온도는 올라간다.
② (나)에서 페트병 내부 공기는 단열 팽창한다.
③ (나)에서는 수증기가 물방울로 응결하여 뿌옇게 흐려진다.
④ (가)와 (나) 모두 단열 변화가 일어난다.
~~⑤~~ (나) 이후에 다시 뚜껑을 닫고 펌프를 눌러 공기를 채우면 페트병 내부가 더 뿌옇게 흐려진다. 맑아짐

① (가)는 공기가 단열 압축되므로 온도가 올라간다.
②, ③ (나)에서 페트병 내부 공기는 단열 팽창하며 온도가 내려가고, 온도가 이슬점에 도달하면 수증기가 응결하면서 뿌옇게 흐려진다.
④ (가)는 단열 압축, (나)는 단열 팽창의 과정이다.

바로 알기 ⑤ (나) 이후에 다시 뚜껑을 닫고 공기를 채우면 단열 압축되며 온도가 올라가므로 물방울이 증발하여 수증기가 되므로 페트병 안이 다시 맑아진다.

6 강수 과정

자료 분석 + 병합설과 빙정설

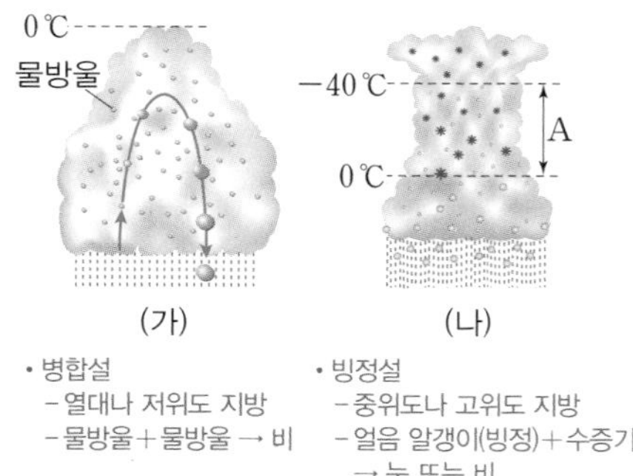

• 병합설
 - 열대나 저위도 지방
 - 물방울+물방울 → 비

• 빙정설
 - 중위도나 고위도 지방
 - 얼음 알갱이(빙정)+수증기 → 눈 또는 비

선택지 분석

① (가)에서 눈은 내릴 수 없다.
② (가)는 병합설을 표현한 것이다.
③ (가)에서 비는 크고 작은 물방울이 합쳐져서 내린다.
④ (나)는 주로 중위도나 고위도 지방에서의 강수 과정을 설명한다.
~~⑤~~ (나)의 A에는 얼음 알갱이만 존재한다. 과냉각 물방울과 얼음 알갱이

① (가)의 구름은 내부 온도가 0℃보다 높아 눈은 만들어질 수 없다.
② (가)는 열대 지방이나 저위도 지방에서 비가 내리는 과정을 설명할 수 있는 병합설이다.
③ 병합설에서 비는 구름 속 크고 작은 물방울들이 부딪치고 합쳐지면서 성장한다.
④ (나)는 빙정설로 주로 중위도나 고위도 지방의 강수를 설명한다.

바로 알기 ⑤ (나)의 구름 속 내부 온도가 0℃보다 낮은 구역에는 얼음 알갱이(빙정)와 과냉각 물방울이 함께 존재한다.

3일 필수 체크 전략 1 기출 선택지 All 46~49쪽

1-1 ㄱ, ㄴ	2-1 ⑤	3-1 ㄱ	4-1 ㄴ, ㄷ
5-1 ㄱ, ㄴ	6-1 ㄱ, ㄴ	7-1 ㄱ, ㄷ	8-1 ㄱ, ㄴ

❶-1 기압

자료 분석 + 토리첼리의 실험

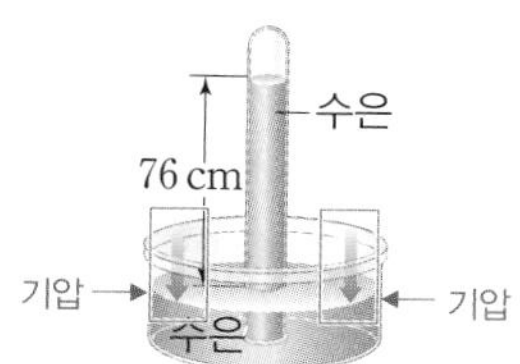

선택지 분석

㉠ 기압이 높아지면 수은 기둥의 높이는 76 cm보다 높아진다.
㉡ 수조의 수은 면에 작용하는 기압은 수은 기둥의 압력과 같다.
~~㉢~~ 굵기가 가는 유리관을 사용하면 수은 기둥의 높이는 높아진다. 변함 없음

ㄱ. 기압이 높아지면 수조의 수은 표면에 작용하는 기압이 커지므로 수은 기둥의 높이가 높아진다.
ㄴ. 수조의 수은 표면에 작용하는 기압은 수은 기둥의 압력과 같다.
바로 알기 ㄷ. 유리관을 기울이거나 굵기가 다른 유리관을 사용해도 수은 기둥의 높이는 같다.

❷-1 바람

자료 분석 + 해륙풍

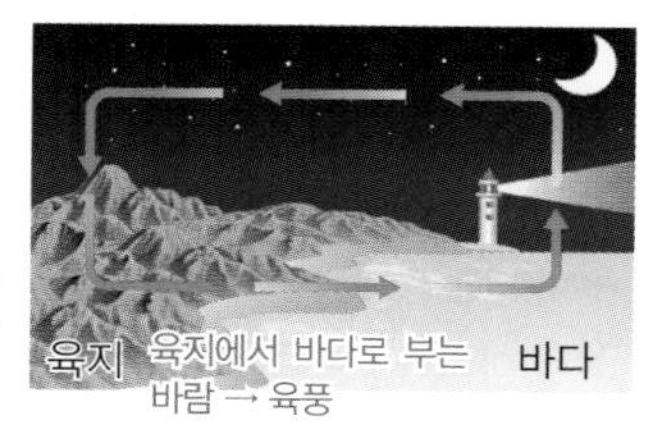

선택지 분석

①밤에 육풍이 부는 모습이다.
②육지가 바다보다 비열이 작다.
③하루를 주기로 풍향이 바뀌는 바람이다.
④육지는 고기압, 바다는 저기압이 형성된다.
~~⑤~~ 육지가 바다보다 빨리 가열되어 바람이 분다. 냉각

① 바다 쪽 공기가 상승하고, 육지 쪽 공기는 하강하면서 바람이 육지에서 바다로 불고 있으므로 육풍이다.
② 육지는 바다보다 비열이 작아서 낮에는 육지가 바다보다 빨리 가열되고 밤에는 육지가 바다보다 빨리 냉각된다.
③ 해륙풍은 하루를 주기로 풍향이 바뀐다.
④ 밤에 육지가 바다보다 빨리 냉각되어 육지에 고기압, 바다에 저기압이 형성되므로 육지에서 바다 쪽으로 바람이 분다.
바로 알기 ⑤ 이 그림은 밤에 육풍이 부는 모습으로, 육지가 바다보다 빨리 냉각되어 바람이 부는 것이다.

❸-1 기단

자료 분석 + 우리나라에 영향을 주는 기단

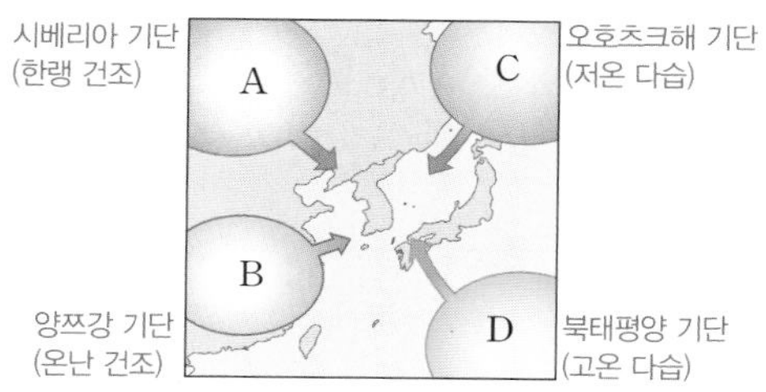

선택지 분석

㉠ A는 한랭 건조한 성질을 가진다.
~~㉡~~ B와 C는 주로 여름에 영향을 준다. B는 봄 · 가을, C는 초여름
~~㉢~~ D는 따뜻하고 건조한 날씨를 형성한다. 덥고 습한 날씨

ㄱ. 시베리아 기단은 한랭 건조한 성질을 가지며, 우리나라의 겨울철에 영향을 준다.
바로 알기 ㄴ. 양쯔강 기단은 봄과 가을, 오호츠크해 기단은 초여름에 짧게 영향을 준다.
ㄷ. 북태평양 기단은 여름철의 덥고 습한 날씨를 형성한다.

❹-1 전선

자료 분석 + 전선의 형성

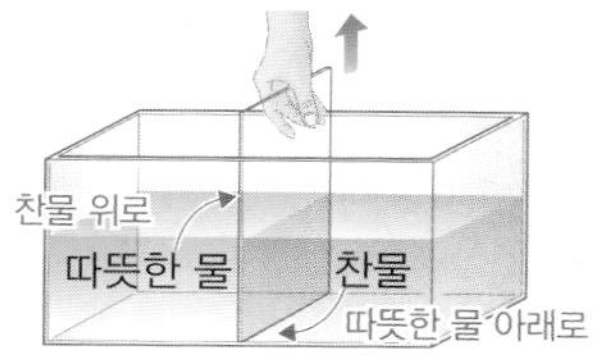

선택지 분석

~~㉠~~ 찬물이 따뜻한 물보다 밀도가 더 작다. 큼
㉡ 칸막이를 들어 올리면 찬물이 따뜻한 물 아래로 파고든다.
㉢ 칸막이를 들어 올리면 찬물과 따뜻한 물 사이에 경계가 만들어진다.

ㄴ. 찬물은 따뜻한 물보다 밀도가 크므로 칸막이를 들어 올리면 찬물은 아래로, 따뜻한 물은 위로 이동한다.

ㄷ. 칸막이를 들어 올리면 찬물과 따뜻한 물은 바로 섞이지 않고 경계를 형성한다.

바로 알기 ㄱ. 찬물은 따뜻한 물보다 밀도가 더 커서 따뜻한 물 아래로 파고든다.

5-1 전선과 전선면

자료 분석 + 한랭 전선

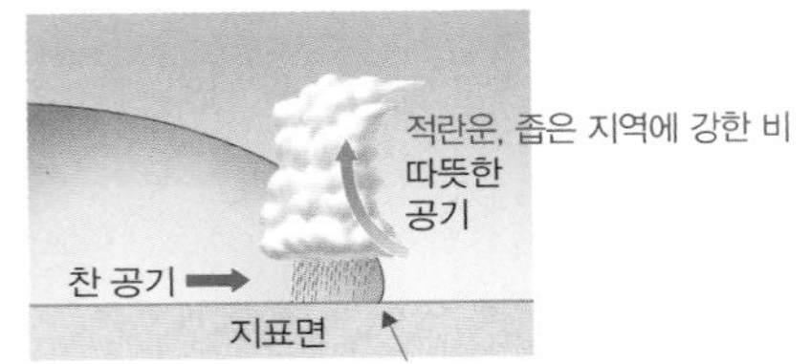

선택지 분석

㉠ 한랭 전선이다.
㉡ 전선의 뒤쪽에 강한 비가 내린다.
㉢ 전선이 통과한 후 기온이 상승한다. 하강

ㄱ, ㄴ. 한랭 전선은 찬 기단이 따뜻한 기단 아래로 파고들면서 생기는 전선으로, 전선면의 기울기가 급하고, 전선면을 따라 적운형의 구름이 생성되며 전선 뒤쪽의 좁은 지역에 강한 비가 내린다.

바로 알기 ㄷ. 한랭 전선이 통과한 후에는 찬 공기로 인해 기온이 하강한다.

6-1 기압

자료 분석 + 저기압

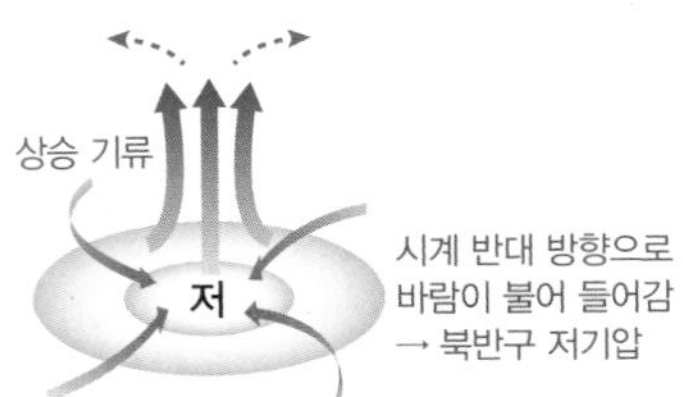

선택지 분석

㉠ 상승 기류가 형성된다.
㉡ 날씨가 흐리고 비가 내릴 것이다.
㉢ 바람이 시계 방향으로 불어 들어온다. 시계 반대 방향

ㄱ, ㄴ. 저기압 중심에서는 상승 기류가 형성되며, 상공에 구름이 만들어지면서 흐리고 비가 내린다.

바로 알기 ㄷ. 북반구 저기압에서는 바람이 시계 반대 방향으로 불어 들어간다.

7-1 온대 저기압 주변의 날씨

자료 분석 + 온대 저기압

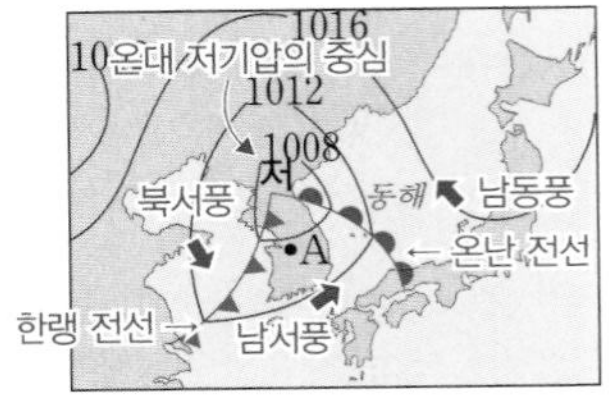

선택지 분석

㉠ 남서풍이 분다.
㉡ 오랜 시간 동안 약한 비가 내린다. 맑음
㉢ 시간이 지나면 기온이 내려갈 것이다.

ㄱ. A 지역은 온대 저기압에 동반되는 한랭 전선과 온난 전선 사이에 위치하고 있으며, 이 지역에서는 남서풍이 분다.

ㄷ. 온대 저기압은 편서풍의 영향으로 서쪽에서 동쪽으로 이동하며, A 지역은 한랭 전선이 통과하여 기온이 내려갈 것이다.

바로 알기 ㄴ. 온대 저기압에서 두 전선 사이에 위치한 지역의 날씨는 맑다.

8-1 우리나라 계절별 주요 날씨

자료 분석 + 겨울철 일기도

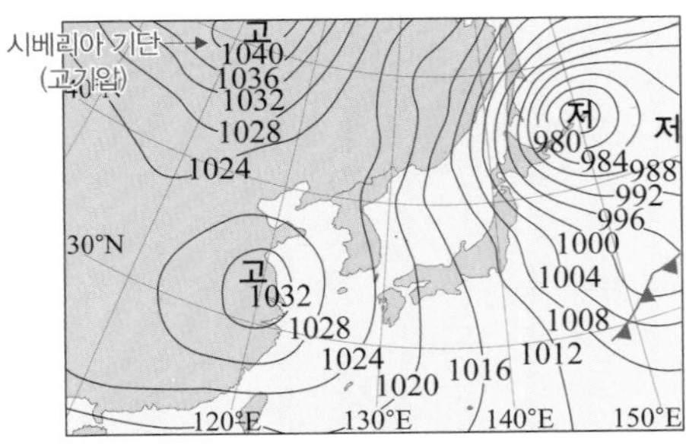

- 북서 계절풍이 불고 한파가 나타난다.
- 시베리아 기단의 영향으로 기온이 낮고 건조한 날씨가 나타난다.
- 대륙에서 만들어진 건조한 기단이 황해를 지나면서 변질되어 서해안에 폭설이 내리기도 한다.

선택지 분석

㉠ 북서 계절풍이 나타난다.
㉡ 시베리아 기단의 세력이 확장된다.
㉢ 이 계절에는 춥고 습한 날씨를 보인다. 춥고 건조함

ㄱ, ㄴ. 겨울철에는 시베리아 기단의 영향으로 북서 계절풍이 불고 한파가 나타난다.

바로 알기 ㄷ. 겨울철에 영향을 미치는 시베리아 기단은 춥고 건조한 날씨를 형성한다.

3일 필수 체크 전략 2 최다 오답 문제 50~51쪽

1 ③	2 ④	3 ①	4 ⑤
5 ③	6 ④		

1 기압

자료 분석 + 토리첼리의 기압 측정 실험

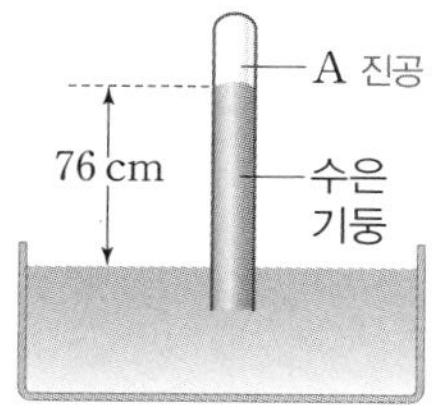

• 수은 표면에 작용하는 기압
=수은 기둥을 떠받치는 압력
=수은 기둥의 압력

• 기압이 높아지면 수은 기둥의 높이가 높아지고, 기압이 낮아지면 수은 기둥의 높이가 낮아진다.

선택지 분석

①A는 진공 상태이다.
②유리관을 기울여도 수은 기둥의 높이는 같다.
③̸ 더 가는 유리관을 사용하면 수은 기둥의 높이는 높아진다. 변함 없음
④수은 기둥의 압력은 수조의 수은 표면에 작용하는 기압과 같다.
⑤이와 같은 실험을 높은 산의 정상에서 하면 수은 기둥의 높이는 76 cm보다 낮아질 것이다.

② 유리관을 기울여도 수은 기둥의 높이는 변하지 않는다.

④ 수은 표면에 작용하는 기압은 수은 기둥의 압력과 같으며, 기압이 높아지면 수은 기둥의 높이가 높아지고, 기압이 낮아지면 수은 기둥의 높이가 낮아진다.

⑤ 고도가 높아질수록 기압은 낮아지고, 시간과 장소에 따라 기압이 달라진다.

바로 알기 ③ 굵기가 다른 유리관을 사용해도 수은 기둥의 높이는 같다.

2 바람

자료 분석 + 해륙풍

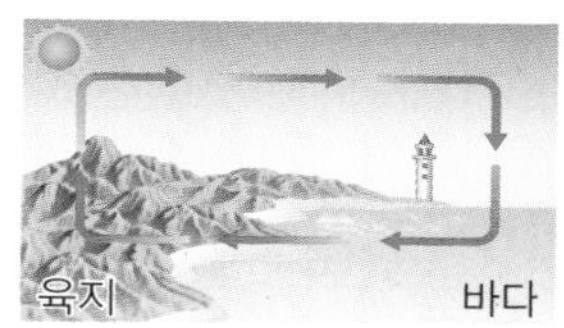

(가) 해풍(낮)

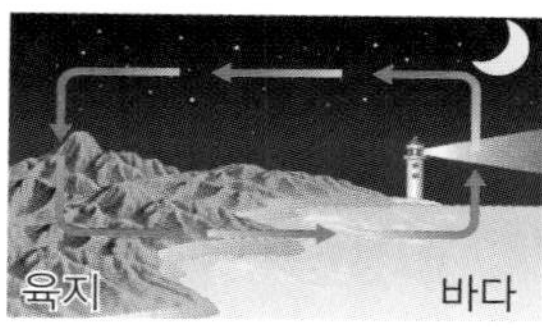

(나) 육풍(밤)

• 해륙풍은 해안에서 육지와 바다의 차등 가열에 의해 하루를 주기로 풍향이 바뀌는 바람이다.
• 육지는 바다보다 비열이 작아 바다보다 빨리 가열되고 빨리 냉각된다.

선택지 분석

①(가)에서 육지는 바다보다 빨리 가열된다.
②(가)에서 육지는 바다보다 기압이 낮다.
③(나)는 육풍이 불 때의 모습이다.
④̸ (나)에서 육지는 바다보다 느리게 냉각된다. 빠르게
⑤이러한 바람의 방향은 하루를 주기로 변한다.

① 육지는 바다보다 비열이 작아 바다보다 빨리 가열된다.

② 육지에서는 공기가 상승하고 바다에서는 공기가 하강하므로 육지에는 저기압, 바다에는 고기압이 형성된다.

③ 육지가 바다보다 빨리 냉각되어 기압이 높아지므로 육지에서 바다 쪽으로 바람이 분다.

⑤ 해륙풍은 하루를 주기로 풍향이 바뀌는 바람이다.

바로 알기 ④ 밤이 되면 육지는 바다보다 빨리 냉각되어 육지에서 바다 쪽으로 바람이 분다.

3 기단

자료 분석 + 우리나라에 영향을 주는 기단

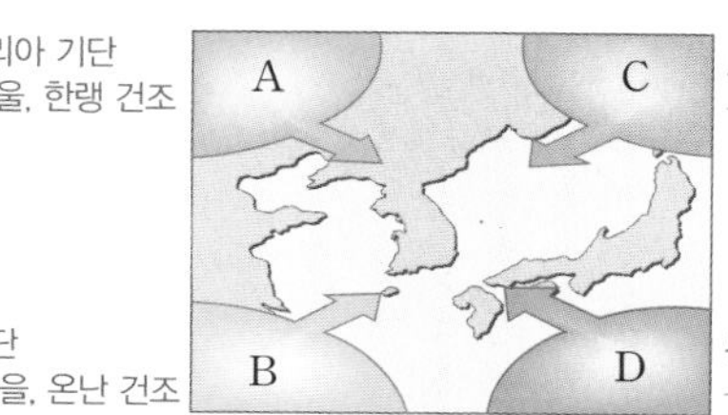

• 기단은 한곳에 오래 머물러 지표의 영향으로 온도와 습도가 비슷해진 커다란 공기 덩어리이다.

선택지 분석

ㄱ A는 시베리아 기단이다.
ㄴ B는 온난 건조한 성질을 가진다.
ㄷ̸ C는 우리나라에 덥고 습한 날씨를 형성한다. D
ㄹ̸ D는 꽃샘추위와 관련이 있다. A

ㄱ. A는 시베리아 기단이며 우리나라의 겨울에 춥고 건조한 날씨를 형성한다.
ㄴ. B는 양쯔강 기단으로 온난 건조한 성질을 갖는다.
바로 알기 ㄷ. C는 오호츠크해 기단으로 우리나라의 봄과 가을에 서늘하고 습한 날씨를 형성한다.
ㄹ. D는 북태평양 기단으로 우리나라의 여름철에 영향을 주며 고온 다습한 날씨를 형성하므로, 봄철의 꽃샘추위와는 관련이 없다.

4 우리나라의 계절별 주요 날씨

자료 분석 + 여름철 날씨의 특징

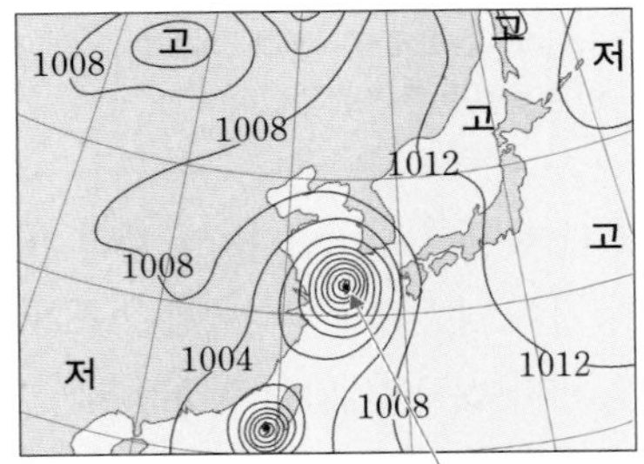

일기도 상에 동심원 모양의 태풍이 북상함
→ 여름철 일기도의 특징

- 여름철에는 북태평양 기단이 북상하면서 북쪽의 찬 기단과 만나 초여름에 장마를 형성한다.
- 한여름에는 북태평양 기단의 영향으로 기온과 습도가 높은 무더운 날씨가 나타난다.
- 대기 불안정에 의한 소나기가 자주 내리며 열대야가 발생하기도 한다.
- 태풍이 접근할 때에는 강풍과 많은 비로 큰 피해를 입기도 한다.

선택지 분석

①덥고 습한 날씨가 지속된다.
②북태평양 기단의 영향을 받는다.
③한밤중에 열대야가 나타나기도 한다.
④태풍에 의한 피해가 나타나기도 한다.
⑤ 이동성 고기압과 온대 저기압의 영향을 자주 받는다. → 봄

①, ② 여름철에는 북태평양 기단의 영향으로 덥고 습한 날씨가 지속된다.
③ 여름철에는 한밤중에도 기온이 내려가지 않는 열대야가 나타나기도 한다.
④ 여름철 일기도에는 등압선이 동심원 모양인 태풍이 나타나기도 한다.
바로 알기 ⑤ 이동성 고기압과 온대 저기압은 봄철에 주로 영향을 준다.

5 온대 저기압

자료 분석 + 온대 저기압의 단면

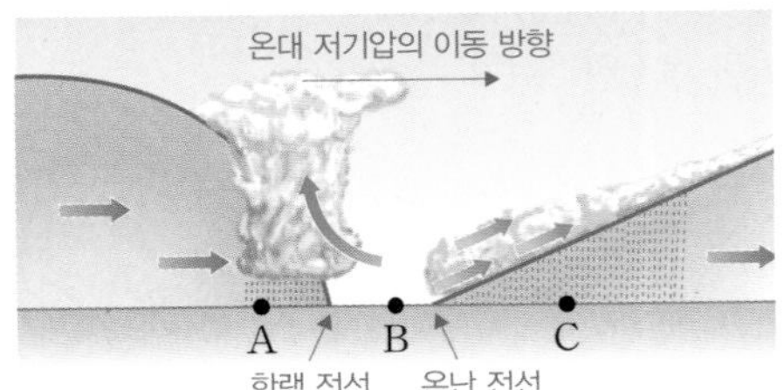

	A 지역	B 지역	C 지역
위치	한랭 전선 뒤쪽	두 전선 사이	온난 전선 앞쪽
날씨	좁은 지역에 짧은 시간 동안 강한 비	맑음	넓은 지역에 오랜 시간 동안 약한 비
기온	낮다	높다	낮다
풍향	북서풍	남서풍	남동풍

선택지 분석

①A 지역은 B 지역보다 기온이 낮다.
②B 지역의 날씨는 맑다.
③ C 지역에는 북동풍이 분다. 남동풍
④온대 저기압은 A에서 C 쪽으로 이동한다.
⑤B 지역은 점차 날씨가 흐려지고 강한 비가 내릴 것이다.

① 한랭 전선 뒤쪽은 두 전선 사이 지역보다 기온이 낮다.
② 두 전선 사이의 지역은 날씨가 맑다.
④ 온대 저기압은 편서풍의 영향으로 서쪽에서 동쪽으로 이동한다.
⑤ 두 전선 사이의 지역은 점차 한랭 전선의 영향을 받으며, 한랭 전선 통과 후에 날씨가 흐리고 강한 비가 내린다.
바로 알기 ③ 온난 전선의 앞쪽에서는 남동풍이 분다.

6 전선

자료 분석 + 전선의 종류

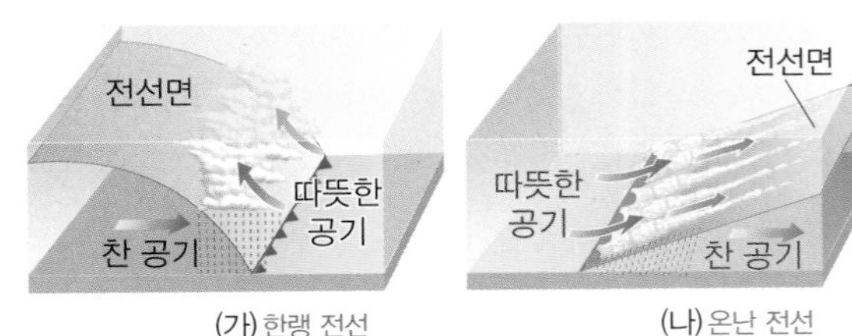

(가) 한랭 전선 (나) 온난 전선

- 한랭 전선은 찬 기단이 따뜻한 기단 아래로 파고들면서 생기는 전선이다.
- 온난 전선은 따뜻한 기단이 찬 기단 위로 올라가면서 생기는 전선이다.

선택지 분석

㉠ (가)는 한랭 전선이다.
㉡ (가)가 통과한 후에는 기온이 내려간다.
~~ㄷ~~. (나)는 전선의 뒤쪽에서 비가 내린다. 앞쪽
㉣ (가)는 (나)보다 이동 속도가 빠르다.
~~ㅁ~~. 강수 지속 시간은 (가)가 (나)보다 길다. 짧음

ㄱ, ㄴ. 한랭 전선이 통과한 후에는 찬 공기의 영향으로 기온이 내려간다.

ㄹ. 한랭 전선이 온난 전선보다 이동 속도가 빠르다.

바로 알기 ㄷ, ㅁ. 온난 전선은 앞쪽의 넓은 지역에 오랜 시간 동안 약한 비가 내린다.

2주차	누구나 합격 전략		52~53쪽
01 ④	02 ⑤	03 ⑤	04 75 %
05 ①	06 ④	07 양쯔강 기단	08 ③
09 ⑤	10 ②		

01 기권의 구조와 특징

자료 분석 + 기권의 층상 구조

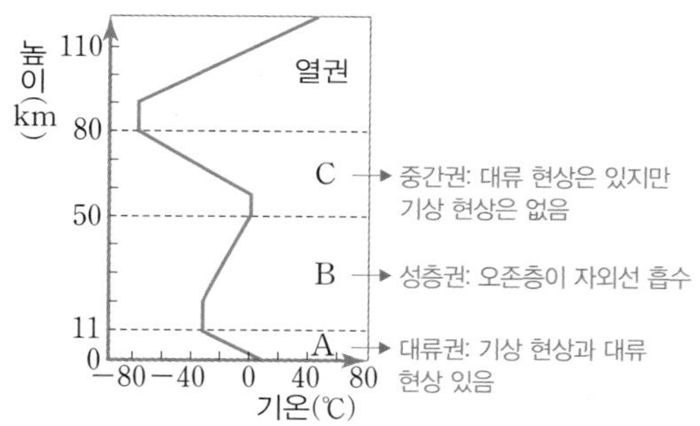

선택지 분석

㉠ A에는 기권에 존재하는 공기의 대부분이 모여 있다.
~~ㄴ~~. B는 대류 현상이 있어 매우 안정하다. 없음
㉢ C에는 대류 현상이 있지만 기상 현상은 나타나지 않는다.

ㄱ. 대류권에는 기권에 있는 공기 대부분이 모여 있다.

ㄷ. 중간권에는 대류 현상이 있지만, 수증기가 거의 없기 때문에 기상 현상이 나타나지 않는다.

바로 알기 ㄴ. 성층권에서는 대류 현상이 나타나지 않으며, 따라서 기층이 매우 안정하다.

02 지구의 복사 평형

ㄱ, ㄴ, ㄷ. 지구는 태양 복사 에너지를 계속 흡수하지만 태양 복사 에너지의 흡수량과 지구 복사 에너지의 방출량이 같아서 복사 평형 상태에 있다. 그러므로 지구의 평균 기온은 계속 상승하지 않고 일정하게 유지된다.

03 포화 수증기량과 이슬점

자료 분석 + 기권의 층상 구조

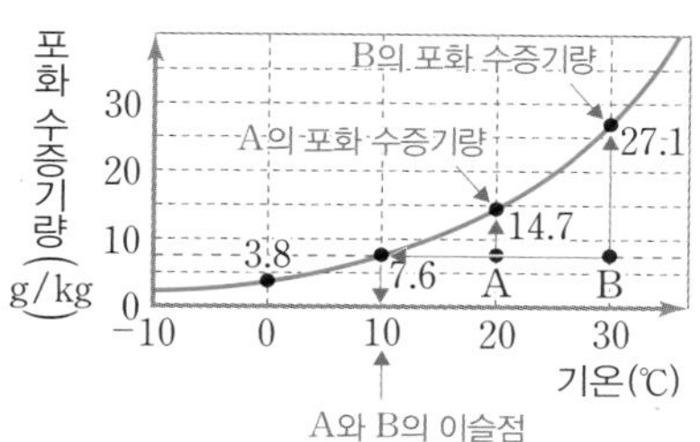

선택지 분석

~~ㄱ~~. 포화 상태이다. 불포화 상태
~~ㄴ~~. 이슬점은 30℃이다. 10℃
㉢ 포화 수증기량은 14.7 g/kg이다.
㉣ B 공기와 이슬점이 같다.

ㄷ. A의 포화 수증기량은 14.7 g/kg이다.

ㄹ. A와 B의 이슬점은 10℃로 같다.

바로 알기 ㄱ. A는 불포화 상태이다.

ㄴ. A의 이슬점은 약 10℃이다.

04 상대 습도

기온이 10℃일 때의 포화 수증기량은 7.6 g이므로 10℃의 공기 1 kg에 수증기가 5.7 g 포함되어 있다면 이때 상대 습도는

$$\text{상대습도}(\%)=\frac{\text{현재 수증기량}(g/kg)}{\text{포화 수증기량}(g/kg)}\times 100$$
$$=\frac{5.7\,g/kg}{7.6\,g/kg}\times 100=75\,\%\text{이다.}$$

05 구름 생성과 강수

선택지 분석

㉠ 공기 덩어리가 상승하면 단열 팽창한다.
~~ㄴ~~. 공기 중에 포함된 소금 입자 등은 구름 생성을 방해한다. 도와줌
~~ㄷ~~. 중위도나 고위도 지방의 강수 과정은 주로 병합설로 설명한다. 빙정설

ㄱ. 공기 덩어리가 상승하면 주위의 기압이 낮아져 부피가 커지므로 단열 팽창한다.

바로 알기 ㄴ. 공기 중에 포함된 작은 먼지 입자나 소금 입자 등은 응결핵의 역할을 하며 구름 생성을 돕는다.

ㄷ. 중위도나 고위도 지방의 강수는 주로 빙정설로 설명할 수 있다.

06 계절풍

자료 분석 + 우리나라에 부는 계절풍

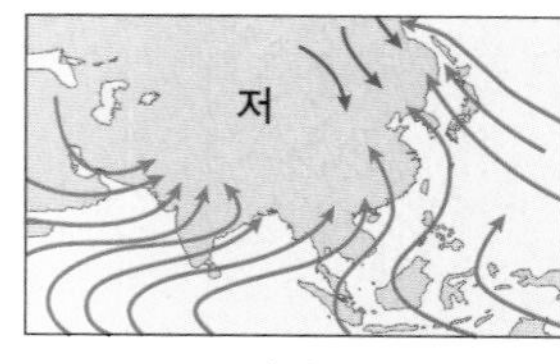

(가) 여름철(남풍)

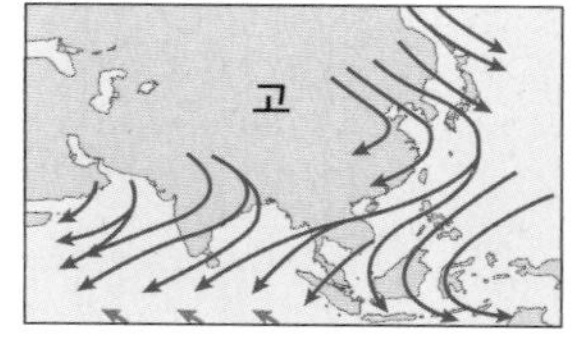

(나) 겨울철(북풍)

- 계절풍은 계절에 따라 대륙과 해양의 차등 가열에 의해 1년을 주기로 풍향이 바뀌는 바람이다.

선택지 분석

✕ (가)는 겨울철 바람의 방향이다. 여름

ㄴ (나)일 때 대륙은 해양보다 빨리 냉각된다.

ㄷ 계절에 따라 풍향이 바뀌어 부는 바람을 계절풍이라고 한다.

ㄴ. 겨울철에는 육지가 바다보다 빨리 냉각된다.

ㄷ. 계절풍은 계절에 따른 대륙과 해양의 차등 가열에 의해 1년을 주기로 풍향이 바뀌는 바람이다.

바로 알기 ㄱ. (가)는 여름철에 해양에서 대륙 쪽으로 부는 바람이다.

07 우리나라에 영향을 주는 기단

봄과 가을에 영향을 주는 기단에는 양쯔강 기단과 오호츠크해 기단이 있으며, 양쯔강 기단은 온난 건조, 오호츠크해 기단은 한랭 다습하다.

08 전선의 종류와 날씨

선택지 분석

ㄱ 한랭 전선은 뒤쪽의 좁은 지역에서 강한 비가 내린다.

ㄴ 온난 전선이 통과한 후에는 기온이 상승한다.

✕ 폐색 전선 형성 후에는 더운 공기가 찬 공기 아래에 위치한다. 위

ㄱ. 한랭 전선은 전선면을 따라 키가 큰 구름이 생성되어 뒤쪽의 좁은 지역에서 강한 비가 내린다.

ㄴ. 온난 전선은 통과 후에 따뜻한 공기의 영향으로 기온이 상승한다.

바로 알기 ㄷ. 폐색 전선이 형성되면 찬 공기가 아래에 위치하게 된다.

09 고기압과 저기압

ㄱ. 저기압은 주위보다 기압이 낮으며 상승 기류에 의해 날씨가 흐리다.

ㄴ. 고기압은 주위보다 기압이 높고 하강 기류에 의해 날씨가 맑다.

ㄷ. 북반구 저기압에서는 시계 반대 방향으로 바람이 불어 들어가고, 고기압에서는 시계 방향으로 바람이 불어 나간다.

10 온대 저기압

자료 분석 + 온대 저기압

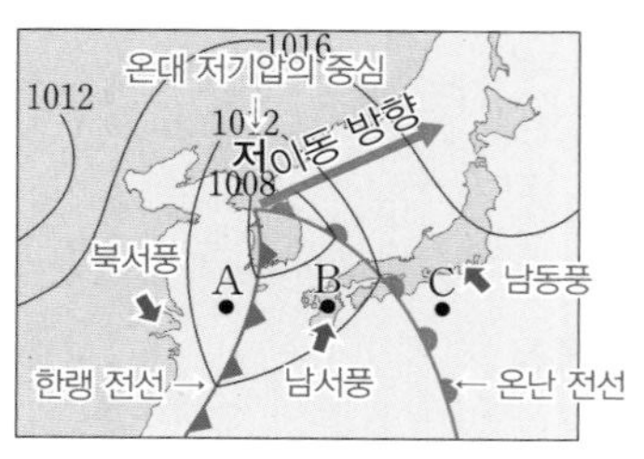

선택지 분석

✕ A에서는 남동풍이 분다. 북서풍

✕ B에서는 좁은 지역에 강한 비가 내린다. 맑음

ㄷ 시간이 지나면 C의 기온은 높아지고 날씨가 맑아진다.

ㄷ. C는 온난 전선의 앞쪽으로, 시간이 지나면 온대 저기압은 동쪽으로 이동하여 C 지역에 기온이 상승하고 날씨가 맑아진다.

바로 알기 ㄱ. A 지역은 한랭 전선의 뒤쪽으로, 북서풍이 분다.

ㄴ. B 지역은 온대 저기압에 동반되는 두 전선 사이 지역으로, 날씨가 맑고 기온이 높다.

2주차 창의·융합·코딩 전략 54~57쪽

1 ④	2 ⑤	3 ③	4 ③
5 ②	6 (1) C, 정체 전선 (2) 해설 참조	7 ⑤	
8 ③			

1 기권의 연직 구조

선택지 분석

~~①~~ 오로라가 발생하는 층이다. 열권
~~②~~ 성층권에 해당하며 안정한 층이다. 대류권
~~③~~ 4개의 층 중 공기가 가장 희박하다. 열권
④ 바람이 불고 눈이나 비가 내리는 기상 현상이 일어난다.
~~⑤~~ 태양의 자외선을 흡수하여 높이 올라갈수록 기온이 점점 높아지는 층이다. (자외선을 흡수 → 성층권)

비행 고도가 8 km이므로 현재 비행기는 대류권에서 운항하고 있음을 알 수 있다. 대류권의 공기에는 수증기가 많이 포함되어 있어 기상 현상이 발생한다.

2 지구 온난화

① 지구 온난화의 주된 원인은 산업화로 인해 이산화 탄소와 같은 대기 중 온실 기체의 농도가 급격히 증가한 데에 있다.
② 지구 온난화로 지구의 평균 기온이 지속적으로 상승하였다.
③ 지구 평균 기온이 상승하여 극지방 빙하의 면적이 줄어들고 있다.
④ 지구 온난화가 진행되면서 태풍의 세력이 강해지는 등의 기상 이변이 나타나고 있다.
바로 알기 ⑤ 지구 온난화는 온실 기체의 농도 증가로 온실 효과가 더욱 커져 지구 평균 기온이 지속적으로 상승하는 현상을 말한다.

3 강수 과정

중위도 · 고위도 지방의 구름에는 온도가 0℃~−40℃인 층이 있는데 이 층에는 과냉각 물방울과 얼음 알갱이가 공존한다. 과냉각 물방울에서 증발한 수증기가 얼음 알갱이에 달라붙어 커지면서 눈이 된다.

4 구름의 생성 과정

구름이 생성되기 위해서는 공기 덩어리의 상승으로 단열 팽창하여 기온이 내려가 이슬점에 도달해야 한다. 이렇게 공기 덩어리가 상승해 구름이 생성되는 예로 '지표면의 불균등한 가열', '지형에 의한 공기의 강제 상승', '기압이 낮은 곳으로 공기가 모여들어 상승', '찬 공기와 따뜻한 공기가 만나 상승'하는 경우가 대표적이다.
바로 알기 주원: 상공에서 하강 기류가 있는 경우에는 구름이 소멸되어 날씨가 맑다.

5 바람이 부는 원리

자료 분석 + 해륙풍이 부는 원리

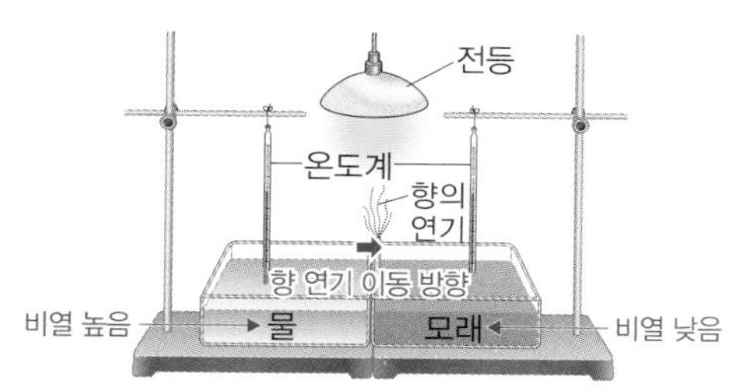

- 수조에 물과 모래를 각각 담은 후 전등을 켜 가열하면서 온도를 측정하고, 향 연기의 이동을 관찰한다.
- 모래의 비열이 물보다 작아 빨리 가열되어 상승 기류가 발생하므로 저기압이 형성된다.
- 반대로 물은 고기압이 형성되어 물에서 모래 쪽으로 향 연기가 이동한다.

② 이 실험은 낮에 해안가에서 해풍이 부는 과정을 설명할 수 있다.
바로 알기 ① 모래는 물보다 비열이 작아 더 빨리 가열된다.
③ 낮에는 육지가 바다보다 더 빨리 가열되므로 육지에는 저기압, 바다에는 고기압이 형성되어 바다로부터 육지 쪽으로 바람이 부는 원리를 설명한다.
④ 전등을 끄면 모래가 물보다 비열이 작으므로 더 빨리 냉각된다.
⑤ 해륙풍은 물과 모래의 비열 차이 때문에 나타나는 현상이다.

6 전선의 종류

자료 분석 + 전선의 구분

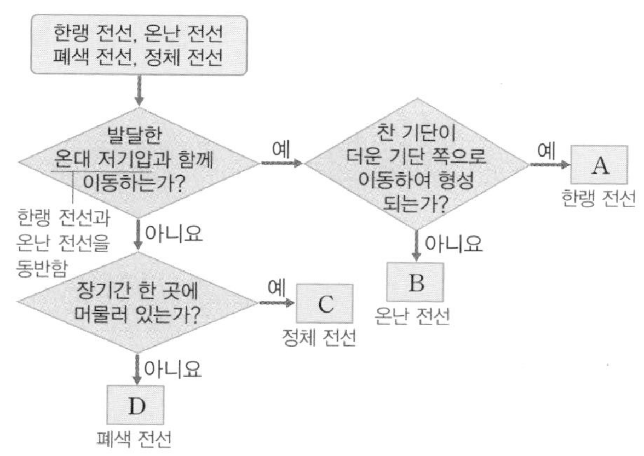

- 한랭 전선(A): 찬 기단이 따뜻한 기단 아래로 파고들면서 만들어지는 전선
- 온난 전선(B): 따뜻한 기단이 찬 기단 위로 올라가면서 만들어지는 전선
- 정체 전선(C): 세력이 비슷한 두 기단이 만나 오랜 시간 한 곳에 머물러 있을 때 만들어지는 전선
- 폐색 전선(D): 한랭 전선이 온난 전선보다 이동 속도가 빨라 두 전선이 서로 겹쳐서 만들어지는 전선

(2) A는 한랭 전선, B는 온난 전선, C는 정체 전선, D는 폐색 전선이다. 폐색 전선은 한랭 전선이 온난 전선을 따라잡아 겹쳐서 형성되며 주로 소멸 과정에 있는 온대 저기압에서 나타난다.

모범 답안 한랭 전선은 온난 전선보다 이동 속력이 빠르므로 시간이 지나면 두 기단이 서로 겹쳐지는 폐색 전선이 형성된다. 폐색 전선이 형성된 후에는 찬 공기가 아래에 위치하게 되어 공기의 상하 이동이 없어지면서 강수 현상도 점차 사라진다.

채점 기준	배점(%)
폐색 전선의 형성 과정과 특징을 모두 바르게 서술한 경우	100
폐색 전선의 형성 과정과 특징 중 한 가지만 바르게 서술한 경우	50

7 해륙풍과 계절풍

① 낮에는 바다에서 육지로 해풍이 부는데, 바람은 고기압에서 저기압으로 불기 때문에 B가 고기압, A가 저기압이다.
② 밤에는 육지에서 바다로 육풍이 부는데 D는 기온이 C보다 높아서 상승 기류가 생긴다.
③ 여름철에는 대륙이 해양보다 빨리 가열되어 대륙에 저기압이 형성되므로, 해양에서 대륙으로 남동 계절풍이 분다.
④ 해륙풍과 계절풍은 지표면의 가열과 냉각에 의한 기압 차이로 각각 하루, 1년을 주기로 풍향이 바뀌어 부는 바람이다.

바로 알기 ⑤ 육지는 바다보다 비열이 작기 때문에 더 빨리 가열되고 빨리 냉각된다. 따라서 낮 또는 여름에는 육지가 바다보다 빠르게 가열되어 육지의 온도가 더 높고, 기압이 더 낮다. 반대로 밤 또는 겨울에는 육지가 바다보다 빠르게 냉각되어 온도가 더 낮고 기압이 더 높다.

8 기단

자료 분석 + 기권의 층상 구조

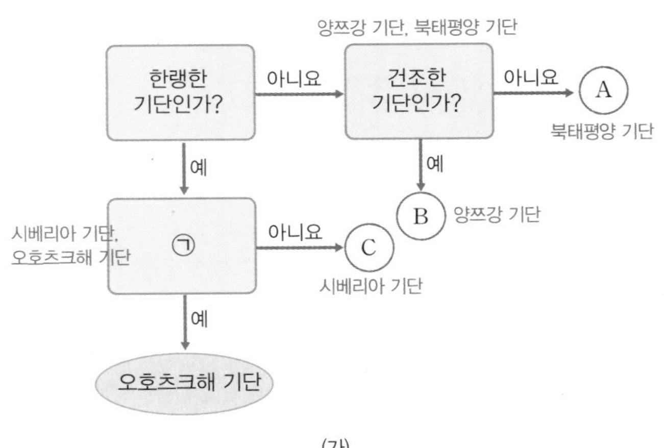

(가)

(나) 여름

선택지 분석
㉠ '바다에서 발생한 기단인가?'는 ㉠에 적합하다.
~~㉡~~ 기단 B는 시베리아 기단이고, 기단 C는 양쯔강 기단이다.
B는 양쯔강 기단, C는 시베리아 기단
㉢ (나)의 뉴스가 나오는 계절에는 기단 A의 영향을 받는다.

A는 북태평양 기단, B는 양쯔강 기단, C는 시베리아 기단이다. 북태평양 기단은 여름철, 양쯔강 기단은 봄과 가을, 시베리아 기단은 겨울철 날씨에 영향을 준다.

중간고사 마무리 신유형·신경향·서술형 전략			60~63쪽
1 ③	2 ③	3 ④	4 ③

5 (1) 해설 참조 (2) 해설 참조

6 (1) $2Cu+O_2 \rightarrow 2CuO$ (2) 해설 참조

7 (1) 해설 참조 (2) 해설 참조

8 (1) (가) 한랭 전선 (나) 온난 전선 (2) 해설 참조

1 물리 변화와 화학 변화

자료 분석 + 물리 변화와 화학 변화

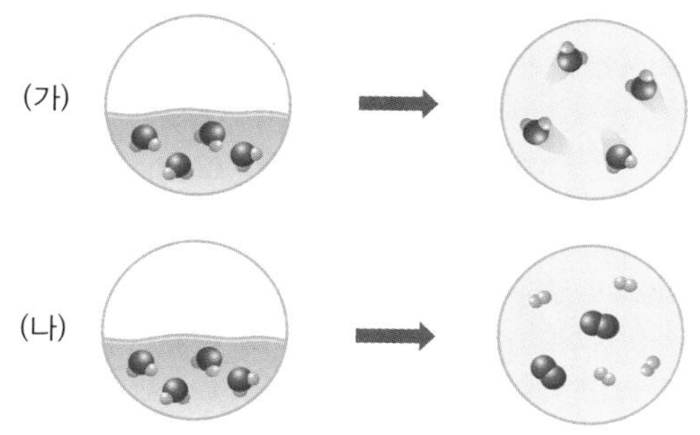

• (가)는 물의 기화를 나타낸 것으로 물리 변화이다. 물이 기화하면 물 분자들은 액체일 때보다 더 떨어져 있게 되어 물 분자의 배열이 변한다.
• (나)는 물의 분해를 나타낸 것으로 화학 변화이다. 전기 등을 이용해 물을 분해하면 수소와 산소로 분해된다. 제시된 그림을 보면 물에는 물 분자만 존재하고, 물이 분해된 후에는 수소 분자와 산소 분자로 존재함을 확인할 수 있다. 즉, 물을 분해하면 새로운 물질이 생성되어 원자의 배열이 변함을 알 수 있다.
• (가)와 (나)의 변화에서 원자의 종류는 수소와 산소이고, 원자의 개수는 수소 8개, 산소 4개로 일정하다.

(가)는 물리 변화, (나)는 화학 변화이다.

바로 알기 학생 B. (가)는 물리 변화이므로 분자의 종류가 변하지 않지만, (나)는 화학 변화이므로 분자의 종류가 변한다. (가)와 (나)에서 변하지 않는 것은 원자의 종류와 개수이다.

2 이슬점

자료 분석 + 포화 수증기량과 이슬점

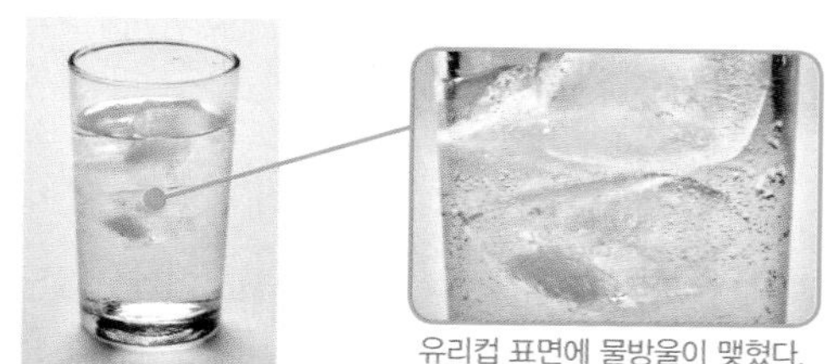

유리컵 표면에 물방울이 맺혔다.

표면에 물기가 없는 유리컵에 얼음물을 채우고 변화를 관찰한다.

선택지 분석

㉠ 유리컵 주변 공기의 수증기가 얼음물을 담은 유리컵 표면에서 응결하였다.
~~ㄴ~~ 얼음물을 담은 유리컵 표면의 온도는 유리컵 주변 공기의 이슬점보다 높다. → 낮음
㉢ 온도가 내려가면 포화 수증기량이 감소하므로 유리컵 표면에 물방울이 맺힌다.

ㄱ. 유리컵 주변 공기의 수증기는 얼음물을 담은 유리컵 표면에서 이슬점에 도달하여 물방울로 응결하였다.

ㄷ. 온도가 내려가면 포화 수증기량이 감소하며, 공기의 이슬점에 도달하면 유리컵 표면에서 물방울이 맺히는 것을 볼 수 있다.

바로 알기 ㄴ. 얼음물을 담은 유리컵 표면에 물방울이 맺히는 것은 유리컵 주변 공기의 온도가 이슬점과 같거나 이슬점보다 낮았기 때문이다.

3 앙금 생성 반응에서 질량비

선택지 분석

㉠ 시험관 B~F에서는 노란색 앙금이 생성된다.
㉡ 시험관 A, B, C에는 아이오딘화 이온이 남아 있다.
㉢ 시험관 D~F에서 시험관에 들어 있는 아이오딘화 이온은 모두 반응한다.
~~ㄹ~~ 시험관 D~F에는 반응하지 못한 납 이온이 들어 있다.
→ 시험관 D에는 납 이온이 남아 있지 않다.

10% 아이오딘화 칼륨(KI) 수용액과 10% 질산 납($Pb(NO_3)_2$) 수용액을 섞으면 아이오딘화 이온(I^-)과 납 이온(Pb^{2+})이 반응하여 노란색인 아이오딘화 납(PbI_2) 앙금이 생성된다. 시험관 D~F에서 생성된 앙금의 높이가 일정하므로, 이때 시험관에 들어 있는 아이오딘화 이온은 납 이온과 모두 반응함을 알 수 있다. 시험관 A~C에서는 아이오딘화 이온이 남고, 시험관 E~F에서는 납 이온이 남는다.

바로 알기 ㄹ. 시험관 D에는 반응하지 못한 아이오딘화 이온과 납 이온이 없고, 시험관 E~F에는 반응하지 못한 납 이온이 들어 있다.

4 우리나라에 영향을 주는 기단

A 기단은 북태평양 기단이다.

A: 북태평양 기단은 뜨거운 북태평양 바다 위에서 형성된 것으로 고온 다습한 성질을 가진다.

C: 초여름에 북태평양 기단이 북쪽의 찬 기단을 만나 오래 한곳에 머물며 많은 비를 내리는데, 이것이 장마 전선이다.

바로 알기 B: 북서 계절풍은 겨울철 시베리아 기단의 세력이 확장하면서 나타난다.

5 질량 보존 법칙

자료 분석 + 앙금 생성 반응과 기체 발생 반응에서의 질량 보존 법칙

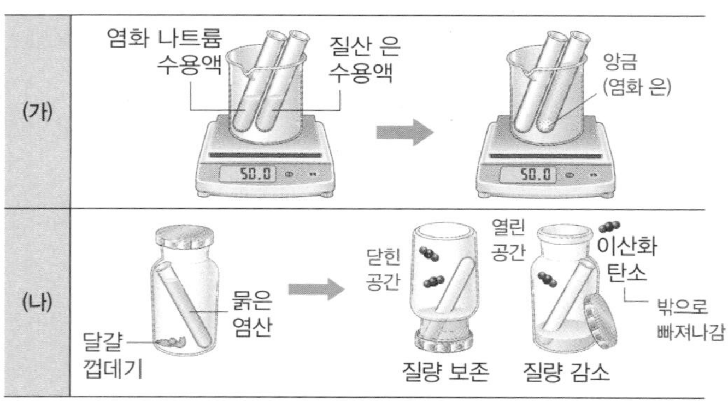

- (가) 염화 나트륨 수용액과 질산 은 수용액이 반응하면 염화 은 앙금이 생성된다. 이 반응은 반응에 참여하는 원자들의 종류와 개수가 달라지지 않고 배열만 변하기 때문에 질량 보존 법칙이 성립하여 반응 물질의 총 질량과 생성 물질의 총 질량이 같다.
- (나) 달걀 껍데기(탄산 칼슘)와 묽은 염산이 반응하면 이산화 탄소 기체가 발생하는데, 닫힌 공간에서는 기체가 공기 중으로 날아갈 수 없어 질량이 보존되지만, 열린 공간에서는 기체가 공기 중으로 날아가기 때문에 질량이 감소한다. 하지만 이 경우에도 날아간 기체의 질량까지 고려하면 질량 보존 법칙은 성립한다.

(1) 염화 나트륨 수용액과 질산 은 수용액을 섞으면 질산 은 앙금이 생성되지만 반응 전과 반응 후의 질량은 같다.

모범 답안 앙금이 생성되는 반응이 일어나도 질량은 변하지 않는다.

(2) 탄산 칼슘과 묽은 염산이 반응하면 이산화 탄소 기체가 발생한다. 이때 밀폐된 용기에서 반응이 일어나면 발생한 이산화 탄소가 용기 안에 남아 있으므로 질량이 변하지 않지만 용기의 뚜껑을 열면 이산화 탄소가 밖으로 빠져나가므로 질량이 감소한다.

모범 답안 화학 반응으로 발생한 이산화 탄소 기체가 용기 밖으로 빠져나갔기 때문이다.

채점 기준	배점(%)
(1)과 (2)에 대한 정답을 모두 정확하게 서술한 경우	100
둘 중에 하나의 정답만을 정확하게 서술한 경우	50

6 일정 성분비 법칙

(1) 구리를 가열하면 공기 중의 산소와 반응하여 산화 구리(Ⅱ)가 생성된다.

(2) 구리와 산소가 반응하여 산화 구리(Ⅱ)가 생성될 때 질량비는 4 : 1 : 5이므로 산화 구리(Ⅱ) 30.0 g을 얻기 위해서는 구리 24.0 g과 산소 6.0 g이 필요하다.

모범 답안 구리 24.0 g과 산소 6.0 g이 필요하다.

채점 기준	배점(%)
구리와 산소의 질량을 정확하게 서술한 경우	100
구리나 산소의 질량을 한 가지만 정확하게 서술한 경우	30

7 지구 온난화

자료 분석 + 대기 중 이산화 탄소의 농도와 기온 변화

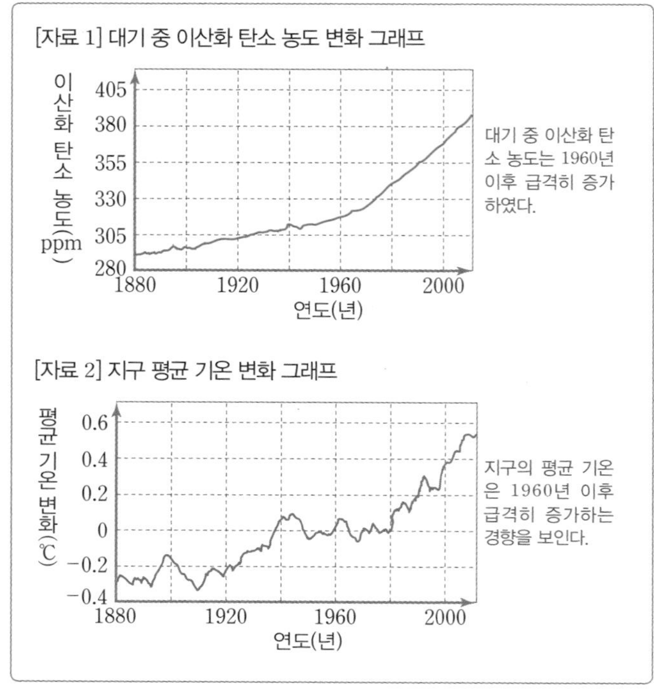

(1) 산업 활동이 활발해지면서 화석 연료 사용량이 증가하였고, 이로 인해 대기 중에 이산화 탄소 등의 온실 기체 농도가 증가한 것이 지구 온난화의 원인이다.

모범 답안 대기 중 이산화 탄소의 농도가 증가하여 온실 효과가 강화되었고, 이 때문에 지구의 평균 기온이 상승하였다.

채점 기준	배점(%)
지구 온난화의 원인으로 대기 중 이산화 탄소의 농도 증가에 의한 온실 효과 강화와 이로 인한 지구 평균 기온 상승으로 설명한 경우	100
지구 온난화의 원인을 대기 중 이산화 탄소의 농도 증가로만 설명한 경우	70

(2) 지구 온난화는 지구 환경을 변화시키고 인간 생활에도 영향을 주기 때문에 온실 기체의 배출량을 줄이고 지구 환경 변화에 대비하기 위한 노력이 필요하다.

모범 답안 해수면 상승 및 저지대 침수, 산림 및 빙하의 면적 감소, 재배 작물의 변화, 기상 이변의 발생 등

채점 기준	배점(%)
지구 온난화에 의해 지구 환경이 변화한 예를 적절히 서술한 경우	100
지구 온난화에 의해 나타난 변화를 옳게 쓴 경우	60

8 온대 저기압

자료 분석 + 온대 저기압 주변의 날씨

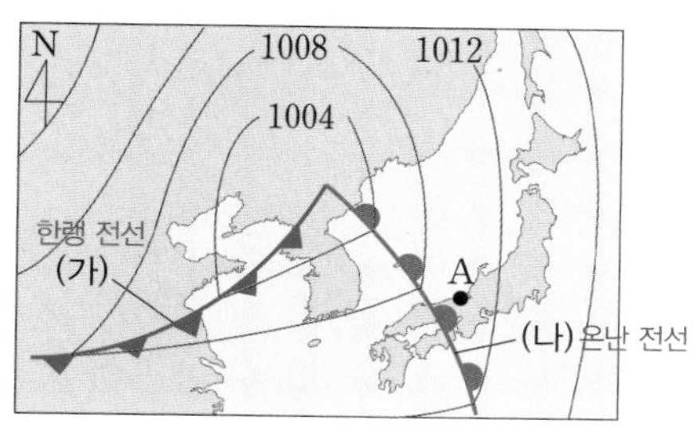

(1) 온대 저기압 중심의 남서쪽에는 한랭 전선, 남동쪽에는 온난 전선이 나타나며, 두 전선은 온대 저기압과 함께 이동한다.
(2) 온대 저기압은 편서풍의 영향으로 서쪽에서 동쪽으로 이동하므로 A 지역은 앞으로 온난 전선이 통과하고, 이후 한랭 전선과 온난 전선 사이에 위치하다가 한랭 전선이 통과하게 된다.

모범 답안 A 지역은 현재 층운형 구름이 넓게 발달한 곳에 위치하여 흐리고 약한 비가 지속적으로 내린다. 이후 온난 전선이 통과하면 따뜻한 공기의 영향으로 따뜻하고 맑은 날씨가 나타날 것이다. 이후 한랭 전선이 통과하면 적운형 구름이 생기면서 짧은 시간 동안 강한 비가 내리고, 찬 공기가 유입되어 기온이 낮아진다.

채점 기준	배점(%)
A 지역의 현재 날씨와 날씨 변화를 온대 저기압의 이동 및 전선의 통과와 연관지어 바르게 서술한 경우	100
A 지역의 현재 날씨와 날씨 변화만 옳게 서술한 경우	40

중간고사 마무리 고난도 해결 전략 · 1회 64~67쪽

01 ⑤	02 ②	03 ②, ⑤	04 ③
05 ③	06 ③	07 ①	08 ②, ⑤
09 ②	10 ④	11 ④	12 ②
13 ②	14 해설 참조	15 해설 참조	

01 물의 전기 분해

물 분자는 수소 원자 2개와 산소 원자 1개로 이루어져 있다. 물 분자를 전기 분해하면 산소 분자와 수소 분자가 생성된다. 이때 생성되는 수소는 가장 가벼운 기체이고, 산소는 생물의 호흡에 필요한 기체이다.

바로 알기 ㄱ. 물리 변화는 물질의 고유한 성질은 변하지 않으면서 모양이나 크기, 상태 등의 겉모습이 바뀌는 변화이고, 화학 변화는 어떤 물질이 전혀 다른 성질의 새로운 물질로 바뀌는 변화이다. 물이 분해되면 새로운 물질인 수소와 산소로 바뀌므로 물의 전기 분해는 화학 변화이다.

02 모형을 보고 화학 반응식 찾기

자료 분석 + 모형을 보고 화학 반응식 찾기

- 노란색 입자를 원소 A, 주황색 입자를 원소 B라고 가정하고, 입자가 결합되어 있는지 떨어져 있는지 확인한다.
- 모형에서 입자가 결합된 것은 하나의 분자 모형임을 기억한다.
- 반응 물질은 노란색 입자 2개가 결합한 분자 1개와 주황색 입자 2개가 결합한 분자 1개이므로 반응 물질은 A_2와 B_2이다.
- 생성 물질은 노란색 입자 1개와 주황색 입자 1개가 결합한 분자가 2개이므로 생성 물질은 2AB이다.
- 이 반응의 화학 반응식은 $A_2+B_2 \rightarrow 2AB$이다.

모형은 원자 2개로 구성된 분자 1개와 다른 종류의 원자 2개로 구성된 분자 1개가 반응하여 새로운 분자 2개가 생성되는 반응이다. 분자를 구성하는 원자의 수와 반응하는 분자와 생성된 분자의 수가 일치하는 것은 $H_2+Cl_2 \rightarrow 2HCl$이다.

03 화학 반응식으로 나타내기

선택지 분석

~~①~~ 흡열 반응이다. 발열 반응
② 반응 전후의 원자의 종류는 같다.
~~③~~ 반응 전후의 원자의 총 개수는 변한다. 변하지 않는다.
~~④~~ 반응 물질과 생성 물질의 성질은 같다. 다르다.
⑤ 반응 물질과 생성 물질의 총 분자 수는 같다.

반응 물질은 메테인과 산소이고, 생성 물질은 이산화 탄소와 물이므로 반응 전후의 분자의 종류는 다르다. 하지만 반응 전후의 원자의 종류와 개수는 변하지 않는다. 반응 물질과 생성 물질의 총 분자 수는 3개로 같다.

바로 알기 ① 메테인이 산소와 결합하면서 연소하면 이산화 탄소와 물이 생성되면서 빛과 열에너지가 방출된다.
③ 반응 물질의 원자의 개수는 메테인 구성 원자가 5개, 산소 구성 원자가 4개이고, 생성 물질의 원자의 개수는 이산화 탄소 구성 원자가 3개, 물 구성 원자가 6개이다. 따라서 반응 전후의 원자의 총 개수는 9개로 같다. 화학 변화가 일어날 때도 원자의 종류와 개수는 변하지 않는다.
④ 반응 물질과 생성 물질이 다른 물질이므로 물질의 성질은 같지 않다.

04 마그네슘의 연소 반응의 화학 반응식 완성하기

마그네슘의 연소를 화학 반응식으로 나타낼 때 반응 전과 후의 원자의 종류와 개수가 같아야 한다.

바로 알기 마그네슘의 연소 반응에서 반응 물질 중 산소 분자의 계수가 1이라면 생성 물질의 산화 마그네슘의 계수는 2가 되어야 반응 전후의 산소 원자의 개수가 같게 된다. 생성 물질의 산화 마그네슘의 계수가 2라면 반응 물질의 마그네슘의 계수가 2가 되어야 반응 전후의 마그네슘 원자의 개수가 같게 된다. 따라서 ㉠은 2, ㉡은 1, ㉢은 2이다.

05 화학 반응식의 계수 맞추기

화학 반응식을 나타낼 때는 물질을 화학식으로 나타낸 후 반응 전후의 원자의 종류와 개수가 같도록 계수를 맞춰 준다.

바로 알기 ① $2Cu+O_2 \rightarrow 2CuO$
② $2H_2O_2 \rightarrow 2H_2O+O_2$
④ $CH_4+2O_2 \rightarrow 2H_2O+CO_2$
⑤ $CaCO_3+2HCl \rightarrow CaCl_2+H_2O+CO_2$

06 기체 발생 반응에서의 질량 보존 법칙

달걀 껍데기는 탄산 칼슘이 주성분이므로 묽은 염산에 녹으면 이산화 탄소가 발생하지만 밀폐된 용기에서 반응이 일어나므로 전체 질량은 변하지 않는다. 그 이유는 반응 전과 후의 원자의 종류와 개수가 변하지 않기 때문이다.

바로 알기 ㄷ. 실험에서 기체가 발생하지만 닫힌 공간에서 진행되었기 때문에 반응 전후 전체 질량은 변하지 않는다. 만약 이 실험을 열린 공간에서 진행하였다면 반응 후 측정한 질량은 줄어들 것이다. 이 경우에도 날아간 기체의 질량까지 고려하면 질량 보존 법칙은 성립한다.

07 과산화 수소 분해 반응에서 질량 보존 법칙

과산화 수소(H_2O_2)를 이산화 망가니즈(MnO_2)를 촉매로 사용하여 분해하면 물(H_2O)이 생성되고 산소(O_2) 기체가 발생한다. 과산화 수소 17 g을 분해하면 물 9g이 생성되므로 산소 기체는 8 g이 발생한다.

바로 알기 ㄴ. 산소는 다른 물질의 연소에 이용되지만 자신은 불에 타지 않는다.
ㄷ. 이산화 망가니즈는 촉매이므로 과산화 수소의 분해를 빨리 일어나게 하지만 양이 줄어들지 않는다.

08 연소 반응에서의 질량 보존 법칙

연소 반응이 일어나면 물질이 변하므로 물질의 성질도 변한다. 공기 중에서 나무를 연소하면 발생한 기체가 공기 중으로 날아가므로 반응 후 질량이 감소한다. 그러나 반응 물질의 총 질량과 생성 물질의 총 질량을 고려하면 반응 전후 질량은 같다. 따라서 이 경우에도 질량 보존 법칙은 성립한다.

바로 알기 ① 나무의 연소 후에는 생성 물질 중 이산화 탄소와 수증기가 공기 중으로 날아가고 재만 남기 때문에 측정한 질량은 줄어든다.
③ 연소 반응에서 반응 물질은 나무와 산소이다.
④ 연소 반응에서 생성 물질은 이산화 탄소와 수증기이다.

09 구리의 연소 반응에서 일정 성분비 법칙

구리가 연소할 때 구리와 산소는 4 : 1의 질량비로 반응한다. 구리의 질량이 증가하면 구리와 반응하는 산소의 질량도 증가한다. 구리 1.0 g과 반응하는 산소의 질량은 0.25 g이므로 생성되는 산화 구리(Ⅱ)의 질량은 1.25 g이다.

바로 알기 ㄴ. 구리가 연소할 때 구리와 산소는 일정한 질량비로 반응하므로 반응하는 구리의 질량이 8배 증가하면 구리와 반응하는 산소의 질량도 8배 증가한다.
ㄹ. 산화 구리(Ⅱ)의 성분 원소의 질량비는 4 : 1이므로 산화 구리(Ⅱ) 2.5 g은 구리 2 g과 산소 0.5 g이 반응하여 생성된다.

10 일정 성분비 법칙

볼트(B) 15 g과 너트(N) 20 g이 있다. 볼트(B) 1개의 질량이 5 g이므로 볼트(B)는 3개가 있고, 너트(N) 1개의 질량이 2 g이므로 너트(N)는 10개가 있다. 화합물 BN_2는 볼트(B)와 너트(N)의 개수비가 1 : 2이므로, 제시된 볼트(B)와 너트(N)로는 최대 3개를 만들 수 있다. 화합물 BN_2 1개의 질량은

(1개×5 g)+(2개×2 g)=9 g이므로, 최대로 만들 수 있는 화합물의 질량은 3×9=27 g이다. 이때 너트(N)는 6개가 사용되므로 4개가 남는다. 남은 너트(N) 4개의 질량은 8 g이다. 따라서 반응 전후 전체 질량은 변하지 않는다.

바로 알기 ㄴ. 남아 있는 너트(N)는 4개이다.

11 기체 반응의 법칙

실험 1에서 수소와 산소가 결합하여 물이 생성될 때 수소와 산소는 1:8의 질량비로 반응한다. 실험 2에서 수소 0.3 g과 반응하는 산소의 질량은 2.4 g이므로 산소가 0.4 g 남는다. 실험 3에서 수소 0.4 g과 반응하는 산소의 질량은 3.2 g이므로 산소 0.3 g이 남는다.

12 기체 반응 법칙과 화학 반응식

화학 반응이 일어나도 반응 전과 후에 원자의 종류와 개수는 변하지 않고 분자의 종류와 개수는 변한다. 수소와 산소가 반응하여 수증기가 생성될 때 부피비는 2:1:2이므로 화학 반응식은 $2H_2+O_2 \rightarrow 2H_2O$이다.

바로 알기 ㄱ. 화학 반응이 일어나도 반응 전과 후에 원자의 종류는 변하지 않는다.

ㄷ. 수소와 산소가 반응하여 수증기가 생성될 때 부피비는 2:1:2이고, 부피비는 화학 반응식에서의 계수비와 같으므로 화학 반응식은 $2H_2+O_2 \rightarrow 2H_2O$이다.

13 기체 반응 법칙과 부피비

질소와 수소가 반응하여 암모니아 기체가 생성될 때 부피비는 1:3:2이므로 질소 20 mL와 수소 60 mL가 반응해 암모니아 40 mL가 생성된다. 따라서 질소 5 mL가 반응하지 않고 남는다.

14 화학 반응에서의 열 출입

탄산수소 나트륨을 가열하면 탄산 나트륨과 물, 이산화 탄소로 분해되므로 발생한 이산화 탄소가 석회수와 반응하여 흰색 앙금인 탄산 칼슘이 생성되므로 뿌옇게 흐려진다. 탄산수소 나트륨을 가열하여 분해시키므로 이 반응은 흡열 반응이다.

모범 답안 • 이유: 발생한 이산화 탄소 기체가 석회수와 반응하여 앙금이 생성되기 때문이다.

• 열의 출입: 열에너지를 흡수한다.

채점 기준	배점(%)
석회수가 뿌옇게 흐려지는 이유와 열의 출입에 대해 정확하게 서술한 경우	100
열의 출입에 대해서만 정확하게 서술한 경우	50

15 화학 반응에서의 열 출입

수산화 바륨과 염화 암모늄이 반응하면서 열에너지를 흡수하므로 삼각 플라스크와 나무판 사이의 물이 얼면서 나무판과 삼각 플라스크, 물이 함께 붙어버렸기 때문이다.

모범 답안 수산화 바륨과 염화 암모늄이 물질이 화학 반응할 때 주위로부터 열에너지를 흡수하므로 주위 온도가 낮아져 물이 얼었기 때문이다.

채점 기준	배점(%)
열에너지의 출입 방향과 온도 변화를 모두 정확하게 서술한 경우	100
물이 언 까닭을 간단하게 서술한 경우	50

BOOK 1

중간고사 마무리 고난도 해결 전략 · 2회 68~71쪽

01 ①	02 ③	03 ①	04 ③
05 ④	06 ⑤	07 ①	08 ②
09 ④	10 해설 참조	11 ④	12 ⑤
13 ①	14 ③	15 ④	16 해설 참조

01 복사 평형

자료 분석 + 복사 평형 실험

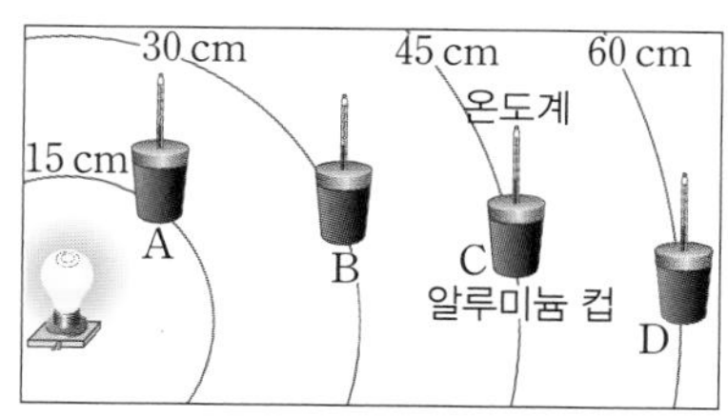

• 온도가 상승하는 데 걸리는 시간: A<B<C<D
• 상승하다가 유지되는 온도(복사 평형 온도): D<C<B<A

선택지 분석

㉠ A가 D보다 온도가 높게 올라간다.
ㄴ. B는 C보다 낮은 온도에서 복사 평형을 이룬다. 높은 온도
ㄷ. A~D 모두 시간에 따라 온도가 상승하는 정도가 계속 커진다. → 어느 순간 온도 일정해짐

ㄱ. A는 D보다 전등에 가까이 있으므로 더 높은 온도까지 올라간다.

바로 알기 ㄴ. B는 C보다 전등으로부터 가까운 거리에 있으므로 복사 평형을 이루는 온도가 높다.

ㄷ. 처음에는 알루미늄 컵의 온도가 올라가다가 시간이 지나면 온도가 일정해진다.

02 상대 습도

자료 분석 + 기온과 포화 수증기량 그래프

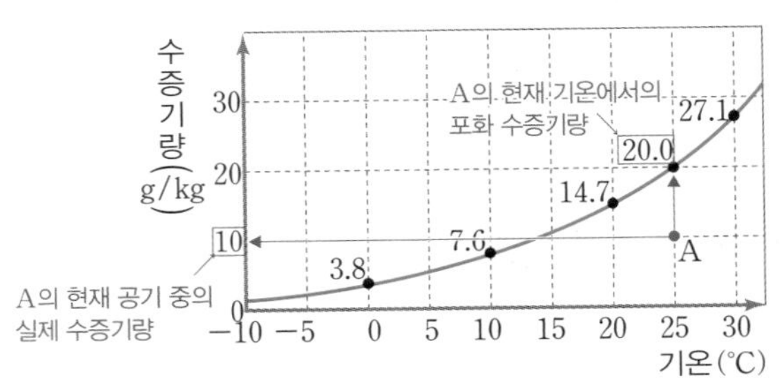

상대 습도는 현재 기온에서의 포화 수증기량에 대한 실제 수증기량의 비율을 백분율로 나타낸 것으로, A 공기의 상대 습도는 $\frac{10\ \text{g/kg}}{20\ \text{g/kg}} \times 100 = 50\ \%$이다.

03 구름의 생성

자료 분석 + 구름의 생성 과정과 종류

(가)

(나)

(가)	(나)
• 적운형 구름 - 공기 덩어리가 빠르게 상승할 때 - 위로 솟은 모양	• 층운형 구름 - 공기 덩어리가 천천히 상승할 때 - 옆으로 넓게 퍼진 모양

선택지 분석

~~①~~ 넓은 범위에 걸쳐 퍼져 있다. 좁은 범위
② 소나기와 같은 강한 비를 내린다.
③ 공기 덩어리가 빠르게 상승하였다.
④ 솜뭉치가 높게 솟아 있는 모양이다.
⑤ 지표 일부가 강하게 가열되는 경우 생성된다.

② 적운형 구름에서는 좁은 지역에 강한 비가 내린다.
③ 적운형 구름이 만들어지기 위해서는 공기 덩어리가 빠르게 상승해야 한다.
④ 적운형 구름은 층운형 구름보다 더 높은 곳까지 위로 솟아 있는 모양을 하고 있다.
⑤ 지표의 일부가 강하게 가열되면 상승 기류가 강하여 적운형 구름이 만들어진다.

바로 알기 ① 넓은 범위에 걸쳐 퍼져 있는 구름은 (나)인 층운형 구름의 특징이다. 적운형 구름은 좁은 범위에 걸쳐 형성된다.

04 구름의 생성

선택지 분석

ㄱ. (나)에서 페트병 내부는 뿌옇게 흐려진다.
ㄴ. 공기는 (가)에서 단열 압축, (나)에서 단열 팽창한다.
~~ㄷ~~. (나)일 때 페트병 내부 온도는 (가)일 때보다 높아진다. 낮아짐

페트병 안에 공기를 채운 후 뚜껑을 열면, 페트병 안의 공기가 단열 팽창한다. 공기가 단열 팽창하면 온도가 내려가고, 공기의 온도가 이슬점에 도달하면 수증기가 응결하여 페트병 내부가 뿌옇게 흐려진다.
ㄱ. (나)에서 공기는 단열 팽창하고, 온도가 이슬점에 도달하면 수증기가 응결하여 뿌옇게 흐려진다.
ㄴ. (가)에서 공기는 단열 압축되어 온도가 올라가고, (나)에서는 단열 팽창으로 온도가 내려간다.

바로 알기 ㄷ. (나)일 때 페트병 내부는 단열 팽창하므로 (가)일 때보다 온도가 낮아진다.

05 포화 수증기량과 이슬점

수증기량은 1 kg의 공기에 포함되어 있는 수증기의 양을 g으로 나타낸 것이므로 공기 500 g에 5.8 g의 수증기가 포함된 현재 수증기량은 11.6 g/kg이다. 따라서 이 공기의 이슬점은 16℃이다.

06 기온, 상대 습도, 이슬점의 변화

자료 분석 + 맑은 날 기온과 상대 습도, 이슬점의 변화

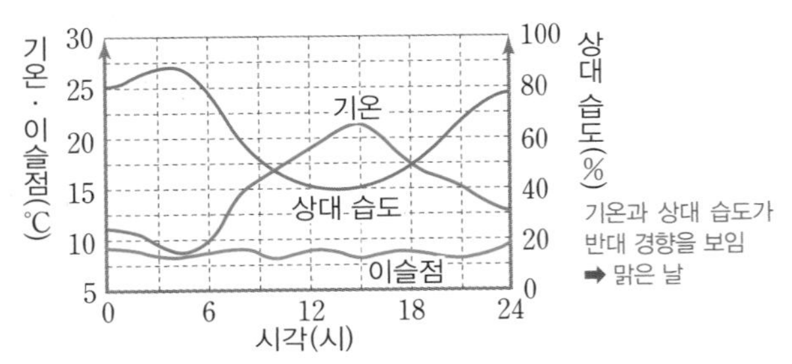

• 맑은 날에는 하루 동안 대기 중 수증기량이 거의 변하지 않는다.
→ 이슬점이 거의 변하지 않는다.
• 기온이 변하면서 상대 습도는 반대 경향을 보인다.

그림은 맑은 날의 기온, 상대 습도, 이슬점의 변화를 나타낸다. 맑은 날에는 공기 중 수증기량이 거의 일정하므로 이슬점도 거의 일정하며, 이슬점이 일정할 때 기온과 상대 습도는 반비례한다.

07 지구의 복사 평형

자료 분석 + 지구의 복사 평형

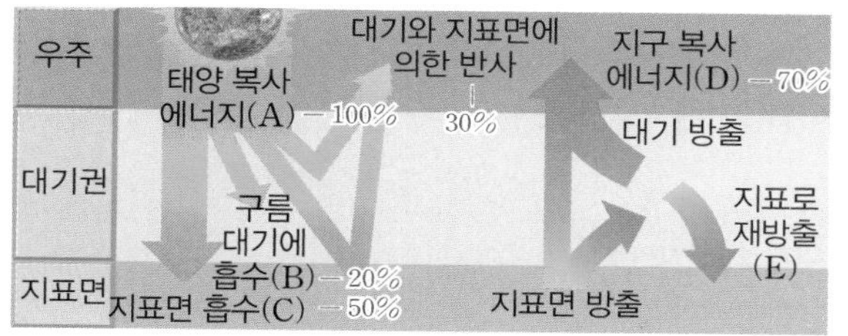

- 지구는 흡수하는 태양 복사 에너지양과 방출하는 지구 복사 에너지양이 같아 복사 평형 상태에 있다.
- 지구는 대기의 온실 효과 때문에 대기가 없을 때보다 더 높은 온도에서 복사 평형을 이룬다.

선택지 분석

~~①~~ A는 D와 같다. A=D+대기와 지표면에 의한 반사
② A의 흡수량은 저위도에서 고위도로 갈수록 적어진다.
③ B와 C를 합하면 D와 같다.
④ E는 지구의 평균 기온을 높여준다.
⑤ 지구에 대기가 없다면 E는 일어나지 않는다.

② 지구 전체는 복사 평형을 이루지만 위도별로 태양 복사 에너지 흡수량이 다르므로 에너지 불균형 상태이다.
③ 지구 복사 에너지(D)양은 태양 복사 에너지 중 대기와 지표에 반사되는 양을 제외한 나머지(B+C)의 양과 같다.
④ E는 온실 효과로, 이 때문에 지구는 높은 온도에서 복사 평형을 이룬다.
⑤ 지구에 대기가 없다면 온실 효과는 일어나지 않을 것이다.

바로 알기 ① 태양 복사 에너지양(A=100 %) 중에서 대기와 지표에 의해 반사되는 양(30 %)을 제외한 양이 지구 복사 에너지(D=70 %)와 같다.

08 강수 과정

자료 분석 + 빙정설

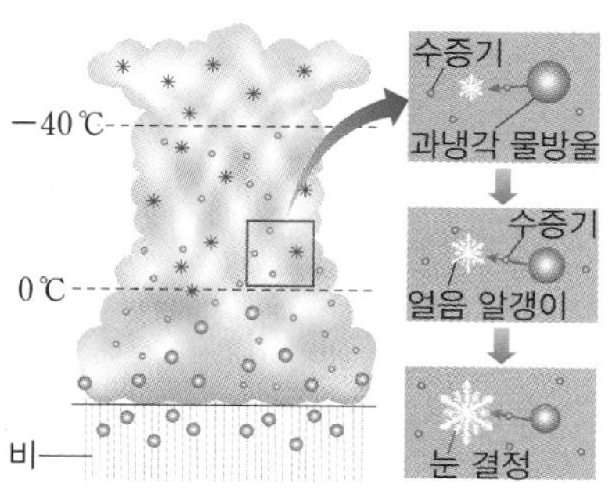

- 과냉각 물방울에서 증발한 수증기가 얼음 알갱이에 달라붙어 얼음 알갱이가 점점 커지면 무거워져서 눈으로 내린다. 이때 얼음 알갱이가 도중에 녹으면 비가 된다.

선택지 분석

~~①~~ 주로 열대 지방에서 비가 내리는 과정이다. 중위도, 고위도
② 얼음 알갱이에 수증기가 달라붙어 점점 커진다.
~~③~~ 병합 과정에 의해 비가 내리는 것을 설명할 수 있다. → 병합설
~~④~~ 과냉각 물방울이 성장하여 무거워지면 비로 내린다. → 병합설
~~⑤~~ 구름 내부 공기는 과냉각 물방울에 대해 포화 상태일 것이다. 불포화

② 얼음 알갱이에 과냉각 물방울에서 증발한 수증기가 달라붙어 점점 커진다.

바로 알기 ① 빙정설은 주로 중위도나 고위도 지방에서의 강수 과정을 설명한다.
③ 수증기의 병합 과정에 의한 강수는 병합설로 설명된다.
④ 과냉각 물방울에서는 수증기가 증발하며, 이 수증기가 얼음 알갱이에 붙어서 얼음 알갱이가 성장한다.
⑤ 구름 내부 공기는 과냉각 물방울에 대해 불포화 상태이므로 수증기가 공기 중으로 공급될 수 있다.

09 기압

자료 분석 + 토리첼리의 기압 측정 실험

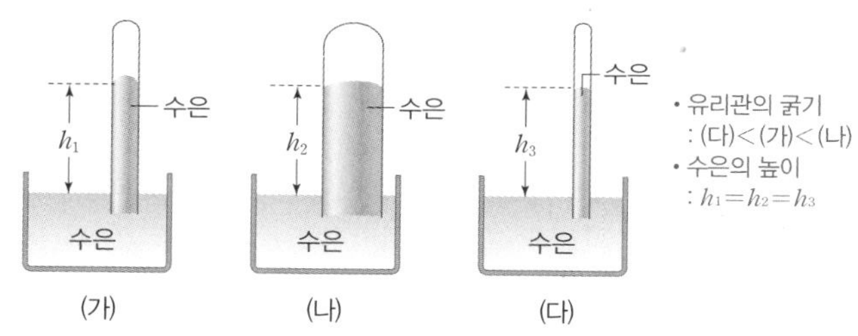

- 수은 표면에 작용하는 기압=수은 기둥을 떠받치는 압력=수은 기둥의 압력
- 기압이 높아지면 수은 기둥의 높이가 높아지고, 기압이 낮아지면 수은 기둥의 높이가 낮아진다.

선택지 분석

ㄱ (가)~(다)의 수은 기둥 높이 h_1~h_3은 모두 같다.
~~ㄴ~~ (가)의 유리관을 기울이면 수은 기둥의 높이가 낮아진다. 변함 없음
ㄷ 기압이 더 낮은 장소에서 (나) 수은 기둥의 높이를 측정하면 h_2보다 낮아진다.

ㄱ. 굵기가 다른 유리관을 사용해도 기압이 같은 곳이라면 수은 기둥의 높이는 같다.
ㄷ. 기압이 높아지면 수조 속 수은 표면에 작용하는 기압이 커지므로 수은 기둥의 높이는 높아지고, 기압이 낮아지면 수은 기둥의 높이는 낮아진다.

바로 알기 ㄴ. 유리관을 기울여도 수은 기둥의 높이는 변하지 않는다.

10 전선

자료 분석 + 온난 전선의 단면

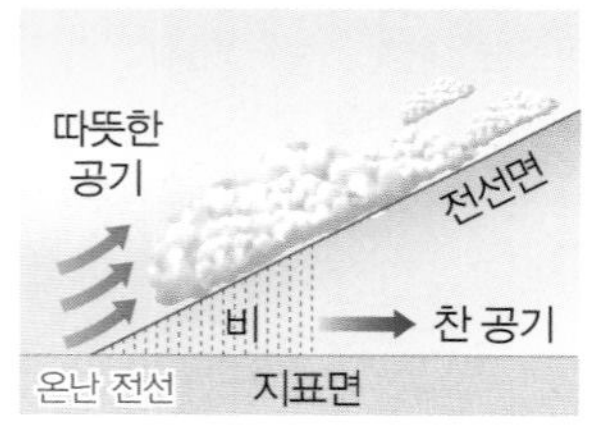

• 온난 전선은 따뜻한 기단이 찬 기단 위로 올라가면서 생기는 전선이다.

온난 전선은 따뜻한 기단이 찬 기단 쪽으로 이동하여 따뜻한 기단이 찬 기단 위로 올라가 생성된다.

모범 답안 온난 전선, 온난 전선이 다가오면 점차 구름의 양이 증가하며 온난 전선의 앞쪽 넓은 지역에 오랜 시간 동안 약한 비가 내린다. 전선이 통과하면 따뜻한 공기의 영향으로 기온이 상승하며, 강수가 그치고 날씨가 맑아진다.

채점 기준	배점(%)
온난 전선이 통과하기 전과 후의 강수, 기온, 구름의 분포를 모두 정확히 설명한 경우	100
온난 전선이 통과하기 전과 후의 강수, 기온, 구름의 분포 중 두 가지 정확히 서술한 경우	70

11 온대 저기압

선택지 분석

~~①~~ (가)일 때 우리나라에는 남동풍이 불었다. 북서풍
~~②~~ (나)일 때 우리나라에는 오랜 시간 동안 약한 비가 내렸다. → 온대 저기압의 영향 거의 없음
~~③~~ (다)일 때 우리나라 남해안에 강한 소나기가 내렸다. 약한 비
④일기도는 (다) → (가) → (나) 순서로 나타났다.
~~⑤~~ 이 기간 동안 우리나라는 이동성 고기압의 영향을 받았다. 온대 저기압

④ 온대 저기압은 편서풍의 영향으로 서쪽에서 동쪽으로 이동한다.

바로 알기 ① (가)일 때 우리나라의 남동쪽에 온대 저기압이 위치하며, 남동풍은 온난 전선의 앞쪽에서 부는 바람의 방향이다.
② (나)일 때 우리나라는 온대 저기압의 영향을 거의 받지 않는다.
③ (다)에서 온대 저기압은 우리나라의 남서쪽에 위치하며, 우리나라 남해안은 온난 전선의 앞쪽에 있어 약한 비가 내릴 것이다.
⑤ 이 기간 동안 우리나라의 남쪽으로 온대 저기압이 지나갔다.

12 온대 저기압

온대 저기압이 지나가며 온대 저기압에 동반된 한랭 전선과 온난 전선의 영향으로 풍향과 기온, 날씨가 바뀌며, 관측소 A는 온난 전선의 앞쪽, B는 한랭 전선의 뒤쪽, 그리고 C는 온난 전선과 한랭 전선 사이에 위치한다.

13 전선

선택지 분석

~~①~~ 폐색 전선에서는 공기의 상하 이동이 매우 활발하다. 상하 이동 없음
②폐색 전선이 형성된 후에는 찬 공기가 아래에 위치한다.
③폐색 전선이 형성된 후에는 강수 현상이 점차 사라진다.
④폐색 전선은 온대 저기압의 소멸 과정에서 주로 나타난다.
⑤한랭 전선이 온난 전선보다 이동 속도가 빨라 폐색 전선이 형성된다.

폐색 전선은 한랭 전선이 온난 전선보다 이동 속도가 빨라 두 전선이 서로 겹쳐져서 생기는 전선이다.
②, ③ 폐색 전선이 형성되면 찬 공기가 아래에 위치하고 따뜻한 공기가 위에 위치하게 되어 공기의 상하 이동이 없어지면서 강수 현상도 점차 사라진다.
④, ⑤ 폐색 전선은 이동 속도가 빠른 한랭 전선이 상대적으로 느린 온난 전선을 따라잡아 두 전선이 겹쳐져서 생긴다. 온대 저기압은 한랭 전선과 온난 전선을 동반하며, 온대 저기압이 소멸될 때 폐색 전선이 나타나며 기층이 안정해진다.

바로 알기 ① 폐색 전선에서는 공기의 상하 이동이 없다.

14 우리나라에 영향을 주는 기단

자료 분석 + 우리나라에 영향을 주는 기단의 특징

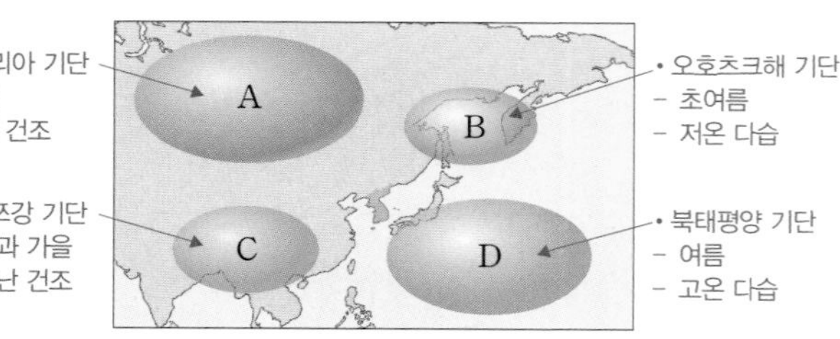

선택지 분석

①봄에 A는 점차 북쪽으로 물러난다.
②B는 주로 초여름 날씨에 영향을 준다.
~~③~~ C는 따뜻하고 습한 날씨를 형성한다. 따뜻하고 건조함
④여름철 한밤중의 열대야는 D의 영향으로 나타난다.
⑤D와 북쪽의 찬 기단이 만나 장마 전선을 이룰 수 있다.

① 봄에는 시베리아 기단이 점차 북쪽으로 물러나며 양쯔강 기단과 오호츠크해 기단이 영향을 미친다.

② 오호츠크해 기단은 주로 초여름에 영향을 준다.

④ 북태평양 기단의 영향으로 우리나라는 여름철 밤에 덥고 습한 날씨가 이어지는 열대야가 나타난다.

⑤ 초여름 북태평양 기단은 북쪽의 찬 기단과 장마 전선을 이룬다.

바로 알기 ③ C는 양쯔강 기단으로 주로 봄과 가을철에 따뜻하고 건조한 날씨를 형성한다.

15 우리나라의 계절별 날씨

자료 분석 + 겨울과 여름의 우리나라 주요 날씨와 일기도

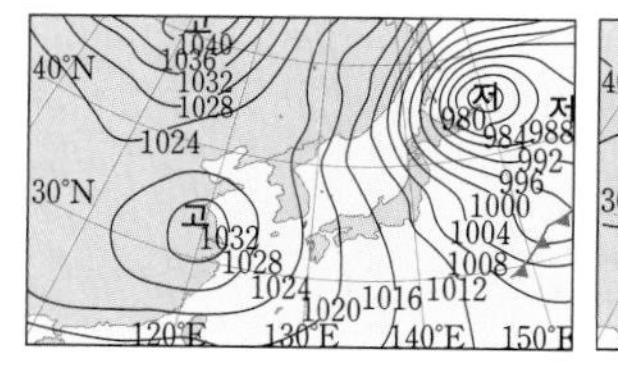

(가)

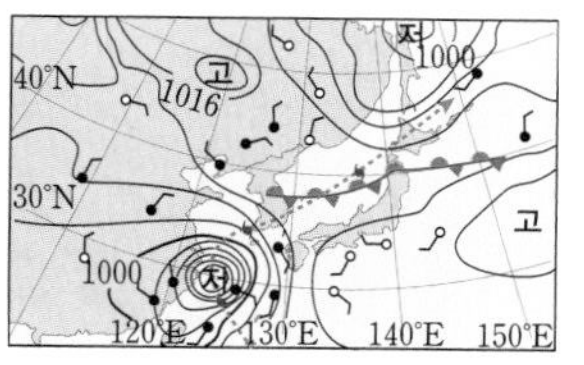

(나)

- 겨울철
  - 시베리아 기단의 영향으로 기온이 낮고 건조한 날씨가 나타난다.
  - 북서 계절풍이 불고 한파가 나타난다.
- 여름철
  - 북태평양 기단이 북상하면서 북쪽의 찬 기단과 만나 초여름에 장마를 형성한다.
  - 태풍이 접근할 때는 강풍과 많은 비로 큰 피해를 입기도 한다.

선택지 분석

①(가)일 때 우리나라에는 북서 계절풍이 분다.
②(가)일 때 대륙의 건조한 기단이 서해를 지나면서 변질되어 서해안에 폭설을 내릴 수 있다.
③(나)일 때는 대기가 불안정하여 소나기가 자주 내릴 수 있다.
~~④~~(나)의 일기도에서는 우리나라 주변에 온대 저기압이 형성되어 있음을 확인할 수 있다. (온대 저기압 → 장마 전선, 태풍)
⑤(가)에서는 기온이 낮고 건조한 대륙성 기단이, (나)에서는 기온이 높고 습한 해양성 기단이 우리나라에 영향을 미친다.

①, ② 겨울철에 우리나라에는 시베리아 기단의 영향으로 북서 계절풍이 분다. 대륙에서 만들어진 건조한 기단이 서해를 지나면서 변질되어 서해안에 폭설이 내리기도 한다.

③ 여름철에는 대기 불안정에 의해 소나기가 자주 내리며 열대야가 발생하기도 한다.

⑤ (가)는 겨울철 시베리아 기단의 영향이, (나)는 여름철 북태평양 기단의 영향이 나타난다.

바로 알기 ④ 여름철 일기도에서 보이는 전선은 정체 전선으로 북태평양 기단과 북쪽의 찬 기단이 만나 형성하는 장마 전선을 나타낸 것이다.

16 바람

모래는 물보다 비열이 작으므로, 물보다 온도가 빠르게 올라갔다가 빠르게 내려간다.

모범 답안

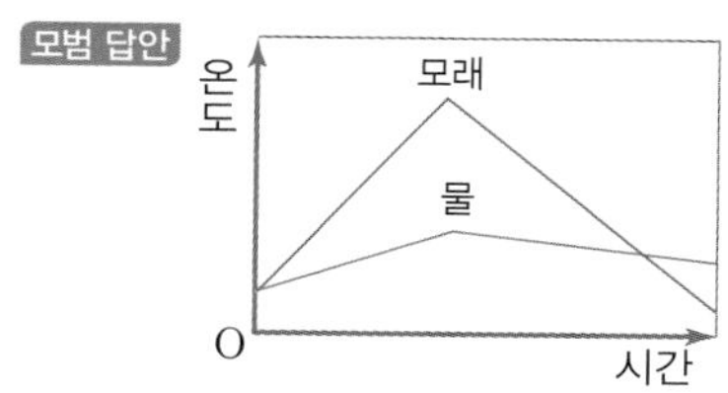

채점 기준	배점(%)
모래와 물의 온도 변화 그래프를 정확히 구별하여 그린 경우	100
모래와 물의 온도 변화 경향만을 대략적으로 알고 있는 경우	50

정답과 해설 BOOK 2

1주 Ⅲ 운동과 에너지

1일 개념 돌파 전략 1 확인Q 8~9쪽

5강_운동

1 일정, 나중 2 1.5 m/s 3 등속 4 이동 거리 5 빠른
6 49 N 7 9.8 m/s 8 중력

2 $속력(m/s)=\frac{이동 거리(m)}{걸린 시간(s)}$이므로

공의 속력$=\frac{150 cm}{1 s}=\frac{1.5 m}{1 s}=1.5 m/s$이다.

6 중력의 크기(N)=9.8×질량(kg)이므로 야구공에 작용하는 중력의 크기는 9.8×5(kg)=49(N)이다.

1일 개념 돌파 전략 1 확인Q 10~11쪽

6강_일과 에너지

1 힘, J 2 0 3 F=19.6 N, W=98 J 4 (1) ○ (2) ○ (3) ×
5 392 J 6 20 cm 7 8배 8 100 J

3 힘 F=물체의 무게(=중력의 크기)=중력 가속도 상수×물체의 질량=9.8×2(kg)=19.6(N)
일의 양 W=19.6 N×5 m=98 J

5 상자를 들어 올릴 때 해 준 일은 상자의 중력에 의한 위치 에너지로 저장된다.
상자의 위치 에너지=(9.8×20)N×2 m=392 J

6 추의 질량이나 낙하 높이가 2배, 3배, …로 커지면 말뚝이 박히는 깊이도 2배, 3배, …로 증가한다. 따라서 떨어진 높이가 2배 커지면 말뚝이 박히는 깊이도 2배로 증가하므로
10 cm×2=20 cm이다.

7 운동 에너지는 물체의 질량과 속력의 제곱에 각각 비례한다.
A는 질량과 속력이 모두 B의 2배이므로 운동 에너지는
2×2^2=8(배)가 된다.

8 마찰이 없는 수평면에서 물체에 해 준 일은 물체의 운동 에너지로 전환된다. 해 준 일의 양이 100 J이면 증가한 물체의 운동 에너지도 100 J이 된다.

1일 개념 돌파 전략 2 12~13쪽

1 ⑤ 2 ① 3 ③ 4 ②
5 ㄱ, ㄹ 6 ⑤

1 물체의 운동

10분 동안 자전거가 이동한 거리는
이동 거리=속력×걸린 시간=3 m/s×600 s=1800 m이다.

2 등속 운동 그래프

시간-이동 거리 그래프에서 직선의 기울기는
$\frac{이동 거리}{걸린 시간}$=속력이다. 따라서 A~D 중 가장 속력이 빠른 것은 기울기가 가장 큰 A이다.

암기 Tip 등속 운동의 시간-이동 거리 그래프

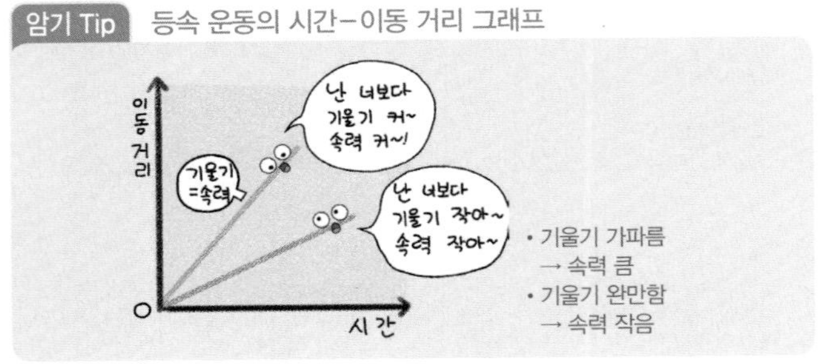

3 자유 낙하 운동

선택지 분석

ㄱ. ~~속력이 일정한 등속 운동이다.~~ 속력이 매초 9.8 m/s씩 증가
ㄴ. ~~같은 시간 이동한 거리는 일정하다.~~ 점점 증가
ⓒ 물체의 운동 방향과 같은 방향으로 힘이 작용한다.

ㄷ. 자유 낙하 운동에 작용하는 힘은 중력이며, 중력은 물체의 운동 방향과 같은 방향으로 계속 작용한다.

바로 알기 ㄱ. 자유 낙하 운동에서 속력은 매초 9.8 m/s씩 증가한다.
ㄴ. 자유 낙하 운동에서 같은 시간 동안 이동한 거리는 구간 거리로 점점 증가한다.

4 과학에서의 일

ㄷ. 탁자를 수평 방향으로 밀어서 이동하였으므로 탁자와 바닥 사이에 작용하는 마찰력에 대해 일을 한 것이다.
ㅁ. 무게가 98 N인 책상을 위층으로 옮겼으므로 중력에 대해 일을 한 것이다.

바로 알기 ㄱ. 물컵을 들고 있을 때 무게만큼의 힘은 작용했으나 이동 거리가 없으므로 한 일은 0이다.

ㄴ. 원운동 하는 깡통에 작용하는 힘의 방향은 원의 중심 방향이고 깡통이 이동하는 거리는 원의 접선 방향이므로 힘과 이동 방향이 서로 수직이다. 따라서 한 일은 0이 된다.

5 중력에 의한 위치 에너지

ㄱ. (9.8×5) N$\times2$ m$=$ 98 J

ㄹ. 높이가 2 m 줄어들므로 (9.8×5)N$\times2$ m$=$98 J만큼 중력에 의한 위치 에너지가 감소한다.

바로 알기 ㄴ. 지면을 기준면으로 할 때 옥상에서의 위치 에너지$=9.8\times5$(kg)$\times5$(m)$=245$(J)

ㄷ. 옥상을 기준면으로 할 때 위치 에너지는 0이다. 즉 기준면에서의 위치 에너지는 0이다.

6 운동 에너지

자료 분석 + 운동 에너지

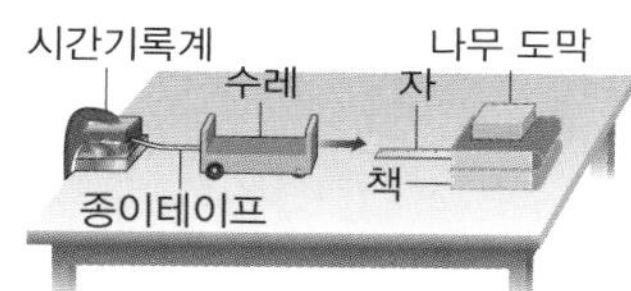

수레의 운동 에너지는 자를 밀고 가는 일로 전환된다. $\frac{1}{2}mv^2=fs$(f는 자에 작용하는 마찰력, s는 자의 이동 거리)이므로 자의 이동 거리는 수레의 질량에 비례하고 속력의 제곱에 비례한다.

실험	수레의 질량	수레의 속력	자의 이동 거리
A	2 kg	2 m/s	2 cm
B	4 kg	2 m/s	4 cm
C	2 kg	4 m/s	(가)
D	4 kg	2배 (나)	16 cm 4배

질량 일정 / 속력 2배 / 4배

C는 A에서 속력만 2배가 된 경우이므로 자의 이동 거리는 A의 2^2배, 즉 2 cm$\times2^2=$8 cm가 된다. D는 자의 이동 거리가 B의 4배이므로 D의 속력은 B의 속력(2 m/s)의 2배인 4 m/s가 된다.

2일 필수 체크 전략 1 기출 선택지 All 14~17쪽

❶-1 ㄷ　❷-1 ③　❸-1 ㄱ
❹-1 ㄱ　❺-1 ㄴ　❻-1 ㄴ
❼-1 ㄱ　❽-1 ㄱ, ㄷ

❶-1 운동의 기록

자료 분석 + 시간기록계로 기록한 종이테이프 분석

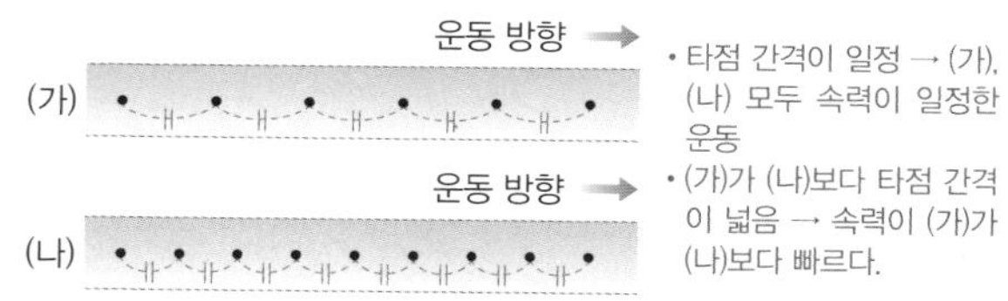

• 타점 간격이 일정 → (가), (나) 모두 속력이 일정한 운동
• (가)가 (나)보다 타점 간격이 넓음 → 속력이 (가)가 (나)보다 빠르다.

선택지 분석

ⓧ (가)와 (나)는 속력이 같다. (가)가 (나)보다 빠르다.
ⓧ (나)는 속력이 점점 느려진다. 속력이 일정
ⓒ (가)와 (나)는 각각 속력이 일정하고, (가)가 (나)보다 빠르다.

ㄷ. 타점 간격이 일정하므로 (가), (나) 모두 속력이 일정한 운동을 한다. 그런데 타점 간격이 (가)가 (나)보다 넓으므로 속력은 (가)가 (나)보다 빠르다.

바로 알기 ㄱ. 타점 간격이 (가)가 (나)보다 넓으므로 속력은 (가)가 (나)보다 빠르다.

ㄴ. 타점 간격이 일정하므로 (나)는 속력이 일정한 운동을 한다.

암기 Tip 타점 간격과 속력

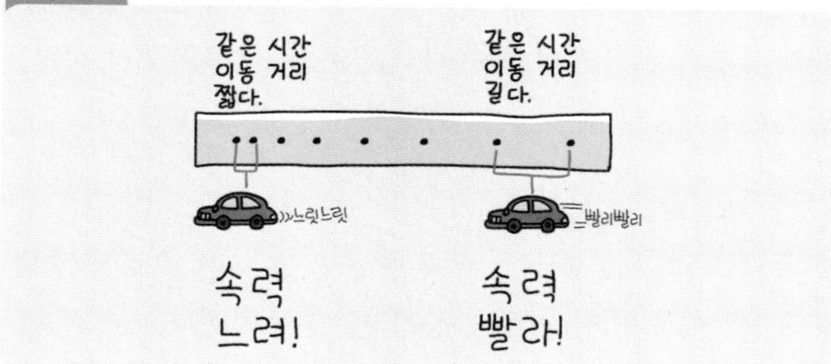

❷-1 속력

수평면을 굴러가는 공의 운동을 기록한 표를 보면 0.1초 동안 이동한 거리가 2 m이다. 따라서 속력$=\dfrac{\text{이동 거리}}{\text{걸린 시간}}=\dfrac{2\text{ m}}{0.1\text{ s}}=20$ m/s이다.

암기 Tip 속력, 시간, 거리의 관계

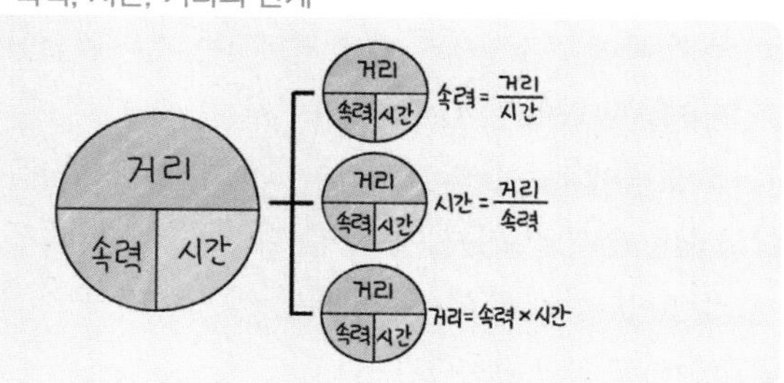

③-1 등속 운동

ㄱ. 일정한 시간 동안 이동한 거리가 같으므로 (가)는 등속 운동을 한다.

바로 알기 ㄴ. 물체 사이의 간격이 넓은 (나)의 속력이 (가)보다 빠르다.

ㄷ. 일정 시간 동안 이동한 거리가 같으므로 (나)는 등속 운동을 하며, 시간에 따라 속력이 일정하다.

④-1 시간-이동 거리 그래프

ㄱ. 시간-이동 거리 그래프를 보면 물체는 시간에 따라 이동 거리가 일정하게 증가하므로 등속 운동을 한다.

바로 알기 ㄴ. 시간-이동 거리 그래프에서 직선의 기울기는 물체의 속력을 의미한다. 따라서 물체의 속력$=\frac{16}{4}=4(\mathrm{m/s})$이다.

ㄷ. 시간-이동 거리 그래프에서 직선의 기울기는 물체의 속력을 의미하므로 기울기가 작아지면 속력이 느려진 것이다.

⑤-1 시간-속력 그래프

0.1초 간격으로 찍은 물체 사이의 간격이 일정하므로 이 물체는 등속 운동을 하고 있다. 따라서 시간-속력 그래프에서 속력은 일정하다.

⑥-1 자유 낙하 운동

ㄴ. 자유 낙하 하는 물체는 운동 방향과 같은 방향으로 힘(중력)이 작용하여 속력이 일정하게 증가하는 운동을 한다.

바로 알기 ㄱ. 속력이 증가하는 운동이다.

ㄷ. 운동 방향과 같은 방향으로 중력이 작용한다.

⑦-1 자유 낙하 운동에서 속력

자유 낙하 운동을 하는 물체의 속력은 매초 9.8 m/s씩 일정하게 증가한다.

⑧-1 질량이 다른 물체의 낙하 운동

ㄱ. 공기 중에서 깃털이 나중에 떨어지는 것은 깃털이 공기 저항의 영향을 더 많이 받기 때문이다.

ㄷ. 진공 중에서는 물체의 질량이 속력 변화에 영향을 미치지 않아서 쇠공과 깃털이 동시에 떨어진다.

바로 알기 ㄴ. 진공에서는 중력만 작용하고, 공기 중에서는 중력과 공기 저항이 작용한다.

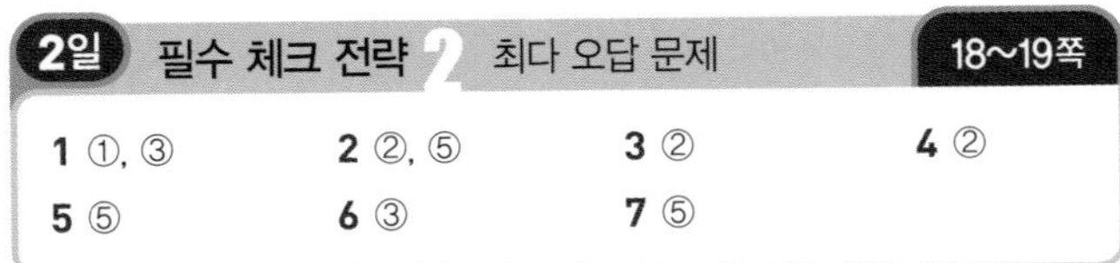

1 운동의 기록

자료 분석 + 다중 섬광 사진 분석

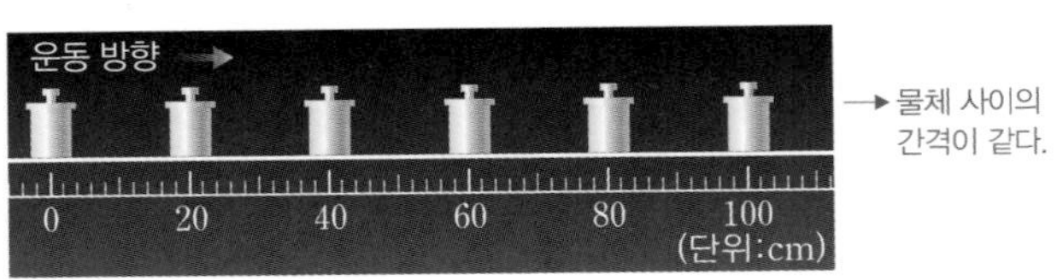

일정한 시간 간격으로 사진을 찍어 물체의 운동을 기록하는 다중 섬광 사진에서 물체 사이 간격이 일정하므로 물체는 등속 운동을 한다.

선택지 분석

①물체는 등속 운동을 하고 있다. 물체 사이 간격 일정 → 등속 운동

~~②~~ 물체에는 일정한 크기의 힘이 계속 작용한다. 힘이 작용하지 않는다

③물체가 이동한 거리는 시간에 비례하여 일정하게 증가한다.

~~④~~ 물체의 속력은 0.2 m/s이다. 2 m/s

~~⑤~~ 위의 사진에서 물체 사이의 시간 간격이 1초이면 물체의 속력은 20 m/s이다. 0.2 m/s

① 다중 섬광 사진에서 물체 사이 간격이 일정하므로 물체는 등속 운동을 하고 있다.

③ 물체가 이동한 거리는 시간에 비례하여 일정하게 증가한다.

바로 알기 ② 등속 운동 하는 물체에는 힘이 작용하지 않으므로 속력 변화가 없으며 일정한 크기의 힘이 운동 방향으로 계속 작용하면 속력이 일정하게 증가한다.

④ 속력$=\frac{\text{이동 거리}}{\text{걸린 시간}}=\frac{0.2\,\mathrm{m}}{0.1\,\mathrm{s}}=2\,\mathrm{m/s}$

⑤ 속력$=\frac{\text{이동 거리}}{\text{걸린 시간}}=\frac{0.2\,\mathrm{m}}{1\,\mathrm{s}}=0.2\,\mathrm{m/s}$

2 등속 운동의 예

물체가 운동할 때 시간에 따라 속력이 변하지 않고 일정한 운동을 등속 운동이라고 하는데, 에스컬레이터는 이러한 등속 운동을 한다.

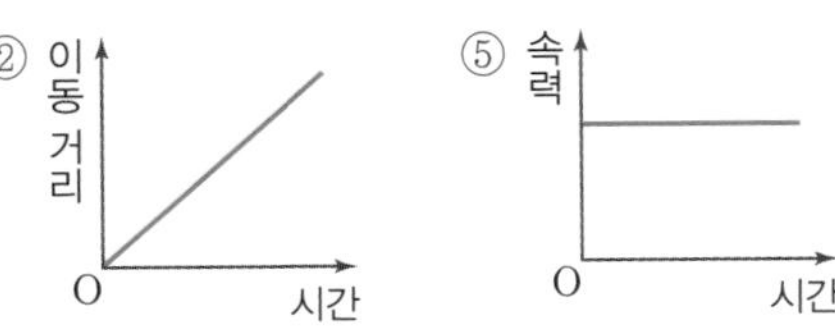

② 물체가 이동한 거리는 시간에 비례한다.

⑤ 속력(y축의 값)이 시간에 따라 변하지 않고 일정하다.

3 시간-이동 거리 그래프

자료 분석 + 시간-이동 거리 그래프 분석

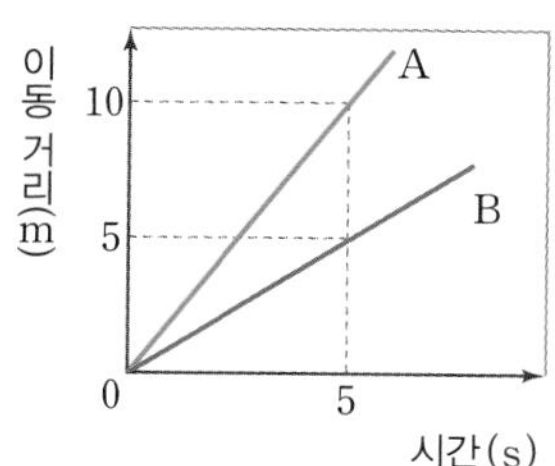

시간-이동 거리 그래프에서 직선의 기울기는 속력을 나타낸다.

ㄴ. 시간-이동 거리 그래프에서 직선의 기울기로 속력을 구하면 물체 A는 $\frac{10}{5}=2$(m/s), B는 $\frac{5}{5}=1$(m/s)이다.

ㄷ. 두 물체의 속력의 비(A:B)는 2:1이다.

바로 알기 ㄱ. 두 물체는 속력이 일정한 운동을 한다.

ㄹ. 그래프에서 이동한 거리의 비(A:B)는 2:1이다.

4 시간-속력 그래프

자료 분석 + 시간-속력 그래프 분석

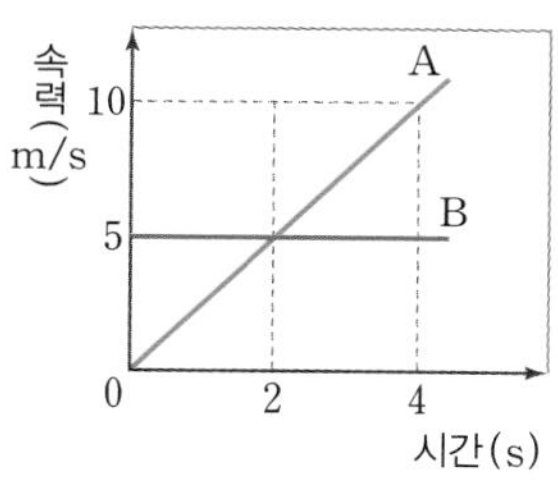

시간-속력 그래프에서 직선 아랫부분의 넓이는 이동 거리를 나타낸다.

선택지 분석

- ~~ㄱ~~ 0초부터 2초까지 이동 거리는 A가 B보다 크다. B가 A보다 크다.
- ~~ㄴ~~ 2초일 때 A와 B에 작용한 힘의 크기는 B가 A보다 크다. A가 B보다 크다.
- ㄷ 2초부터 4초까지 A에 작용한 힘의 크기는 일정하다.

직선 운동을 하는 물체에 일정한 크기의 힘이 운동 방향으로 계속 작용하면 속력이 일정하게 증가하는 운동을 하고, 작용하는 힘이 없으면 속력이 변하지 않는 등속 운동을 한다.

ㄷ. 2초부터 4초까지 A의 속력이 일정하게 증가하였으므로 A에 작용한 힘의 크기는 일정하다.

바로 알기 ㄱ. 시간-속력 그래프 아랫부분의 넓이가 이동 거리이므로 0초부터 2초까지 이동 거리는 B가 A보다 크다.

ㄴ. B는 등속 운동을 하므로 B에 작용한 힘은 0이다. 따라서 2초일 때 작용한 힘의 크기는 A가 B보다 크다.

5 시간-속력 그래프

자료 분석 + 시간-속력 그래프 분석

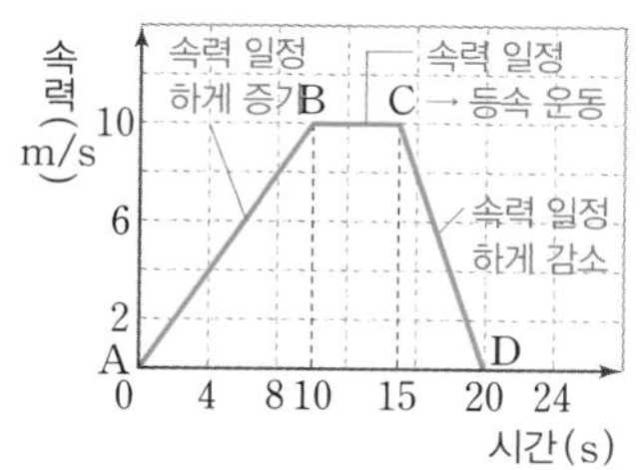

- 평균 속력(m/s) $=\frac{\text{전체 이동 거리(m)}}{\text{걸린 시간(s)}}$
- 속력이 일정하게 변하는 운동의 평균 속력 $=\frac{\text{처음 속력}+\text{나중 속력}}{2}$

선택지 분석

- ~~ㄱ~~ CD 구간에서 물체의 속력은 일정하다. 일정하게 감소
- ㄴ AB 구간과 BC 구간의 이동 거리는 같다. $\frac{1}{2}\times10\times10=50$(m)
- ㄷ 20초 때 전철은 정지하였다.

ㄴ. 시간-속력 그래프에서 직선 아랫부분 넓이는 이동 거리를 나타낸다. 따라서 AB 구간 이동 거리는 $\frac{1}{2}\times10\times10=50$(m), BC 구간 이동 거리는 $10\times5=50$(m), CD 구간 이동 거리는 $\frac{1}{2}\times10\times5=25$(m)이다.

ㄷ. CD 구간에서 속력은 일정하게 감소하여 20초 때 정지한다.

바로 알기 ㄱ. AB 구간에서 속력은 일정하게 증가하고, BC 구간에서 속력은 일정하며, CD 구간에서 속력은 일정하게 감소한다.

6 자유 낙하 운동

선택지 분석

- ~~ㄱ~~ 인형에 작용하는 중력은 0이다. 0이 아니다
- ~~ㄴ~~ 실이 인형을 당기는 힘보다 지구가 인형을 당기는 힘의 크기가 크다. 크기가 같다.
- ㄷ 실을 끊으면 인형의 속력은 일정하게 빨라진다.

ㄷ. 실을 끊으면 인형은 중력에 의해 속력이 일정하게 빨라지는 자유 낙하 운동을 한다.

바로 알기 ㄱ. 지구에 있는 모든 물체는 끊임없이 중력을 받으며, 물체가 정지해 있어도 중력은 작용한다. 따라서 인형에 작용하는 중력은 0이 아니다.

ㄴ. 인형은 정지해 있으므로 실이 인형을 당기는 힘과 지구가 인형을 당기는 중력은 서로 크기가 같고 방향이 반대로 작용하여 힘의 평형을 이루고 있다.

7 질량이 다른 물체의 낙하 운동

자료 분석 + 진공과 공기 중에서의 낙하 운동

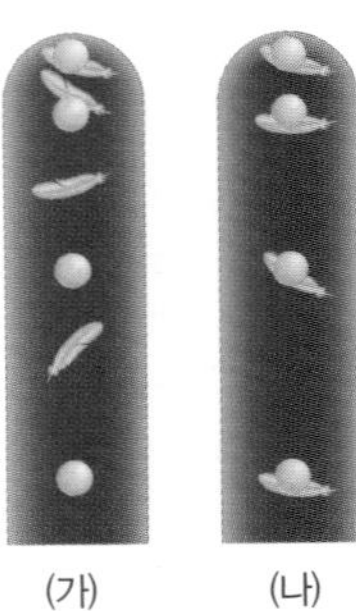

(가) 공기 중: 공기 저항의 영향을 더 많이 받는 깃털이 쇠구슬보다 천천히 떨어진다.
(나) 진공 중: 물체의 질량에 관계없이 동시에 떨어진다.

- (가)는 쇠구슬이 깃털보다 먼저 떨어진다.
- (나)는 쇠구슬과 깃털이 함께 떨어진다.

선택지 분석

~~①~~ (가), (나) 모두 질량이 큰 물체일수록 항상 먼저 떨어진다. (나)만 동시에 떨어진다.
~~②~~ (나)에서는 두 물체에 아무런 힘도 작용하지 않는다. 중력 작용
~~③~~ (나)에서 낙하 속력은 물체의 질량에 비례한다. 질량과 관계없이 일정하게 증가
~~④~~ (가)는 진공, (나)는 공기 중에서 낙하하는 것이다. (가)는 공기 중, (나)는 진공 중
⑤ 공기의 저항이 없다면 물체는 (나)와 같이 질량이나 모양에 관계없이 동시에 떨어진다.

⑤ (가)는 공기 중, (나)는 진공 중에서 낙하시킨 것으로, 공기 저항이 없다면 (나)와 같이 두 물체는 동시에 떨어진다.

바로 알기 ① 질량이 다른 물체라도 진공 중에서는 동시에 떨어진다.
② (나)에서도 물체에는 중력이 작용한다.
③ (나)에서 낙하 속력은 물체의 질량에 관계없이 매초 9.8 m/s씩 일정하게 증가한다.
④ (가)는 공기 중, (나)는 진공 중에서 낙하하는 것이다.

3일 필수 체크 전략 1 기출 선택지 All 20~23쪽

1-1 ③	2-1 ㄱ, ㄴ, ㄷ	3-1 ④
4-1 ③	5-1 ④	6-1 ④
7-1 ③	8-1 ④	

1-1 과학에서의 일

일의 양(J) = 힘의 크기(N) × 힘의 방향으로 이동한 거리(m)
무게(N) = 중력 가속도 상수 × 질량(kg)

① 40 N × 0.2 m = 8 J, ② 20 N × 2 m = 40 J,
③ (9.8 × 2) N × 3 m = 588 J
④ 상자에 작용하는 힘의 방향은 지구 중심 방향, 상자가 이동한 방향은 중력 방향과 수직이므로 한 일의 양은 0이다.
⑤ 10 N × 3 m = 30 J

2-1 과학에서의 일

자료 분석 + 그래프로 일의 양 구하기

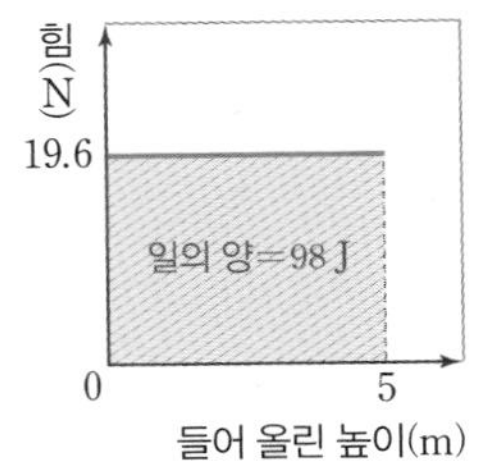

- 그래프에서 둘러싸인 넓이는 힘이 한 일의 양(= 힘 × 높이)과 같다.
- 일의 단위(J) = 힘의 단위(N) × 거리 단위(m)

선택지 분석

㉠ 물체의 질량은 2 kg이다.
㉡ 물체에 한 일의 양은 98 J이다.
㉢ 빗금 친 넓이는 물체에 한 일의 양을 나타낸다.
~~㉣~~ 물체를 5 m를 들어 올리는 동안 물체의 운동 에너지는 점점 증가한다. 위치

ㄱ. 물체의 무게 = 중력 가속도 상수 × 질량(kg) = 19.6 N, 따라서 물체의 질량은 2 kg이다.
ㄴ, ㄷ. 힘 - 거리 그래프에서 빗금 친 넓이 = 세로값 × 가로값 = 19.6 N × 5 m = 98 J이므로 한 일의 양을 나타낸다.

바로 알기 ㄹ. 물체를 일정한 속력으로 지면에 수직으로 5 m 들어 올리는 동안 운동 에너지는 일정하고 한 일의 양은 물체의 위치 에너지로 전환된다.

3-1 일과 에너지 전환

④ 상자를 들어 올릴 때 필요한 힘의 크기 = 상자의 무게 = 9.8 × 2(kg) = 19.6(N)이다.

바로 알기 ① 상자를 들어 올릴 때 한 일의 양은 (9.8 × 2)N × 2 m = 39.2 J이다.
② 중력에 대해 한 일의 양은 39.2 J이다.
③ 지면에서 상자의 위치 에너지는 0이다.
⑤ 높이 2 m에서 상자의 중력에 의한 위치 에너지는 (9.8 × 2)N × 2 m = 39.2 J이다.

❹-1 일과 에너지 전환

자료 분석 + 일과 에너지 전환

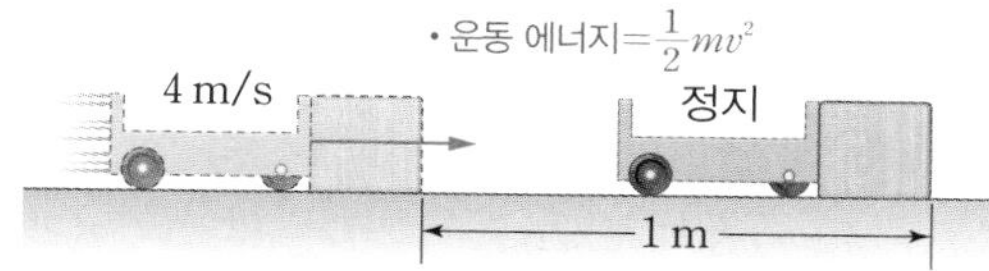

• 수레가 한 일=나무 도막에 작용하는 마찰력×나무 도막의 이동 거리
• 나무 도막의 이동 거리는 수레의 질량에 비례하고, 속력의 제곱에 비례한다.

선택지 분석

~~①~~ 수레의 운동 에너지는 39.2 J이다. 8 J
~~②~~ 수레의 속력을 2배로 하면 나무 도막을 밀고 간 거리는 2 m가 된다. 4 m
③ 수레의 질량을 2배로 하면 나무 도막을 밀고 간 거리는 2 m가 된다.
~~④~~ 나무 도막과 바닥 사이의 마찰력은 9.8 N이다. 8 N
~~⑤~~ 수레의 위치 에너지는 수레가 나무 도막에 해 준 일의 양과 같다. 운동

③ 나무 도막의 이동 거리는 수레의 운동 에너지에 비례한다. $\frac{1}{2}mv^2=Fs$에서 수레의 질량 m이 2배가 되면 나무 도막의 이동 거리 s도 2배가 되므로 1 m×2=2 m가 된다.

바로 알기 ① 수레의 운동 에너지는 $\frac{1}{2}\times1\times4^2=8$(J)이다.
② 운동 에너지$=\frac{1}{2}mv^2$이므로 속력 v를 2배로 하면 나무 도막을 밀고 간 거리 s는 4배 증가하여 1 m×4=4 m가 된다.
④ 나무 도막과 바닥 사이의 마찰력은 $F\times1$ m=8 J, $F=8$ N이다.
⑤ 수레의 운동 에너지는 수레가 나무 도막에 해 준 일의 양과 같다.

❺-1 중력에 의한 위치 에너지

자료 분석 + 중력에 의한 위치 에너지

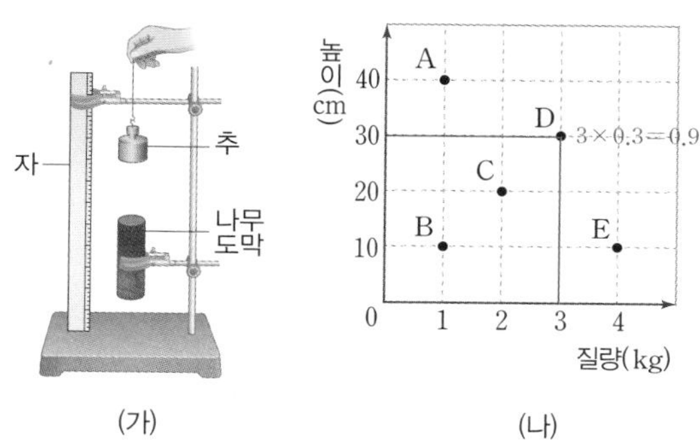

• 추의 위치 에너지가 나무 도막을 밀어내는 일을 한다.
• 추의 높이와 질량이 그림 (나)와 같을 때 추의 위치 에너지=9.8 mh이므로 추의 질량과 높이의 곱이 가장 클 때 나무 도막을 가장 많이 밀어낸다.

나무 도막의 이동 거리가 가장 큰 경우는 추의 위치 에너지가 가장 큰 경우이다. 위치 에너지=9.8 mh에서 추의 위치 에너지는 질량과 높이의 곱에 비례하므로, 질량×높이의 값이 가장 큰 D가 떨어질 때 나무 도막의 이동 거리가 가장 크다.

❻-1 중력에 의한 위치 에너지

자료 분석 + 기준면에 따른 위치 에너지

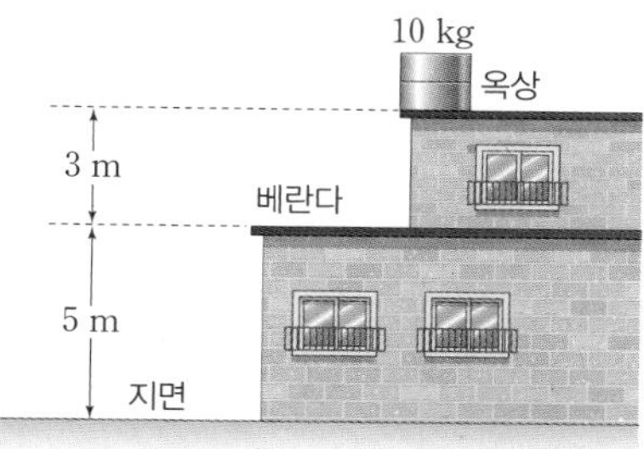

위치 에너지는 기준면으로부터 높이에 비례한다.
(가) 지면이 기준면일 경우: 높이=8 m
(나) 베란다가 기준면일 경우: 높이=3 m

선택지 분석

~~①~~ 3:5　~~②~~ 3:8　~~③~~ 5:3
④ 8:3　~~⑤~~ 8:5

위치 에너지는 9.8 mh이고 질량 m이 일정하므로 (가) 지면이 기준면일 때 높이는 8 m이고, (나) 베란다가 기준면일 때 높이는 3 m이므로 위치 에너지의 비는 8:3이 된다.

❼-1 운동 에너지

• 높은 곳에서 자유 낙하 하는 물체에 중력이 한 일은 운동 에너지로 전환된다.
• 감소한 위치 에너지=증가한 운동 에너지
• 질량은 변함없고 높이만 변화하므로 감소한 위치 에너지 =9.8 m×(높이 차)
• 증가한 운동 에너지=감소한 위치 에너지=9.8 m×(높이 차)
• A 지점에서 쇠구슬의 운동 에너지=9.8×1×0.5=4.9(J)이다.

암기 Tip 중력이 한 일=운동 에너지 증가

낙하하는 물체에
중력이 한 일
=운동 에너지
증가
낙중운증!

8-1 운동 에너지

자료 분석 + 운동 에너지와 제동 거리

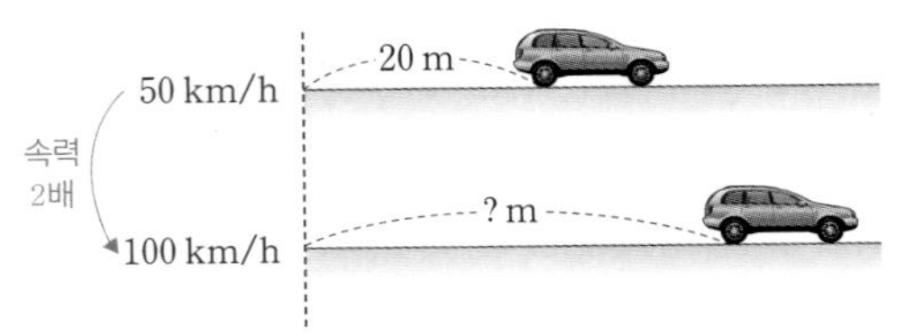

- 자동차의 운동 에너지는 자동차 바퀴에 작용하는 마찰력에 대해 한 일로 전환된다.
- 운동 에너지$=\frac{1}{2}mv^2$에서 속력이 2배 증가하면 운동 에너지는 4배 증가한다.
- 자동차에 작용한 힘이 일정하다고 가정하면 자동차의 이동 거리(=제동 거리)는 자동차의 운동 에너지에 비례한다.

물체의 운동 에너지는 $\frac{1}{2}\times$(질량)$\times$(속력)^{2}이고 운동 에너지와 이동 거리는 비례한다. 따라서 속력이 2배 증가하면 운동 에너지는 속력의 제곱인 $2^2=4$배 증가하므로 이동 거리는 $20\ \mathrm{m}\times4=80\ \mathrm{m}$로 증가한다.

암기 Tip 일과 운동 에너지

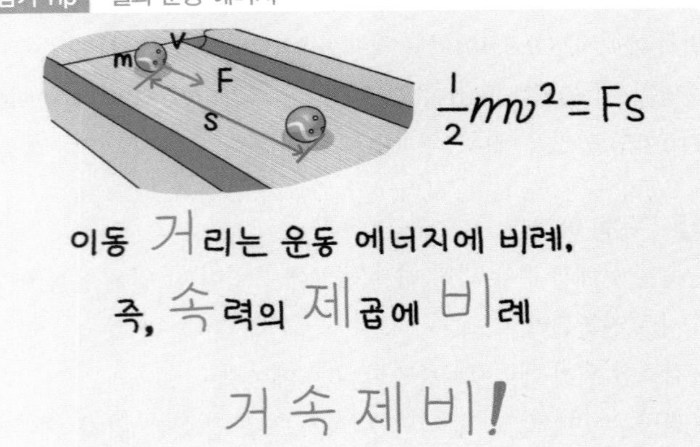

3일 필수 체크 전략 2 최다 오답 문제 24~25쪽

1 ④	2 ②	3 ④	4 ③
5 ⑤	6 ㄴ, ㄷ	7 ㄹ, ㅁ	

1 과학에서 일

한 일의 양은 힘과 힘의 방향으로 물체가 이동한 거리의 곱이므로 힘과 이동 거리 중 한 가지가 0이면 한 일의 양도 0이다.

① 힘=상자의 무게, 이동 거리=1층에서 3층까지의 높이

② 힘=100 kg에 작용하는 중력, 이동 거리=역기를 들어 올린 높이

③ 힘=카트를 미는 힘, 이동 거리=카트를 밀고 간 거리

⑤ 힘=(몸무게+가방의 무게), 이동 거리=앉았다 일어선 높이

바로 알기 ④ 마찰력이 작용하지 않는 빙판이므로 아이스 퍽의 이동 방향으로 작용한 힘이 0이다. 따라서 한 일의 양은 0이다.

2 전체 한 일의 양

자료 분석 + 수평으로 이동한 일과 수직으로 들어 올린 일

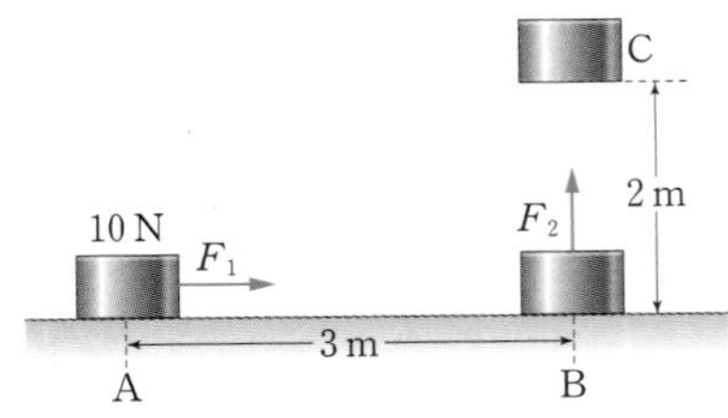

- 물체를 수평으로 이동할 때 한 일$=F_1\times3\ \mathrm{m}$
- 물체를 수직으로 들어 올린 일=물체의 무게$(F_2)\times2\ \mathrm{m}$
- 한 일=수평으로 이동할 때 한 일+수직으로 들어 올린 일

물체를 수직으로 들어 올릴 때, $10\ \mathrm{N}\times2\ \mathrm{m}=20\ \mathrm{J}$의 일을 한 것이므로 38 J=수평면에서 한 일+20 J에서 수평면에서 한 일의 양은 18 J이다. 수평 방향으로 이동 거리가 3 m이므로 18 J=마찰력$\times$3 m에서 마찰력의 크기는 6 N이다.

3 위치 에너지 측정

자료 분석 + 위치 에너지 크기 측정

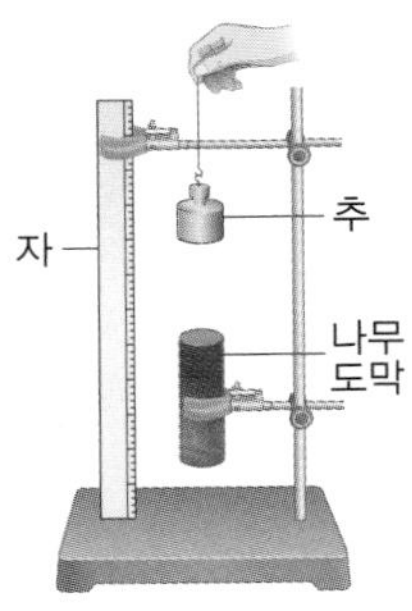

실험	추의 질량	추의 낙하 높이	나무 도막의 이동 거리
A	1 kg	10 cm	10 cm
B	1 kg	20 cm	20 cm
C	2 kg	10 cm	20 cm
D	2 kg	30 cm	(가)

(A→D: 질량 2배, 낙하 높이 3배, 이동 거리 6배)

- 추가 높은 곳에서 갖는 위치 에너지는 나무 도막을 밀어내는 일로 전환, 나무 도막의 이동 거리는 추의 질량에 비례, 추의 낙하 높이에 비례
- 실험 D의 (가)는 실험 A에서 질량이 2배, 낙하 높이가 3배일 때 나무 도막의 이동 거리이다. 따라서 실험 A의 6배가 된다.

① (가)는 질량은 2 kg으로 유지하고 낙하 높이만 실험 C의 3배이므로 나무 도막의 이동 거리도 3배가 되어 20 cm×3=60 cm이다.

② 추의 낙하 높이가 일정할 때 나무 도막의 이동 거리는 추의 질량에 비례한다.(실험 A, C 비교)

③ 추의 질량이 일정할 때 나무 도막의 이동 거리는 추의 높이에 비례한다.(실험 A, B와 실험 C, D 비교)

⑤ 추의 위치 에너지는 나무 도막의 이동 거리에 비례하므로 나무 도막의 이동 거리가 같은 경우는 추의 위치 에너지가 같다고 볼 수 있다.

바로 알기 ④ 위치 에너지=9.8 mh이므로 추의 위치 에너지는 추의 질량과 높이에 비례한다. 실험 A에서 나무 도막이 받는 마찰력은 9.8×1×0.1=F×0.1, F=9.8 N이다.

4 높은 곳에서 내려온 물체가 한 일

나무 도막이 받은 일의 양=마찰력×이동 거리=3 N×0.2 m=6 J이므로 쇠구슬의 위치 에너지는 6 J이었음을 알 수 있다.

5 위치 에너지에 영향을 주는 요인

자료 분석 + 위치 에너지의 크기에 영향을 주는 요인

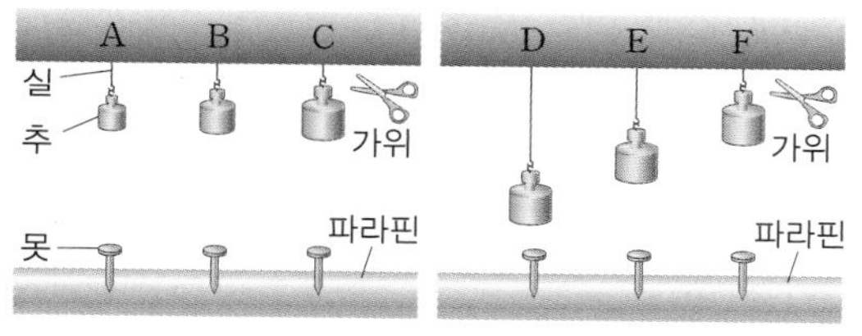

A, B, C는 같은 높이에 있는 질량이 다른 추를 떨어뜨려 파라핀에 못을 박는 장치, D, E, F는 같은 질량의 추를 각각 다른 높이에서 떨어뜨려 파라핀에 못을 박는 장치이다.

①, ②, ④ 추의 높이가 일정할 때 추의 위치 에너지는 질량에 비례한다. 따라서 질량이 가장 큰 C이다. 또 추의 질량이 일정할 때 추의 위치 에너지는 높이에 비례한다. 따라서 높이가 가장 큰 F이다.

③ A, B, C에서 위치 에너지는 질량에 비례하므로 A와 C의 무게의 비가 1 : 3이면 위치 에너지도 C가 A보다 3배 크다.

바로 알기 ⑤ 위치 에너지=9.8 mh이므로 A, B, C를 비교하면 위치 에너지는 C>B>A이고, D, E, F를 비교하면 위치 에너지는 F>E>D이다.

6 자유 낙하 하는 물체의 운동 에너지

자료 분석 + 자유 낙하 운동에서 속력과 운동 에너지

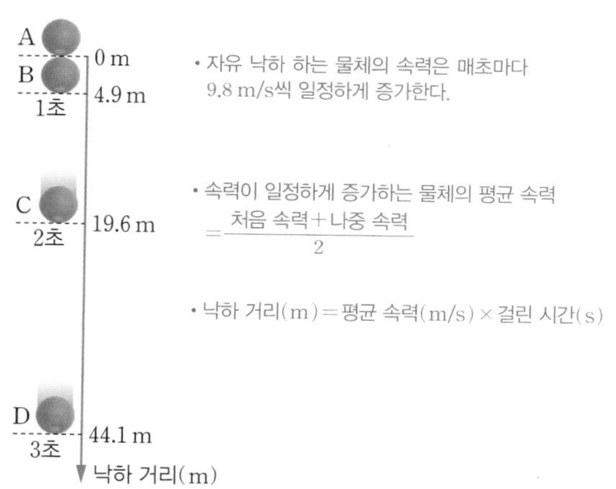

선택지 분석

~~ㄱ.~~ B에서의 속력은 4.9 m/s이다. → 9.8

ⓛ C에서의 운동 에너지는 B에서의 4배이다.

ⓒ A에서부터 D까지 낙하하는 동안 물체의 평균 속력은 14.7 m/s이다.

ㄴ. 자유 낙하 하는 물체의 속력은 매초마다 9.8 m/s씩 증가하므로 2초 후인 C에서의 속력은 19.6 m/s이다. 따라서 C에서의 속력은 B에서의 속력의 2배이므로 C에서의 운동 에너지는 B에서의 4배이다.

ㄷ. A에서부터 D까지 낙하하는 데 걸린 시간이 3초이므로, A에서 D까지의 평균 속력은 $\frac{44.1\text{ m}}{3\text{ s}}$=14.7 m/s이다.

바로 알기 ㄱ. 1초 동안 이동 거리가 4.9 m이기 때문에

이동 거리=평균 속력×시간=$\frac{(0+\text{B에서의 속력})}{2}$×1초

=4.9 m

이므로 B에서의 속력은 9.8 m/s이다.

7 위치 에너지와 운동 에너지의 크기

위치 에너지는 물체의 질량과 높이의 곱에 비례하고, 운동 에너지는 물제의 질량과 속력의 제곱에 비례한다. 따라서 ㄹ은 운동 에너지가 2^2=4배 증가, ㅁ은 위치 에너지가 2×2=4배 증가한다.

바로 알기 ㄱ은 운동 에너지가 2배 증가, ㄴ은 위치 에너지가 8배 증가한다. ㄷ은 위치 에너지가 8배 증가한다.

1주차 누구나 합격 전략 26~27쪽

01 ①	02 ③	03 ①	04 ③
05 1:1:1	06 ②	07 ④	08 4 m/s
09 ④	10 ⑤		

01 물체의 운동

자료 분석 + 물체의 운동의 기록

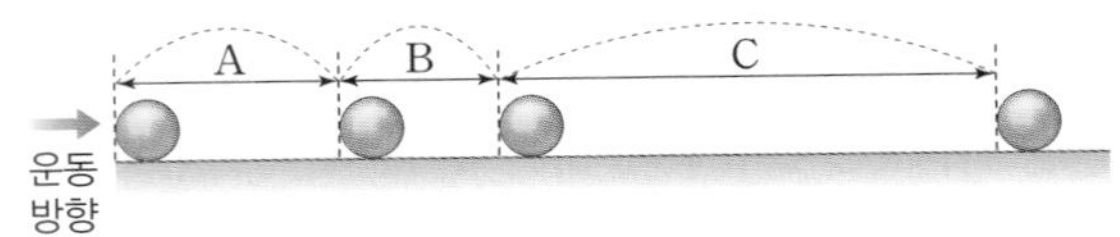

• 같은 시간 동안 기록한 운동이므로 거리가 클수록 속력이 빠르다.
• 속력은 C>A>B 순이다.

ㄱ. 세 구간 모두 일정한 시간 간격으로 찍은 것이므로 이동 거리가 가장 큰 구간은 C이다.

바로 알기 ㄴ. 물체가 일정한 시간 동안 움직인 구간 거리가 클수록 속력이 빠르므로 속력은 C 구간에서 가장 빠르다.

ㄷ. 물체의 속력이 느려지다가 다시 빨라졌다.

02 등속 운동

자료 분석 + 등속 운동의 기록

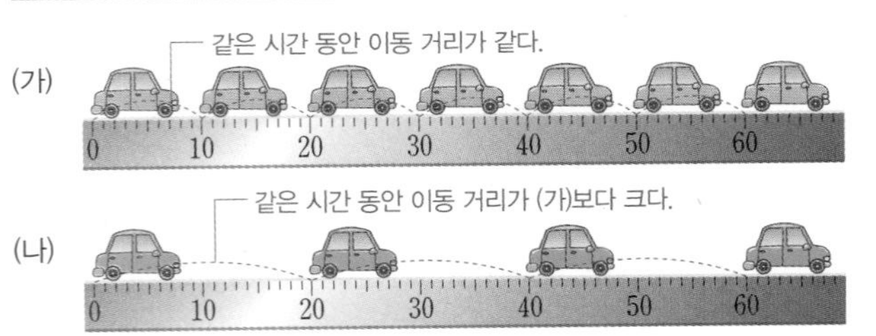

• 같은 시간 동안 기록한 운동이므로 (가), (나) 모두 속력이 일정한 운동이다.
• (나)가 (가)보다 같은 시간 동안 이동 거리가 크기 때문에 속력이 더 빠르다.

ㄱ. (가), (나) 모두 시간에 따른 이동 거리가 일정하므로 속력이 일정한 운동이다.

ㄴ. (나)가 (가)보다 같은 시간 동안 이동 거리가 크기 때문에 속력이 더 빠르다.

바로 알기 ㄷ. (가), (나) 모두 속력이 일정한 운동이므로 힘이 작용하지 않는다.

03 등속 운동 그래프 분석

자료 분석 + 등속 운동의 시간-이동 거리 그래프

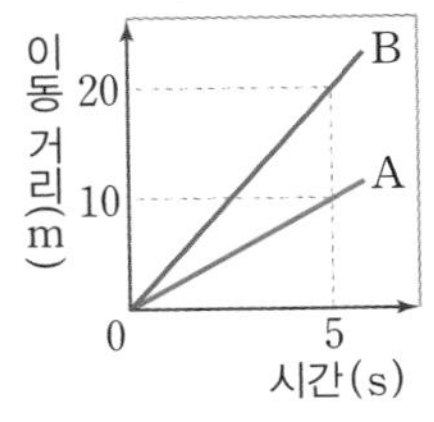

• 시간-이동 거리 그래프에서 직선의 기울기는 속력을 의미한다.
• A의 기울기$=\frac{10}{5}=$속력$=2$ m/s이고,
B의 기울기$=\frac{20}{5}=$속력$=4$ m/s이다.
• 기울기가 일정하므로 A, B 모두 등속 운동이다.

① A, B 운동 모두 시간에 따른 이동 거리 그래프가 원점을 지나는 직선 모양이므로 속력이 일정한 운동이다. 또한 그래프의 직선의 기울기가 속력을 의미하므로 5초일 때 A의 속력은 2 m/s이고, B의 속력은 4 m/s이므로 B의 속력이 A의 2배이다.

바로 알기 ② A, B 모두 속력이 일정한 등속 운동이므로 10초일 때도 B의 속력은 A의 2배이다.

③ B의 속력은 A의 2배이므로 5초 동안 이동 거리는 B가 A의 2배이다.

④ B는 속력이 4 m/s로 일정한 운동을 한다.

⑤ A, B 모두 속력이 일정한 운동이므로 A와 B의 운동에서 속력 증가는 없다.

04 자유 낙하 운동

자료 분석 + 자유 낙하 하는 물체의 운동 비교

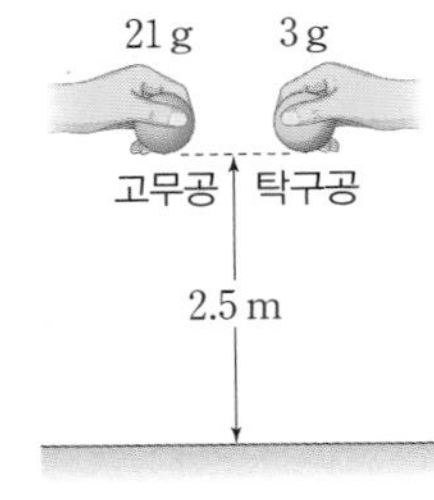

• 자유 낙하 운동에서 지면에 도달하는 순간 속력은 낙하 거리에만 관계된다.
• 질량에 관계없이 낙하 거리가 같으면 지면에 도달하는 속력도 같다.

③ 자유 낙하 하는 물체의 경우 떨어지는 높이가 같으면 질량에 관계없이 지면에 도달하는 순간 속력도 같다. 따라서 질량이 21 g인 고무공과 질량이 3 g인 탁구공을 2.5 m 높이에서 동시에 떨어뜨리면 탁구공과 고무공이 지면에 도달하는 순간의 속력은 같다. 탁구공이 지면에 도달하는 순간 속력이 7 m/s이면 고무공이 지면에 도달하는 순간 속력도 7 m/s이다.

05 자유 낙하 운동에서 속력 변화

자료 분석 + 자유 낙하 운동에서 속력 변화와 질량

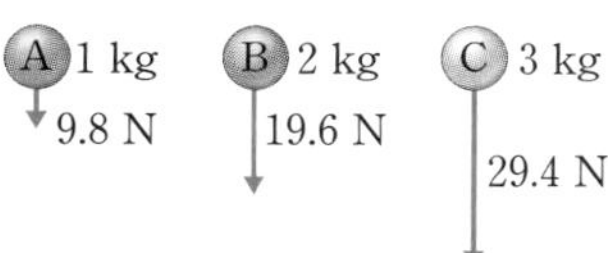

- 자유 낙하 운동에서 지면에 도달하는 순간의 속력은 낙하 거리에만 관계된다.
- 질량이나 중력의 크기(무게)에 관계없이 낙하 거리가 같으면 떨어지는 속력도 같다.

공기 저항이 없을 때 자유 낙하 운동은 질량이나 중력의 크기에 관계없이 속력 변화가 같아서 낙하 거리가 같으면 동시에 낙하한다. 문제에서 질량이 다른 세 물체 A, B, C에 작용하는 중력의 크기의 비가 1:2:3이지만 같은 높이에서 동시에 낙하시켰기 때문에 속력 변화의 비(A:B:C)는 1:1:1이다.

06 과학에서의 일

자료 분석 + 한 일의 양

- 철호: 바닥에 놓인 무게가 100 N인 상자를 1 m 높이까지 천천히 들어 올렸다. → 일의 양=100 N×1 m=100 J
- 진주: 바닥에 놓인 상자를 수평 방향으로 50 N의 힘을 주어 천천히 힘의 방향으로 1 m 밀었다. → 일의 양=50 N×1 m=50 J
- 영수: 질량이 50 kg인 상자를 든 채로 수평 방향으로 천천히 2 m 이동하였다. → 일의 양=0

철호는 100 N×1 m=100 J의 일을 하였고, 진주는 50 N×1 m=50 J의 일을 하였다. 영수는 힘의 방향과 상자의 이동 방향이 수직이므로 일을 하지 않았다.

바로 알기 영수의 경우 상자를 든 채로 수평 방향으로 이동하였다면 상자에 작용하는 힘은 위쪽 방향인데 이동 방향은 수평 방향이므로 힘의 방향으로 이동 거리는 0이다. 따라서 영수가 상자에 한 일은 0이다.

07 중력에 의한 위치 에너지

④ 물체를 천천히 들어 올리는 경우 한 일은 '물체의 무게(9.8×질량)×들어 올린 높이'로 구한다.

높이 1.5 m 들어 올리는 데 물체에 한 일의 양이 58.8 J이면 58.8 J=(9.8×m) N×1.5 m에서 물체의 질량 m이 4 kg이므로 물체에 작용하는 중력의 크기는 9.8×4(kg)=39.2(N)이다.

08 운동 에너지

장난감 자동차에 작용한 힘과 밀어 준 거리가 각각 2배이면 한 일은 4배가 되므로 운동 에너지도 4배가 된다. 따라서 속력은 2배 증가한다. 즉 장난감 자동차를 일정한 크기의 힘으로 밀었을 때 속력이 2 m/s가 되었다면 같은 조건에서 힘의 크기와 밀어 준 거리를 모두 2배로 하면 속력은 2배인 4 m/s가 된다.

09 위치 에너지와 기준면

④ 질량이 같으면 물체의 중력에 의한 위치 에너지는 기준면의 높이에 따라 결정된다. (A) 지면을 기준면으로 할 때 물체의 높이는 5 m이고, (B) 베란다를 기준면으로 할 때 물체의 높이는 2 m이므로 중력에 의한 위치 에너지의 비 (A):(B)=5:2이다.

10 중력이 한 일과 운동 에너지

⑤ 물체가 지면에 도달하는 순간 운동 에너지의 크기는 낙하하는 동안 중력이 물체에 한 일의 양과 같다. 따라서 운동 에너지의 크기는 질량과 높이의 곱에 비례하므로 운동 에너지의 크기는 D>C>B>A 순이다.

1주차	창의・융합・코딩 전략	28~31쪽
1 ①	2 소민, 유이, 우영	3 ③
4 ④	5 (1) 해설 참조 (2) 해설 참조	
6 (1) 일=작용한 힘×힘의 방향으로 이동 거리 (2) 0 (3) 해설 참조		
7 ②	8 (1) A (2) 해설 참조	
9 (1) 운동 (2) 해설 참조 (3) 해설 참조		

1 운동의 기록

자료 분석 + 운동의 기록

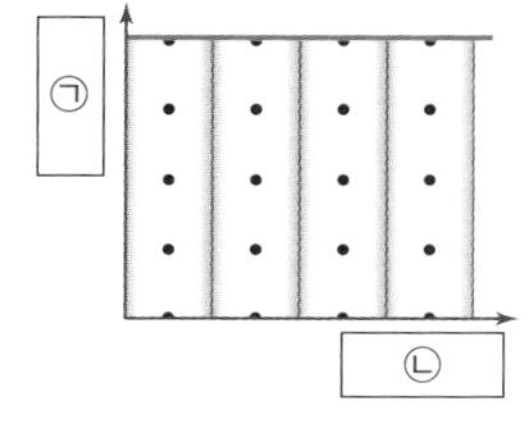

㉠ 일정 타점 간격으로 자른 길이(세로축)=일정 시간 동안 이동한 거리=속력

㉡ 4타점이 찍히는 데 걸린 시간(가로축)

- 종이테이프에 찍힌 타점 분석: 종이테이프에 찍힌 타점 간격 일정=타점이 찍힌 시간 동안 이동 거리 일정=속력 일정=등속 운동

일정한 타점 간격으로 자른 종이테이프는 일정 시간 동안 이동한 거리이므로 ㉠은 속력을 의미한다. 일정한 타점 간격을 이동하는 데 걸리는 시간은 일정하고, 종이테이프의 폭도 일정하므로 ㉡은 시간을 의미한다. 종이테이프에 찍힌 타점을 보면 속력이 시간에 따라 변하지 않고 일정하므로 등속 운동을 나타내며, 등속 운동의 예로는 무빙워크의 운동이 있다. 한편 빗면을 굴러내려 오는 공은 속력이 점점 증가하는 운동을 한다.

2 자유 낙하 운동

자료 분석 + 자유 낙하 운동의 기록

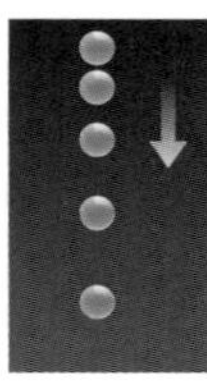

- 다중 섬광 사진: 같은 시간 동안 빛을 비추어 물체의 운동을 기록한 것
- 공과 공 사이가 점점 멀어지므로 아래로 떨어지는 속력이 일정하게 빨라지는 운동이다.
- 속력이 일정하게 빨라지므로 운동 방향으로 일정한 힘을 받고 있다.

• 소민, 유이, 우영: 자유 낙하 운동은 물체에 중력만 작용하는 운동이다. 즉 운동하는 동안 운동 방향과 같은 방향으로 힘이 계속 작용하므로 속력이 일정하게 증가한다.

바로 알기 • 정희: 속력이 일정하게 증가하는 운동이다.
• 진호: 운동 방향과 같은 방향으로 힘이 계속 작용한다.

3 달에서의 자유 낙하 운동

자료 분석 + 달에서의 자유 낙하 운동 기록

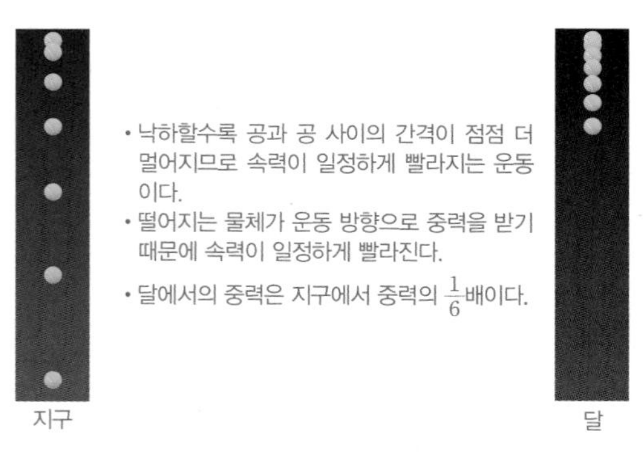

- 낙하할수록 공과 공 사이의 간격이 점점 더 멀어지므로 속력이 일정하게 빨라지는 운동이다.
- 떨어지는 물체가 운동 방향으로 중력을 받기 때문에 속력이 일정하게 빨라진다.
- 달에서의 중력은 지구에서 중력의 $\frac{1}{6}$배이다.

달의 중력은 지구 중력의 $\frac{1}{6}$배이므로 지구에서 낙하하는 공보다 속력이 느리지만 속력이 일정하게 증가하는 운동을 하므로 공과 공 사이의 구간 간격은 지구에서보다 $\frac{1}{6}$배 작다.

4 자유 낙하 운동에서 속력 변화와 질량 관계

자유 낙하 운동에서 물체의 질량에 관계없이 물체가 떨어질 때 속력이 증가하는 정도는 같다. 따라서 1 kg, 2 kg인 두 물체를 실로 연결하여 같은 높이에서 동시에 떨어뜨리면 두 물체는 동시에 바닥에 떨어진다.

5 일상에서 속력을 이용한 예

자료 분석 + 구간 거리와 구간 단속

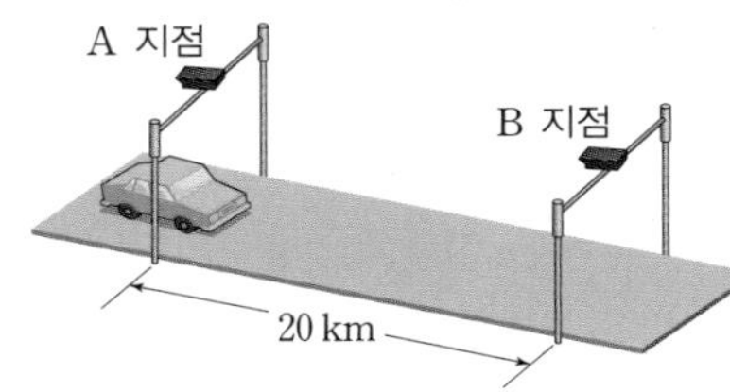

- 과속 구간 단속: 단속 구간 일정, 제한 속력 일정, 구간을 통과하는 데 걸린 시간을 측정하여 과속 여부 판단
- 20 km 구간 거리를 제한 속력 100 km/h로 통과하는 데 걸리는 시간은 12분, 따라서 12분보다 짧게 걸린 자동차는 과속이라고 판단

모범 답안 (1) 단속 구간 거리 20 km를 10분만에 이동하였으므로 자동차의 속력$=\dfrac{20\text{ km}}{\frac{1}{6}\text{h}}=120\text{ km/h}$이므로 제한 속력 100 km/h를 넘는 과속이다.

채점 기준	배점(%)
과속 여부를 풀이와 함께 옳게 서술한 경우	100
과속 여부만 옳게 판단하고 풀이가 조금 미흡한 경우	50

(2) 과속하지 않으면서 가장 빨리 지나가는 속력은 제한 속력 100 km/h이다. $\dfrac{20\text{ km}}{x}=100\text{ km/h}$에서 걸린 시간 x는 12분이므로 B 지점을 통과하는 가장 빠른 시각은 3시 12분이다.

채점 기준	배점(%)
과속에 걸리지 않는 속력과 구간을 통과하는 시각을 옳게 구한 경우	100
과속에 걸리지 않는 속력과 구간을 통과하는 시각 중 한 가지만 옳게 구한 경우	50

6 과학에서의 일

(1) 과학에서는 물체에 힘이 작용하고 힘의 방향으로 물체가 이동하는 경우 일을 하였다고 한다. 이때 한 일은 「물체에 작용한 힘×힘의 방향으로 이동 거리」로 구한다.
(2) 물체에 한 일은 물체에 작용한 힘과 힘의 방향으로 이동 거리의 곱으로 구한다. 따라서 물체에 힘이 작용하지 않거나 이동 거리가 0이면 물체에 한 일은 0이다.
(3) 과학에서의 일은 물체에 힘을 작용하고 힘의 방향으로 물체가

이동하여야 한다. 힘의 방향과 이동 방향이 수직인 경우 힘의 방향으로 이동 거리가 0이므로 힘이 한 일은 0이다.

모범 답안 0, 힘의 방향과 이동 방향이 수직인 경우 힘의 방향으로 이동 거리가 0이므로 한 일은 0이다.

채점 기준	배점(%)
C 값과 그 까닭을 모두 옳게 서술한 경우	100
C 값만 옳게 쓴 경우	40

7 일의 양 비교

자료 분석 + 일을 할 수 있는 능력

지게차 성능 비교

지게차	A	B
1초 동안 할 수 있는 일의 양	25000 J	50000 J
한 번에 실을 수 있는 벽돌의 수	2000개	2000개

• 지게차 B는 1초에 일할 수 있는 양이 A의 2배이므로 성능이 A의 2배이다.
• 지게차 A, B에 실을 수 있는 벽돌의 수는 같다.

무게 100 N인 벽돌 2000개를 2 m 높이로 올려놓을 때 일의 양 =400000 J이고 지게차 A가 1초에 할 수 있는 일의 양은 25000 J이므로 400000 J의 일을 하려면 16초가 걸린다. 또 지게차 B가 1초에 할 수 있는 일의 양은 50000 J이고 400000 J의 일을 하려면 8초가 걸린다.

8 한 일의 양

자료 분석 + 한 일의 양과 힘

• 트럭에 싣는 이삿짐이 올라가는 높이는 일정하다.
• 빗면이 길이가 긴 널빤지를 사용하면 이동 거리가 길어지므로 힘은 적게 들지만 한 일의 양은 같다.

중력에 대해 한 일의 양=물체의 무게×들어 올린 높이에서 높이가 일정하므로 한 일의 양은 빗면 A, B, C에서 모두 같다.

한 일의 양=작용한 힘×힘의 방향으로 이동한 거리에서 한 일의 양이 일정할 때 이동 거리가 길수록 힘이 적게 든다.

모범 답안 (2) 빗면을 사용해도 들어 올린 높이가 일정하므로 한 일의 양은 같다. 따라서 이동 거리가 긴 빗면을 사용해야 힘이 적게 든다.

채점 기준	배점(%)
힘이 적게 드는 까닭을 한 일의 양과 이동 거리로 옳게 서술한 경우	100
힘이 적게 드는 그 까닭을 한 일의 양은 언급 없이 이동 거리만으로 옳게 서술한 경우	50

9 운동 에너지의 크기

자료 분석 + 운동 에너지와 질량의 관계 알아보기

• 수레에 해 준 일=수레의 운동 에너지=수레가 나무 도막에 한 일=나무 도막이 받는 마찰력×이동 거리

수레의 질량(g)	300	600	900
나무 도막의 이동 거리(cm)	4	8	12

(질량: 300 → 600 2배, 300 → 900 3배 / 이동 거리: 4 → 8 2배, 4 → 12 3배)

• 세 수레를 긴 막대로 동시에 밀면 수레의 속력을 같게 할 수 있다.
• 수레의 속력이 같을 때 질량에 따른 나무 도막의 이동 거리를 비교하면 질량과 운동 에너지의 관계를 알 수 있다.

(1) 긴 막대로 수레를 밀고 가는 일은 수레의 운동 에너지로 전환되고 수레의 운동 에너지는 나무 도막을 밀고 가는 일을 하게 된다.

(2) 수레의 질량이 2배, 3배 증가하면 나무 도막의 이동 거리도 2배, 3배로 증가한다. 즉 수레의 운동 에너지가 2배, 3배 증가한다.

모범 답안 실험 결과 수레의 질량이 클수록 나무 도막의 이동 거리도 커진다. 즉 나무 도막의 이동 거리는 수레의 질량에 비례한다.

채점 기준	배점(%)
실험 결과를 이용하여 수레의 질량과 나무 도막의 이동 거리의 관계를 옳게 서술한 경우	100
실험 결과에 대한 언급 없이 수레의 질량과 나무 도막의 이동 거리의 관계를 옳게 서술한 경우	70

(3) 나무 도막의 이동 거리를 비교하면 질량과 운동 에너지의 관계를 알 수 있다. 질량이 2배, 3배 증가하면 나무 도막의 이동 거리는 2배, 3배 증가한다.

모범 답안 속력이 일정할 때 운동 에너지는 물체의 질량에 비례한다.

채점 기준	배점(%)
실험 결과를 이용하여 알 수 있는 사실을 옳게 서술한 경우	100
질량과 운동 에너지의 관계를 알 수 있다고만 서술한 경우	70

2주 Ⅳ 자극과 반응

1일 개념 돌파 전략 1 확인Q 34~35쪽

7강_감각 기관

1 시각 세포 2 홍채 3 ㉠ 이완, ㉡ 얇아진다 4 귓속뼈 5 반고리관 6 냄새 7 쓴맛 8 통점

1 빛이 각막과 동공을 지나 수정체를 통과하여 망막에 도달하면 망막에 분포하고 있는 시각 세포를 흥분시켜 물체의 모양, 크기, 색깔 등을 인식하게 된다.

2 홍채는 동공의 크기를 조절하여 눈으로 들어오는 빛의 양을 조절한다. 밝은 곳에서는 홍채가 확장되고 동공이 축소되면서 눈으로 들어오는 빛의 양이 감소하며, 어두운 곳에서는 홍채가 축소되고 동공이 확대되면서 눈으로 들어오는 빛의 양이 증가한다.

3 물체와 상 사이의 거리에 따라 섬모체에 의해 수정체의 두께가 변하면서 망막에 상이 뚜렷하게 맺힌다. 가까운 곳을 볼 때는 섬모체가 수축하면서 수정체가 두꺼워지고, 먼 곳을 볼 때는 섬모체가 이완하면서 수정체가 얇아진다.

4 귓속뼈는 고막의 진동을 증폭하여 달팽이관으로 전달하는 역할을 한다.

5 귓속의 평형 감각 기관으로는 반고리관과 전정 기관이 있다. 반고리관은 세 개의 고리가 서로 직각으로 연결되어 있고, 림프액이 들어 있어 몸이 회전하면서 림프액이 움직이고 감각 세포를 흥분시켜 몸이 회전하는 것을 감지한다. 전정 기관은 몸이 기울어짐에 따라 작은 돌이 움직이고, 이것이 감각 세포를 흥분시켜 몸의 기울어짐을 감지한다.

6 콧속 천장에는 후각 상피가 있고, 후각 상피에 후각 세포가 분포한다. 후각 세포는 냄새 자극의 작은 변화에도 반응하지만, 쉽게 피로해져서 같은 냄새를 오래 느끼지 못한다.

7 혀 표면의 작은 돌기 옆 부분에 맛봉오리가 있고, 맛봉오리에 맛세포가 분포한다. 미각은 맛세포에서 받아들이며, 기본 맛으로는 단맛, 짠맛, 신맛, 쓴맛, 감칠맛이 있다.

8 감각점은 몸의 부위에 따라 분포하는 정도가 다르다. 감각점의 수는 통점 > 압점 > 촉점 > 냉점 > 온점의 순으로 분포하며, 특정 감각점이 많은 부위는 그 감각점이 받아들이는 자극에 더 예민하다.

1일 개념 돌파 전략 1 확인Q 36~37쪽

8강_신경계와 호르몬

1 ㉠ 가지 돌기, ㉡ 축삭 돌기 2 ㉠ 감각 뉴런, ㉡ 운동 뉴런 3 ㉠ 자율, ㉡ 자율 4 대뇌 5 중간뇌 6 ㄴ, ㄹ 7 ㉠ 적은, ㉡ 다르다 8 간

1 뉴런은 신경계를 이루는 세포로, 신경 세포체, 가지 돌기, 축삭 돌기로 이루어진다. 가지 돌기는 다른 뉴런이나 감각 기관으로부터 자극을 받아들이고, 신경 세포체는 핵과 대부분의 세포질이 모여 있어 생명 활동이 일어나며, 축삭 돌기는 가지 돌기에서 받아들인 자극을 다른 뉴런이나 반응 기관으로 전달한다. 따라서 한 뉴런에서 자극은 가지 돌기 → 신경 세포체 → 축삭 돌기로 전달된다.

2 신경계는 감각 기관이 받아들인 자극을 뇌로 전달하거나, 자극을 판단하여 적절한 반응이 나타나도록 신호를 전달하는 체계이다. 감각 기관에서 받아들인 자극은 감각 뉴런 → 연합 뉴런 → 운동 뉴런을 거쳐 반응 기관으로 전달되어 반응이 일어난다.

3 말초 신경계는 뇌와 척수에서 뻗어 나와 온몸의 조직이나 기관으로 연결되는데, 감각 신경과 운동 신경으로 구분된다. 또한, 기능에 따라 체성 신경계와 자율 신경계로 구분되고, 자율 신경계는 다시 교감 신경과 부교감 신경으로 구분된다.

4 대뇌는 좌우 반구로 나누어져 있고, 표면에 주름이 많다. 또한 기억, 추리, 판단, 감정 등 고차원적 정신 작용을 하며, 감각 기관에서 받아들인 정보를 종합, 분석, 통합하여 운동 기관에 적절한 명령을 내린다.

5 공이 날아올 때 저절로 눈을 감는 반응은 대뇌가 관여하지 않는 무조건 반사에 해당하며, 중간뇌가 중추이다.

6 호르몬은 혈액에 의해 전달되며, 신경에 비해 작용 범위가 넓고 전달 속도가 느리며 효과가 지속적이다.

7 호르몬은 내분비샘에서 만들어져 혈액으로 분비되며, 혈관을 따라 온몸을 순환하다가 특정 기관이나 세포에 작용하여 그 기능을 조절한다. 호르몬은 적은 양으로도 큰 효과를 나타내며, 호르몬 분비량이 너무 많거나 적으면 몸에 이상 증상이 나타난다.

8 이자에서 분비되는 인슐린은 간에서 포도당을 글리코젠으로 합성하여 저장하며, 글루카곤은 간에서 글리코젠을 포도당으로 분해하여 혈액으로 내보낸다.

1일 개념 돌파 전략 2 38~39쪽

1 ② 2 ③ 3 ② 4 ⑤
5 (1) B, 간뇌 (2) E, 소뇌 (3) C, 중간뇌 (4) D, 연수 (5) A, 대뇌
6 ⑤

1 눈의 구조

자료 분석 + 눈의 구조

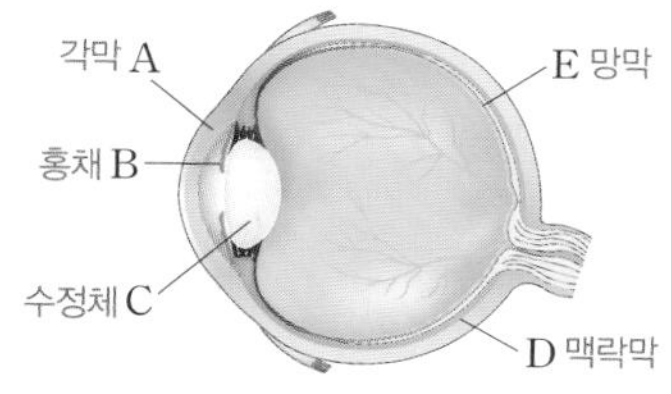

A는 각막, B는 홍채, C는 수정체, D는 맥락막, E는 망막이다.
① 각막은 눈의 가장 바깥을 감싸는 막으로, 빛이 통과한다.
③ 수정체는 볼록 렌즈와 같이 빛을 굴절시켜 망막에 상이 정확하게 맺히게 한다.
④ 맥락막은 빛을 차단하는 검은색 색소가 있어 눈 속을 어둡게 한다.
⑤ 망막은 물체의 상이 맺히는 부분으로, 시각 세포가 있어 빛을 받아들인다.
바로 알기 ② 홍채는 동공의 크기를 변화시켜 눈으로 들어가는 빛의 양을 조절한다.

2 귀의 구조

자료 분석 + 귀의 구조

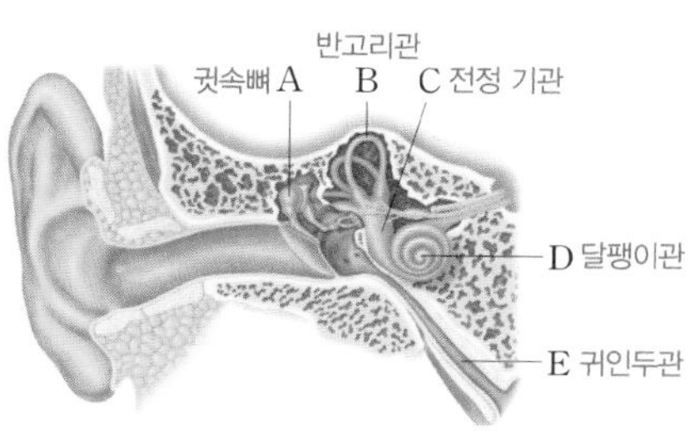

A는 귓속뼈, B는 반고리관, C는 전정 기관, D는 달팽이관, E는 귀인두관이다. 귀의 구조 중 반고리관과 전정 기관은 청각과 관계없으며, 반고리관은 몸이 회전하는 자극을 받아들이고, 전정 기관은 몸이 기울어지는 자극을 받아들인다.

3 미각

혀는 액체 상태의 화학 물질을 자극으로 받아들이며, 혀의 표면에 돋은 돌기 옆 부분의 맛봉오리 속 맛세포에서 맛을 느낀다. 혀는 부위에 따라 강하게 느끼는 맛이 다르며, 음식의 맛은 미각과 후각이 함께 작용하여 느끼게 된다.
바로 알기 ② 혀에서 느끼는 기본 맛에는 단맛, 신맛, 쓴맛, 짠맛, 감칠맛이 있다. 기본 맛 외에 매운맛은 혀와 입속 피부의 통점에서 자극을 받아들이고, 떫은맛은 압점에서 자극을 받아들여 느끼는 피부 감각이다.

4 뉴런의 종류

자료 분석 + 뉴런의 종류

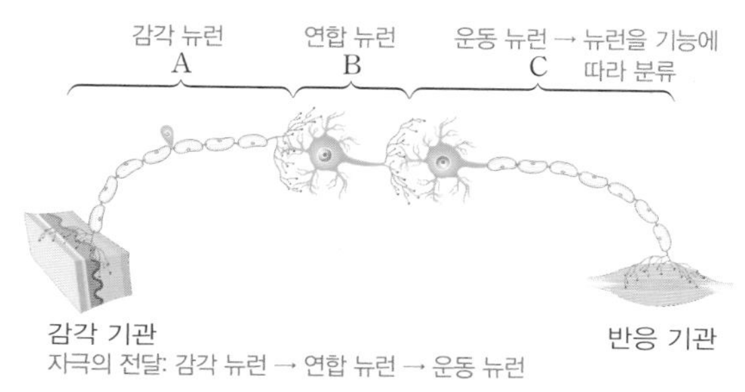

A는 감각 뉴런, B는 연합 뉴런, C는 운동 뉴런이다. 감각 뉴런은 감각 기관에서 받아들인 자극을 연합 뉴런에 전달하고, 연합 뉴런은 감각 뉴런을 통해 전달받은 자극을 종합, 판단하여 적절한 명령을 내리며, 운동 뉴런은 연합 뉴런의 명령을 반응 기관으로 전달한다. 따라서 자극은 감각 기관 → 감각 뉴런 → 연합 뉴런 → 운동 뉴런 → 반응 기관의 순서로 전달된다.

5 뇌의 구조

자료 분석 + 부력

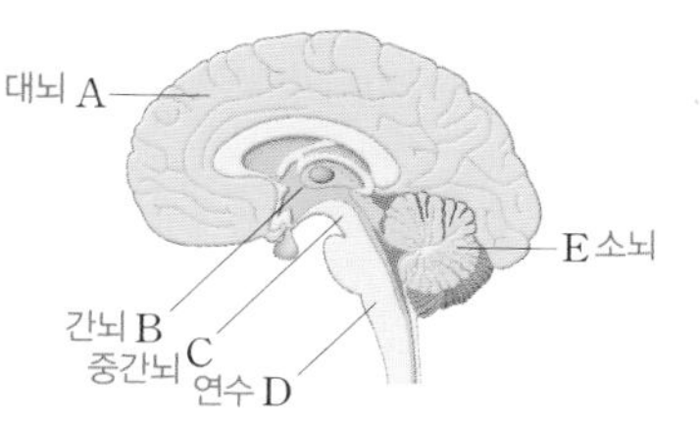

A는 대뇌, B는 간뇌, C는 중간뇌, D는 연수, E는 소뇌이다.
(1) 간뇌: 체온과 체액의 농도 등 우리 몸의 상태를 일정하게 유지하도록 조절한다.

(2) 소뇌: 근육 운동을 조절하고, 몸의 자세를 바로잡거나 균형을 유지한다.
(3) 중간뇌: 눈의 움직임, 동공과 홍채의 변화를 조절한다.
(4) 연수: 심장 박동, 소화액 분비, 호흡 운동 등을 조절하여 생명을 유지하는 역할을 한다.
(5) 대뇌: 감각 기관을 통해 받아들인 정보를 종합, 분석, 판단하여 적절한 명령을 내리며 기억, 추리, 감정 등 다양한 정신 활동을 담당한다.

6 내분비샘

자료 분석 + 사람의 내분비샘과 호르몬

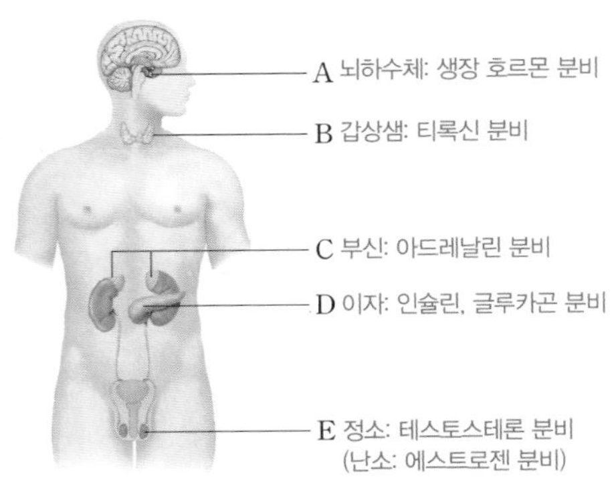

① 뇌하수체에서는 생장 호르몬이 분비되어 생장 촉진, 단백질 합성을 촉진한다.
② 갑상샘에서는 티록신이 분비되어 세포 호흡을 촉진하고, 체온을 유지한다.
③ 부신에서는 아드레날린이 분비되어 혈압 상승, 심장 박동 및 혈당량을 증가시킨다.
④ 이자에서는 인슐린과 글루카곤이 분비되며, 인슐린은 혈당량을 감소시키고 글루카곤은 혈당량을 증가시킨다.
바로 알기 ⑤ 정소에서는 테스토스테론이 분비되어 남성의 2차 성징이 나타나게 하며, 난소에서는 에스트로젠이 분비되어 여성의 2차 성징이 나타나게 한다.

2일 필수 체크 전략 1 기출 선택지 All 40~43쪽

❶-1 ④ ❷-1 ㉠ 홍채, ㉡ 확장 ❸-1 ㄱ, ㄷ
❹-1 ⑤ ❺-1 ④ ❻-1 ㄱ, ㄴ ❼-1 ㄷ
❽-1 (1) 짧아진다 (2) 다르다

❶-1 눈의 구조

④ 맹점은 시각 세포와 연결된 시각 신경이 모여 눈 밖으로 나가는 부분으로, 이곳에는 시각 세포가 없어서 물체의 상이 맺혀도 볼 수 없다.
바로 알기 ① 각막은 눈의 가장 앞쪽에 있는 투명한 막이다.
② 홍채는 동공의 크기를 조절하여 눈으로 들어오는 빛의 양을 조절한다.
③ 망막은 물체의 상이 맺히는 부분이며, 시각 세포가 있어 빛 자극을 받아들인다.
⑤ 수정체는 볼록 렌즈와 같이 빛을 굴절시켜 망막에 상이 맺히게 한다.

❷-1 눈의 조절 작용

자료 분석 + 눈의 밝기 조절

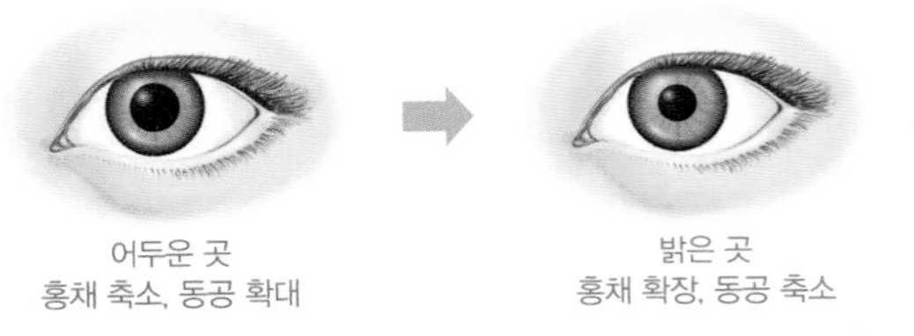

어두운 곳에서는 홍채가 축소되고 동공의 크기가 커지면서 눈으로 들어오는 빛의 양이 증가한다. 반면, 밝은 곳에서는 홍채가 확장되고 동공의 크기가 작아지면서 눈으로 들어오는 빛의 양이 줄어든다.

❸-1 눈의 조절 작용

자료 분석 + 눈의 이상

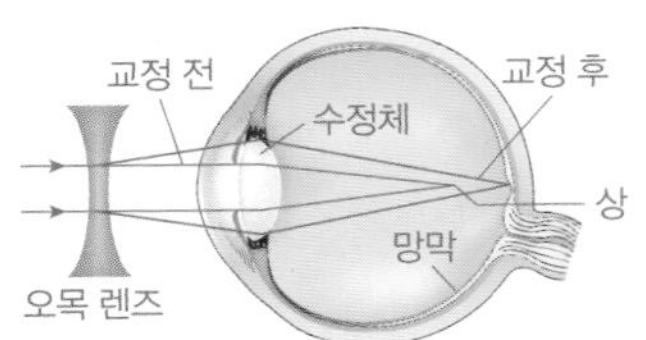

ㄱ, ㄷ. 물체와의 거리에 따라 수정체의 두께가 변해 망막에 또렷한 상이 맺힌다. 근시는 먼 곳의 물체를 볼 때 상이 망막 앞에 맺혀 잘 보이지 않는 경우이며, 원시는 가까운 곳의 물체를 볼 때 상이 망막 뒤에 맺혀 잘 보이지 않는 경우이다.

바로 알기 ㄴ. 근시는 오목 렌즈로 교정하고, 원시는 볼록 렌즈로 교정한다.

4-1 귀의 구조

⑤ 고막 안팎의 기압 차가 발생하면 귀가 먹먹해지는 증상이 나타나며, 침을 삼키거나 하품을 하면 귀인두관의 목구멍 쪽 입구가 열리면서 외부와 기압이 같아지면서 귀가 먹먹해지는 증상이 사라진다. 이러한 현상은 청각과는 관계없는 현상이다.

바로 알기 ① 귓속뼈는 고막의 진동을 증폭하여 달팽이관으로 전달한다.

② 반고리관은 림프액이 들어 있는 세 개의 고리가 직각으로 연결되어 있어 몸이 회전하는 자극을 받아들인다.

③ 전정 기관은 몸이 기울어지는 자극을 받아들인다.

④ 달팽이관은 청각 세포가 있어 진동을 자극으로 받아들인다.

5-1 평형 감각

④ 반고리관은 세 개의 고리가 직각으로 연결되어 있고, 림프액이 들어 있다. 놀이기구가 회전을 멈추더라도 반고리관의 림프액이 한동안 돌기 때문에 한참 동안 도는 것처럼 느껴진다.

바로 알기 ① 고막은 소리에 의해 진동하는 얇은 막이다.

② 달팽이관은 청각 세포가 있어 진동을 자극으로 받아들인다.

③ 귀인두관은 고막 안쪽과 바깥쪽의 압력을 같게 조절한다

⑤ 청각 신경은 청각 세포에서 받아들인 자극을 뇌로 전달한다.

6-1 후각

자료 분석 + 후각의 특징

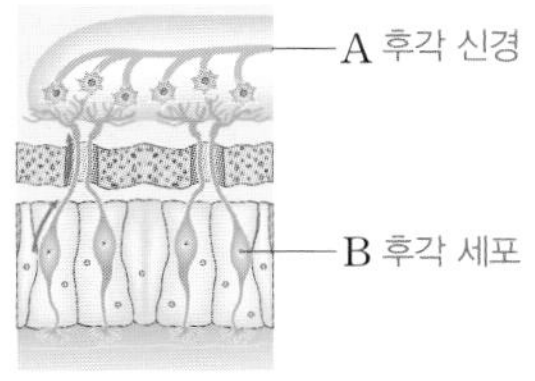

A는 후각 신경, B는 후각 세포이다.

ㄱ. 후각 신경은 후각 세포에서 받아들인 자극을 대뇌로 전달한다.

ㄴ. 후각 세포는 공기 중에 있는 기체 상태의 화학 물질을 자극으로 받아들인다. 후각 세포는 코의 안쪽 윗부분에 분포하는데, 후각 세포 끝 부분에 특정 냄새 분자를 인지하는 수용체 단백질이 분포하고 있어서 이것에 의해 흥분하기 때문이다.

바로 알기 ㄷ. 후각 세포는 매우 예민하여 냄새 자극의 작은 변화에도 반응하지만, 쉽게 피로해져서 한 가지 냄새를 계속 맡으면 그 냄새에 둔해져 잘 느끼지 못하게 된다.

7-1 미각

ㄷ. 음식 맛은 혀를 통해 느끼는 다섯 가지 기본 맛 외에 코를 통해 느끼는 냄새가 합쳐져서 다양하게 느낀다. 그러나 기본 맛 외의 매운맛과 떫은맛은 혀의 맛세포에서 감지하여 느끼는 기본 맛이 아니라 각각 혀와 입속 피부의 통점과 압점에서 자극을 받아들여 느끼는 피부 감각이다.

바로 알기 ㄱ. 음식의 맛은 미각과 후각이 함께 작용하여 느낀다.

ㄴ. 음식의 맛을 느끼는 데 시각은 영향을 미치지 않는다.

8-1 피부 감각

(1) 감각점이 많이 분포할수록 피부 감각이 예민하여 이쑤시개를 두 개로 느끼는 거리가 짧아진다. 몸에 분포하는 감각점의 수는 통점>압점>촉점>냉점>온점의 순으로, 통점이 가장 많이 분포하기 때문에 우리 몸은 통증에 가장 예민하게 반응한다.

(2) 감각점은 온몸에 분포하고 있지만, 몸의 부위에 따라 분포하는 정도가 다르다. 따라서 몸의 각 부위마다 예민하게 느끼는 감각에 차이가 있다.

2일 필수 체크 전략 2 최다 오답 문제 44~45쪽

1 ③	2 ②	3 ④	4 ②
5 ⑤	6 ④	7 ⑤	

1 눈의 구조

(가) 망막은 물체의 상이 맺히는 부분으로, 시각 세포가 있어 빛 자극을 받아들인다.

(나) 수정체는 볼록 렌즈와 같이 빛을 굴절시켜 물체의 상이 망막에 맺히도록 한다.

(다) 맹점은 시각 신경이 모여 나가는 곳으로, 시각 세포가 없다.

2 눈의 조절 작용

자료 분석 + 눈의 구조와 밝기 조절

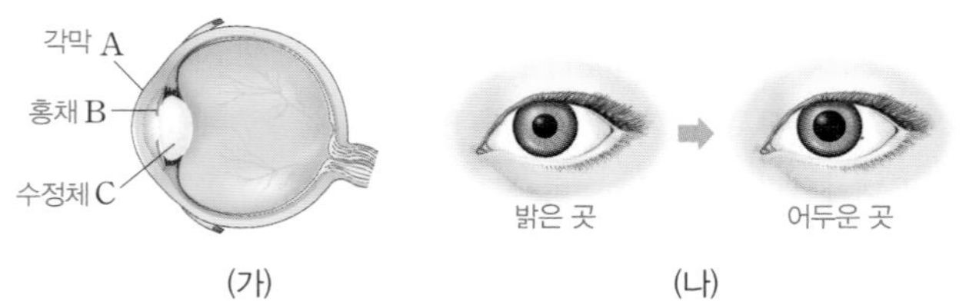

(가) (나)

A는 각막, B는 홍채, C는 수정체를 나타낸 것이다. 밝은 곳에서는 홍채가 확장되고 동공의 크기가 작아지면서 눈으로 들어오는 빛의 양이 감소하고, 어두운 곳에서는 홍채가 축소되고 동공의 크기가 커지면서 눈으로 들어오는 빛의 양이 증가한다. 따라서 그림 (나)는 밝은 곳에서 어두운 곳으로 들어갈 때의 동공 변화이다.

3 눈의 이상

자료 분석 + 근시와 원시

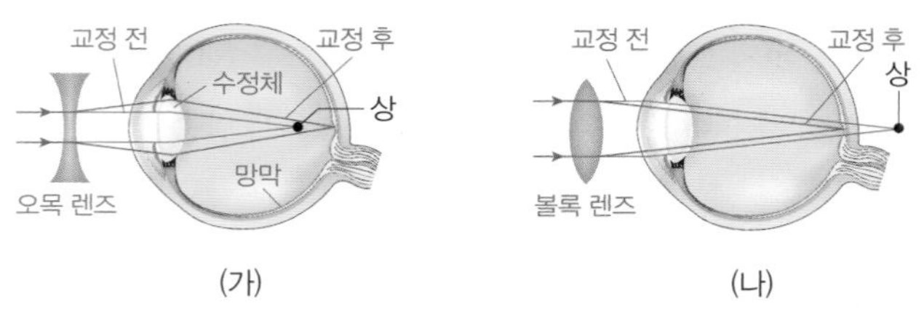

(가) (나)

근시는 먼 곳의 물체를 볼 때 상이 망막 앞에 맺혀 잘 보이지 않는 눈의 이상을 말하며, 원시는 가까운 곳의 물체를 볼 때 상이 망막 뒤에 맺혀 잘 보이지 않는 눈의 이상을 말한다.

바로 알기 ㄴ. 근시인 (가)는 오목 렌즈로, 원시인 (나)는 볼록 렌즈로 교정한다.

4 후각

자료 분석 + 후각의 특징

ㄱ. 매우 예민하여 쉽게 피로해진다.
ㄴ. 후각을 감각하는 중추는 소뇌이다. → 대뇌
ㄷ. 후각 세포에서 느낄 수 있는 냄새의 종류는 5가지이다.
→ 혀에서 느끼는 기본 맛에는 단맛, 신맛, 쓴맛, 짠맛, 감칠맛의 5가지가 있다.
ㄹ. 후각 상피는 점액으로 덮여 있어 기체 상태의 물질을 자극으로 받아들인다.

ㄱ. 후각은 매우 예민하지만, 쉽게 피로해져서 한 가지 냄새를 계속 맡으면 그 냄새에 둔해져 잘 느끼지 못하게 된다.
ㄹ. 기체 상태의 화학 물질이 점액에 녹아 후각 세포를 자극하면 이 자극이 후각 신경에 전달된다.

바로 알기 ㄴ. 후각 세포에서 받아들인 자극은 후각 신경을 통해 대뇌로 전달된다.
ㄷ. 사람의 코는 수천 가지의 냄새를 맡을 수 있다. 혀에서 느끼는 기본 맛에는 단맛, 신맛, 쓴맛, 짠맛, 감칠맛의 다섯 가지가 있다.

5 평형 감각

자료 분석 + 평형 감각 기관

A 반고리관 → 몸의 회전 감지
C 달팽이관 → 공기의 진동을 감지
B 전정 기관 → 몸의 기울어짐 감지

선택지 분석

(가) 수업 시작을 알리는 선생님 호각 소리가 들렸다. → 소리 자극: 달팽이관
(나) 제자리 맴돌기 게임을 마쳐도 한동안 몸이 회전하는 느낌을 받았다. → 몸의 회전: 반고리관
(다) 한쪽 다리를 들고 균형을 잡을 때 몸이 기울어지는 것을 느껴 다시 중심을 잡았다. → 몸의 기울어짐: 전정 기관

A는 몸의 회전을 감지하는 반고리관, B는 몸의 기울어짐을 감지하는 전정 기관, C는 소리를 자극으로 받아들이는 달팽이관이다.

6 귀의 구조와 관련된 현상

자료 분석 + 귀의 구조와 관련 현상

(가) 고막의 진동을 증폭하여 달팽이관으로 전달한다. → 귓속뼈
(나) 비행기가 이륙할 때 귀가 먹먹해지지만, 하품을 하면 괜찮아진다. → 귀인두관
(다) 갑자기 큰 소리를 들은 후 소리가 잘 들리지 않아 진료를 받았다니 이 부분이 손상되었다고 한다. → 고막

(가) 고막은 소리에 진동하는 얇은 막이며, 귓속뼈는 고막의 진동을 증폭하여 달팽이관으로 전달한다.
(나) 고막 안쪽과 바깥쪽의 기압 차가 생기면 귀가 먹먹해지지만, 하품을 하거나 침을 삼키면 귀인두관을 통해 압력을 같게 조절함으로써 이러한 증상이 괜찮아진다.

(다) 고막은 얇은 막으로 되어 있기 때문에 순간적으로 매우 강한 충격음을 듣는 경우 음파에 의해 고막이 터질 수 있다.

7 후각의 특징

선택지 분석

~~①~~ 미각은 쉽게 피로해지기 때문이다. → 후각
~~②~~ 맛봉오리가 마비되어 기능을 하지 못하기 때문이다. → 맛봉오리의 마비와는 무관함
~~③~~ 음식의 맛을 느끼는 데 시각도 영향을 주기 때문이다. → 시각은 무관함
~~④~~ 액체 상태의 화학 물질이 맛세포로 전해지지 못하기 때문이다. → 맛세포로 전해짐
⑤ 음식의 맛은 후각과 미각이 함께 작용하여 결정되기 때문이다.

음식의 맛은 미각과 후각이 함께 작용하여 다양하게 느낀다.

바로 알기 ①~④ 감기에 걸리면 콧물이 후각 세포를 덮게 되어 냄새를 잘 느끼지 못하게 되면서 음식의 맛도 잘 느끼지 못하게 된다.

3일 필수 체크 전략 1 기출 선택지 All 46~49쪽

❶-1 ⑤ ❷-1 ③ ❸-1 ㄱ, ㄴ
❹-1 (1) B, 간뇌 (2) D, 연수 (3) C, 중간뇌 ❺-1 ⑤
❻-1 ① ❼-1 (1) A: 글루카곤, B: 인슐린 (2) A: 증가한다, B: 감소한다 ❽-1 ㄱ, ㄴ

❶-1 뉴런

자료 분석 + 뉴런의 구조

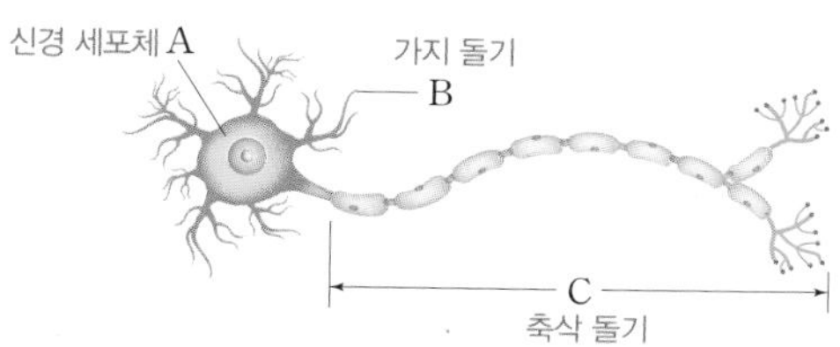

A는 신경 세포체, B는 가지 돌기, C는 축삭 돌기이다. 신경 세포체는 핵과 대부분의 세포질이 모여 있는 부분으로, 뉴런의 작용에 필요한 물질의 합성이 일어나는 곳이다. 가지 돌기는 신경 세포체 주위에 나뭇가지처럼 나와 있는 돌기로, 다른 뉴런이나 감각 기관으로부터 자극을 받아들인다. 축삭 돌기는 신경 세포체에서 길게 뻗어 나온 돌기로, 가지 돌기에서 받아들인 자극을 다른 뉴런이나 운동 기관으로 전달한다.

❷-1 뉴런

자료 분석 + 뉴런의 종류

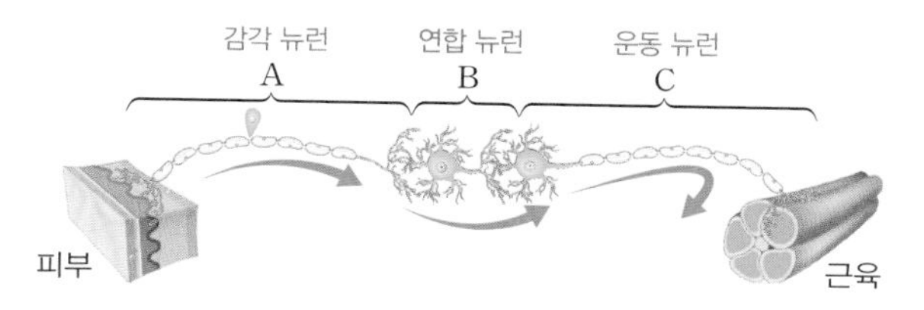

A는 감각 뉴런, B는 연합 뉴런, C는 운동 뉴런이다. 중추 신경계는 연합 뉴런으로 이루어지며, 말초 신경계는 감각 신경, 운동 신경으로 이루어진다. 말초 신경계는 기능에 따라 체성 신경계와 자율 신경계로 구분되고, 자율 신경계는 다시 교감 신경과 부교감 신경으로 구분된다.

❸-1 신경계

ㄱ. 중추 신경계는 뇌와 척수로 구성되며, 자극에 대해 판단하여 적절한 반응을 하도록 명령을 내린다.

ㄴ. 말초 신경계는 온몸에 그물처럼 퍼져 있어 몸의 각 부분과 중추 신경계를 연결하며, 감각 신경과 운동 신경으로 구성되어 있다.

바로 알기 ㄷ. 자율 신경계는 교감 신경과 부교감 신경으로 구분되며, 내장 기관에 연결되어 있어 대뇌의 직접적인 명령 없이 심장 박동, 호흡 운동 등을 자율적으로 조절한다. 교감 신경은 긴장했을 때나 위기 상황에서 대처하기 알맞은 상태로 만들고, 부교감 신경은 안정된 상태로 되돌리는 작용을 한다.

❹-1 중추 신경계

자료 분석 + 뇌의 구조

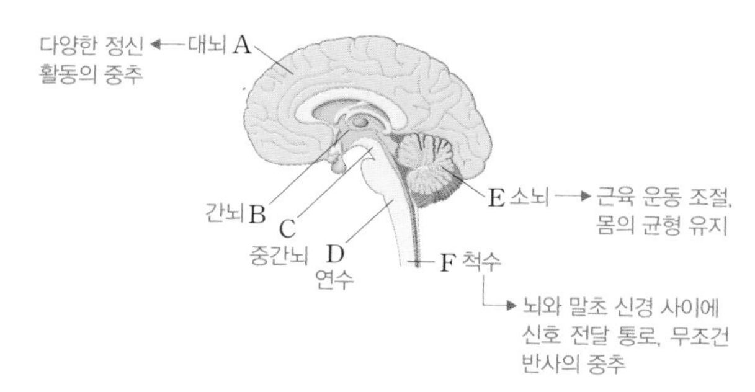

(1) 간뇌는 체온 조절, 체액의 농도를 유지하는 항상성 유지의 중추로, 몸의 상태를 일정하게 유지하는 역할을 한다.
(2) 연수는 심장 박동, 소화 운동, 호흡 운동 등을 조절하며, 생명 유지의 중추 역할을 한다.
(3) 중간뇌는 눈의 운동, 홍채의 수축과 이완 등 눈의 조절과 관련된 작용을 한다.

5-1 자극에 대한 반응

자료 분석 + 무릎 반사

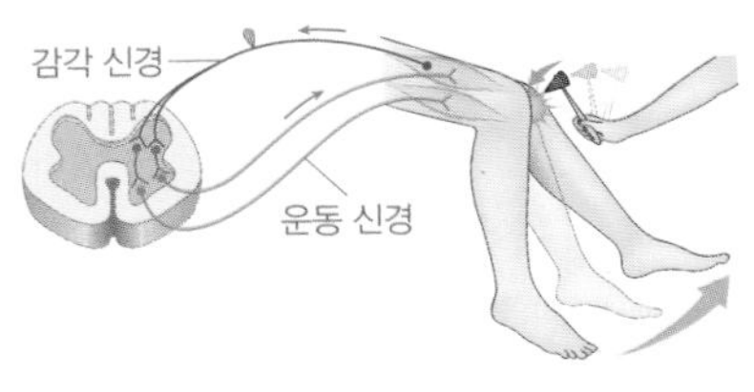

⑤ 무릎 반사는 척수가 중추인 무조건 반사이며, 대뇌의 판단 과정을 거치지 않으므로 의식적인 반응보다 반응이 빠르게 일어난다.
바로 알기 ① 무릎 반사는 대뇌가 관여하지 않는 무의식적인 반응이다.
② 무릎 반사, 뜨거운 물체나 날카로운 물체가 몸에 닿았을 때 몸을 움츠리는 행동 등은 척수가 반응 중추이다.
③ 후천적 경험과 학습은 대뇌의 판단 과정을 거쳐 자신의 의지에 따라 일어나는 반응으로, 대뇌가 관여한다.
④ 무조건 반사는 대뇌의 판단 과정을 거치지 않는다.

6-1 내분비샘과 호르몬

자료 분석 + 사람의 내분비샘

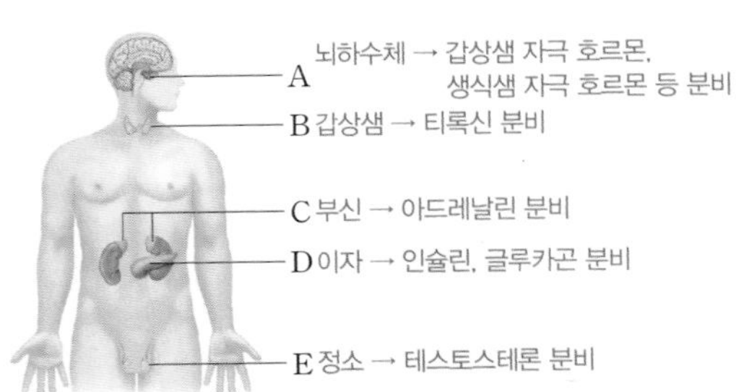

A는 뇌하수체, B는 갑상샘, C는 부신, D는 이자, E는 정소이다.
① 뇌하수체에서는 갑상샘에서 티록신의 분비를 촉진시키는 갑상샘 자극 호르몬과 생식샘에서 성호르몬의 분비를 촉진시키는 생식샘 자극 호르몬 등이 분비된다.
바로 알기 ② 갑상샘에서 분비되는 티록신은 세포 호흡을 촉진하고, 체온을 유지한다.
③ 부신에서 분비되는 아드레날린은 혈압을 상승시키고 심장 박동 촉진 및 혈당량을 증가시킨다.
④ 이자에서 분비되는 인슐린은 혈당량을 감소시키고, 글루카곤은 혈당량을 증가시킨다.
⑤ 정소에서 분비되는 테스토스테론은 남성의 2차 성징이 나타나게 한다.

7-1 항상성 유지 – 혈당량 조절

자료 분석 + 혈당량 조절

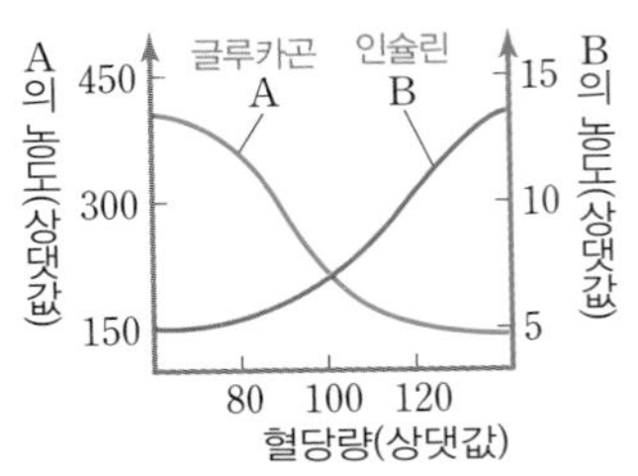

(1) A는 글루카곤, B는 인슐린이다. 이자에서 인슐린이 분비되면 혈당량이 감소하고 글루카곤이 분비되면 혈당량이 증가하여 우리 몸의 혈당량을 일정하게 유지한다.
(2) 운동 후 혈당량이 낮아지면 간뇌에서 이를 인지하고 이자에서 글루카곤을 분비하며, 간에서 글리코젠을 포도당으로 분해하여 혈당량을 정상 수준으로 증가시킨다.

8-1 항상성 유지 – 체온 조절

ㄱ, ㄴ. 체온이 높아지면 피부에 있는 혈관이 확장되고, 땀 분비량이 증가한다.
바로 알기 ㄷ. 열 방출량이 증가하고 열 발생량이 감소하여 체온이 내려간다.

3일 필수 체크 전략 2 최다 오답 문제 50~51쪽

1 ③	2 ①	3 ③	4 ⑤
5 ②	6 ④	7 ③	

1 뉴런

자료 분석 + 뉴런의 구조

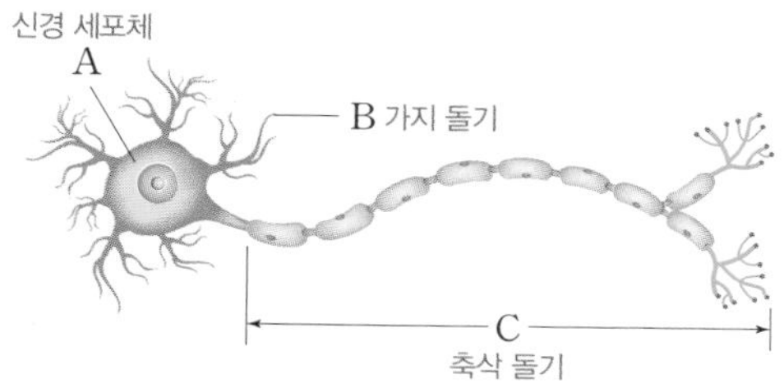

선택지 분석

ㄱ. A는 신경 세포체로, 뉴런의 물질대사에 관여한다.
ㄴ. B는 가지 돌기로, 신경 전달 물질을 합성한다.
→ 다른 뉴런이나 기관으로부터 자극을 수용함
ㄷ. C는 축삭 돌기로, 다음 뉴런으로 신호를 전달한다.

A는 신경 세포체, B는 가지 돌기, C는 축삭 돌기이다.

ㄱ. 신경 세포체에는 핵과 세포질이 모여 있으며, 여러 가지 생명 활동이 일어난다.

ㄷ. 축삭 돌기는 신경 세포체에서 길게 뻗어 있는 돌기로, 다른 뉴런이나 기관으로 자극을 전달한다.

바로 알기 ㄴ. 가지 돌기는 다른 뉴런이나 감각 기관으로부터 자극을 받아들인다.

2 뉴런

자료 분석 + 뉴런의 종류

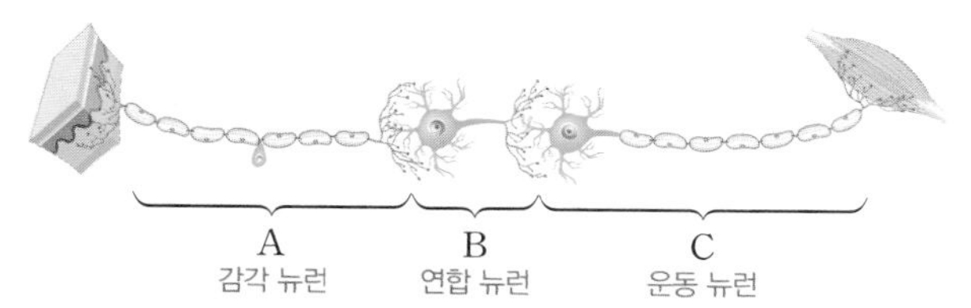

② 감각 뉴런과 운동 뉴런은 말초 신경계를 구성하며, 연합 뉴런은 중추 신경계를 구성한다.

③ 미각 신경은 맛세포에서 받아들인 자극을 대뇌로 전달한다.

④ 중추 신경계는 감각 뉴런을 통해 전달받은 자극을 종합, 분석하고 판단하여 적절한 명령을 내린다.

⑤ 운동 뉴런은 중추 신경의 명령을 반응 기관에 전달한다.

바로 알기 ① A는 감각 뉴런, B는 연합 뉴런, C는 운동 뉴런을 나타낸 것이다.

3 자극에 대한 반응

자료 분석 + 자극에 대한 반응 시간

떨어지는 자를 보고 잡는 반응의 경로: 빛 자극 → 시각 세포 → 시각 신경 → 대뇌 → 척수 → 운동 신경 → 손의 근육 → 자를 잡음

소리를 듣고 자를 잡는 반응의 경로: 소리 자극 → 청각 세포 → 청각 신경 → 대뇌 → 척수 → 운동 신경 → 손의 근육 → 자를 잡음

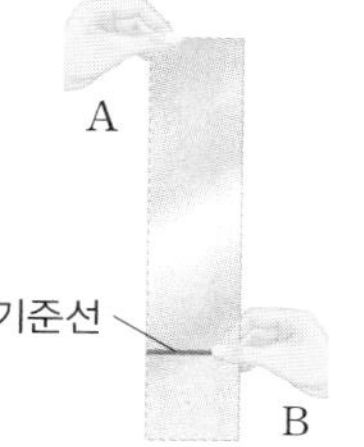

③ 소리를 듣고 자를 잡는 반응보다 눈으로 보고 자를 잡는 반응이 더 빨리 일어난다. 이를 통해 눈으로 보고 반응할 때와 소리만 듣고 반응할 때 감각 기관에서 받아들인 자극이 신경을 통해 전달되는 데 걸리는 시간의 차이를 알 수 있다.

4 말초 신경계

교감 신경과 부교감 신경은 같은 내장 기관에 분포하여 서로 반대 작용을 한다. 교감 신경은 긴장했을 때나 위기 상황에 처했을 때 대처하기 알맞은 상태로 만들고, 부교감 신경은 원래의 안정된 상태로 되돌리는 서로 반대되는 작용을 한다. 교감 신경에 의해 동공은 확대되고, 침 분비는 억제되며, 호흡 운동은 촉진된다. 반대로 부교감 신경에 의해 동공은 축소되고, 침 분비는 촉진되며, 호흡 운동은 억제된다.

5 호르몬

자료 분석 + 항상성 조절

ㄱ. 신경계에 비해 효과가 지속적이다.
ㄴ. 외분비샘에서 분비되어 혈액을 따라 이동한다. → 내분비샘
ㄷ. 분비량이 너무 많거나 적으면 몸에 이상 증상이 나타난다.
ㄹ. 한 종류의 호르몬이 여러 기관에 작용한다.
→ 호르몬 종류마다 작용하는 기관 또는 세포가 정해져 있다.

ㄱ. 호르몬과 신경은 전달 속도, 작용 범위, 효과의 지속성 등에 차이가 있다. 호르몬은 신경에 비해 효과가 지속적이고 전달 속도는 느리다.

ㄷ. 호르몬은 분비량이 적절하지 않으면 몸에 이상 증상이 나타난다. 예를 들어 생장 호르몬이 과다 분비되면 거인증이나 말단 비대증이 나타날 수 있고, 생장 호르몬이 부족하면 소인증이 나타날 수 있다.

바로 알기 ㄴ. 호르몬은 내분비샘에서 만들어져 혈액으로 분비된다.

ㄹ. 호르몬은 신경에 비해 작용 범위가 넓고, 종류에 따라 작용하는 기관이나 세포가 정해져 있다.

6 무조건 반사

자료 분석 + 무조건 반사 경로

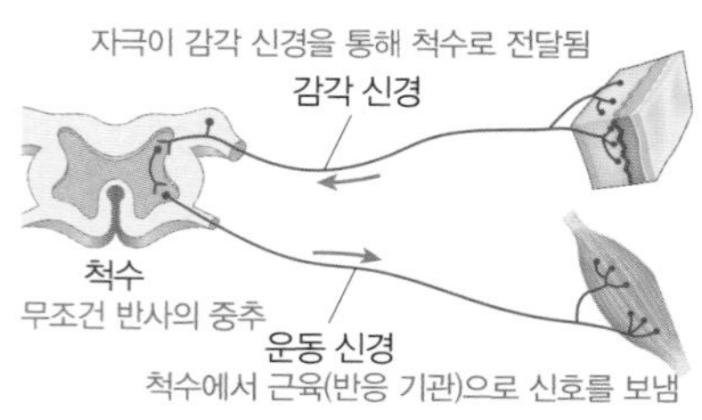

ㄴ. 무조건 반사는 대뇌의 판단 과정을 거치지 않으므로 대뇌가 관여하는 의식적인 반응보다 반응이 빠르게 일어나 갑작스러운 위험에 처했을 때 신속하게 대처하여 우리 몸을 보호한다.
ㄹ. 뾰족한 물체에 찔렸을 때 급히 몸을 움츠리는 것과 무릎 반사는 모두 척수가 반응 중추이다.

바로 알기 ㄱ. 대뇌가 관여하지 않아 자신의 의지와 관계없이 일어나는 무의식적인 반응이다.
ㄷ. 무조건 반사 중 재채기, 하품, 딸꾹질, 침 분비, 눈물 분비 등의 반응 중추는 연수이다.

7 항상성 유지

자료 분석 + 혈당량 조절

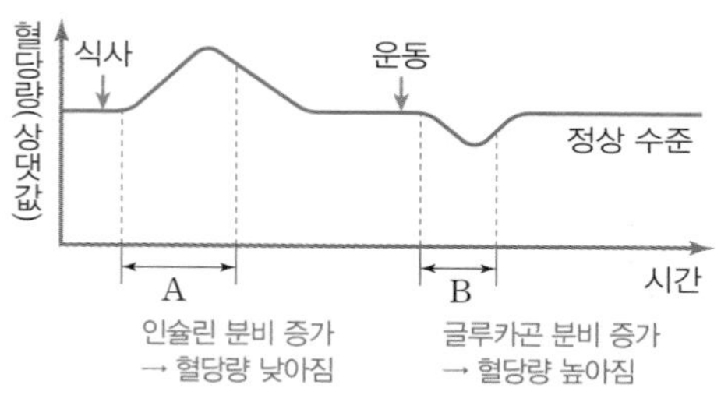

① A에서 분비량이 증가하는 호르몬은 인슐린, B에서 분비량이 증가하는 호르몬은 글루카곤이다.
② 인슐린과 글루카곤이 작용하는 기관은 간이다.
④, ⑤ 인슐린은 혈당량을 낮추고, 글루카곤은 혈당량을 높이는 서로 반대되는 작용을 한다.

바로 알기 ③ 인슐린이 정상적으로 분비되지 않으면 혈당량이 높아져 포도당의 일부가 오줌으로 배설되는 당뇨병이 나타날 수 있다.

2주차 누구나 합격 전략 52~53쪽

01 ① 02 ③ 03 ③
04 C－반고리관, D－전정 기관, G－귀인두관 05 ④
06 ② 07 E, 연수 08 ③ 09 ⑤
10 ③

01 시각

자료 분석 + 눈의 구조

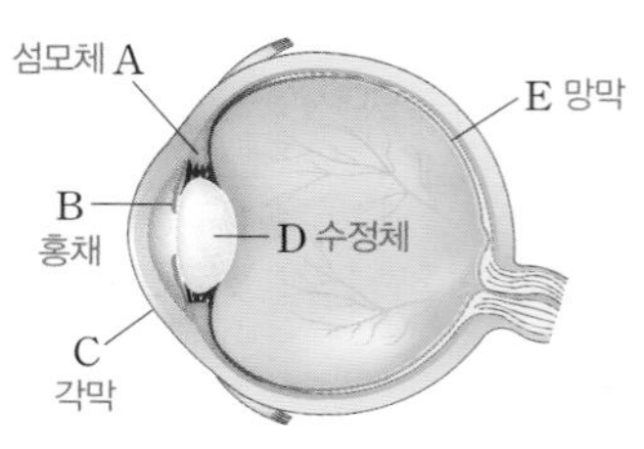

① A는 섬모체이며, 수정체의 두께를 조절하여 상이 망막에 맺히도록 조절한다. 가까운 곳을 볼 때는 섬모체가 수축하면서 수정체가 두꺼워지며, 먼 곳을 볼 때는 섬모체가 이완하면서 수정체가 얇아진다.

바로 알기 ② B는 홍채이며, 동공의 크기를 조절하여 눈으로 들어오는 빛의 양을 조절한다.
③ C는 각막이며, 홍채의 바깥쪽에서 눈의 앞쪽을 감싸는 투명한 막이다.
④ D는 수정체이며, 볼록 렌즈와 같이 빛을 굴절시켜 망막에 상이 맺히게 한다.
⑤ E는 망막이며, 물체의 상이 맺히는 부분으로 시각 세포가 있어 빛 자극을 받아들인다.

02 눈의 조절 작용

자료 분석 + 눈의 조절 작용

ㄱ. 밝은 곳에서는 홍채가 확장되어 동공의 크기가 작아지면서

눈으로 들어오는 빛의 양이 감소한다.
ㄴ. 동공의 크기가 조절되는 것을 동공 반사라고도 하며, 중간뇌를 중추로 하고 무의식적으로 일어나는 무조건 반사이다.
바로 알기 ㄷ. (가)에서 (나)로 동공의 크기가 작아지는 것은 어두운 곳에서 밝은 곳으로 갈 때 나타나는 변화이다.

03 귀의 구조

자료 분석 + 귀의 구조와 기능

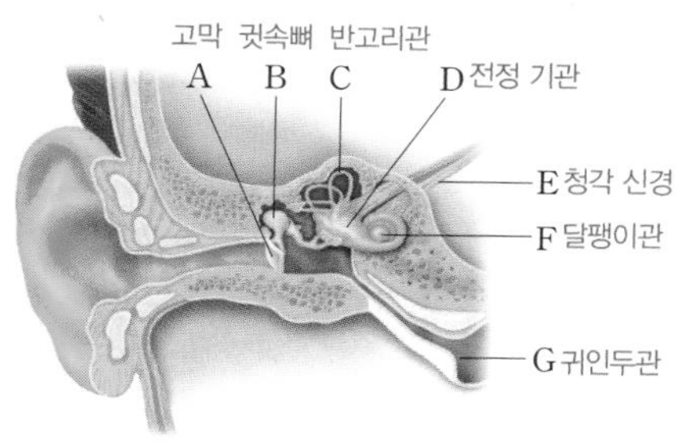

A는 고막, B는 귓속뼈, C는 반고리관, D는 전정 기관, E는 청각 신경, F는 달팽이관, G는 귀인두관이다.
ㄱ. 고막은 소리에 의해 진동하는 얇은 막이며, 진동을 귓속뼈로 전달한다.
ㄴ. 귓속뼈는 고막의 진동을 증폭하여 달팽이관으로 전달한다.
바로 알기 ㄷ. 소리 자극의 전달 경로는 A(고막) → B(귓속뼈) → F(달팽이관) → E(청각 신경) → 대뇌이다. C(반고리관)와 D(전정 기관)는 평형 감각을 담당하므로 소리 자극의 전달과는 관련이 없다.

04 귀의 구조

반고리관(C)은 몸의 회전, 전정 기관(D)은 몸의 기울어짐을 감지하는 평형 감각을 담당하고, 귀인두관(G)은 고막 바깥쪽과 안쪽의 공기 압력을 같게 조절한다.

05 미각

ㄴ. 액체 상태의 화학 물질은 혀의 돌기 안에 있는 맛봉오리의 맛세포에서 감지하며, 자극은 미각 신경을 통해 대뇌로 전달되어 미각이 성립한다.
ㄷ. 단맛, 짠맛, 신맛, 쓴맛, 감칠맛 등의 기본 맛 이외에도 다양한 음식의 맛은 미각뿐만 아니라 후각과 함께 작용하여 느끼게 된다.
바로 알기 ㄱ. 사람의 감각 중 가장 예민한 감각은 후각으로, 후각은 쉽게 피로해져서 같은 냄새를 오래 맡으면 그 냄새를 잘 느끼지 못한다.

06 뉴런

자료 분석 + 뉴런의 구조

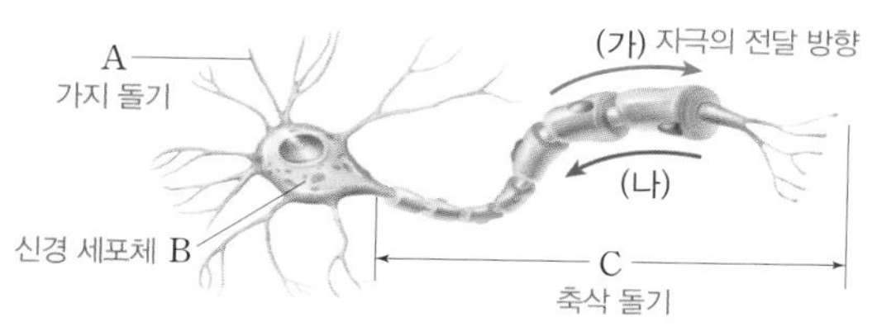

A는 가지 돌기, B는 신경 세포체, C는 축삭 돌기이다. 뉴런은 기능에 따라 생김새가 조금씩 다르다.
② 신경 세포체에는 핵과 세포질이 있으며, 뉴런의 생명 활동이 일어나는 곳이다.
바로 알기 ① A는 가지 돌기로, 감각 기관이나 다른 뉴런으로부터 오는 자극을 받아들인다.
③ C는 축삭 돌기로, 다른 뉴런이나 반응 기관으로 자극을 전달한다.
④ 한 뉴런에서 자극은 (가) 방향으로 전달된다.
⑤ 감각 뉴런은 다른 뉴런과 달리 신경 세포체와 가지 돌기가 분리되어 있고 신경 세포체가 축삭 돌기 중간에 있는 형태이다.

07 뇌의 구조

자료 분석 + 뇌의 구조

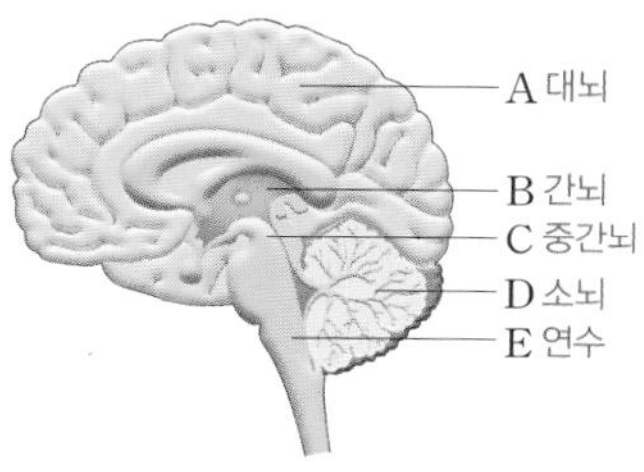

심장 박동, 소화액 분비, 호흡 운동 등을 조절하여 생명을 유지하는 역할을 하는 부분은 연수(E)이다.
바로 알기 대뇌(A)는 감각 기관을 통해 받아들인 정보를 판단하여 적절한 명령을 내리며, 기억, 추리, 감정 등 다양한 정신 활동을 담당한다. 간뇌(B)는 체온과 체액의 농도 등 몸의 상태를 일정하게 유지하도록 조절한다. 중간뇌(C)는 눈의 움직임,

동공과 홍채의 변화를 조절한다. 소뇌(D)는 근육 운동을 조절하고, 몸의 자세를 바로잡거나 균형을 유지한다.

08 중추 신경계

ㄱ. 사람의 신경계는 중추 신경계와 말초 신경계로 구분되는데, 중추 신경계는 뇌(대뇌, 소뇌, 간뇌, 중간뇌, 연수)와 척수로 이루어진다.

ㄴ. 중추 신경계는 수많은 연합 뉴런으로 구성된다.

바로 알기 ㄷ. 무릎 반사의 조절 중추는 척수이므로 뇌와 척수의 공통점이 아니다.

09 내분비샘

자료 분석 + 사람의 내분비샘과 호르몬

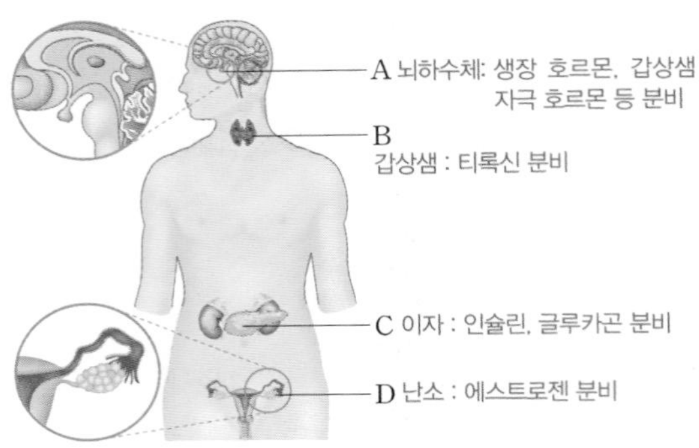

ㄱ. 뇌하수체(A)에서 분비되는 갑상샘 자극 호르몬은 갑상샘(B)에서 분비되는 티록신 분비를 촉진한다.

ㄴ. 이자(C)에서 혈당량 조절 호르몬인 인슐린과 글루카곤이 분비된다.

ㄷ. 호르몬을 만들어 혈액으로 분비하는 곳을 내분비샘이라고 하며, A~D는 모두 내분비샘이다.

10 항상성 유지

자료 분석 + 혈당량 조절

인슐린: 혈당량이 높을 때 분비량 증가 → 간에서 포도당을 글리코젠으로 합성 촉진, 세포에서 포도당 사용 촉진 → 혈당량 감소

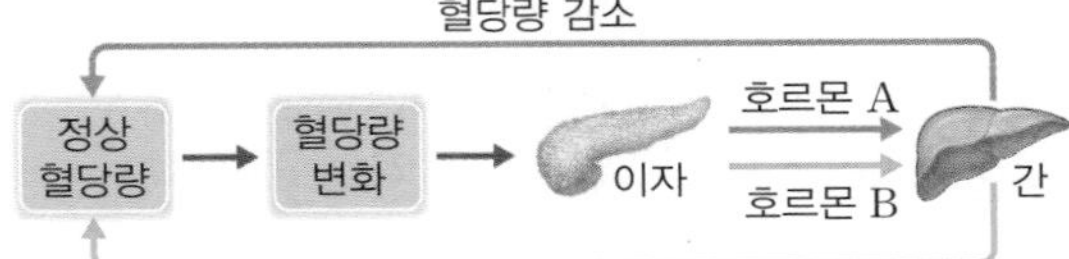

글루카곤 : 혈당량이 낮을 때 분비량 증가 → 간에서 글리코젠을 포도당으로 분해 촉진 → 혈당량 증가

A는 인슐린, B는 글루카곤이다.

ㄱ. 인슐린(A)은 간에서 포도당이 글리코젠으로 합성되는 과정을 촉진하고, 글루카곤(B)은 간에서 글리코젠이 포도당으로 분해되는 과정을 촉진한다.

ㄴ. 인슐린(A)은 식사 직후 혈당량이 높아지면 분비량이 증가하여 혈당량을 정상적으로 낮추는 작용을 한다.

바로 알기 ㄷ. 포도당이 세포로 흡수되어 사용되는 것을 촉진하여 혈당량을 낮추는 호르몬은 인슐린(A)이다.

2주차 창의・융합・코딩 전략 54~57쪽

1 ④	2 ④	3 해설 참조	4 ②
5 ④	6 해설 참조	7 ③	

8 수조 속 물의 양: 혈중 티록신 농도, 부표: 간뇌

1 청각

자료 분석 + 난청과 청각 장애

선택지 분석

× 학생 A: 베토벤의 청각 장애는 신경성 난청에 해당해.

⊙ 학생 B: 전도성 난청은 고막이나 귓속뼈에 이상이 있는 것이야.

⊙ 학생 C: 베토벤이 사용한 나무 막대기는 달팽이관의 청각 세포에 진동을 전달해.

• 학생 B: 전도성 난청은 고막(막에 의해 진동)이나 귓속뼈(진동을 증폭)에 이상이 있는 것이고, 신경성 난청은 청각 세포, 청각 신경의 작용에 이상이 있는 것이다.
• 학생 C: 나무 막대기를 입과 피아노에 대고 피아노를 칠 때 발생하는 진동을 입 가까이 위치한 달팽이관으로 전달하면 청각 세포를 통해 신호가 대뇌로 전달된다.

바로 알기 • 학생 A: 베토벤이 작곡하는 방법을 보면 나무 막대기를 사용했더라도 결국 소리를 감지할 수 있는 것으로 보아 대뇌에서 소리의 감지와 관련한 신경 신호 전달은 정상적인 것으로 볼 수 있다. 따라서 베토벤은 전도성 난청에 해당한다.

2 감각 기관

자료 분석 + 생체 모방 로봇

• 생체 모방 로봇(Biomimetric Robot)은 생물의 행동이나 구조를 모방한 로봇으로, 자연의 생존력과 효율성, 장점 등을 로봇으로 구현한 것이다. → 생체 모방 로봇의 의미
• 생체 모방 로봇의 예로는 인간의 걸음걸이를 모방한 휴머노이드 로봇, 애완용 로봇 등이 있고 지능형 의수, 로봇손 등이 개발되어 있으며, 의료용 로봇이 있다.
생체 모방 로봇의 예로 의료용 로봇이 있음
• 의료용 로봇으로는 수술용 로봇, 수술 보조 로봇, 수술 시뮬레이터 등이 있다. → 생체 모방 로봇의 예 중 의료용 로봇의 한 종류로 수술 시뮬레이터가 있음
• 수술 시뮬레이터를 개발하기 위해 프랑스의 한 연구팀은 인체의 장기들을 모델링하고 조작자가 마치 실제의 장기를 만지고 있는 것과 같은 감촉을 제공하는 소프트웨어와 힘 반사 기기에 대해 연구했는데, 이는 내시경 수술에서 의사가 눈과 손으로 직접 장기를 수술하는 것이 아니라, 새로운 시뮬레이터 환경에서 좀 더 많은 정보를 가지고 수술할 수 있도록 해 주는 장치이다.
→ 수술 시뮬레이터의 의미: 장기를 직접 만지고 있는 것과 같은 감촉을 제공

선택지 분석

☒ A: 눈과 입 사이 구멍에 온도를 감지하는 감각점이 매우 많다.
→ 우수한 온도 감지 능력은 적외선 탐지 로봇에 활용 가능
☒ B: 더듬이에 화학 물질을 감지할 수 있는 예민한 감각털이 있다.
→ 우수한 화학 물질 감지 능력은 마약 탐지 로봇에 활용 가능
☒ C: 전정 기관 내부에 감각 세포의 수가 매우 많다.
→ 전정 기관은 평형 감각을 담당함
④ D: 피부에 분포한 촉점과 압점의 밀도가 매우 높고, 이것으로 털의 움직임을 감지한다.
☒ E: 볼 수 있는 물체의 최대 거리가 매우 길고, 들을 수 있는 소리 크기의 최소값이 매우 작다. → 수술 시뮬레이터는 보고 듣는 감각이 아닌 촉각과 관련됨

피부 감각은 피부를 통해 받아들이는 다양한 자극을 느끼는 감각이다. 피부 감각을 받아들이는 곳은 피부에 분포하는 감각점으로, 통점, 압점, 촉점, 온점, 냉점의 감각점이 있다. 피부 감각 중에서 통각은 특별히 분화된 감각 소체는 없고 감각 신경의 말단이 통각을 느끼며, 화학 물질, 열, 강한 압력 등을 감지하여 통각을 느끼게 된다. 압각은 피부 깊숙하게 자리 잡은 압점에 의해 감지된다. 촉각은 피부 표면 가까이에 있는 촉점에 의해 감지되며, 손가락 끝처럼 물체와의 접촉이 많은 부위일수록 밀도가 높아 예민하다. 온각과 냉각은 온점, 냉점에서 상대적인 온도 변화를 감지한다. 온점은 온도의 상승을, 냉점은 온도의 하강을 느낀다.
④ 촉점과 압점의 밀도가 매우 높아 피부 감각이 예민한 동물의 감각을 연구하여 촉각을 시각화하는 기술을 통해 수술 시뮬레이터를 개발할 수 있다.

바로 알기 ① 온도와 관련된 온각은 피부 감각과 관련되어 있으나 촉각과는 다르며, 수술실의 장기 온도는 매우 낮게 유지된다.
② 화학 물질을 감지하는 것은 후각이다.
③ 전정 기관은 평형 감각을 담당한다.
⑤ 시각과 청각은 직접적인 수술에서 필요한 감각이다.

3 청각의 성립

자료 분석 + 물속과 우주에서의 청각 성립 여부

A: 물속에서는 육상에서보다 소리가 작게 들리고, 우주에서는 소리를 들을 수 없어.
B: 물속과 우주에서 모두 소리를 들을 수 없어. → 물속에서는 들을 수 있음.
C: 물속과 우주에서 모두 정상적으로 소리를 들을 수 있어.
→ 우주 공간에는 소리를 전달하는 매질이 없음.

청각은 소리 → 귓바퀴 → 귓구멍 → 고막 → 귓속뼈 → 달팽이관(청각 세포) → 청각 신경 → 대뇌의 순으로 전달된다. 청각은 귀에서 공기의 진동을 자극으로 받아들여 소리로 인식하는 감각이다. 따라서 소리가 전달되기 위해서는 매질이 있어야 한다.
육상에서는 공기를 매질로 하여 공기의 진동을 달팽이관에서 받아

들이며, 물속에서는 물을 매질로 하여 소리가 전달될 수 있다. 그러나 우주에서는 소리를 전달할 매질이 없어 소리를 들을 수 없다.

모범 답안 A, 육상에서는 소리를 전달하는 매질이 공기이며, 공기의 진동으로 소리가 전달된다. 물속에서는 소리를 전달하는 매질이 물이며, 물을 통해 소리가 전달된다. 우주에서는 소리를 전달할 매질이 없으므로 소리를 들을 수 없다.

채점 기준	배점(%)
A를 고르고, 그 까닭을 매질의 존재 여부로 옳게 설명한 경우	100
A를 골랐으나, 그 까닭을 옳게 설명하지 못한 경우	50

4 항상성 유지

자료 분석 + 체온과 혈당량의 조절 과정

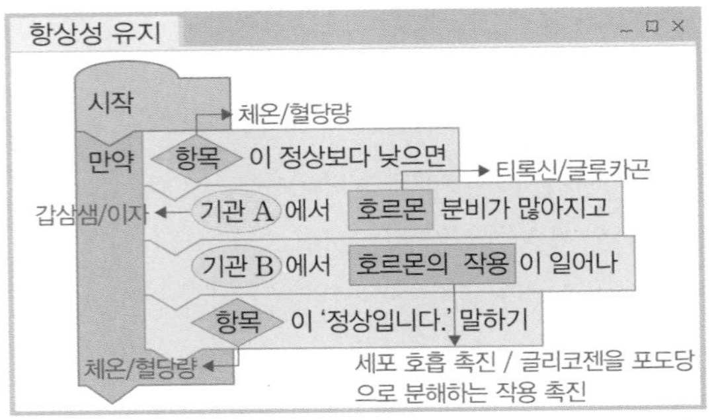

선택지 분석

① 항목 이 혈당량일 때 호르몬 은 티록신이다. → 글루카곤
② 항목 이 체온일 때 갑상샘은 기관 A 에 해당한다.
③ 항목 이 혈당량일 때 이자는 기관 B 에 해당한다. → 기관 A
④ 항목 이 체온일 때 호르몬 은 인슐린이다. → 티록신
⑤ 항목 이 혈당량일 때 '포도당을 글리코젠으로 합성하는 작용'은 호르몬의 작용 에 해당한다. → 글리코젠을 포도당으로 분해

체온이 낮아지면 티록신 분비가 증가하여 세포 호흡이 촉진되며, 이를 통해 열 발생량이 증가하여 정상 체온으로 올라간다. 혈당량은 이자에서 분비되는 인슐린과 글루카곤에 의해 조절된다. 혈당량이 높을 때는 이자에서 인슐린이 분비 → 간에서 포도당을 글리코젠으로 합성하여 저장, 세포에서 포도당 흡수 촉진 → 혈당량 감소의 작용이 일어난다. 반면 혈당량이 낮을 때는 이자에서 글루카곤 분비 → 간에서 글리코젠을 포도당으로 분해하여 혈액으로 내보냄 → 혈당량 증가의 작용이 일어난다.

이처럼 체온이 정상보다 낮을 때는 갑상샘에서 티록신 분비가 촉진되고, 혈당량이 정상보다 낮을 때는 이자에서 글루카곤 분비가 촉진된다.

② 체온이 정상보다 낮을 때 뇌하수체에서 갑상샘 자극 호르몬 분비가 촉진되어 갑상샘에서 티록신 분비가 촉진된다.

바로 알기 ① 혈당량이 정상보다 낮을 때는 글루카곤 분비가 촉진되어 간에 저장된 글리코젠이 포도당으로 분해되어 혈당량이 증가한다.

③ 혈당량이 정상보다 낮을 때는 이자(기관 A)에서 글루카곤 분비가 촉진되어 간(기관 B)에서 글리코젠 분해 작용이 촉진된다.

④ 체온이 정상보다 낮을 때는 티록신 분비가 촉진된다. 인슐린은 혈당량이 정상보다 높을 때 분비가 촉진된다.

⑤ 정상보다 혈당량이 낮을 때는 간에 저장되어 있던 글리코젠을 포도당으로 분해하여 혈액으로 방출하여 혈당량이 증가한다.

5 자극에 대한 반응

자료 분석 + 의식적 반응의 반응 경로

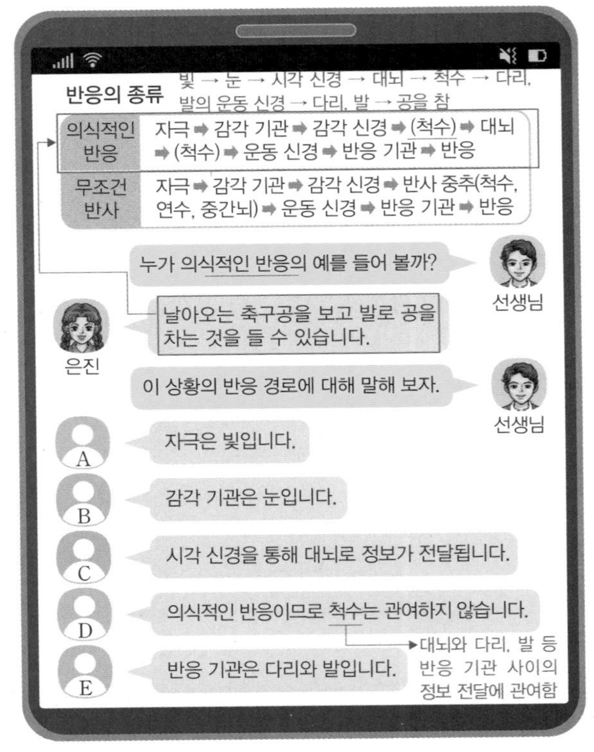

감각 기관에서 받아들인 자극은 감각 신경을 거쳐 연합 신경으로 이루어진 중추 신경계로 전달된다. 중추 신경계에서 내려진 명령은 운동 신경을 거쳐 운동 기관으로 전달되어 반응으로 나타난다. 날아오는 축구공을 차는 반응은 대뇌의 판단과 명령으로 일어난다.

• 학생 A, B: 축구공을 보는 것은 눈에서 시각이 성립하는 과정이다.
• 학생 C: 눈의 망막에 있는 시각 세포에 날아오는 축구공에 대한 상이 맺히면 그 정보가 시각 신경을 통해 대뇌로 전달된다.
• 학생 E: 발로 공을 차는 반응에서 반응 기관은 다리와 발이다.

바로 알기 • 학생 D: 의식적인 반응 경로에서 감각 기관으로부터 감각 정보가 대뇌로 전달되거나 대뇌에서 처리한 운동 정보가 반응 기관으로 전달되는 과정에서 척수를 거치는 경우가 많다. 대뇌에서 다리와 발로 운동 정보를 내보낼 때는 척수를 거쳐야 한다.

6 자극에 대한 반응

자료 분석 + 자극의 종류와 반응 시간

| 과정 |

(가) A는 자를 잡고 있고, B는 기준선에서 손가락을 벌려 자를 잡을 준비를 한다.

(나) A는 말없이 손을 놓아 자를 떨어뜨리고, B는 떨어지는 자를 보고 재빨리 잡는다.
→ 자는 자유 낙하 운동을 함

(다) 기준선으로부터 B가 자를 잡은 곳까지의 거리를 측정한다. ㉠이 과정을 5회 반복하여 자를 잡은 곳까지 거리의 평균값을 구한다.
→ =자유 낙하한 자의 이동 거리 평균값

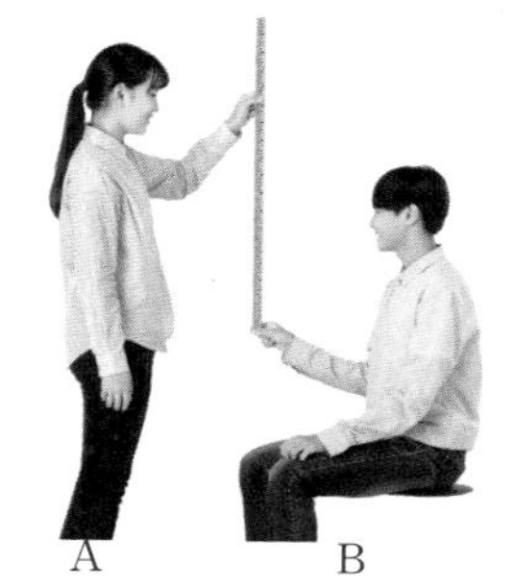

• ㉠: 20 cm
• 눈에서 손끝까지 자극이 이동한 거리: 1.2 m
• 자유 낙하하는 물체의 이동 거리$=\frac{1}{2}\times$중력 가속도$\times$시간^2
• 중력 가속도: 10 m/초^2

자극을 받아들여 반응이 일어나기까지는 시간이 걸린다. 감각 기관에서 받아들인 자극이 신경계를 통해 뇌와 근육으로 전달되는 데 시간이 필요하기 때문이다. 떨어지는 자를 보고 잡는 반응은 빛 자극 → 시각 세포 → 시각 신경 → 대뇌 → 척수 → 운동 신경 → 손의 근육 → 자를 잡는 순서로 자극이 전달된다.

자극의 전달 속도는 $\frac{\text{자극의 이동 거리}}{\text{자극의 이동 시간}}$이며, 자극의 이동 거리는 눈에서 손끝까지의 거리이고, 반응 시간은 자유 낙하하는 자를 잡은 곳까지 도달하는 데 걸린 시간과 같다.

모범 답안 자극의 전달 속도: 6 m/초

풀이 과정 자의 이동 거리=20 cm=0.2 m

$0.2\text{ m}=\frac{1}{2}\times 10\times\text{시간}^2$ ∴ 시간(초)=0.2초

그러므로 반응 시간은 0.2초가 된다. 눈에서 손끝까지의 거리가 1.2 m이므로 자극의 전달 속도$=\frac{1.2\text{ m}}{0.2\text{ 초}}=6\text{ m/초}$

채점 기준	배점(%)
자극의 전달 속도를 옳게 쓰고, 풀이 과정을 옳게 서술한 경우	100
자극의 전달 속도는 옳게 썼으나, 풀이 과정을 미흡하게 서술한 경우	60

7 호르몬의 종류와 특성

자료 분석 + 호르몬의 특징과 분비 과정 학습 게임

| 게임 방법 |

같은 호르몬에 대한 〈이름 카드〉, 〈내분비샘 카드〉, 〈작용 카드〉, 〈질병 카드〉를 모두 찾으면 점수를 얻는다.

[모둠원들이 모은 카드]

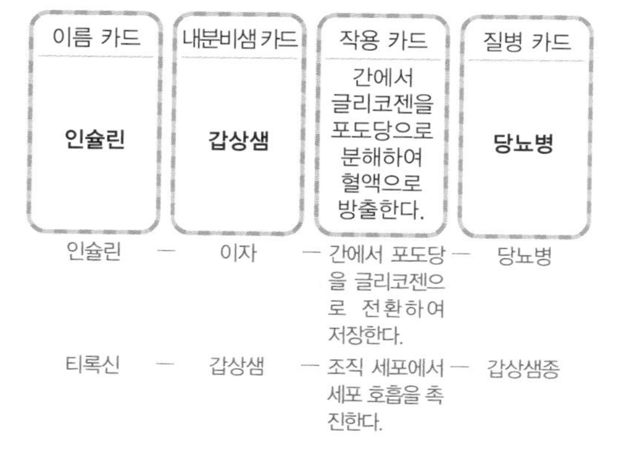

인슐린 — 이자 — 간에서 포도당을 글리코젠으로 전환하여 저장한다. — 당뇨병

티록신 — 갑상샘 — 조직 세포에서 세포 호흡을 촉진한다. — 갑상샘종

선택지 분석

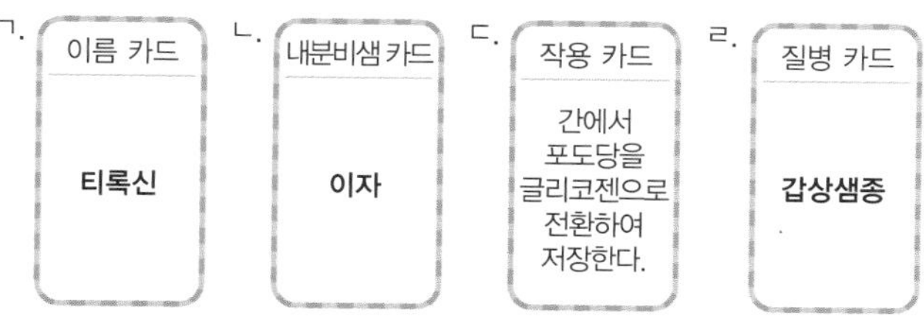

이름 카드에서 인슐린 대신 티록신을 고를 경우 질병 카드를 당뇨병 대신 갑상샘종으로 고르면 되지만, 작용 카드가 맞는 것이 없다.

이자에서 분비되는 인슐린과 글루카곤에 의해 혈당량이 조절된다. 혈당량이 높을 때 이자에서 인슐린이 분비되며, 인슐린은 간

에서 포도당을 글리코젠으로 합성하여 저장하고 세포에서 포도당의 흡수를 촉진하여 혈당량을 감소시킨다. 따라서 당뇨병은 인슐린 분비가 부족하거나 작용에 이상이 있을 때 나타난다.

ㄴ, ㄷ. 이름 카드에 인슐린을 그대로 두고 남은 카드를 모두 옳게 고르려면 내분비샘 카드를 갑상샘 대신 이자로 교체해야 하고, 작용 카드 또한 '간에서 포도당을 글리코젠으로 전환하여 저장한다.'로 교체해야 한다. 질병 카드의 당뇨병은 그대로 두면 된다.

바로 알기 ㄱ, ㄹ. 이름 카드로 티록신을 고르면 내분비샘 카드는 갑상샘 그대로, 질병 카드는 갑상샘종을 고르면 된다. 그러나 '조직 세포에서 세포 호흡을 촉진한다.'의 내용이 적힌 작용 카드를 골라야 하는데 〈보기〉에 제시되어 있지 않다.

8 호르몬 분비량 조절

자료 분석 + 호르몬 분비량 조절 원리

| 자료 (가) |

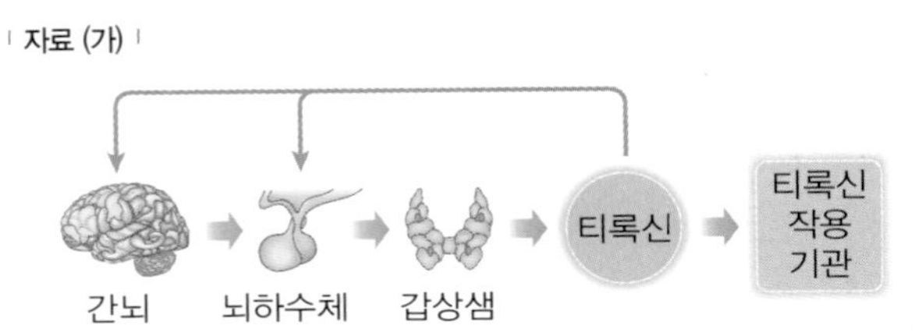

간뇌: 티록신 분비 조절 중추, 혈중 티록신 농도 감지

- 혈액 속 티록신 농도가 감소하면 간뇌에서 갑상샘 자극 호르몬 방출 호르몬(TRH) 분비량을 늘려 뇌하수체에서 갑상샘 자극 호르몬(TSH)의 분비가 촉진된다. 그 결과 갑상샘에서의 티록신의 합성과 분비량이 증가한다.
  → 티록신 농도가 낮을 때 여러 경로를 거쳐 티록신 분비량을 증가시킴 → 티록신 분비량 일정하게 유지
- 혈액 속 티록신 농도가 증가하면 간뇌에서 TRH의 분비량이 줄어 뇌하수체에서 TSH의 분비가 억제되면서 갑상샘에서의 티록신의 합성과 분비량이 감소한다.
  → 티록신 농도가 높을 때 여러 경로를 거쳐 티록신 분비량을 감소시킴 → 티록신 분비량을 일정하게 유지

| 자료 (나) |

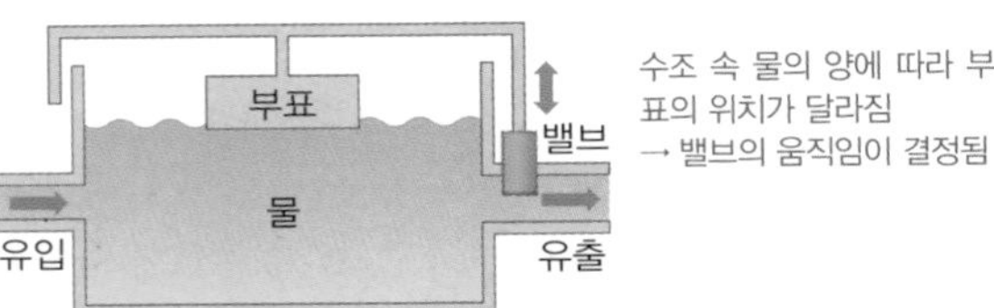

수조 속 물의 양에 따라 부표의 위치가 달라짐 → 밸브의 움직임이 결정됨

- 수조로 유입되는 물의 양이 많아지면 부표가 떠오르면서 밸브를 열어 유출량을 증가시킨다. → 수조 속 물의 양이 많아지면 유출량 증가 → 수조 속 물의 양을 일정하게 유지
- 수조에서 나가는 물의 유출량이 많아지면 부표가 내려가면서 밸브를 닫아 유출량이 줄어든다. → 수조 속 물의 양이 적어지면 유출량 감소 → 수조 속 물의 양을 일정하게 유지

(가)에서 간뇌는 혈중 티록신 농도를 감지하며, 티록신 분비량 조절의 중추이다. 혈중 티록신 농도가 증가하면 간뇌, 뇌하수체, 갑상샘이 차례로 반응하여 티록신 분비량이 감소하고, 혈중 티록신 농도가 감소하면 간뇌, 뇌하수체, 갑상샘이 차례로 반응하여 티록신 분비량이 증가한다. 이러한 조절에 의해 혈중 티록신 농도는 일정하게 유지된다.

(나)에서 수조 속 물의 양이 많아지면 부표가 올라가 밸브가 열려 물의 유출량이 많아지고 수조 속 물의 양은 다시 줄어든다. 수조 속 물의 양이 감소하면 부표가 내려가 밸브가 닫혀 물의 유출량이 감소하고 물의 유입으로 물의 양은 다시 증가한다. 이러한 조절에 의해 수조 속 물의 양은 일정하게 유지된다. 수조 속 물의 양이 일정하게 유지되는 과정은 호르몬의 농도가 일정하게 유지되는 과정과 유사하다.

기말고사 마무리 신유형·신경향·서술형 전략			60~63쪽
1 ⑤	2 ②	3 ③	4 ③

5 (1) 해설 참조 (2) 해설 참조
6 (1) 도로와 자동차 사이의 마찰력의 크기 (2) 해설 참조
7 (1) 해설 참조 (2) 해설 참조
8 (1) ① (가) → A, ② (나) → B, ③ (나) → C (2) 해설 참조

1 자유 낙하 운동

자료 분석 + 자유 낙하 운동 그래프

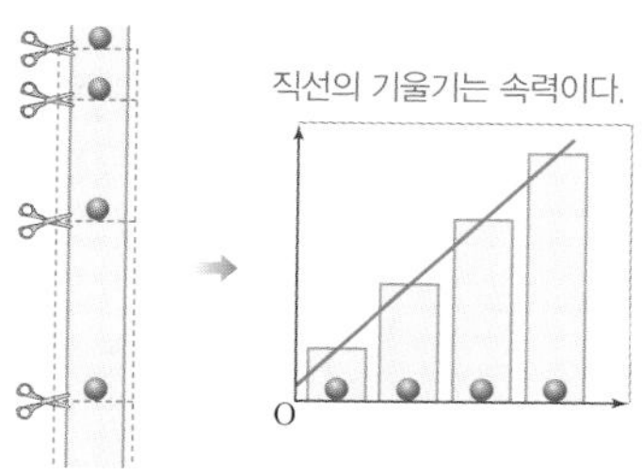

• 물체와 물체 사이의 시간 간격은 같다.
• 물체와 물체 사이의 거리(구간 거리)가 클수록 속력이 빠르다.
• 물체는 속력이 일정하게 증가하는 운동을 한다.

ㄱ, ㄴ, ㄷ. 같은 시간 간격으로 촬영한 것이므로 구간 거리의 변화는 속력의 변화를 의미한다. 따라서 구간 거리가 일정하게 커지는 것은 속력이 일정하게 커지는 것을 뜻한다. 또한 물체에 운동 방향으로 일정한 크기의 힘이 계속 작용한다는 것을 의미한다.

2 중추 신경계

자료 분석 + 중추 신경계 구조 모형 활동

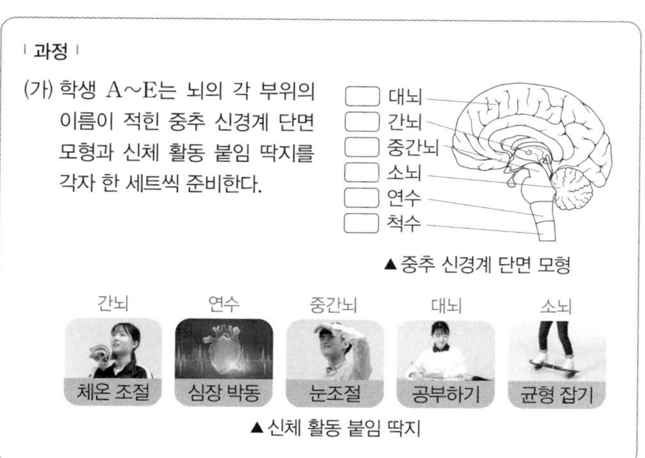

체온 조절은 간뇌, 심장 박동은 연수, 눈 조절은 중간뇌, 공부하기는 대뇌, 균형 잡기는 소뇌가 중추이다.

바로 알기 ② 심장 박동, 호흡 운동 등을 조절하는 연수는 척수보다 위쪽에 있다.

3 가방에 한 일

ㄱ. 질량 5 kg의 가방의 무게는 9.8×5 kg$=49$(N)이다.

ㄷ. 정문에서 현관까지 가는 동안 가방에 작용한 힘은 수직 방향이다. 따라서 가방에 작용한 힘의 방향과 이동 방향이 수직이므로 수지가 가방에 한 일의 양은 0이다.

바로 알기 가방에 작용하는 중력의 크기는 가방의 무게와 같은 49 N이다.

ㄹ. 가방의 운동 방향으로 힘이 작용할 때 가방에 일을 한다. 따라서 가방을 들고 계단을 올라가는 경우 위로 올라가는 거리에 대해서만 일을 하는 것이므로 계단을 올라가는 동안 가방에 한 일은 49 N$\times$0.15 m$\times60=$88.2 J이다.

4 혈당량 조절

자료 분석 + 모형을 활용한 혈당량 조절 과정 표현

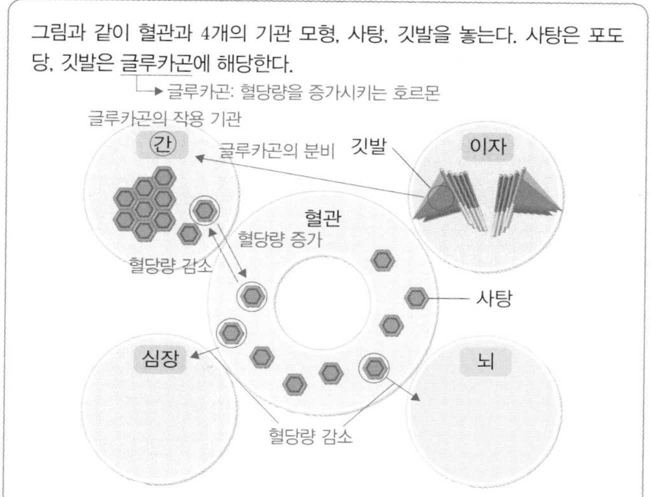

선택지 분석

~~A~~: 혈관에 있는 사탕을 모두 심장과 뇌로 옮기면 돼. → 혈당량이 낮아지는 과정

~~B~~: 혈관 위의 사탕 수가 적어진 만큼 깃발을 간으로 옮기는 것이 좋아. → 혈당량이 낮아져서 글루카곤이 간으로 분비되는 과정

③C: 간에 있는 깃발 수만큼 사탕을 간에서 혈관으로 옮겨야 해. → 간에서 글루카곤의 작용으로 글리코젠이 포도당으로 분해되어 혈관으로 방출됨 → 혈당량이 증가하는 과정

~~D~~: 혈관에 추가된 사탕 수만큼 이자에 있는 깃발을 간으로 옮길 거야. → 혈당량이 증가하여 인슐린이 분비됨

~~E~~: 이자에 있는 깃발 수만큼 간에 있는 사탕을 심장과 뇌로 옮기는 것이 맞아. → 인슐린에 의해 혈당량이 낮아지는 과정

혈당량이 낮아지면 이자에서 글루카곤 분비가 촉진되어 간에 저장된 글리코젠이 포도당으로 분해되어 혈액으로 방출된다.

③ 깃발은 글루카곤이고, 글루카곤이 작용하는 기관은 간이다. 글루카곤의 작용에 의해 간에 저장되어 있던 글리코젠이 포도당으로 분해되어 혈액으로 방출되므로 간에 있던 사탕이 혈관으로 이동하는 과정은 혈당량 증가를 표현한다.

바로 알기 ① 포도당(사탕)이 심장과 뇌로 이동하는 과정은 인슐린에 의해 조직 세포에서 포도당 사용이 촉진되면서 혈당량이 낮아지는 과정을 표현한다.

② 혈당량(혈관 위의 사탕)이 감소하여 글루카곤(깃발)이 간으로 분비되는 과정을 표현한다.

④ 혈당량이 증가(혈관에 추가된 사탕)하면 이자에서 글루카곤이 아닌 인슐린 분비가 촉진된다. 깃발은 글루카곤이다.

⑤ 이자에서 글루카곤(깃발)이 분비되면 간에서 포도당이 혈관으로 방출되며, 직접 다른 세포로 포도당을 전달하는 것은 아니다.

5 운동의 기록과 속력

자료 분석 + 시간-속력 그래프에서 이동 거리 구하기

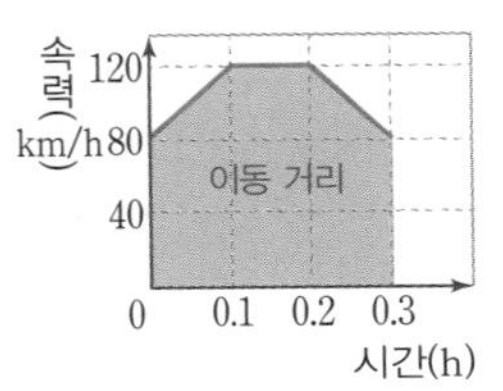

시간-속력 그래프의 직선 아랫부분의 넓이는 이동 거리를 나타낸다.

- 0~0.1 h 이동 거리: $0.1\times80+\frac{1}{2}\times40\times0.1=10(\text{km})$
- 0.1~0.2 h 이동 거리: $0.1\times120=12(\text{km})$
- 0.2~0.3 h 이동 거리: $0.1\times80+\frac{1}{2}\times40\times0.1=10(\text{km})$

(1) 시간-속력 그래프에서 직선 아랫부분의 넓이는 이동 거리를 의미한다. 처음 0~0.1 h 동안 이동 거리는 10 km이고, 0.1~0.2 h 동안 이동 거리는 12 km이며, 0.2~0.3 h 동안 이동 거리는 10 km이므로 전체 이동 거리는 32 km이다.

모범 답안 32 km, 시간-속력 그래프의 직선 아랫부분의 넓이는 이동 거리를 의미한다.

채점 기준	배점(%)
자동차의 이동 거리와 계산 방법을 모두 옳게 구한 경우	100
자동차의 이동 거리만 옳게 구한 경우	60

(2) 평균 속력은 전체 이동 거리를 걸린 시간으로 나누어 구한다. 따라서 과속 구간 단속 지점에서 자동차의 평균 속력은

$\frac{32\text{ km}}{0.3\text{ h}}\fallingdotseq106.7\text{ km/h}$로 이 도로의 제한 속력인 110 km/h 이하이므로 과속은 아니다.

모범 답안 평균 속력$=\frac{\text{전체 이동 거리}}{\text{걸린 시간}}=\frac{32\text{ km}}{0.3\text{ h}}\fallingdotseq106.7\text{ km/h}$, 제한 속력인 110 km/h보다 작으므로 과속이 아니다.

채점 기준	배점(%)
자동차의 평균 속력을 구하고 과속 여부를 옳게 서술한 경우	100
자동차의 평균 속력만 옳게 구한 경우	70

6 자동차의 속력과 제동 거리

자료 분석 + 자동차의 속력과 제동 거리

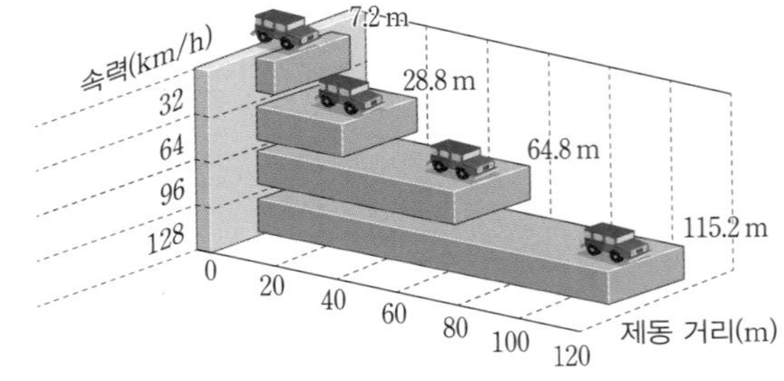

- 제동 거리: 자동차가 달리다가 브레이크를 밟고 정지하기 전까지 미끄러진 거리
- 자동차가 한 일: 자동차는 도로 표면과 바퀴 사이의 마찰력에 대하여 일을 하므로 자동차가 한 일의 양은 자동차의 운동 에너지와 같다.
- 자동차의 운동 에너지$=\frac{1}{2}\times$자동차의 질량$\times$(자동차의 속력)$^2=$마찰력$\times$제동 거리
- 자동차의 속력이 2배, 3배가 되면 자동차의 제동 거리는 4배, 9배가 되므로 과속을 하면 사고 위험이 높다.

(1) 「자동차의 운동 에너지=자동차가 한 일=자동차가 받는 마찰력의 크기×제동 거리」이다. 따라서 자동차의 제동 거리를 구할 때 일정하다고 가정해야 하는 요소는 도로와 자동차 사이의 마찰력의 크기이다.

(2) 자동차의 제동 거리는 운동 에너지에 비례하고, 운동 에너지는 속력의 제곱에 비례한다. 따라서 속력이 5배가 되면 운동 에너지는 25배가 되고 제동 거리도 25배가 된다.

모범 답안 제동 거리는 180 m이다. 제동 거리는 운동 에너지에 비례하는데 속력 160 km/h는 32 km/h의 5배이고 제동 거리는 속력의 제곱에 비례하므로 32 km/h일 때 제동 거리 7.2 m의 25배인 180 m가 된다.

채점 기준	배점(%)
제동 거리와 그 까닭을 모두 옳게 구한 경우	100
제동 거리만 옳게 구한 경우	50

7 피부 감각

자료 분석 + 감각점 분포 확인 실험

| 과정 |

(가) 접착테이프를 이용하여 30 cm 자에 이쑤시개 두 개를 3 cm 간격으로 붙인다.

(나) 두 사람이 짝을 지어 한 명은 눈을 가리게 한 다음, 다른 한 명은 손바닥, 이마, 입술의 순서로 이쑤시개의 뾰족한 끝을 대어 가볍게 누르고 이쑤시개가 몇 개로 느껴지는지 말하게 한다.

→ 피부 감각 이외의 감각은 차단 (눈을 가리게 한 다음)

→ 감각점 중 촉점 (가볍게 누르고)

→ 감각점이 간격을 두고 있으므로 두 개의 이쑤시개 사이에 감각점이 하나 있는 경우 두 개의 이쑤시개로 누르더라도 감각점 하나만 자극을 받아 이쑤시개가 한 개인 것처럼 느껴진다.

(다) 이쑤시개 간격을 좁히면서 과정 (나)를 반복하여 결과를 기록한다. ㉠ 하나로 느껴지는 이쑤시개의 간격이 몸의 부위에 따라 어떤 차이가 있는지 비교한다.

| 결과 | 입술 < 손바닥 < 이마

부위	손바닥	이마	입술
㉠의 최소 거리	13 mm	17 mm	6 mm

(1) 감각점이 많을수록 피부 감각이 예민하며, 감각점이 많이 분포되어 있어 감각점 하나가 차지하는 공간이 좁으면 감각점 사이의 거리가 좁다는 것을 의미한다.

모범 답안 이쑤시개 간격에 해당하는 거리에 감각점이 한 개만 있기 때문이다.

채점 기준	배점(%)
이쑤시개 간격에 해당하는 거리에 감각점이 한 개만 있다는 내용을 옳게 설명한 경우	100
감각점이 한 개 있다는 내용을 서술하였으나, 감각점이 있는 자리가 이쑤시개 간격에 해당하는 거리라는 사실을 서술하지 않은 경우	50

(2) 두 이쑤시개 사이에 감각점이 하나만 있게 되는 간격이 넓다는 것은 감각점과 감각점 사이의 거리가 멀다는 것이므로 감각점의 밀도가 낮다는 것을 의미하고, 간격이 좁다는 것은 감각점의 밀도가 높아 같은 면적 안에 감각점 수가 많다는 것을 의미한다. 이러한 감각점의 분포는 몸의 부위에 따라 다르고, 입술 이외에도 손가락 끝에 감각점이 많이 분포되어 있어 다른 부위에 비해 민감하다.

모범 답안 입술, 두 개로 느껴지는 이쑤시개 간격이 좁을수록 감각점이 많이 분포하고 있어 예민한 부위이다.

채점 기준	배점(%)
입술을 쓰고, 그 까닭으로 감각점이 많이 분포하고 있기 때문이라는 사실을 옳게 서술한 경우	100
입술은 옳게 썼으나, 그 까닭을 옳게 서술하지 못한 경우	50

8 자극과 반응의 경로

자료 분석 + 다양한 행동이 나타날 때 반응 경로

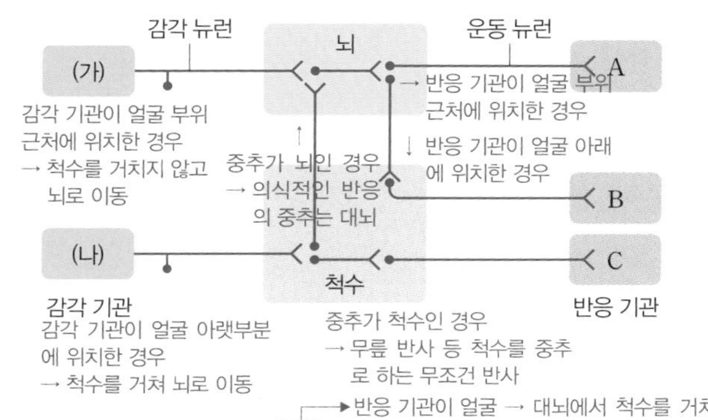

① 정지선을 위반하는 차를 보고 얼굴을 찡그렸다.

→ 반응 기관이 얼굴 → 대뇌에서 척수를 거치지 않고 반응 기관으로 이동

→ 의식적인 반응에서 감각 기관이 눈 → 척수를 거치지 않고 대뇌로 이동

② 어두운 방에서 손으로 벽을 더듬어 스위치를 찾았다.

→ 의식적인 반응에서 감각 기관이 손 → 척수를 거쳐서 대뇌로 이동

→ 반응 기관이 손 → 대뇌에서 척수를 거쳐서 반응 기관으로 이동

③ 뜨거운 냄비를 잡았다가 자신도 모르게 빨리 손을 뗐다.

→ 중추가 척수인데 감각 기관이 손 → 바로 척수로 전달

→ 무조건 반사이며 척수가 중추, 반응 기관이 손이므로 척수에서 바로 반응 기관으로 이동

(1) 감각 기관의 위치에 따라 중추로 자극이 이동할 때 척수를 거쳐서 가는 경우가 있고, 뇌로 바로 들어가는 경우가 있다.

(2) 의식적인 반응의 중추는 대뇌이고, 무의식적인 무조건 반사의 중추는 척수, 중간뇌, 연수이다.

모범 답안 ①, ② / ③, ①과 ②는 대뇌가 중추인 의식적인 반응이고, ③은 척수가 중추인 무조건 반사에 해당한다.

채점 기준	배점(%)
①, ②와 ③으로 구분하고, 각각의 중추를 대뇌와 척수로 옳게 설명한 경우	100
①, ②와 ③으로 구분하였으나, 그 까닭을 옳게 서술하지 못한 경우	50

기말고사 마무리 고난도 해결 전략 · 1회 64~67쪽

01 ⑤ 02 ④ 03 정환 04 ①
05 ④ 06 ② 07 ③
08 (가)=(라)>(나)=(다) 09 (1) 해설 참조 (2) 해설 참조
10 ④ 11 ⑤ 12 ④ 13 ②
14 (1) 9.8 m/s (2) 19.6 m 15 E 16 (1) 0.098 J
(2) 해설 참조

01 등속 운동의 시간-속력 그래프

자료 분석 + 시간-속력 그래프 분석

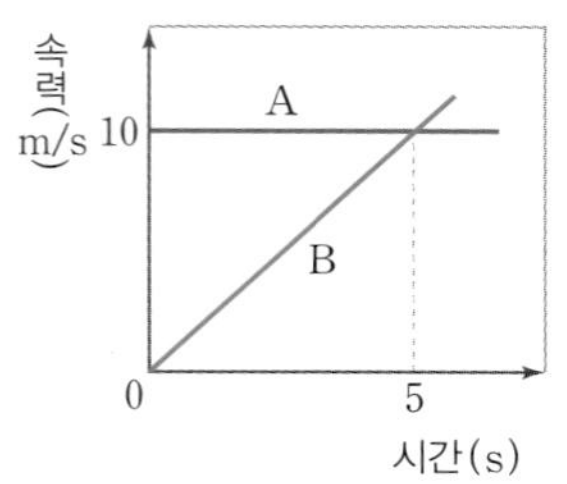

• A: 등속 운동
• B: 속력이 일정하게 빨라지는 운동

• 직선 아랫부분 넓이는 이동 거리이다.

ㄱ, ㄴ. 시간-속력 그래프에서 물체 A는 시간축에 나란한 직선 모양이므로 속력이 일정한 등속 운동이고, 물체 B는 원점을 지나는 직선 모양이므로 속력이 일정하게 빨라지는 운동이다.
ㄷ. 시간-속력 그래프의 직선 아랫부분 넓이는 이동 거리이다. 따라서 5초 동안 A의 이동 거리는 $10 \times 5 = 50$(m)이고, B의 이동 거리는 $\frac{1}{2} \times 10 \times 5 = 25$(m)로 5초 동안 A의 이동 거리는 B의 2배이다.

02 등속 운동 그래프

자료 분석 + 등속 운동 그래프

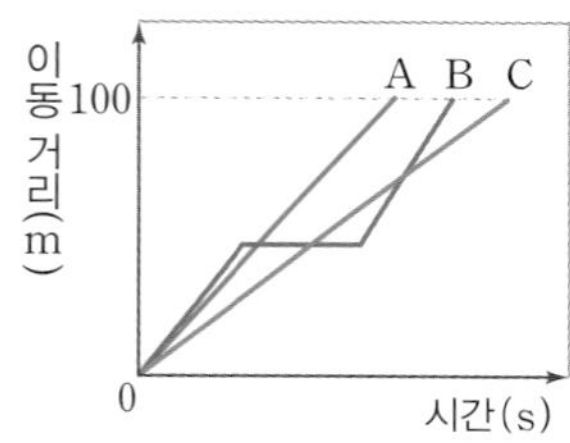

• 시간-이동 거리 그래프의 직선의 기울기는 속력을 나타낸다.
• B에서 시간이 지남에도 이동 거리가 변하지 않는 것은 정지 상태를 의미한다.

• 이동 거리가 시간에 비례하는 그래프는 등속 운동을 나타낸다.

ㄱ. 물체의 속력은 이동 거리가 일정할 때 걸린 시간이 짧을수록 크다. 따라서 10 m 지점에 도착하기까지 걸린 시간이 가장 짧은 A가 가장 빠르고 가장 먼저 도착한다.
ㄴ. B는 이동 거리가 일정한 구간이 있으므로 달리는 도중에 잠깐 멈추었다.
바로 알기 ㄷ. 평균 속력은 전체 이동 거리를 걸린 시간으로 나누어 구하므로 같은 거리를 이동하는 데 걸린 시간이 가장 짧을수록 빠르다. 따라서 평균 속력이 가장 빠른 사람은 A이다.

03 등속 운동의 기록

자료 분석 + 등속 운동의 기록

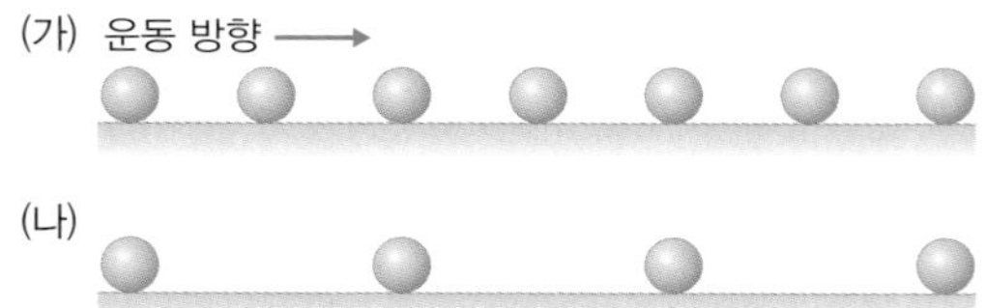

• 같은 시간 동안 기록한 운동이므로 (가), (나) 모두 속력이 일정한 운동이다.
• (나)가 (가)보다 같은 시간 동안 이동 거리가 길므로 (나)가 더 속력이 빠른 운동이다.
• 등속 운동은 힘을 받지 않는 운동이다.

• 수민: (가), (나) 두 운동 모두 일정한 시간 간격 동안의 이동 거리가 일정하므로 속력이 일정한 운동이다.
• 연경, 재식: (나)는 같은 시간 동안 이동한 거리가 (가)보다 길므로 (나)의 빠르기는 (가)보다 크다.
바로 알기 • 정환: (가)와 (나)는 속력이 일정한 등속 운동을 하므로 힘을 받지 않는 운동이다.

04 자유 낙하 운동

① 달에서의 중력은 지구에서보다 작으므로 물체는 지구에서보다 작은 힘을 받는다. 달에서도 질량이 클수록 받는 힘이 크기 때문에 가장 큰 힘을 받는 것은 배구공이다.
바로 알기 ②, ③, ④ 지구에서와 마찬가지로 낙하 높이가 같다면 질량에 관계없이 동시에 떨어진다.
⑤ 달에서 물체에 작용하는 중력의 크기가 지구에서보다 작으므로 달에서의 속력 변화는 지구에서보다 작다.

05 자유 낙하 운동

자료 분석 + 자유 낙하 운동의 시간-속력 그래프

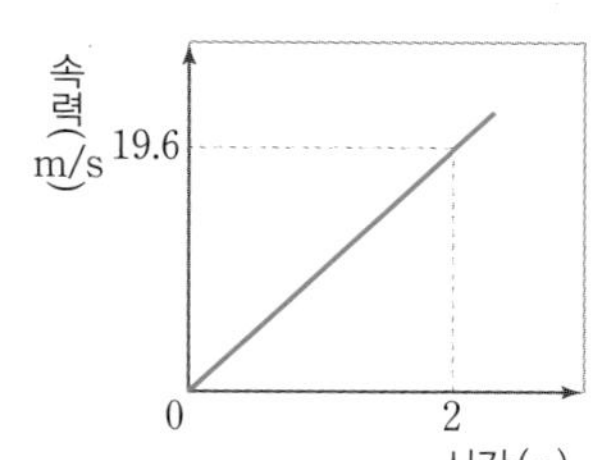

• 자유 낙하 운동의 시간-속력 그래프이다.
• 자유 낙하 운동은 매초 9.8 m/s씩 속력이 일정하게 증가한다.
• 중력 가속도 상수는 9.8이다.

①, ②, ③ 자유 낙하 운동을 하는 물체는 중력만을 받아 떨어지는 운동을 한다. 중력 가속도 상수는 9.8이므로 물체는 질량에

관계없이 속력이 매초 9.8 m/s씩 일정하게 증가한다.

⑤ 질량이 1 kg인 물체에 작용하는 중력의 크기는 9.8 N이다.

바로 알기 ④ 자유 낙하 하는 물체는 질량에 관계없이 매초 9.8 m/s씩 속력이 일정하게 증가한다. 따라서 질량이 2 kg인 물체도 1초마다 속력이 9.8 m/s씩 일정하게 증가한다.

06 힘을 받는 물체의 시간－속력 그래프

자료 분석 + 빗면에서 운동하는 물체의 시간－속력 그래프

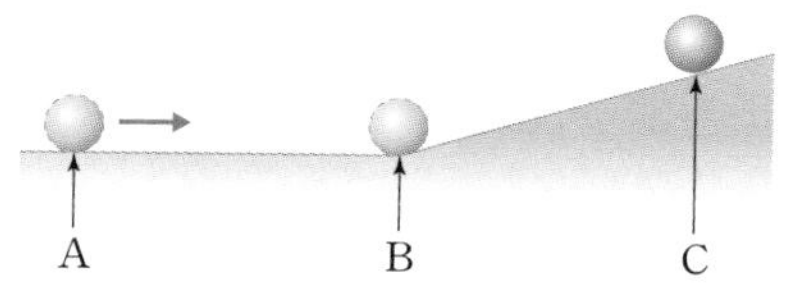

• AB 구간: 물체에 작용하는 힘이 없으면 물체는 처음 속력 그대로 등속 운동한다.
• BC 구간: 물체의 운동 방향과 반대 방향으로 운동을 방해하는 힘을 받는다.

A에서 B까지는 공에 작용하는 힘이 없으므로 속력이 변하지 않는 등속 운동을 하고, B에서 C까지는 운동 방향과 반대 방향으로 힘(빗면을 따라 내려오려는 힘)을 받으므로 속력은 점점 느려지는 운동을 한다.

07 자유 낙하 운동 그래프

자료 분석 + 자유 낙하 운동 그래프

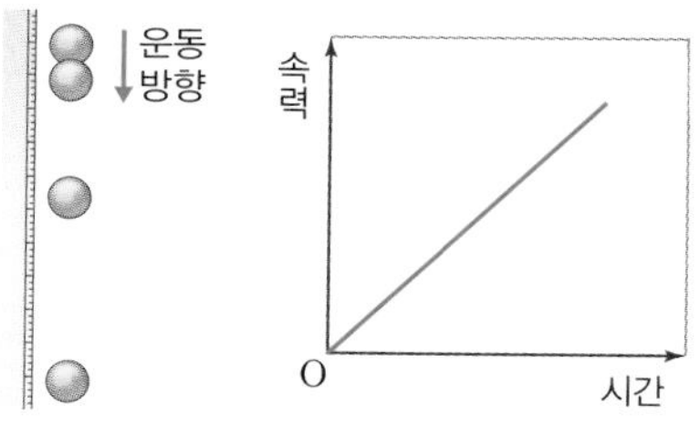

• 자유 낙하 운동의 시간－속력 그래프이다.
• 자유 낙하 운동은 물체의 질량에 관계없이 매초 9.8 m/s씩 속력이 일정하게 증가한다.

자유 낙하 하는 물체는 질량과 관계없이 매초 9.8 m/s씩 속력이 빨라진다. 따라서 질량이 다른 물체를 같은 높이에서 자유 낙하시켜도 물체의 속력 변화는 같다.

08 자유 낙하 운동

물체가 지면에 도달하는 순간 속력의 크기는 처음 높이에 따라 달라진다. 따라서 물체를 떨어뜨리는 높이가 높을수록 지면에 도달하는 순간의 속력은 크며 속력 변화는 질량에는 관계가 없으므로 지면에 도달하는 순간의 속력의 크기는 (가)=(라)>(나)=(다) 순이 된다.

09 과학에서의 일

(1) (가) 사람이 상자를 들고 서 있으므로 상자에는 사람이 드는 힘이 위쪽으로, 중력이 아래 방향으로 작용한다. (나) 컵을 들고 이동하므로 컵에는 사람이 컵을 드는 힘이 위로 작용하고 중력이 아래로 작용한다.

모범 답안 (가), (나)에서 상자와 컵에 사람이 작용하는 힘은 중력과 반대 방향인 위쪽이다.

채점 기준	배점(%)
(가), (나) 모두 사람이 작용하는 힘을 모두 옳게 표시한 경우	100
(가), (나) 중에서 한 가지만 옳게 표시한 경우	50

(2) 물체를 들고 있는 경우나 들고 수평 방향으로 이동하는 경우 물체에 작용하는 힘의 방향은 위쪽이고 힘의 방향으로 이동 거리가 0이므로 한 일도 0이 된다.

모범 답안 일의 양: (가) 0 (나) 0

(가) 상자의 이동 거리가 0이므로 사람이 상자에 한 일은 0이며, (나) 사람이 컵에 작용하는 힘과 컵의 이동 방향이 수직이므로 한 일은 0이다.

채점 기준	배점(%)
(가), (나)에서 사람이 한 일을 모두 옳게 서술한 경우	100
(가), (나)에서 사람이 한 일 중 한 가지만 옳게 서술한 경우	50

10 물체에 한 일

자료 분석 + 나무 도막을 이동시키는 일

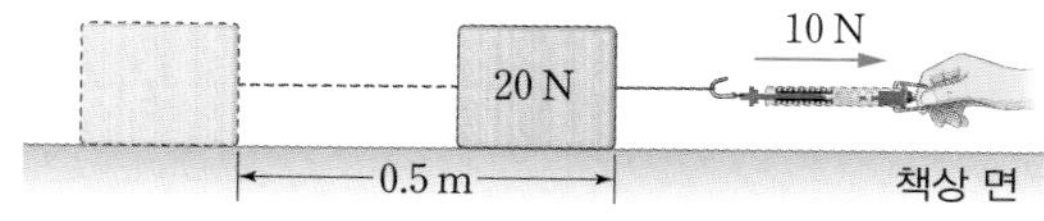

• 책상 면에서 나무 도막을 천천히 당길 때 용수철저울의 눈금은 마찰력의 크기와 같다.
• 이때 한 일은 '용수철저울의 눈금×이동 거리'이다.

BOOK 2

④ 용수철저울의 눈금이 10 N을 가리켰으므로 나무 도막을 0.5 m 이동하는 동안 한 일은 10 N×0.5 m=5 J이다. 이때 한 일은 같은 나무 도막이 높이 0.25 m에서 떨어질 때 중력이 한 일(20 N×0.25 m=5 J)과 같다.

바로 알기 ① 나무 도막에 한 일은 10 N×0.5 m=5 J이다.
② 나무 도막이 받는 마찰력의 크기는 나무 도막을 천천히 끌고 갈 때의 용수철저울의 눈금과 같으므로 10 N이다.
③ 나무 도막에 한 일은 나무 도막을 0.25 m 들어올릴 때 한 일(20 N×0.25 m=5 J)과 같다.
⑤ 나무 도막에 한 일은 나무 도막이 0.25 m 높이에서 가지는 중력에 의한 위치 에너지(20 N×0.25 m=5 J)와 같다.

11 중력에 의한 위치 에너지

자료 분석 + 중력에 의한 위치 에너지의 크기

실험	추의 질량	추의 낙하 높이	나무 도막의 이동 거리
A	10 kg	50 cm	5 cm
B	10 kg	100 cm	10 cm
C	20 kg	50 cm	10 cm

(표 안 화살표: A→C 추의 질량 2배, A→B 낙하 높이 2배, 이동 거리 2배)

• 실험 B는 실험 A에서 추의 높이를 2배로 한 경우 나무 도막이 이동한 거리도 2배
• 실험 C는 실험 A에서 추의 질량을 2배로 한 경우 나무 도막이 이동한 거리도 2배
• 결론적으로 추의 위치 에너지는 추의 질량과 높이에 비례

추의 위치 에너지는 나무 도막을 밀고 가는 일에 쓰였다. 따라서 $9.8\,mh$=나무 도막에 작용하는 마찰력×나무 도막의 이동 거리에서 $9.8\times10\times0.5=F\times0.05$, 마찰력 $F=980$ N

바로 알기 ⑤ 추의 질량이 20 kg, 낙하 높이가 100 cm이면 실험 B에서 추의 질량이 2배인 경우이다. 따라서 나무 도막의 이동 거리는 실험 B의 2배인 20 cm이다.

12 중력에 대해 한 일과 중력이 한 일

자료 분석 + 중력에 대해 한 일과 중력이 한 일

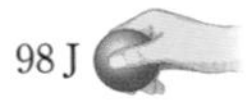

• 중력에 대해 한 일=중력에 의한 위치 에너지=중력이 한 일=지면에 도달하는 순간 운동 에너지
• $98\text{ J}=\frac{1}{2}\times4\text{ kg}\times$속력^{2}에서 속력은 7 m/s이다.

물체를 들어 올릴 때는 중력에 대해 일을 하므로 물체가 다시 떨어지면 중력이 물체에 대해 일을 한다. 물체를 들어 올릴 때 한 일이 98 J이면 다시 떨어질 때 중력이 물체에 한 일도 98 J이 된다. 따라서 물체가 지면에 도달하는 순간의 속력은

$98\text{ J}=\frac{1}{2}\times4\text{ kg}\times$속력^{2}에서 속력은 7 m/s이다.

13 운동 에너지

자료 분석 + 운동 에너지의 크기

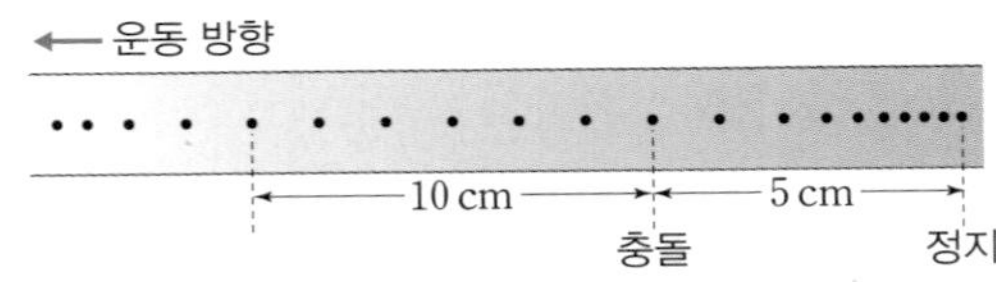

• 수레의 운동을 기록한 종이테이프에 찍힌 타점으로부터 수레의 속력을 구한다.
• 수레의 속력$=\frac{\text{이동 거리}}{\text{걸린 시간}}$이고, 종이테이프 10 cm를 이동하는 데 걸린 시간은 타점 수로 구한다.

시간기록계가 1초에 60타점을 찍으므로, 충돌 전 10 cm 구간을 이동하는 데 걸린 시간$=\frac{1}{60}\times6=0.1$(초)이다. 즉, 수레는 0.1초 동안 0.1 m 이동하였으므로 수레의 속력은 1 m/s이다. 따라서 수레의 운동 에너지는 $\frac{1}{2}\times2\text{ kg}\times(1\text{ m/s})^2=1\text{ J}$이며, 이 운동 에너지는 자를 5 cm만큼 이동하는 일로 전환되었다. 따라서 1 J=마찰력×0.05 m에서 마찰력의 크기는 20 N이다.

14 운동 에너지

자료 분석 + 중력이 한 일과 운동 에너지

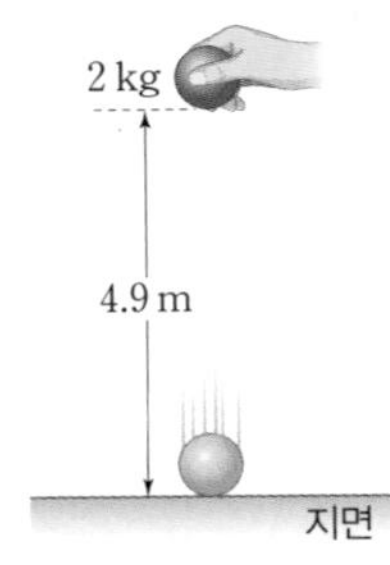

• 중력이 한 일=물체의 운동 에너지
• $9.8\times2(\text{kg})\times4.9(\text{m})=96.04(\text{J})$
• $96.04\text{ J}=\frac{1}{2}\times2\text{ kg}\times v^2$에서 물체가 지면에 도달하는 순간의 속력은 9.8 m/s이다.
• 속력이 2배이면 운동 에너지는 4배이므로 중력이 한 일도 4배, 즉 낙하 거리가 4배가 되어야 한다.

(1) 중력이 물체에 한 일이 운동 에너지이고
운동 에너지$=\frac{1}{2}\times$질량×속력^{2}이다. 중력이 물체에 한 일이 $9.8\times2(\text{kg})\times4.9(\text{m})=96.04(\text{J})$이면 $96.04\text{ J}=\frac{1}{2}\times2\text{ kg}\times$

v^2에서 물체가 지면에 도달하는 순간의 속력은 9.8 m/s이다.

(2) 속력이 2배가 되면 운동 에너지는 4배가 되므로 중력이 물체에 한 일도 4배가 되어야 하므로 떨어뜨리는 높이도 4배가 되어야 한다. 4.9 m×4=19.6 m

15 자유 낙하와 운동 에너지

자료 분석 + 중력이 한 일과 운동 에너지

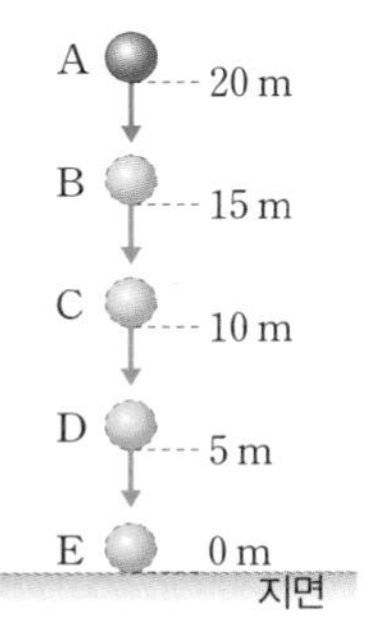

• 중력이 한 일=운동 에너지
• 중력이 한 일은 낙하 거리에 비례하므로 운동 에너지도 낙하 거리에 비례한다.
• 속력이 2배이면 운동 에너지는 4배이므로 낙하 거리도 4배가 되어야 한다.

물체가 자유 낙하 할 때 중력이 물체에 한 일은 증가한 운동 에너지와 같다. B 지점에서보다 속력이 2배가 되면 운동 에너지는 4배가 되어야 하므로 중력에 의해 이동한 거리가 5 m의 4배인 20 m가 된다. A 지점에서 20 m 낙하하면 E 지점이 된다.

16 중력이 한 일과 운동 에너지

자료 분석 + 중력이 한 일과 운동 에너지의 관계 알아보기

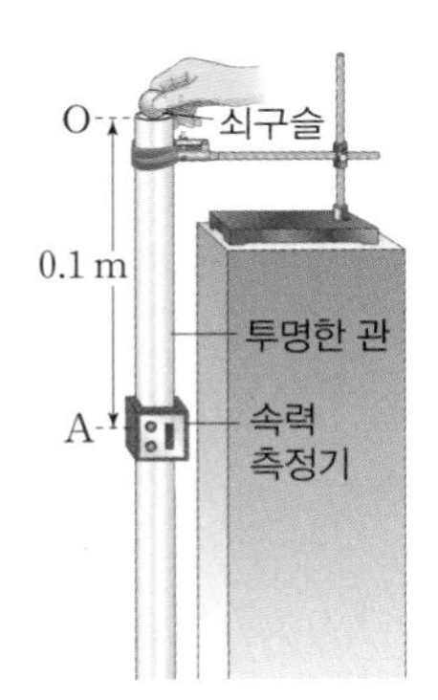

• 물체가 자유 낙하 하는 동안 중력이 물체에 한 일의 양과 물체의 운동 에너지가 같다. 이는 물체가 자유 낙하 할 때 중력이 한 일이 모두 운동 에너지로 전환되기 때문이다.
• 0.1 m 자유 낙하 했을 때 중력이 한 일: 9.8×0.1(kg)×0.1(m)=0.098(J)

(1) 쇠구슬이 O 지점에서 A 지점까지 0.1 m를 자유 낙하 했을 때 중력이 쇠구슬에 한 일은 9.8×0.1(kg)×0.1(m)=0.098(J)이다.

(2) 자유 낙하 운동에서 물체의 운동 에너지는 중력이 한 일과 같다. 중력이 한 일은 9.8×질량×낙하 거리이고 운동 에너지는 $\frac{1}{2}$×질량×속력^{2}이다.

모범 답안 1.4 m/s, 자유 낙하 운동에서 물체의 운동 에너지 증가량은 중력이 한 일과 같다. 따라서 $0.098\,\text{J}=\frac{1}{2}\times0.1\,\text{kg}\times v^2$에서 속력 v는 1.4 m/s이다.

채점 기준	배점(%)
중력이 한 일과 운동 에너지의 관계로 속력을 옳게 구한 경우	100
속력만 옳게 구한 경우	30

기말고사 마무리 고난도 해결 전략 · 2회

68~71쪽

01 ① 02 ③ 03 ① 04 해설 참조
05 ① 06 ③ 07 ③ 08 ⑤
09 ① 10 (1) 해설 참조 (2) C → B → A
11 ② 12 ③ 13 ① 14 ③
15 해설 참조 16 ③

01 시각

자료 분석 + 눈의 조절 작용

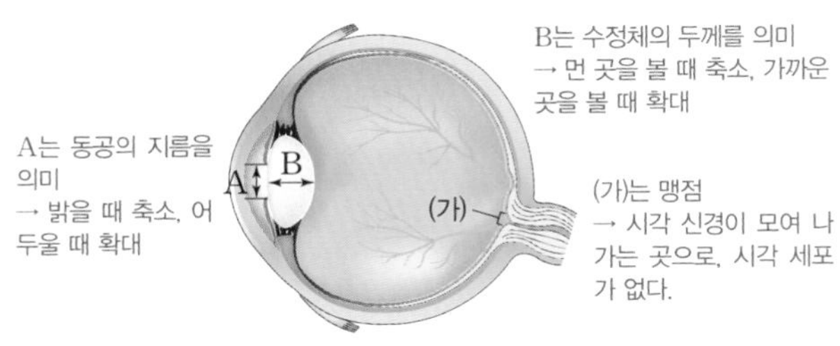

A는 동공의 지름에 해당하고, B는 수정체의 두께에 해당한다. (가)는 시각 신경이 모여 눈 밖으로 나가는 맹점이다.

ㄱ. 밝은 곳에서 어두운 곳으로 이동할 때 홍채가 축소되면서 동공의 면적이 넓어진다.

바로 알기 ㄴ. 먼 곳을 볼 때 섬모체가 이완되면서 수정체가 얇아진다.

ㄷ. 맹점에는 시각 세포가 없어 상이 맺혀도 보이지 않는다.

02 귀의 구조

자료 분석 + 반고리관, 전정 기관, 달팽이관의 기능 구분하기

부위 \ 특징	㉠ (5) 달팽이관만 갖는 특징 → 청각 세포가 있다.	㉡ (2) 두 가지 부위가 갖는 특징 → 평형 감각을 담당한다.	㉢ (6) 몸의 회전을 감지한다.
A (4) 달팽이관	○	×	? (×)
B (3) 반고리관과 특징을 공유하는 부위 → 전정 기관	×	○	? (×)
C (1) 특징 두 개를 갖는 부위 → 반고리관	? (×)	○	○

※ (1)~(6)의 번호 순으로 내용을 이해한다. (○: 있음, ×: 없음)

㉠~㉢의 특징
- 평형 감각을 담당한다. 반고리관, 전정 기관
- 몸의 회전을 감지한다. 반고리관
- 청각 세포가 있다. 달팽이관

세 가지 특징 중 반고리관만 두 가지 특징을 갖고 있으며, 세 가지 특징 중 '평형 감각을 담당한다.'는 반고리관과 전정 기관이 공유하는 특징이다. 따라서 C가 반고리관이고 ㉡이 '평형 감각을 담당한다.'이다. ㉡을 반고리관과 함께 갖는 B가 전정 기관이므로 A는 달팽이관, B는 전정 기관, C는 반고리관이다.

ㄱ. A는 달팽이관이므로 귓속뼈에서 증폭된 진동이 전달되는 곳이다.

ㄴ. ㉡을 반고리관과 함께 갖는 B가 전정 기관이다.

바로 알기 ㄷ. ㉠은 달팽이관이 갖는 특징이므로 '청각 세포가 있다.'이고, ㉢은 '몸의 회전을 감지한다.'이다.

03 눈의 구조와 기능

자료 분석 + 사람의 눈에 관한 여러 가지 특징

- 한쪽 눈으로만 볼 때는 거리를 정확하게 판단하기 어렵다.
  → 정확한 거리 판단에 두 눈이 필요함
- 어두운 곳에 있다가 밝은 곳으로 나오면 동공이 축소된다.
  → 중간뇌를 중추로 한 무조건 반사로, 홍채가 확장되면서 동공 크기가 작아짐
- 왼쪽에 ○, 오른쪽에 ×가 그려진 종이를 50 cm의 거리에 놓고, 왼쪽 눈을 감은 채 오른쪽 눈으로 ○를 주시하면서 종이를 얼굴 가까이 움직이면 어느 순간 ×가 보이지 않는다.
  → 상이 맺힌 망막의 지점에서 코 쪽으로 시선이 이동할 때 보이지 않음. 맹점은 망막 가운데 기준으로 코 쪽에 위치함

ㄱ. 정확한 거리를 판단할 때는 두 눈에 맺힌 상으로부터 형성되는 각도 등 종합적인 정보가 필요하므로 입체적인 시각이 이루어지기 위해서는 두 눈이 필요하다.

바로 알기 ㄴ. 맹점은 망막에서 시각 신경이 모여 나가는 곳으로, 시각 세포가 없어 상이 맺혀도 볼 수 없는 부분이다. 시각 신경은 오른쪽 눈과 왼쪽 눈에서 각각 대뇌로 연결되어 있으므로 맹점은 양쪽 눈에 모두 존재한다.

ㄷ. 밝은 곳에서는 홍채가 확장되면서 동공의 크기가 작아지고, 어두운 곳에서는 홍채가 축소되면서 동공이 커지는데, 이는 중간뇌를 중추로 하는 무조건 반사이다.

04 미각

자료 분석 + 미각과 후각에 관한 실험

과정

두 사람이 짝을 지어 한 사람이 눈을 가린 상태에서 코를 막았을 때와 막지 않았을 때 오렌지주스와 포도주스의 맛을 구분해 본다.
(코를 막았을 때 → 미각만 작용 / 막지 않았을 때 → 미각+후각이 작용)

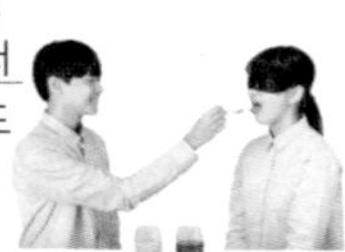

결과

(가)

미각과 후각은 맛을 구분하는 데 함께 작용하기 때문에 감기로 냄새를 맡지 못하면 미각만 작용하므로 음식의 맛을 제대로 느끼지 못한다.

모범 답안 코를 막았을 때 두 주스의 맛을 잘 구분하지 못했다. 맛을 구분하는 데 후각이 미각과 함께 작용하기 때문이다.

채점 기준	배점(%)
실험 결과와 그 까닭을 모두 옳게 서술한 경우	100
실험 결과는 옳게 서술하였으나 그 까닭을 옳게 서술하지 못한 경우	50

05 눈의 조절 작용

자료 분석 + 밝기에 따른 동공 크기 변화

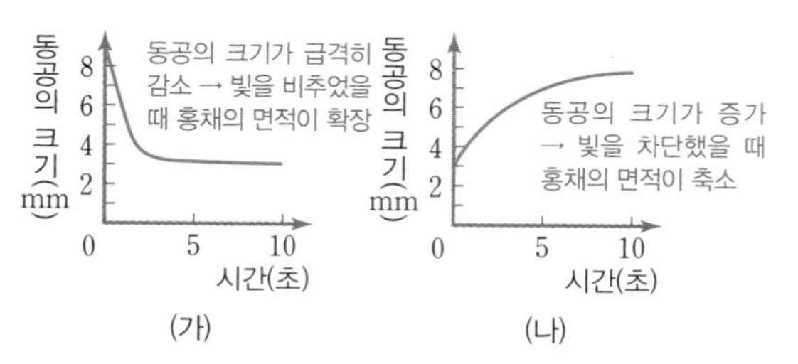

밝은 곳에서는 홍채의 면적이 확장되면서 동공의 크기가 작아지고, 어두운 곳에서는 홍채의 면적이 축소되면서 동공의 크기가

커진다.

ㄱ. (가)에서 동공의 크기가 급격히 작아지므로 갑자기 눈에 빛을 비추었을 때이다.

바로 알기 ㄴ. 5초일 때보다 10초일 때 동공의 크기가 커졌으므로 홍채의 면적은 축소되었다.

ㄷ. (가)에서는 동공의 크기가 작아졌고, (나)에서는 동공의 크기가 커졌다.

06 코의 구조

자료 분석 + 코 내부의 구조

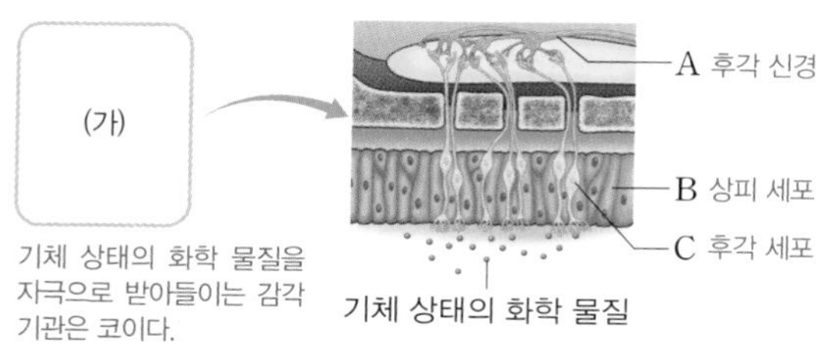

감각 기관의 종류에 따라 받아들이는 자극의 종류가 다르다. A는 후각 신경, B는 상피 세포, C는 후각 세포이다.

ㄱ. 기체 상태의 화학 물질을 자극으로 받아들이는 감각 기관은 코이다.

ㄷ. 후각은 우리 몸의 감각 중 가장 예민한 감각이다.

바로 알기 ㄴ. 후각의 성립 과정은 기체 상태의 화학 물질 → 후각 세포(C) → 후각 신경(A) → 대뇌이다.

07 청각

자료 분석 + 귀의 구조와 진폭의 변화

청각의 성립 경로는 소리 → 귓바퀴 → 귓구멍 → 고막 → 귓속뼈 → 달팽이관의 청각 세포 → 청각 신경 → 뇌이다.

ㄱ. A 부분은 귓속뼈에서 진폭이 커지는 것을 나타내며, 증폭된 진동은 달팽이관의 청각 세포로 전달된다.

ㄷ. 귓속뼈는 고막의 진동을 증폭하여 달팽이관으로 전달하는 기능을 한다.

바로 알기 ㄴ. A 부분에서 진폭이 증가하고 있으며, 진폭은 소리의 세기와 관련된다. 소리의 높낮이는 진동수와 관련이 있다.

08 피부 감각

처음보다 온도가 높아지면 피부의 온점이 자극을 받아들이고, 처음보다 온도가 낮아지면 피부의 냉점이 자극을 받아들인다.

⑤ 따뜻하게 느낀 오른손에서는 온도가 상승하는 자극을 온점이 받아들였고, 차갑게 느낀 왼손에서는 온도가 하강하는 자극을 냉점이 받아들였다.

바로 알기 ① 반응 속도에 대해서는 알아보지 않아 이 실험으로 알 수 없다.

② 피부의 냉점과 온점은 절대적인 온도가 아니라 같은 온도에서도 그 이전의 온도에 대해 변화한 것을 자극으로 받아들인다.

③ 냉점과 온점의 분포량에 대해서는 이 실험으로 알 수 없다.

④ 이 실험에서는 오른손은 온도 상승의 자극으로 인해 따뜻하게 느꼈으므로 온점이, 왼손은 온도 하강의 자극으로 인해 차갑게 느꼈으므로 냉점이 자극을 받아들였다.

09 신경계

사람의 신경계는 자극을 판단하고 명령을 내리는 중추 신경계와 중추 신경계에서 뻗어 나와 온몸에 분포하는 말초 신경계로 구분된다.

ㄱ. 뇌와 척수로 구성된 A는 중추 신경계이다.

바로 알기 ㄴ. B는 말초 신경계이며, 연합 뉴런은 중추 신경계를 구성하는 뉴런이다.

ㄷ. 자율 신경은 말초 신경계에 속한 신경이다.

10 자극과 반응의 경로

(1) 뇌와 척수 등 중추 신경계를 구성하는 신경이 연합 신경이고, 감각 기관으로부터 받아들인 자극을 중추 신경계로 전달하는 신경이 감각 신경이다. 운동 신경은 중추 신경계에서 내린 명령을 반응 기관에 전달하는 신경이다.

모범 답안 A는 운동 신경, B와 D는 연합 신경, C는 감각 신경에 해당한다.

채점 기준	배점(%)
A~D에 해당하는 신경의 종류를 모두 옳게 쓴 경우	100
A~D 중 세 가지에 해당하는 신경의 종류를 옳게 쓴 경우	75
A~D 중 두 가지에 해당하는 신경의 종류를 옳게 쓴 경우	50
A~D 중 한 가지에 해당하는 신경의 종류를 옳게 쓴 경우	25

(2) 무릎 반사는 척수를 중추로 하는 무조건 반사이다. 무릎 반사의 반응 경로는 자극 → 감각 기관 → 감각 신경 → 척수 → 운동 신경 → 반응 기관 → 반응이다.

11 뇌

대뇌의 기능만 상실되었고, 그 외의 간뇌와 중간뇌의 기능은 상실되지 않았다.

ㄴ. 중간뇌의 기능은 상실되지 않았으므로 동공 반사가 일어난다.

바로 알기 ㄱ. 갑상샘 자극 호르몬은 체온을 조절하는 간뇌를 중추로 하여 뇌하수체에서 분비된다. 간뇌와 뇌하수체의 기능은 상실되지 않았으므로 갑상샘 자극 호르몬은 정상적으로 분비된다.

ㄷ. 사물을 보거나 소리를 듣는 시각과 청각은 모두 대뇌의 기능이다. 대뇌의 기능이 상실되었으므로 사물을 볼 수도 소리를 들을 수도 없다.

12 항상성 유지

자료 분석 + 체온 조절 과정

자극을 주었을 때 체온이 올라가는 반응이 나타남 → ㉠ 자극은 저온 자극이며, 열 방출량 감소와 열 발생량 증가의 반응이 나타남

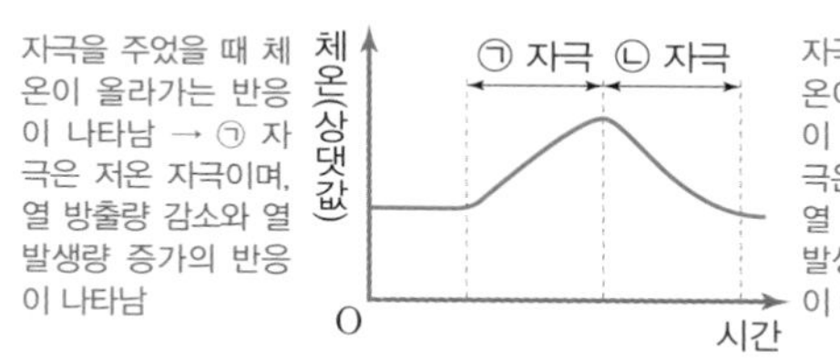

자극을 주었을 때 체온이 내려가는 반응이 나타남 → ㉡ 자극은 고온 자극이며, 열 방출량 증가와 열 발생량 감소의 반응이 나타남

저온 자극을 주면 체온 조절 중추에서 체온을 높이는 명령을 하여 체온을 정상화하고, 고온 자극을 주면 체온 조절 중추에서 체온을 낮추는 명령을 하여 체온이 정상화된다.

ㄱ. ㉠ 자극을 주었을 때 체온이 올라가는 조절이 나타났으므로 ㉠ 자극은 저온 자극이다.

ㄷ. ㉡ 자극을 주었을 때 체온이 내려가는 조절이 나타났으므로 ㉡ 자극은 고온 자극이며, 땀 분비로 열 방출량을 증가시키는 것은 체온을 낮추는 조절 방법 중 하나이다.

바로 알기 ㄴ. 사람의 체온 조절 중추는 간뇌이다.

13 자극에 대한 반응

떨어지는 자를 보고 잡는 반응의 시간을 자가 떨어진 위치를 통해 구할 수 있다.

ㄱ. 떨어지는 자를 보고 자를 잡는 반응은 의식적인 반응이므로 중추는 대뇌이다.

바로 알기 ㄴ. 자가 떨어진 거리가 길다는 것은 반응이 늦게 나타난 것이므로 반응 시간이 긴 것이다.

ㄷ. 자극에 대한 반응 경로는 눈 → 시각 신경 → 대뇌 → 척수 → 손이므로, 자극이 전달되어 반응하기까지의 거리는 눈에서 뇌까지의 신경 길이와 뇌에서 손까지의 신경 길이의 합에 해당한다.

14 항상성 유지

자료 분석 + 더울 때와 추울 때의 피부 근처 모세 혈관 변화

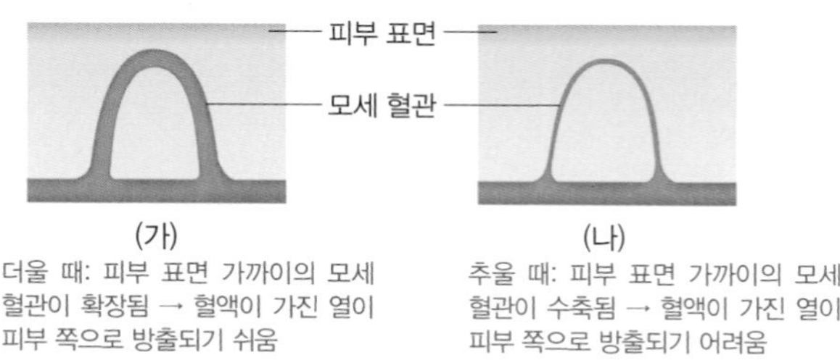

(가) 더울 때: 피부 표면 가까이의 모세 혈관이 확장됨 → 혈액이 가진 열이 피부 쪽으로 방출되기 쉬움

(나) 추울 때: 피부 표면 가까이의 모세 혈관이 수축됨 → 혈액이 가진 열이 피부 쪽으로 방출되기 어려움

체온 조절은 열 방출량을 조절하는 방법과 열 발생량을 조절하는 방법이 있다. 피부 표면 쪽 모세 혈관의 굵기 조절은 열 방출량을 조절하는 방법이고, 티록신 등 호르몬의 분비량 변화로 세포 호흡 속도를 조절하는 것은 열 발생량을 조절하는 방법이다.

ㄱ. (가)는 더울 때, (나)는 추울 때의 조절이다. 더울 때는 땀 분비가 증가하여 기화열을 통한 열 방출량을 증가시킨다.

ㄴ. 추울 때는 피부 표면 쪽 모세 혈관이 축소되면서 혈액이 가진 열의 방출량을 감소시킨다.

바로 알기 ㄷ. 티록신은 세포 호흡을 촉진하는 기능이 있어 (나)와 같이 추울 때 분비량이 증가하여 세포 호흡을 통한 열 발생량을 촉진시킨다.

15 항상성 유지

자료 분석 + 혈당량에 따른 인슐린과 글루카곤 분비량

㉠은 혈중 포도당 농도(혈당량)가 감소할 때 혈중 농도가 증가한다.→ 혈당량이 낮을 때 분비량이 증가하여 혈당량을 높이는 조절을 하는 글루카곤

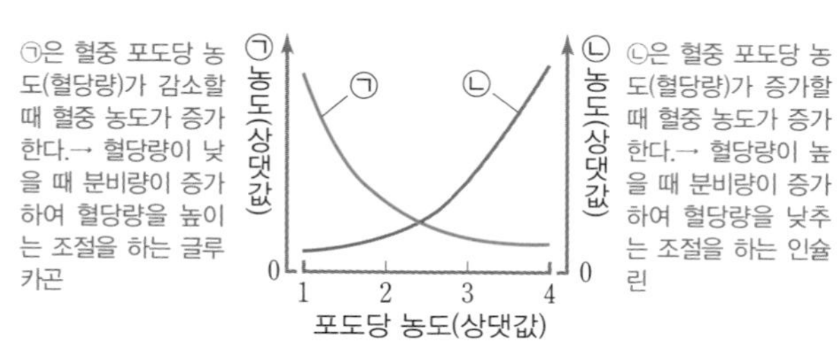

㉡은 혈중 포도당 농도(혈당량)가 증가할 때 혈중 농도가 증가한다.→ 혈당량이 높을 때 분비량이 증가하여 혈당량을 낮추는 조절을 하는 인슐린

인슐린은 포도당을 글리코젠으로 전환하여 혈당량을 낮추고, 글루카곤은 글리코젠을 포도당으로 분해하여 혈당량을 높이는 호

르몬이다.

모범 답안 ㉠은 글루카곤, ㉡은 인슐린이다. 글루카곤은 혈당량을 높이는 작용을 하고 인슐린은 혈당량을 낮추는 작용을 하는 호르몬이므로 포도당 농도가 증가할 때 분비량이 감소하는 ㉠이 글루카곤이고 포도당 농도가 증가할 때 분비량이 증가하는 ㉡이 인슐린이다.

채점 기준	배점(%)
㉠과 ㉡의 호르몬 이름을 옳게 쓰고, 그림을 분석하여 그 까닭을 옳게 서술한 경우	100
㉠과 ㉡의 호르몬 이름은 옳게 썼으나, 그 까닭을 서술하면서 그림을 분석한 내용이 옳지 않은 경우	50

16 항상성 유지

자료 분석 + 건강한 사람과 당뇨병 환자의 비교

건강한 사람: 탄수화물 섭취 → 혈당량 증가 → 인슐린 분비량 증가

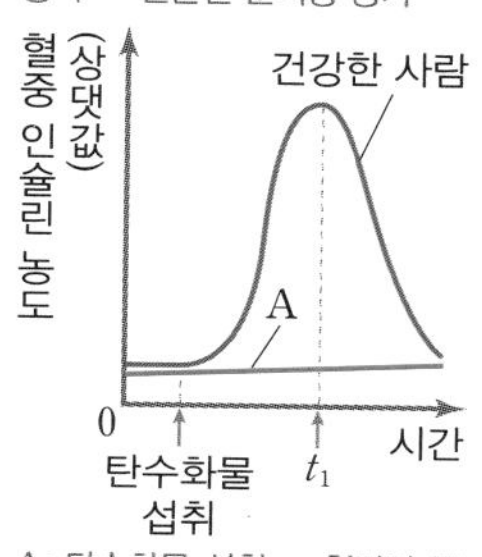

A: 탄수화물 섭취 → 혈당량 증가 → 인슐린 분비량 증가하지 않음

당뇨병	원인
(가)	인슐린이 정상적으로 생성되지 않음 혈당량이 증가해도 인슐린 분비량이 증가하지 않음: A
(나)	인슐린은 정상적으로 분비되나 효과를 나타내는 기관에서 반응하지 않음 혈당량 증가 시 인슐린 분비가 건강한 사람과 유사하게 증가

건강한 사람은 탄수화물 섭취 시 혈당량이 증가하여 인슐린 분비량(혈중 인슐린 농도)이 많아지고, 다시 혈당량이 감소하는 조절이 일어난다. A는 탄수화물을 섭취하여 혈당량이 증가한 이후에도 인슐린 분비량이 거의 증가하지 않는다.

ㄱ. A는 탄수화물 섭취로 혈당량이 증가해도 혈중 인슐린 농도가 높아지지 않는 것으로 보아 인슐린이 정상적으로 생성되지 않는 (가)에 해당한다.

ㄴ. 인슐린은 간에서 포도당이 글리코젠으로 합성되는 반응을 촉진하여 혈당량을 낮춘다.

바로 알기 ㄷ. t_1일 때 혈중 인슐린 농도는 A가 건강한 사람보다 낮다. A는 혈당량이 높아졌을 때 이를 낮추는 인슐린 농도가 낮으므로 혈당량(혈중 포도당 농도)은 건강한 사람보다 더 높다.

memo